策划编辑：方国根

编辑主持：方国根　夏　青

责任编辑：钟金铃

封面设计：石笑梦

版式设计：顾杰珍

国家社科基金重点项目(11AZD052)

朱志荣／主编

中国审美意识通史

ZHONGGUO SHENMEI YISHI TONGSHI

·秦汉卷·

王怀义／著

人民出版社

目 录

绪　论

　　秦汉时期是中国古代审美意识发生突变的一个时期。中国古代的审美意识在这一时期出现了很多新内容,形成了自己的特点:以丽为美成为汉代审美意识的基本特点,对日常生活之美的享受成为秦汉(尤其是汉代)审美意识的主要内容。在社会阶层构成方面,以刘邦集团为代表的平民阶层在汉代成为统治阶级,他们的审美趣味是民间化、世俗化和生活化的,因此,以世袭贵族为欣赏主体的高雅艺术逐渐衰落,清新动人、情感真挚的民间艺术得以发达。在思想方面,秦汉思想家对先秦时期的天人思想进行了总结,将之与新兴的政权结合起来,使秦汉艺术体现出博大雄浑、包容万物的特点。分而论之,可以发现,秦代在承续前期审美成果的同时出现了新变,以篆刻、书法、建筑为代表的艺术,朴实刚健、简洁传神,体现出鲜明的秦文化特点;在汉代,以绘画、音乐、文学为代表的艺术,华丽奇幻、想象丰富,充满了世俗生活的乐趣,体现出鲜明的汉文化特点。中国古人的审美趣味、审美理想以及审美的思维方式在此过程中逐渐稳定下来。

一、社会基础:平民阶层的兴起及发展

　　审美意识是"主体的审美意识",因而讨论一个时代或时期的审美意识特征,需从主体的角度,即"什么人在审美"的问题展开。在汉代,与政治、思想、疆域等空前一统的局面类似,审美意识也出现了一些新的特点。这与统治阶层身份的变化有关——汉代是中国历史上第一个由平民掌握国家政权的朝代。在此之前,陈胜、吴广等人已开展过抗秦的运动并一呼百应,建立了张楚政权,虽然最终失败,但这也说明平民开始努力通过反

抗来改变、掌握自己的命运。规模更大、实力更强的平民运动,是以刘邦为代表的苏北、秦淮地区的平民起义。当时,各地义军风起云涌,但最终取得天下统治权的则是刘邦集团——平民阶层第一次成为国家政权的主宰。他们虽然在制度建设上继承了秦制,但平民的精神更广泛地渗透到社会的各个领域,他们的审美趣味和需求同时建构、引领了时代的审美潮流。其典型代表是此前以分封贵族为审美主体的雅乐不能再像以前那样获得汉王室成员的肯定,他们要把自己的喜好发扬光大;虽然在政治文化领域他们要听从儒士的某些建议,但他们有权选择自己的喜好,选择自己的娱乐方式和审美对象。当然,前朝留下的审美资源是多样的,他们会根据自己的需求作出遴选,最终进入他们视野的是被此前儒士批判较多的以"郑声"、"楚声"、"赵姬"、"郑女"、"邯郸倡"等为代表的民间俗乐,进而达到"郑声施于朝廷"的地步。典雅肃穆的贵族艺术被质朴真挚、动人魂魄的民间艺术取代。赵翼《廿二史劄记》"汉初妃后多出微贱"条,对这种现象进行了总结。① 所谓"微贱"者,实际是指文帝母薄姬、武帝母王皇后、武帝卫皇后、成帝后赵飞燕等皆歌女出生。这种情况从一个侧面真实、直接地反映出汉代审美意识发生的重大变化。

　　当然,"平民"不是一个静止的概念,其涵盖范围也随着时代的发展而发生相应的变化,社会各个阶层存在着相合转化的变动格局,阶层格局的变化也会导致审美意识的变化。简言之,两汉审美意识的发展几乎是伴随着"平民"的变化而发生相应的变化。随着战争的结束,刘邦集团从平民一跃而成为新生政权的统治者,他们也从平民转变为贵族。这时很难再以平民称呼他们,但他们与生俱来的平民文化和趣味则不能像他们的政治身份那样得到快速转变,他们在文化上仍属于平民文化,他们的审美趣味仍属于俗文化。随着社会经济的复苏,汉初社会结构也发生了大的变化。经过高祖、惠帝、吕后前后二十余年的休养生息,社会各个行业逐渐兴盛起来,尤其是山泽开禁,商业贸易飞速发展。虽然汉初统治者有诸多"抑商重农"的政策,但这些政策不仅没有限制商业的发展,反而从

---

① 　参见(清)赵翼:《廿二史劄记》,曹光甫校点,凤凰出版社 2008 年版,第 40 页。

侧面说明商业活动获利之大,进一步激发了商业的发展和商人群体的扩大,以及社会人员结构的变化。比如,高祖曾经下令无力承担税款的平民可以自卖为奴,以免除自己所应承担的赋税,这看似减轻了平民的负担,但造成的结果是官宦和富商可以名正言顺地蓄养家奴。于是,王室贵族和富商巨贾开始豢养奴仆、资养任侠,借以获得巨大利益。在这种情况下,恶性循环在所难免:富者愈富、贫者愈贫,辛勤劳作的农民劳动一年所得的粮食根本不足以满足自己的生存需要——社会财富的迅速发展和向少数人手中积累的趋势,抬高了人均生活成本,农民的生存竞争压力越来越大,生活空间的被挤占、土地收入的入不敷出,使他们只能逐渐离开土地以寻求新的出路,更多平民中的大多数人转变为奴仆、盗贼,而这些人又成为官宦和富商牟利的工具。在这种情况下,骄纵、奢靡之风必然兴起。王公贵族和富商巨贾虽然在政治、经济上具有特权,属于当时社会的"土豪"阶层,但其文化水平并未随之提高,审美趣味也不甚高尚,在审美方面延续一贯的作风:他们多追求单纯、直接的以视觉感官享受为基本特征的艺术,感官审美随之在社会上兴起,"巨丽"、"侈丽"、"富丽"等成为贵族审美的基本原则,"以丽为美"最终成为两汉时期审美意识的突出特点。

与这种丽美并行的是下层平民和知识分子对丽美的追求。在土豪阶层迅速扩大的同时,真正的平民阶层,如奴仆、农民等仍然存在,他们的生活日益困苦,维持生计越来越困难,他们需要属于自己的艺术来表达压抑的情感。这些需求发而为声则是凄怆感人的"悲乐",形成诗歌则是乐府民歌:它们是新的从民间产生的艺术,情感朴实真挚,构成了汉代丽美中的清丽一格。汉乐府"缘事而发"的诗歌音乐传统由此形成。这一观念上承《诗经》诗事合一传统,饱含两汉人民的民间热情,在中国诗歌发展史上具有重要地位。所谓"缘事而发",是指汉诗不是作者本人的凭空创作,而是作者在某些事件的触发之下创作而成。"事"既可是个人之事,也可是集体家国之事;能被作歌传唱的"事"一般是在某一个特定的社会团体中影响较大的事,并引起了民众的共鸣。这些诗作中只有很少的作品是为一己之私情而作,诗中的"一己之情"也应具有代表性和普遍性,能够引起多数人的共鸣和同情,因而有传唱的必要和可能,也才能产生重大的影响进而被官方采录到。"事"是人的生命活动的构成,是活生生的,不是僵死的,是情和理依附、展开的场所,可以引发人们的各种情感和思想。可以看到,汉代人对自己的生活和现实具有超乎寻常的敏感和热爱,在这敏感和热爱中,他们感受到生命的真诚与可贵。

与平民阶层类似,当时的知识分子也不能获得更多的社会财富,他们是处于两者之间的一个阶层,他们的生活状态亦不甚幸福,两汉时期的知识分子大多遭遇了悲惨的经历;他们虽为汉王室肝脑涂地,但结果多极悲惨,他们心中也郁结一种难以抒发的愤慨情绪。因而,除了他们为王室贵族创作的一些应景颂圣之作外,他们还创作了更多表达自我情感的作品,贾谊、董仲舒、张衡、班固、蔡邕等著名学者和诗人,都有留下了大量抒发感慨抑郁之情的诗文作品和音乐作品。他们的情感与平民的情感有共鸣之处。汉代知识分子的这种遭遇,与汉代官吏的任用制度有关。按汉制,宰相非有侯爵不能为,有侯爵者非有军功者不能为,这样读书人几乎失去了凭借才能官居宰相的机会。汉兴一百余年,除了公孙弘因善于体察武帝之心担任过宰相外,几乎没有其他文人担任过这一职位。钱穆在《秦汉史》中指出:"汉约,非有功不得侯,又非侯不得为相。故宰相一职,遂为功臣阶级所独擅。彼辈皆起军旅中,质多文少。即张良以下,陆贾、娄敬诸文人,尚不得大用,何论新起之士!故贾谊抑郁以死,晁错进言,遽见自杀。"①即使在昭、宣时期,有文士起于布衣而位至宰相者,但因这一制度有"隆儒"之嫌而被废除,因而未能改变当时知识分子整体的命运。当时,官吏任用主要是世袭、算訾两种方式,平民出生的读书人无法顺利进入官僚阶层,"选贤任能"成为空言;汉武帝虽有贤良对策之举,但是否任用"贤良"全凭他个人的喜好,并无客观标准可言。

当时,官吏任命除"举孝廉"外就是"纳赀",即通过输送钱财而获得官职,汉代的"郎选"制度由此成为国家公开支持的"卖官鬻爵"行为,张释之、司马相如等都是通过"纳赀"而获得官位的。汉景帝二年诏曰:"今

---

① 钱穆:《秦汉史》,九州出版社2011年版,第66页。

赀算十以上乃得宦,廉士算不必众。有市籍不得宦,无赀又不得宦,朕甚愍之。赀算四得宦,亡令廉士久失职。"①即使汉景帝改变"赀算"数额,但仍不是每个人都能拿出这些钱,这自然形成"仕宦之路,唯在财富"的格局。这让广大平民几乎失去了可以改变自身命运的机会。为此,董仲舒向汉武帝进言道:"今之郡守、县令,既无教训于下,或不承用主上之法,暴虐百姓,与奸为市,贫穷孤弱,冤苦失职,甚不称陛下之意。……夫长吏多出于郎中、中郎,吏两千石子弟选郎吏,又以富訾,未必贤也。……是以廉耻贸乱,贤不肖浑殽,未得其真。"②董仲舒在贤良对策中指出汉室官吏人选存在的弊端,并提出"贡贤"的策略,但显然不被武帝重视,这一策略连同后来提出的第三策——即建议武帝定制禁止官员经商——甚至引起了武帝的愤怒:汉武帝不仅没有采取其策略反而故意疏远了他,以至于董仲舒最后老死户牖之下。在这样的制度下,读书人虽有济世报国之能亦无法实现,而只能抑郁终生。如果他们不能放下身段,低眉谄媚,根本无法进入国家管理阶层,这与知识分子的高尚情怀自相违背,也是大多数人不愿意去做的。这样的社会环境直到汉末也未发生根本变化,因而汉代的知识分子大多鄙视自己的弄臣身份和趋炎附势的行径,他们心中悲愤的情感是可以想见的。这也是两汉知识分子创作如此众多凄惨缠绵的作品的原因所在。他们的情感流露和审美需求,也成为汉代审美意识的重要组成部分之一。

二、思想基础:天人合一的实现机制

汉代哲学、美学、艺术和宗教等思想领域的新变,以对历史悠久的"天人合一"观的重构为核心,董仲舒的《春秋繁露》是哲学中的代表作品;司马迁作《史记》,"究天人之际,成一家之言",是天人合一思想在史学方面的反映。不仅如此,汉代绘画对云气、神物、人事的全景式展现,音乐美学对"心""物"关系的讨论,汉代学者对此前神话资料的系统整理,

---

① (汉)班固:《汉书》,颜师古注本,中华书局 2005 年版,第 109 页。
② (汉)班固:《汉书》,颜师古注本,中华书局 2005 年版,第 1911 页。

等等,其思想基础都是"天人合一"观。如果考虑到"天"同时可与"帝"、"神"互文使用,则还应同时看到,"天人合一"从来都不是一个单纯的哲学问题,它首先是一个宗教问题,而后是伦理问题、政治问题,同时也是艺术和审美问题。经过汉初60余年的发展,刘邦君臣质朴、粗率的平民习气在政治上的力量逐渐弱化,国家发展需要在制度层面扩大视野、变更旧俗,由此"天人合一"首先成为哲学上最突出的问题。因此,讨论天人合一观对两汉审美意识的影响,首先要将哲学、宗教和伦理三个维度结合在一起加以考察。

其实,使用"天人合一"这一提法来讨论两汉思想的演进和审美意识的生成,需要思考"天人合一"问题何以形成的问题。这个问题暗含的另一问题是"天人相分",后者暗含的问题是:天人相分何时出现? 人与天之间何以要通过一定的途径或手段才能实现"合一"? 这说明在此之前有一个悠久且影响深远的"天人相分"的历史。根据考古人类学和思维科学的研究,"人"与"天"的关系大体可分为这样三个阶段:原始的天人合一、天人相分和经过理性渗透的天人合一。在原始人类社会刚开始形成的时候,人与天之间是浑朴一体的合一关系,无人天之分,人们称这个时代是人神不分、和谐一体的黄金时代。随着人类身心的发展,人类体验世界和认识世界的能力逐渐增强,建构物质世界和精神世界的能力随之扩展,在这种情况下,原始的宗教信仰和神话体系逐渐形成,自然世界之外又产生一个精神世界,这两个世界合二为一,人类最终被自己所建立的这个世界所统治。从族群部落到城市国家,这个世界一直在统治着人类的思想和行为。

天人相分在这个过程中出现:"天"以万物和万物之神的方式显示自己,万物以万物之神的方式显示自身与"天"的存在,因而人必须臣服于万物之神和天之下。在这种情况下,人类须按照天的指示安排自己的活动。人类为了获得神的指示需要借助特定的方式、方法,而掌握这些方式、方法的人则被称为"巫",由此产生巫师集团。他们掌握着人与天进行交流的方式、方法,是人类最早的统治阶层。这就产生了"天人合一"的问题:巫师通过特定的方式、方法与天神进行沟通,获得天神的指示,他们成为神的代言人。这里的"合一"并非真正的合一,因为巫师只是代言人而不是神本身,因而仍然是天人相分。为了维护自己与神交流的特权,巫师阶层创制各种神话和禁忌,阻断普通人与神进行沟通的可能性。颛顼命"重"、"黎""绝地天通"的神话就是要重建人神关系,使"人神不扰,各得其序"。《国语·楚语下》:

> 及少皞之衰也,九黎乱德,民神杂糅,不可方物。夫人作享,家为巫史,无有要质。民匮于祀,而不知其福。烝享无度,民神同位。民渎齐盟,无有严威。神狎民则,不蠲其为。嘉生不降,无物以享。祸灾荐臻,莫尽其气。颛顼受之,乃命南正重司天以属神,命火正黎司地以属民,使复旧常,无相侵渎,是谓绝地天通。①

根据观射父的描述,在此之前,人神关系和谐,但这种"和谐"不是"合一",而是"民神不杂"的状态,即民与神各司其职、各得其所。这实际是人神相分的时代,某种程度上也是"天人相分"的时代。人神的分离带来了天下的和谐安定:"于是乎有天地神民类物之官,是谓五官,各司其序,不相乱也。民是以能有忠信,神是以能有明德,民神异业,敬而不渎,故神降之嘉生,民以物享,祸灾不至,求用不匮。"②但是,少皞末年,"九黎乱德,民神杂糅,不可方物",原有的人神关系秩序被破坏。通过观射父的论述,可以发现,他对这种情况持否定态度,但这实际上是一个新的"人神合一"的时代,或者说是"人的觉醒"的时代:"家为巫史"、"民神同位",普通百姓可以通过获得、掌握此前被巫师阶层所垄断的方式、方法,获得与神交流、沟通的权利。这是一个打破旧秩序、建立新世界的时代,也是一个新的"天人合一"时代。但是,统治阶层不允许这种"合一"世界的存在,对之进行了残酷镇压,以重新恢复此前既存的天人相分的状态。

由此可见,在董仲舒以前,"天""人"关系已经过几番离合。这种状态是政权与神权相互利用的状态。在汉代,这种情况没有得到改变,

---

① (春秋)左丘明:《国语》,上海古籍出版社 1998 年版,第 562 页。
② (春秋)左丘明:《国语》,上海古籍出版社 1998 年版,第 560 页。

也无法得到改变。虽然战国诸子对人本身已有较为充分的讨论,但新生的汉王朝不可能让自己的统治失去神权的基础,因而司马迁——这位具有强烈主体意识和批判精神的历史学家——也在《史记》中通过记述开国者刘邦的神异事件来宣扬汉室政权的合法性,以说明这个政权上合天意而不可动摇。当然,先秦诸子对人本身的讨论,尤其是他们对人心和德性的讨论,赋予天人合一观以丰厚的伦理内容,政治统治在获得神权支持的基础上同时获得伦理基础。在这种情况下,经过长期的思想准备,尤其是经过吕不韦和淮南王刘安等人的门客的努力,《吕氏春秋》、《淮南鸿烈》这种集大成式的著作为董仲舒天人合一观的提出奠定了基础。

这个过程让人本身的问题变得重要了。透过《国语·楚语下》的记载,可以看到,人与神沟通的权利曾经旁移、下落到广大民众手中,出现"夫人作享,家为巫史,无有要质"的情况。换言之,人与神并非不能沟通,而只是没有掌握沟通之权利而已。这无疑是百家争鸣之前的一次思想解放运动,虽然经过镇压,这个平民为获得神权而展开的运动以失败而告终,但对"人的觉醒"无疑是一次大的促进:每一个人都可以获得与神进行沟通和交流的权利。这为新的"天人合一"观的出现提供了精神动力。当然,神权泛化无助于人本身,因为泛化的神权会消解神权并失去神权之价值。在这种情况下,维护神权和人性的神圣性仍是思想界的重要任务。于是,人应该具备怎样的条件才能与神进行交流,就成为战国秦汉时期知识分子尤其是儒家学者所讨论的核心问题。以孔孟为代表的儒家学者和其他思想家都在这方面贡献了力量。余英时借助雅斯贝斯的"轴心突破"思想对这一阶段"天人合一"观的新变进行了深入分析,认为孔孟、庄子对于"天命"和主体"心"、"性"、"德"等问题的讨论在先秦诸子中兴起了一种普遍认同的观念,即"作为个人(individuals),只要他肯努力追求,'彼世'对他永远是他可望而又可及的"[1]。这实际上是肯定个

① 余英时:《论天人之际——中国古代思想起源试探》,(台北)联经出版事业有限公司2014年版,第132页。

体可以获得与"天"(神)进行交流的权利,并通过自己的努力实现之,从而让自己的现实生命获得"天"的认可而变得充实完满。这种思想观念是对颛顼"绝地天通"时期神权旁落现象所进行的新的阐释。因为在"家为巫史"时期,任何个体皆可以实现与神交流,这既消解了神的神圣价值,同时也无法让个体本身的生活活动获得价值。以孔孟为代表的先秦诸子之所以在这个问题上达成共识,其实质是为人生价值之实现而进行新的理论论证。

可以发现,孔孟和庄子提出的个体与天沟通的条件是主体的各种素质:高尚无私的品行(德性)、自我反思的能力(心性)、渊博无碍的学问(古之学者为己)等。这三种能力或品性,让人与禽兽分别开来。余英时引用雅斯贝斯的话说:"人证明自己能够在内心中与整个宇宙相照映。他从自己的生命中发现了可以将自我提升到超乎个体和世界之上的内在根源","它们的共同之处在于使人超越小我,而进入'己达达人'的境界。这是由于人越来越意识到自身是身处于存有的整体之中,也意识到只能靠个人的自力走这条路。"①此种言论带有鲜明的西方启蒙主义色彩,与先秦诸子的相关思想可以比较、参看。例如,孟子的心性说从侧面表达了这个意思。《孟子·尽心上》:"尽其心者,知其性也;知其性,则知天矣。存其心,养其性,所以事天也。"②孟子这一思想的实现须有一个前提,即天命不仅仅局限于君主,每个个体皆有"事天"的权利,而且个体通过自己的努力("尽其心"、"知其性"、"养其性")且达到一定程度,皆可谓是"顺天命"。

根据此处论述和其他文献,可以看到,天人合一的实现方式分两种:一种是此处提到的通过主体本身所具有的高尚素质加以实现,另一种则是殷商或更早时期即已出现的通过各种外在手段和仪式加以实现,即"得之于内"和"得之于外"两种方式。前者可称为"内在的实现方式",后者可称为"外在的实现方式"。余英时说:"在孔子之前,我们并未发现

① 余英时:《论天人之际——中国古代思想起源试探》,(台北)联经出版事业有限公司 2014 年版,第 122 页。
② (清)焦循:《孟子正义》,《诸子集成》第一册,中华书局 2006 年版,第 517 页。

任何证据足以显示,作为个别的人,也能与天交通。"①此论显然忽略了孔子之前天人合一实现的各种方式、方法,或者说,它根本否定了在孔子前存在天人合一的情况。这显然与历史相悖。在更早阶段,除了占卜、术数推演等手段外,乐舞表演、图像制作皆是个体与天(神)交通的方式。这种"交通"与孔孟等人提出的方式截然不同:它主要通过外在手段实现天人合一,尚未顾及施行这些活动的个体本身应该所具有的素质或条件。当然,也并非全未顾及。比如,让瞽者奏乐、巫师"断发文身"等,只不过这些条件并非内在于主体,而是外在强加所得。因此,孔子之前人神合一的条件是客体化、外在化的,孔子的思想使这种条件主体化、内在化,实现了天人合一条件由外向内的转化。

而且,孔孟重点依据的"德性"之"德"在更早的时期就被广泛使用,并且是殷商时期文化体系中的核心概念之一②,被用来指称那些能与神进行沟通的人(巫师):因为这些人能够通过各种方式、方法获得天和神灵启示,因而他们也被视为有的"德"的人,只不过,这种"德"是外在的,而不是主体本身所具有的。郭沫若在《金文丛考》中曾提出"德"可分为"得之于外者"和"得之于内者",内指主体的道德、品德等,外则指"崇祀鬼神,帅型祖德",并认为"德大者配天,所谓大德者必在位也"③。这个观点隐约指出了神与德之间的内在关系。根据《左传》《国语》等文献,似可推定:在殷商及其以前,人们并没有认为德可以从自我内心获得,反而认为德来自于神灵的启示。前者恰恰是主体意识兴起之后的产物,后者则是通过对与神话观念联系密切的习俗和仪式的实践而获得。④ 由此可以断定,孔孟等人设定的天人合一的方式,实是对此前天人合一方式的补充,是一种内在的实现方式。自孔子而后,这种"内在实现方式"越来

　　① 余英时:《论天人之际——中国古代思想起源试探》,(台北)联经出版事业有限公司 2014 年版,第 121 页。
　　② 参见陈来:《古代宗教与伦理》,生活·读书·新知三联书店 2009 年版,第 316 页。
　　③ 郭沫若:《金文丛考》,《郭沫若全集·考古编》第五卷,科学出版社 2002 年版,第 75—80 页。
　　④ 参见王怀义:《释"铸鼎象物"》,《民族艺术》2011 年第 3 期。

越摆脱"外在实现方式"的神秘性和唯一性,具有更多的现实性和伦理性。至两汉时期,虽然这两种合一方式都存在,但内在方式无疑占据了主流。东汉时期,谶纬思想兴起,外在方式重新复兴,与内在方式并驾齐驱,构成了两汉时期天人合一观的主体模式。

究其根本,人们之所以对"天人合一"孜孜以求,无外乎为自己的人生设立规则和赋予意义,两种实现方式纠缠、互融而下,既是汉代人赋予自我人生以价值的根本方式,也是后来人赋予自我人生以价值的方式。因此,追求"天人合一"必然切入伦理,以实现现实人生之圆满,同时进入圆融的审美之境。雅斯贝斯所谓"整个宇宙"、"存有的整体"带有鲜明的存在论意味,其本质也是在世界整体或本体中让个体人生获得崇高之价值肯定。对汉代人来说,"天命"与"德性"是相互呼应的两极,一端的变化必然引起另一端的呼应,一端的失衡必然引起另一端的混乱,从而为天人合一观奠定了坚实的伦理基础。这种观念一方面接续了"德"自外而来的方式,同时兼容自内而来的方式。在汉初时代,后者占主体地位。平民出生的刘邦集团,他们没有任何人像战国诸侯那样保有悠久的祖先祭祀系统,以将自我纳入自黄帝开始的神话—历史序列,因而他们的功勋要获得天命的肯定并在宇宙秩序中占一席之地,必须依靠新的方式,因为他们都需要将自我的现实人生和丰功伟绩纳入永恒不变的宇宙空间和人类整体的历史序列之中从而实现生命价值之不朽——宇宙是个人功业(包括生命本身)最高的价值肯定者,具有无上权威。在这种情况下,孔孟所倡导的天人合一方式正符合了汉初统治者的需求。

按照这种思路,需要继续考察"德"在实现天人合一方面的重要性。在《论语·述而》中,孔子说:"天生德于予,桓魋其如予何?"①在《论语·宪问》中,他说:"不怨天,不尤人,下学而上达,知我者,其天乎?"②孔子的这些言论带有个体意识觉醒的意味,此前被神化的"德"虽然与天仍有密切之关系,但却可以由"天"直接赋予孔子。孔子之所以多次表明自己

---

① (清)刘宝楠:《论语正义》,《诸子集成》第一册,中华书局2006年版,第147页。
② (清)刘宝楠:《论语正义》,《诸子集成》第一册,中华书局2006年版,第321—322页。

可以与"天"直接对话,是因为他觉得自己乃以天下为命,他追求的是"仁",是"爱人",并努力使自己和他人、社会、宇宙融为一体,因而可以直接与"天"对话。他的思想经由孟子心性之学的进一步阐述后影响日益深远:人应该真诚地对待自己、对待他人、对待这个世界和宇宙万物,自然实现"天人合一"。这样,道德高尚的人也就成为可以直接与天进行对话的人,这样的人可以代天立法,可以将只有宇宙才能赋予的崇高价值通过肯定性的评判方式也赋予个体。也正是在这种情况下,一向蔑视腐儒的汉高祖刘邦在儒者的一再劝说下改变了自己的放浪行为。牟宗三将刘邦此种改变归结为"客观化其生命":"因郦生而驰骤,因陆生而知书,因叔孙通而知礼。彼亦能逐步客观化其生命者也。呈天资而服善,好简易而从理:固未曾僵滞于其主观之资质中而不化也。"①刘邦能以自我睿智敏查天下形势并作出准确的判断,虚心接纳具有高尚德性的人和知识,而不以自己的好恶为行事的标准,故成其功业。这是"以人合天",也就是"天人合一"。高尚的道德品质是天命的表征,对此,刘邦也不敢违背。

据说,刘邦十分宠爱的戚夫人生下赵王如意后他十分疼爱,欲将之立为太子,而太子刘盈生性柔弱,刘邦也有所动心。在留侯张良的策划下,吕后请来"商山四皓"作为太子宾客,挽救了刘盈的太子位——高尚德性的力量由此可见一斑。司马迁的《史记·留侯世家》曾记载:

> 及燕,置酒,太子侍。四人从太子,年皆八十有余,须眉皓白,衣冠甚伟。上怪之,问曰:"彼何为者?"四人前对,各言名姓,曰东园公,角里先生,绮里季,夏黄公。上乃大惊,曰:"吾求公数岁,公避逃我。今公何自从吾儿游乎?"四人皆曰:"陛下轻士善骂,臣等义不受辱,故恐而亡匿。窃闻太子为人仁孝,恭敬爱士,天下莫不延颈欲为太子死者,故臣等来尔。"上曰:"烦公幸卒调护太子。"四人为寿已毕,趋去。上目送之,召戚夫人指示四人者曰:"我欲易之,彼四人辅之,羽翼已成,难动矣。吕后真而主矣。"戚夫人泣。……竟不易太

---

①　牟宗三:《历史哲学》,(台北)学生书局 2012 年版,第 152 页。

子者。①

张良此举是睿智的:他深刻明了高尚德性所具有的价值。"商山四皓"曾因秦始皇焚书坑儒而逃亡隐居商山。由于刘邦向来轻辱儒士,所以刘邦虽数次征召,他们也"义不受辱",亡匿深山。他们此次作为太子的随从出现在宴席之上,着实令刘邦惊叹。他之所以果断放弃废太子刘盈的想法,是因为当世德性最高尚的人也认为刘盈可堪太子之任,这似乎是上天的旨意,因而刘邦宁愿自己心爱的妃子伤心甚至落得凄惨的下场也不能违抗天意——"德性"在这里等同于"天命",是至高无上的律法,不能因为一己情感而有所违拗。可以看到,"天"在此有转化的倾向:"天"从至高无上的神坛走下转移至代表道德取向的仁者身上,他们可以代表"天"作出某种重大的抉择。这无疑是天人合一观的伦理内涵。即使如此,我们仍应注意,这种天人合一的"内在实现方式"虽在汉初儒家思想和实践过程中被加以巩固,但并不代表德性可以真正取代天意。当董仲舒全方位确立"天人合一"原则之后,天人感应的思想无疑让天人合一的"外在实现方式"再次获得复兴的空间,虽然董仲舒的原初意图是通过天来限制无法遏制的皇权和皇帝个人的意志。这种方式在儒家思想和阴阳五行思想融合发展的过程中不仅没有被后者削弱,反而因为哲学思想的更新而获得更广阔的发展空间,并影响、支配、决定个体人生的行为和抉择,也影响了人们对审美对象的选择和观照。

这种观念还渗透在人们对生死问题的看法中,影响着人们对自我生活方式的建构。人有生有死的基本事实,使人产生此岸和彼岸的观念,就像白天与黑夜的流转、转化才能形成完整的一天一样。一旦人类的智力水平和知识积累达到建构这两个世界的能力并完成这两个世界的建构之后,如何将这两个世界连接成一个统一的整体的问题也就出现了。就这个问题而言,中国至少在殷商时期就已建立普遍的彼岸世界观念,以及通达这一世界的各种方式。不过,与西方宗教将彼岸世界看成是此岸世界的对立和否定的观念不同,中国人从一开始就将这两个世界看成是一个

---

① (汉)司马迁:《史记》,中华书局1959年版,第2046—2047页。

世界的两个不同组成部分,两者之间不存在根本的不同,因为活动于这两个世界中的主体是一样的,人们未将两者相互否定的世界设置为一个主体的生活世界。虽然这两个世界之间存在某些相互否定的因素,但一旦克服这些因素对生命的威胁,人的魂魄就如同生前一样生活:既可以享受子孙祭献的美味食物和动听乐舞,还可以时常与家人交流个人不同的生活事件。在汉代的诸多礼仪中可以看到,死者不像生者那样受到时间和空间等条件的限制,他不仅可以在两种世界自由往返,与自己的亲人交流,而且还能将这种交流无限制地延续下去:只要祭祀存在,祖先即永恒存在。在这种情况下,此岸世界与彼岸世界的区分失去了意义,同时两个世界的交流机制问题变得更为重要了。如果将这两个世界的合一看作天人合一的一种形式的观点是成立的,则探讨这种合一的实现问题理所当然成为核心问题。因而,天人合一问题的发展,在某种程度上可以看作是这种交流机制的发展问题,其本质未有改变。这种机制不断生产了汉代的物质文化和精神文化,同时也生产了汉代的审美意识。

三、基本内容:以丽为美和日常生活

秦汉审美意识的基本内容可以概括为以丽为美和对日常生活之美的追求两个方面。在秦代,由于秦始皇建下统一六国的丰功伟业,他需要用规模庞大的物质形式将之呈现出来以供后人瞻仰,因此秦代的各种物质文化遗存(尤其是秦始皇陵的遗存)体现出较为鲜明的对力量之美和秩序之美的追求,由此形成这一时期艺术风格的典型特点:气势雄浑宏大、用笔简练苗壮。秦国地处北方,与西域等域外交往密切,秦国又被看成两汉时期盛行的百戏的起源之地,因此,娱乐活动在秦国也较为盛行。这些内容同样体现在它的雕塑、壁画等文化遗存上,体现出明显的娱乐化、世俗化和生活化的特点。秦代审美意识的特点被汉代很好地继承并发展下来,形成了持续四百年的对丽美追求的审美潮流。与之相表里的是人们对日常生活的沉浸享受也达到了历史的高峰,形成汉代审美意识的典型特点。这些特点通过赋、诗、舞蹈、音乐、雕塑、画像石和画像砖、漆器、绢帛、民俗等各种方式保留了下来。

在丽美的表现方面,汉赋是主要代表。丽美作为汉赋的根本审美特征,是古今学人的共识。但这种看法有重新认识之必要。"巨丽"是汉赋丽格的类型之一,但不是全貌。汉赋丽美特征的形成并不是汉初统治者"润色鸿业"的结果,汉代皇帝和王侯主要是将之作为娱乐的工具来看的,所以在两汉时期,以枚乘、司马相如、东方朔、班固等为代表的两汉赋家都不曾官居高位、实现自己的人生理想和价值,而是被倡优视之,是"言语侍从之臣",他们多沉沦下僚,或郁郁而终,或获罪而死。汉武帝并不是最早欣赏赋的汉代王侯。在汉武帝之前,吴王刘濞、梁孝王刘武、淮南王刘安等早已以赋娱乐、写作等,赋主要是娱乐感怀的文学样式,武帝爱赋是受了他们的影响。武帝、成帝等帝王虽喜好赋,但这种喜好不能决定社会整体对赋的看法,因而对汉赋丽美的形成也不具有决定意义。而且,汉赋丽美的表现是多种多样的。除"巨丽"外,汉赋丽格还有其他样态,奇丽和清丽两种丽格就不可忽视。汉赋丽格多样发展的背后,所蕴含的是有汉一代独特的审美意识内容。这种新的审美意识一方面追求以视觉冲击为主要感受的感官审美,另一方面以主体对天地万物进行统摄观照的整体性思维为基质。这种新的审美原则将主体心胸置于以视觉享受为核心的感性审美的基础上,将自然万物和历史时空统摄起来,将神话与历史、想象与现实、社会与人生等融为一体以超越时空、消泯自我,进而获得对宇宙万物进行整体性体悟。它既不同于史前先民通过对神的膜拜而获得情感愉悦所形成的宗教审美,也不同于儒家仁学将主体对自然神灵的崇拜内化为自我德性进而获得人生在世之价值的现实审美,同时也不同于由原始道家发其韧、庄子扬其波的"神与物游"、主体与自然冥合无间的超越审美。它是对三者的综合与超越,决定了汉赋丽格的形成和发展。

在绘画方面,这种丽美表现为对动态形象和生活场面的描述和呈现。汉代绘画集各种功能于一身,成为现实世界、精神世界和理想世界的物质载体,具有实用性和审美性的双重特点,形成了以"动"为核心的审美特征。汉代绘画的"动"与它所蕴含的生活真实与生命真实紧密相关,包括艺术形式的灵动与生命精神的生动两层含义。这种对待生命的态度又分为两种形式：一是表现生活真实，二是表现生命真实。表现生活真实，是指主体将自我的日常生活过程美化和永恒化，让观者通过对图像的观赏，体悟到生活本身的美和价值；表现生命真实，是指主体并非孤立的生活与生存，与生活相关的每一个事物都具有独特的生命形态，正是这些生命形态让主体的生活更加真实可感。与此相关，汉代绘画在线条和颜色的使用方面相互促进、相互构成：线条的使用创造了形式的灵动，颜色的使用铸就了生活和生命世界的生动，由此形成了汉代绘画形式与意蕴之间体用合一、灵肉不二的审美特征，并为此后中国绘画的理论建设和艺术实践提供了基础和范本。汉代绘画"动"的审美特征，在形式上崇尚飞举灵动，在内容上注重表现生活的乐趣与生命的活力，它们都指向一点：抵抗和消解死亡，维系自我生活和生命的永恒存在。抵抗和消解死亡、展现生命的灵动之美，成为汉代绘画"动"的审美特征的内涵和特质，是这一时期生命意识和生命精神的真实呈现。

　　在雕塑方面，丽美转化为对雕塑艺术形式和内在精神的准确把握，将乐享生活的思想观念通过雕塑全面展现出来，促使中国雕塑向世俗化、娱乐化方面转变，形成中国雕塑艺术发展的高峰。汉代雕塑在中国雕塑史上占有重要地位，无论是雕刻技法还是表现对象，汉代雕塑都取得了很大进展。秦代以兵马俑和瓦当等为代表的雕塑艺术，对此前雕塑艺术进行了初步的总结和改造，体现出秦始皇统一天下所具有的宏大精神气象。秦代雕塑带有鲜明的秦文化特点：注重对现实对象的描摹刻绘，朴实凝重而缺乏流动之美，体现出鲜明的实用化倾向。汉代统治者以想象奇丽的楚文化为基础对南北文化和艺术进行了吸收、改造，其雕塑艺术在保持秦代雕塑某些特点的基础上增加了新的内容：汉代雕塑沉雄宏大而不失婉转流动，既注重世俗生活的表现，也体现出绚丽的想象，塑造了一种崭新的以世俗生活为基础、乐享人生的审美理想。东汉中晚期，域外因素逐渐渗透到雕塑中，佛像、胡人以及西域各国人物形象在相关作品中出现，构成了奇特、多样的异域风景。它们是秦汉时期华夏雕塑的有益补充，但尚未真正建构汉代人的精神世界，它们产生实质性影响是从魏晋时期开始的。

在音乐方面,丽美表现为人们对凄怆缠绵、婉转曲折的悲音的欣赏,表达出"以悲为美"的审美价值取向。汉代是一个善于聆听的时代,因而也是中国古代音乐发展的第一个高峰时期。汉代音乐的功能和受众逐渐多样化,随之形成音乐曲调、曲辞、乐器等方面的多样化。这种多样化形成了汉代音乐的综合性特点;一些著名文人和民间大众也进行歌词的加工和创作活动,形成诗、乐、舞合一的情况。汉武帝设置的专门的音乐机构"乐府官署"的成立也促进了汉代音乐的兴盛,同时对诗歌等艺术产生了深远的影响。在创作方式上,汉代音乐多"缘事而发",音乐与事件的融合成为其重要特点。总体上看,春秋时期"礼崩乐坏"的历史进程扩大了音乐的功能,也使更多人参与到音乐的欣赏和创作中,俗乐在此过程中获得了长足发展。汉代俗乐的兴起以民间音乐为代表,而民间音乐的兴起是各民族、地区音乐交汇的产物,它们真实反映了人们的生活、情感和心声。追根溯源,"楚声"、"郑卫之音"等"新声"对汉代俗乐的形成具有重要影响。汉族音乐与少数民族音乐的互相交流、促进,也促成了汉代俗乐的发展。同样,汉族的音乐也随之外传,被其他民族、国家和地区的人所借鉴、学习。在此过程中,音乐承担了传播汉文化的职能。与俗乐兴起同步的,是雅乐的衰落。这与雅乐不再能维系社会秩序并逐渐向娱乐转化的总体社会环境有关。班固《汉书·礼乐志》:"汉兴,乐家有制氏,以雅乐声律世世在大乐官,但能纪其铿锵鼓舞,而不能言其义。"服虔注"制氏"云:"鲁人也。善乐事也。"①作为当时世代掌管乐官的大世家,"制氏"却只能记得一些雅乐的节律而不能通晓其义;对于寻常人来说,要准确理解雅乐之义更无可能。雅乐此时更多是作为博物馆性质而存在的,"文景之间,礼官肄业而已"②。所谓"肄业而已",是指这些雅乐只在太乐府中练习,并不拿出来演奏。高祖、文帝、景帝、武帝等和张苍、汲黯等君臣虽都擅长音律,但他们擅长的都是俗乐而不是雅乐。同时,在"以悲为美"审美趣味的驱动下,汉代人对悲声的欣赏摆脱了儒家学者将悲声

---

① (汉)班固:《汉书》,中华书局 1964 年版,第 1043 页。
② (汉)班固:《汉书》,中华书局 1964 年版,第 1045 页。

视为"亡国之音"的传统看法,是对此前音乐观念的大胆反驳和重大发展,不仅在实践中创作和欣赏了大量悲乐,而且在理论上也作出了相对系统的总结,反映出汉代人开放包容的艺术胸怀。

在舞蹈方面,这种丽美表现为对舞者艳丽服饰、妆容以及表演过程的变化莫测、奇幻骇人之美的追求,可以称之为"眩目惊心"。汉代舞蹈非常讲究舞者衣饰和容貌的修饰:精致艳丽的服装设计和具有美丽容颜的女子结合在一起,才能呈现出最美的舞蹈,才能给人带来最美的视觉体验和享受。以长袖折腰舞为代表的宴会乐舞,注重舞者的容颜雕饰、衣饰的华美艳丽、舞姿的流动多变,以及由此所形成的靡丽绚烂的形象世界,反映出汉代人追求极致视觉享受的审美趣味;以鱼龙曼衍舞为代表的公众乐舞,具有较为典型的包容性和多样性,将当时盛行在南越、东夷、巴渝、西域、中原各地的各种乐舞融合在一起,将杂耍、幻术、舞蹈、音乐等娱乐形式同时演出,追求眩目惊心的审美体验,反映出汉代人趋丽尚奇的审美趣味。在舞蹈表演过程中,各种高难度的杂技表演、规模宏大的音乐演奏、样式多样的宗教舞蹈都一一呈现。汉代舞蹈以创造五彩缤纷、多样复杂且相互转化的形象世界为根本,形成了独特的舞蹈意象创构理念和实践方法,傅毅《舞赋》甚至将舞蹈意象上升到"大象无形"的本体论地位。

在丽美相表里的,是汉代人对自我的日常生活的热爱。在他们看来,日常生活本身就是美的,因而无须另外设置一个彼岸世界以供超越,将自我的日常生活永恒化即可实现物质和精神的双重超越。这是汉代审美意识的又一典型特点。在他们的日常生活中,一方面要遵守严格的礼仪准则和伦理规范,因而他们为了显示自己的"孝",往往要花费十几年甚至几十年的时间来修建先祖的陵墓,哪怕为此倾家荡产也在所不惜;另一方面,他们在私生活中,释放感性、沉浸娱乐的活动占据了日常生活的重要内容。可以看到,他们对感性生活的享受带有礼仪化的性质,因而这种释放并未达到无可自拔并毁灭自我的程度,并不像晚明文人所做的那样沉浸于欲望之中而疾病缠身,也不像殷纣王那样在酒池肉林的享受中毁灭了家国。这两种生活构成了汉代人日常生活的整体。

如果将整个古代中国的审美意识作为一个整体加以回顾,可以看到,从战国开始,人的形象及其活动逐渐在各种艺术表现中占据重要地位。此前艺术中虽然也有人,但人的地位、人的活动不是它们所要表现的主要对象,神物和自然界中的动植物形象占据主体地位。到汉代,社会生活中人类活动的几乎所有内容都通过艺术的方式被呈现出来。在这些作品中,表现人们日常生活内容的作品越来越多,这说明秦汉艺术(尤其是汉代艺术)出现了一个生活化、世俗化和娱乐化的发展取向。在日常生活之美的表现方面,汉代的画像石和画像砖是主要代表。可以看到,汉画像以"极端写实化"的手法对汉代日常生活世界进行了全方位塑造。在特定宗教信仰和审美情感的支撑、促进下,这一形式经过长期发展在东汉晚期臻于完善。在天、地、神、人的整体性宇宙图像结构中,主体的日常生活场景渐居于核心位置;墓主形象及其生活图景被纳入整个画像结构,成为图像历史获得完整性的重要组成部分;主体的人生历程和生命价值由此被纳入神话—历史的时空结构并获得永恒存在的可能,日常生活由此获得了神圣性,诞生其间的节义、孝行、名望、富贵等也获得了永恒存在之必要。汉画像所反映的这种思想观念赋予日常生活以无法取代的本体地位:日常生活不是工具或手段,它本身就是目的。这一思想深深地影响、塑造和建构了中华民族的文化心理结构,制约、支配着人们对自我生活、生命的认识和实践。这是其他国家和民族乃至中国历史上其他时代所不具有的审美特点。汉画像对日常生活的永恒化塑造背后所蕴含的是汉代人对自我人生价值的追求和肯定,在此过程中,自我作为主体的价值进一步凸显了。主体意识的凸显和形成,对汉代审美意识及其在后代的延续具有重要影响。实际上,汉代人并未"视死如生",在某种程度上,他们根本就没有将死纳入自己的思考范围;对于他们来说,死是生的延续,与生一般无二。这一点深深影响了华夏民族对自我生命存在方式的认识和实践。

在汉代,丽美盛行的原因是多样的,既有政治方面的原因,也有经济方面的原因。当时国力强盛,万国来朝,呈太平盛世之象。皇帝为向周边国家显示大汉气象,故意在上林苑上演规模庞大的乐舞,中原乐舞与巴渝舞、西域的角抵戏和鱼龙漫延舞等一起上演,场面蔚为壮观,达到丽美之极致。反映在文学上,汉赋铺张扬厉、反复渲染的风格和写作方式,正符合这种宏大场面的表达。实际上,从《诗》"赋"手法衍生而来的作为文章体式的赋,在开始的时候,虽然有些铺陈手法的运用,但多用于描摹对象、抒发情感,其手法相当节制。到汉代司马相如等人手里,为了迎合武帝好大喜功、肆意想象的癖好,大量使用这种手法,进而形成了汉赋"侈丽"、"巨丽"、"宏丽"相结合的审美特征。"润色鸿业"与汉赋的结合,使二者之间互相强化,由此形成一种重形式而轻内容的审美倾向。总之,政治因素的渗透,促进了汉代丽美的发展和兴盛。这种以丽为美的倾向自上而下发展,也影响、塑造了普通民众的审美趣味。他们在自己的生活中也崇尚丽美,他们的日用器服追求华丽精致、精雕细琢,构成了汉代丽美在日常生活中的表现形态。当然,汉代丽美的表现形态是多样化的。除了这种专门为政治服务和高度日常化的巨丽之外,还存在以清丽和奇丽为特征的审美倾向。清丽之美的形成,符合当时文士真实表达自我情感的需要。他们或沦为王侯附庸,或沉沦下寮,无法实现自己的人生理想和报复,因而也用赋的方式表达自己的情感。这些作品都体现出清婉动人、凄恻哀怨的丽美风格,因而可以称之为"清丽之美"。这些作品在西汉时即以出现,东汉抒情赋的大量出现,则是其成熟的标志。

　　汉代巨丽和奇丽之美的兴盛还有经济方面的原因。随着汉王室的成立,新的社会分化也同时形成。汉初 60 年间,刘氏政权与民休息,开放山川之禁,以恢复社会经济之发展。事实证明,这种具有连续性、持久性的新政确实增减了社会财富。根据《史记·货殖列传》,当时,天下承平日久,粮食流溢府库之外,腐烂不堪;银钱常年不使用,穿钱的绳子也都断了。这种情况说明社会经济已相当繁荣,奢侈之风由此兴起。汉初经济的繁荣同时导致社会阶层的分化,深深影响了人们对美的选择。楚汉战争让商周以降的贵族阶级消亡殆尽,平民阶层成为社会的主体。汉初经济虽然复苏很快,财富也迅速增加,但这不能说明当时普通平民也占有财富。事实恰恰相反。正是由于国家与民休息,不参与人民社会的经济生活,致使囤积居奇以获利的商人阶层迅速兴起,他们通过各种手段迅速积累起巨额财富,同时利用手中的财富购买田财奴婢和政府官职;反过来,家族人员的增多和政治权利的提高,又进一步促进其财富的积累。比如,四川蜀中卓王孙家有奴婢以千数,他通过这些奴婢的劳动迅速获得大量财富。经过 60 年的发展,至汉武帝时期,社会阶层分化迅速,贫富对立严重。钱穆在《秦汉史》中指出:"自孝惠、高后以后,此种衰状,即有复苏之象。然因政治宽简,一任社会事态自为流变,至于在经济复苏之过程中,不免有连带之弊患。其最著者,厥为新商人之阶级崛起,而形成资产之集中与不均。因此又形成社会奢侈之风习。"①这正是汉代之所以形成以丽为美审美倾向的社会基础。贾谊、晁错等都曾向皇帝进言,希望能通过行政和法律的手段改变这种风气,但效果不甚明显。

四、研究方法:多元综合的整体性研究

审美意识是美学的重要组成部分。长期以来,学界多对美学思想进行关注和研究,而缺乏对审美意识的系统性研究。这固然与美学的学科特点和历史有关,同时也与审美意识本身的性质和存在方式有关。由于审美意识与主体的心理意识和体验密切相关,因而具有较多感性的不可把握的内容,黑格尔由此反对将审美意识作为美学的研究对象。同时,审美意识广泛存在于艺术作品、器物制作和人们的生活风俗习惯等各种文化中,表现形式和存在方式多样灵活,具有开放性特点,因而研究难度较大。即使如此,古今中外的美学家、艺术家乃至哲学家,有不少是重视审美意识研究的。中国现当代以来的审美意识研究存在将审美意识物化或凝固化倾向,这在某种程度上违背了审美意识的本质属性。审美意识研究的方式或类型受到审美意识的形成过程、本质内容和存在方式等因素的影响或决定。审美意识需要通过特定的载体保存下来,但载体本身不是审美意识;审美意识会通过各种器物和艺术的形式、造型和风格体现出来,但形式、造型和风格本身也不是审美意识。在研究过程中,我们应以审美意识的基本性质、创造主体和存在方式为基础,研究不同时代的审美意识的具体内容。

---

① 钱穆:《秦汉史》,九州出版社 2011 年版,第 47 页。

（一）存在方式

关于审美意识的具体性质或内容等问题,有的将其与美感等同(如朱光潜①、李泽厚②),有的将其与生命意识和自由意识等同(如张世英③、杨春时④),有的将其与审美理想、审美趣味等同(如叶朗⑤);而从个体角度看,审美意识与主体的心理意识(包括潜意识、前意识、意识等)有密切联系,并与人的大脑的相关部位的功能有关⑥;等等。这些观点虽各有差异,但一般都认为审美意识偏重于主体的生命情感体验和文化心理结构内容。这些内容又会随着时代和个体的变化而发生相应变化,具有多样性和独特性。审美意识在生成过程中具有瞬时性和变动性,须借助特定的物质载体保存下来,这些载体可称为"审美意识的物化形态"。无论是从情感角度还是从认识、实践角度看,审美意识都以审美创造为基础性力量,是主体生命存在经验和体验的集中体现者。由于审美意识与主体的生命体验、生活经验和心理活动密切相关,因而具有变动性和易逝性特点,须依靠载体保存下来。审美意识的物化形态资料散漫又丰富多样。不同时代的民俗风习、政治宗教物品和艺术作品等都蕴含着丰富的审美意识,都可以纳入审美意识物化形态的范围。

除物化载体外,审美意识还有"文献(字)载体"。审美意识产生后,有两种存在方式。它既可通过物化形态保存,也可通过哲学和美学理论著作保存。在不同历史时期,审美意识保存方式的侧重点是不同的。在早期阶段,审美意识主要通过物化形态保存;进入艺术自觉时代,审美意识既参与哲学美学思想的建构,也在建构过程中被保存下来。此后,这两种存在方式互动发展、并行不悖,共同构成了审美意识史的整体。因此,

---

① 参见朱光潜:《生产劳动与人对世界的艺术掌握》,《朱光潜全集》第五卷,安徽教育出版社 1987 年版,第 188—216 页。
② 参见李泽厚:《美学四讲》,生活·读书·新知三联书店 2008 年版,第 305 页。
③ 参见张世英:《哲学导论》,北京大学出版社 2008 年版,第 117—124 页。
④ 参见杨春时:《审美意识系统》,花城出版社 1986 年版,第 78 页。
⑤ 参见叶朗:《中国美学史大纲》,上海人民出版社 1985 年版,第 5 页。
⑥ 参见张玉能:《审美意识与大脑定位》,《青岛科技大学学报》(社会科学版)2010年第 3 期。

在存在方式上,审美意识既可以表现为理论形态,也可以表现为散存形态。表现为理论形态的审美意识较为集中、明确,容易把握,构成了美学思想史的内容;表现为散存形态的审美意识灵动不居,并随时代的发展而不断产生新质,变化速度较快,因而更为灵动,构成一个国家、地区和民族审美传统的主体。

不同类型和载体的审美意识之间存在互动关系。就产生顺序看,散存状态的审美意识是理论形态审美意识形成和存在的前提条件,后者是它的补充和发展。理论形态的审美意识形成后,固然可以从哲学、历史等思想资源中汲取营养实现自身的发展,但同时还须依靠散存形态的审美意识的积极参与。理论形态的审美意识也会影响和塑造人们新的审美意识的产生,因而对散存的审美意识产生促进和影响作用。同样,审美意识的文字载体和物化载体之间也存在互动关系。这两种互动关系随着社会历史的发展而不断变动,同时也制约着人们对审美意识进行研究的基本方式,主要有形式研究、特质研究和心理研究三种类型。

（二）形式研究

审美意识的形式研究,主要是针对表现为散存状态的审美意识的研究,研究对象是审美意识的各种物化形态。其中,艺术作品是主要研究对象,艺术作品的色彩、线条、质地、风格、造型及其演变等是研究的重要内容,而艺术的风格、造型及其演变问题又是重中之重。因此,审美意识的形式研究可以简化为对艺术形式、造型和风格的研究。这种研究一般属于实证研究。形式研究可分为两个层面:一是对这些物化形态的造型、纹饰、风格进行研究;二是研究艺术形式背后所蕴含的审美意识的本质内容。后者属于审美意识的特质研究,这里先谈第一个方面。

形式研究主要集中在对艺术作品和器物造型审美特点的提炼和归纳等方面。这种研究有合理之处。因为艺术形式和风格的发展构成了艺术史,也是不同时代、不同艺术家作品之间相互区别的重要标志。对独特的艺术形式和风格的分析和归纳可以加深人们对其独特性的认识。艺术作品在造型、纹饰和风格等方面具有承续性,也具有一定的独立性。这方面研究因美国学者罗樾的成功预测而备受瞩目。艺术风格和特征的形成有个体因素、时代因素和民族地域因素的影响,同时也凝缩了人们的审美趣味和理想,后者又要通过艺术作品的风格特征体现出来,因而对艺术作品艺术风格和审美特征的概括和归纳在某种程度上也就是对其中所蕴含的审美意识的提炼和归纳。因此,形式研究往往以研究者对审美意识物化形态的艺术风格和审美特征的概括为最终归宿。这在中西方都很常见,我们以刘勰和沃尔夫林的研究实践说明这个问题。

在我国,以"体大思精"著称的刘勰的《文心雕龙》,其中有很多内容是对汉魏晋以来的文学作品审美特征的概括。刘勰对诗、乐府、赋、赞、祝盟、铭、箴、诔、杂文等不同文体作品的分析多是从其风格和艺术特征开始的。比如他在《诠赋》中对汉十家赋的分析:"宋发巧谈,实始淫丽;枚乘《菟园》,举要以会新;相如《上林》,繁类以成艳;贾谊《鹏鸟》,致辨于情理;子渊《洞箫》,穷变于声貌;孟坚《两都》,明绚以雅赡;张衡《二京》,迅发以宏富;子云《甘泉》,构深玮之风;延寿《灵光》,含飞动之势。"①刘勰对汉赋审美特征的概括就是从具体作品本身的风格特点出发的。这种论证方式在《文心雕龙》中屡见。钟嵘的《诗品》说"赋体物而浏亮,诗缘情而绮靡"以及司空图的《二十四诗品》等,采用的也是这种思路。这些对审美意识物化形态审美特征的高度概括和提炼,往往成为散存的审美意识向理论形态的审美意识转变的中介。比如,人们对汉赋丽美特征的概括和总结使"丽"成为中国古代美学中极为重要的审美范畴之一,并不断塑造、刺激人们对"丽美"的追求,在后世形成不同形态的"丽美"。因此,对艺术作品审美特征和风格进行总结,是审美意识形式研究的重要组成部分。

在西方,沃尔夫林的艺术形式和风格理论具有代表性。沃尔夫林的艺术形式研究对审美意识的形式研究具有重要启发价值,因为艺术风格与特定时代和民族,乃至艺术家个人的审美趣味和审美理想是不可分离的。沃尔夫林所要力求建构的"无名美术史"(Kunstgeschicht ohne Namen),就是排除作者对美术作品的限制,而从艺术作品本身的风格特征出发建构的美术史。他后期的代表作品《美术史的基本概念——后期

① (南朝梁)刘勰:《文心雕龙》,范文澜注,人民文学出版社1958年版,第135页。

艺术中的风格发展问题》(1915 年)就是通过对文艺复兴和巴洛克艺术作品的形式特点进行敏锐观察之后所写的一部作品,也是其艺术理论的代表作。在这部作品中,沃尔夫林用"线条与涂饰"等五对概念总结了艺术想象力在这一历史时期的演变情况。在他看来,将世界生活与艺术作品建立必然性联系而忽视其风格和形式特征的独立性的艺术观点"具有片面性的危险",因为"世界的内容并不会为了观看者而具体化为一种不变的形式"①;而且,人们对形式的趣味总是处在不断的变化之中,"没有什么东西能永远保持住它的效果"②。在菲德勒等人形式主义思想的影响下,沃尔夫林将价值判断排除在美术史之外,仅从风格分类的角度建构全新的美术史和艺术理论,以反对长期占统治地位的强调内容对形式支配的观点。沃尔夫林认为,任何生命体都是按照一定的规则而生长、发展的,艺术亦然,因而把握了艺术中的规则自然就可以把握艺术的本质。其中艺术的"规则"就是艺术的风格形式。《意大利和德国的形式感》(1928年)是沃尔夫林表达此种观点的又一著作:"纯粹观看模式"在艺术研究领域中的地位被进一步巩固了。这种研究方式对于揭示特定时代和民族的艺术发展和审美意识内容有重要作用。

需要指出,审美意识的形式研究与器物研究之间既有区别,又有联系。两者都对器物的用料、质地、线条、造型、风格、功能等进行研究,但形式研究作为审美意识研究还具有自己的规定性。形式研究要在此基础上考察特定器物形式所蕴含的特定族群和个人的与审美相关的心理情感内容,及其与时代审美传统之间的内在关联。器物研究虽有时也会涉及这些内容但不是其研究重点。形式研究应建立在扎实的器物研究的基础之上才能翔实可靠,让人信服;器物研究也应吸收形式研究的精神意蕴,提升自身的精神价值。

审美意识的形式研究可纳入形式主义美学研究范围,因而也带有后

---

① [德]沃尔夫林:《美术史的基本概念》,潘耀昌译,北京大学出版社 2011 年版,第 283 页。

② [德]沃尔夫林:《美术史的基本概念》,潘耀昌译,北京大学出版社 2011 年版,第 288 页。

者的某些缺陷。这种研究往往排除审美意识物化形态得以形成的社会历史性因素及其作用，而仅通过对其形式和风格的分析来把握艺术作品的发展趋势。无可否认，纯粹、普遍的视觉心理模式或规则固然是艺术形式感形成的根本因素，但社会文化因素与艺术风格之间的一体性关系不会因为沃尔夫林等人的反对而消失，以至于在他的研究中，时代、民族等因素仍成为制约艺术风格形式的重要原因，哪怕这些因素与艺术家本身的天才创造没有关系。"民族的形式感"这一概念充分说明了这一点。同时，艺术风格是发展变动的，每个时代的艺术风格具有不同的特点，影响这种情况出现的原因是多样的，但审美意识的决定性作用不可抹杀。而且，有时艺术风格还会出现复归现象，但两种甚至多种相同或相似的艺术风格不代表它们所蕴含的审美意识是相同的。因此，通过造型、风格等研究审美意识还存在某种程度的不可靠性。这就需要将审美意识的形式研究拓展到特质研究。

（三）特质研究

所谓审美意识的特质研究，是指通过对不同存在形态的审美意识研究，发掘不同时代、不同民族、国家和地区的审美意识的独特性及其所蕴含的不同的生命存在内容。这是审美意识研究的目的和归宿。这是自下而上的美学研究方法在审美意识研究领域中的具体运用。这种研究分为两方面内容：对表现为理论形态的审美意识的研究和对表现为散存形态的审美意识研究，亦即对审美意识物化形态研究的第二个层次。前者一般被纳入美学思想研究领域，历来研究成果较多，因而也自成体系。由于人们一般不使用审美意识研究方面的术语来讨论前者，以至于人们通常将这种研究与审美意识研究割裂开来，以强调审美意识研究的独特性。实际上，这两张研究应互相补充、互动发展，这对推动审美意识研究的作用会更大。我们以宗白华和李泽厚两位先生的研究实践为例说明这个问题。

从宗白华留下的论著可以看出，他对审美意识研究（尤其是中国古代的审美意识研究）有过全面而细致的安排。宗白华对西方美学的译介和研究，主要是从美学思想角度展开的；对于中国美学，他采取了美学思想和审美意识相结合的研究方法。他以"同情的了解"为思想和方法基础①，以艺术作品的创作方式和形式特点为切入点，对中国古代艺术遗存的审美风格特征等进行总结，进而对当时人们的生命情感状态进行存在论发掘。因此，宗白华的审美意识研究是从形式研究开始而以特质研究为归宿。

宗白华重视对艺术作品审美特征的研究，这是审美意识的形式研究。宗白华强调中国艺术"从线条中透出形象姿态"的特点，重视中国古代绘画和建筑中的"飞动之美"，重视先秦工艺美术作品和思想在中国美学研究中的独特价值。他还从范文澜、郭沫若等人的历史和考古著作中寻找资料，力图概括史前至夏商时期的社会生活对华夏民族审美意识形成的影响，对从石器时代至先秦时期各种器物的形式特点和制作规律进行总结和概括，并将之与《考工记》等著作相联系。宗白华还重视将中国古代的美学思想与绘画、建筑、器物等艺术作品结合起来研究上述内容。比如他认为，汉代在绘画、雕塑、舞蹈、杂技等方面都体现出"热烈飞动"、"虎虎生气"的特点，谢赫根据汉代艺术的这一点总结、提炼出了"气韵生动"的美学思想。② 他还将《易经》"离卦"中关于"丽"的美学思想与中国古代的图案、辞赋、骈文、书法中的"错彩镂金"和"芙蓉出水"之美进行比较研究，发掘它们之间的本体性联系。在宗白华看来，它们之所以能统一起来，是因为这些艺术"成为活泼泼的生活的表现，独立的自我表现"③。这就从形式研究上升到了特质研究。

---

① 宗白华美学研究的核心思想和主要方法是"同情的了解"。他在《艺术生活——艺术生活与同情》一文中说："艺术的生活就是同情的生活呀！无限的同情对于自然，无限的同情对于人生，无限的同情对于星天云月，鸟语泉鸣，无限的同情对于死生离合，喜笑悲啼。这就是艺术感觉的发生，这也是艺术创造的目的。"（《宗白华全集》第一卷，安徽教育出版社 2008 年版，第 316 页）在五四运动前后，"同情的了解"的思想观念和研究方法，在钱穆、陈寅恪的史学研究，汤用彤、贺麟的哲学研究中都存在过，宗白华是将这一思想和方法运用到美学中的代表。

② 参见宗白华：《中国美学史中若干重要问题的初步探索》，《宗白华全集》第三卷，安徽教育出版社 2008 年版，第 465 页。

③ 宗白华：《中国美学史中若干重要问题的初步探索》，《宗白华全集》第三卷，安徽教育出版社 2008 年版，第 451 页。

宗白华的《论〈世说新语〉与晋人的美》是这种研究思路的代表作。在这篇文章里,宗白华以《世说新语》为切入点,对魏晋时期的书法、建筑、雕塑、诗歌等艺术特点及其精神意蕴都有独到见解,而将这一切统一在一起的是魏晋时期人们对自我生命和精神的纯粹体验。宗白华认为,魏晋书法尤其是行草体现了晋人"优美的自由的心灵":"魏晋的玄学使晋人得到空前绝后的精神解放,晋人的书法是这自由的精神人格最具体最适当的艺术表现。这抽象的音乐似的艺术才能表达出晋人的空灵的玄学精神和个性主义的自我价值。"①可以看出:首先,宗白华对晋人书法的点画特点进行了极为准确的分析和概括;其次,宗白华指出了这种特点之所以形成的精神基础和哲学基础;最后,他发现晋人的书法是晋人实现自我生命价值的艺术表现形式。这就是通过对晋人书法审美特征的分析而通达对晋人当时的独特生存状态的认识,进而揭示了魏晋审美意识的独特性。这种研究思路在《唐人诗歌中所表现的民族精神》、《中国书法里的美学思想》、《中国美学思想专题研究笔记》等文中都有存在。这种研究思路贯穿了宗白华整个美学研究生涯,也形成了他诗意而灵动的生命美学思想。可惜的是,限于各种条件,宗白华没有来得及对这些笔记进行系统的整理、提炼和概括。

与宗白华相比,李泽厚的研究实践更为鲜明地体现了这种研究方法。李泽厚十分重视审美意识在美学研究中的作用。20 世纪 50 年代,由王朝闻先生担任主编的《美学原理》中的"审美意识"一章是由李泽厚撰写的。在与刘纲纪合写的《中国美学史》绪论中,李泽厚又谈到他对审美意识研究在美学史研究中的重要作用的看法。他曾经说要写一部中国人的"审美趣味史",实际上就是中国古代的审美意识史。《美的历程》是审美意识形式研究与特质研究相结合的典范。

首先,在该书中,李泽厚将表现为理论形态的审美意识和通过具体作品保存的审美意识结合起来,以后者为主,从宏观上勾勒了中国古代审美

---

① 宗白华:《论〈世说新语〉与晋人的美》,《宗白华全集》第二卷,安徽教育出版社 2008 年版,第 271 页。

意识的发展历程以及每个不同历史时期审美意识的不同特质,实现了审美意识形式研究与特质研究的统一。其次,对于不同时代的审美意识及其物化形式,李泽厚选取最有代表性的艺术进行深入挖掘、提炼,以概括每个历史时期审美意识的独特性。比如,他用"有意味的形式"概括"龙飞凤舞"的史前艺术,用"狞厉的美"概括殷周时期的青铜艺术,用"儒道互补"概括先秦时期的建筑艺术,等等。这说明,不同历史时期的审美意识会通过不同的艺术风格和造型体现出来,虽然反之并不一定,但两者之间的密切关系是不能否认的。最后,在研究过程中,李泽厚还结合了每个历史时期不同的美学思想来研究这一时期的审美意识。比如,他对先秦建筑艺术的讨论就结合了儒道互补的理性思想,对阮籍和嵇康诗歌作品的讨论也结合了魏晋时期以"人的解放"为核心的玄学思想等。李泽厚所思考的是"凝冻在上述种种古典作品中的中国民族的审美趣味、艺术风格,为什么仍然与今天人们的感受爱好相吻合"①的问题。李泽厚的回答是,这些艺术作品蕴藏了人类心理共有的情理结构,所以即使是原始陶器上的抽象几何纹饰,也是"当时人们在精神上对农业生产所依赖的自然稳定秩序的反映,它实际表现的是一种稳定性、程序性、规范性的要求、实现和成果"②。李泽厚的审美意识研究是形式研究与特质研究相结合的典范,对审美意识研究的进一步展开具有范导性价值。

审美意识的特质研究也存在一定问题,其中最主要、最根本的是审美意识的个体性和变动性问题。审美意识虽借特定的物化形式留存,但其中的模糊性和不确定性因素并未因此减少,反而因为物化形式本身的造型等特点而变得更加不确定;因为相同的造型可以蕴藏不同的审美意识,研究主体根据具体艺术作品发掘出的审美意识是否是当时的创造主体所表达的内容不能得到确证。这就需要研究者结合特定的历史和文化语境及当时的审美风尚进行互证研究。但即使做到这一步,我们也很难完全

---

① 李泽厚:《美的历程》,生活·读书·新知三联书店 2008 年版,第 216 页。

② 李泽厚:《美学四讲》,生活·读书·新知三联书店 2008 年版,第 290 页。

肯定这些内容就是当时当地的审美意识。根本原因在于,审美意识是集体性因素和个体性因素综合作用的结果,尤其在艺术自觉时代,个体的心理情感因素在具体艺术作品形成过程中的作用更加重要,因而也更难准确把握。比如,文徵明后期的"避居山水"之作与传统隐居画作虽在形式和风格上有相似之处,但其生命精神却迥然有别,而且其画风的转变也绝不是在当时社会文化和审美风尚的影响下产生的,文徵明本人细微而难以捉摸的内心情感的变化在此过程中起到了决定性作用。① 同时,特质研究在与同一时期美学思想和审美思潮相印证的过程中易成为后者的附庸,进而掩盖特质研究所揭示的审美意识的独特性。此外,形式研究与特质研究的结合对研究主体的素质要求也是很高的。这些问题都是特质研究应思考和解决的。

　　审美意识的形式研究和特质研究是审美意识研究的两翼,不可分开;一条腿走路的方式对于审美意识研究是不利的,因而也不能通达审美意识研究的目的。单纯的形式研究将审美意识得以形成的各种因素排除在外,变成纯粹的艺术风格研究,因而远离了审美意识本身;特质研究如没有形式研究奠基也会失去存在价值,且易演变为美学思想研究,或沦为美学思想研究的附庸而失去独立性。因此,研究审美意识须将形式研究与特质研究结合起来,达到相辅相成的境界。在此基础上的审美意识研究就会产生、形成不同于美学思想研究的新观点、新思想,走上建构新的美学理论的路。

　　(四)心理研究

　　"审美意识"概念中的"意识"应指其心理学意义,虽然它与"审美意识形态"有联系,但不能在后者层面上使用。审美意识的产生和形成归根到底受到人的心理活动和意识活动的影响和制约:从个体角度看,审美意识的形成与主体的情感体验和心理意识活动密切相关;从集体角度看,民族审美意识的形成与该民族的文化审美心理传统密切相关。因此,心

---

　　① 参见石守谦:《风格与世变——中国绘画十论》,北京大学出版社 2008 年版,第258 页。

理研究是审美意识研究的又一基本类型。审美意识的心理研究属于审美心理研究范围,美感是其研究重点。自美学被引入至今,这方面研究流派纷呈、成果众多①,审美意识心理研究应对之进行综合、吸收。审美意识的形式研究和特质研究主要通过审美意识物化形态研究审美意识的具体内容,而审美意识的心理研究主要是研究审美意识的生成问题。这两方面研究构成了审美意识研究的主体。

　　近年来,有学者从人类心理活动和大脑构成的角度来研究审美意识的形成。张玉能将审美意识定义为人类神经系统的机能,并从弗洛伊德潜意识、前意识和意识的角度将审美意识分为审美显意识、审美潜意识和审美无意识以及深层审美心理,它们分别与大脑的感觉区、存储区、判断区和想象区相对应。② 与此相关,民族、阶级、时代、地域和文化等因素对审美意识所形成的作用都是人类深层审美心理的外在化。③ 杨春时将弗洛伊德的深度心理学与康德对人类精神划分的理论结合起来,将人类意识分为感性意识、知性意识和超越性意识,其中审美意识属于超越性意识。④ 在此基础上,杨春时突出了审美意识的意象性、超越性和自由性特点。这是对他 20 世纪 80 年代审美意识观的深化。这种研究揭示了审美意识生成的心理基础,是审美意识的心理研究。与此相关,除了人类的心理活动外,还有学者将人类的五官感受与审美意识的生成联系起来,探讨审美意识生成的生理基础。比如,有学者以实验心理学为基础,从人类的肤觉经验出发,将其空间的、情感的、无意识的诗性特征与审美意识的生成结合起来,突出了人的生理感官在审美创造方面的积极作用。⑤ 将人的生理感官体验与审美意识生成结合起来讨论,自古希腊时期既已开始,

---

　　① 参见彭立勋:《20 世纪中国审美心理学建设的回顾与展望》,《中国社会科学》1999年第 6 期。

　　② 参见张玉能:《审美意识与大脑定位》,《青岛科技大学学报》(社会科学版)2010年第 3 期。

　　③ 参见张玉能:《深层审美心理与审美现象》,《江汉大学学报》2010 年第 5 期。张玉能这方面的成果还有《论审美意识的总体构成》(《中南民族大学学报》2011 年第 3 期)、《审美意识的结构——第三层次:审美意识》(《云梦学刊》2012 年第 3 期)等。

　　④ 参见杨春时:《意识结构与审美意识》,《福建论坛》2005 年第 6 期。

　　⑤ 参见赵之昂:《肤觉经验与审美意识》,中国社会科学出版社 2007 年版,第 58 页。

柏拉图、亚里士多德等人都有相关的论述,比如他们对视觉的探讨、对颜色的探讨等。

　　总体上看,审美意识的心理研究充分重视人的心理活动构成及其生理感受对审美意识生成的重要作用,但这种研究不能揭示集体审美意识(如不同时代的、民族的、国家和地区的、阶层的等)的形成,也有抹杀审美意识个体性、个性化特征的倾向。因此,以民族审美心理研究为代表的集体审美心理研究,也应成为审美意识心理研究的理论资源。此外,心理研究还须结合马克思的实践观点,从人类物质生产活动的历史发展角度解释审美意识的形成问题。比如人同石头本来同处在自然状态中,人还不能意识到自己与石头的关系,人通过实践去改造石头时他才能在意识中认识到石头是他的对象;在实践过程中,人有了自我意识,同时也有了社会意识,并进行广泛的物质生产和精神生产,这是审美意识产生的实践基础,所以朱光潜说:"一切创造性劳动都可以使人起美感。人对世界的艺术掌握是从劳动生产开始的。"①因此,实践活动是人类意识(也包括审美意识)形成的重要因素,也应成为心理研究的组成部分。这方面,朱光潜、李泽厚、蒋孔阳等前辈学者已做过一些相关工作。如何在此基础上将实践观点与心理学在真正意义实现融合,尚需进一步研究。

　　李泽厚的"美学(哲学)创作"②是将实践观点与心理学观点相结合的典范,同时也是将审美意识的形式研究、特质研究和心理研究相结合的典范(李泽厚的美学研究思路极可能受到康德的影响,详见后文)。他用实践观解释主体审美心理的形成过程,揭开了以往人们笼罩在主体审美意识形成问题上的朦胧面纱。李泽厚高度重视弗洛伊德心理学和格式塔心理学对美感生成研究的重要性。李泽厚多次强调美学研究的进一步发展须依靠心理学和生理学在某些基础理论方面取得突破,就反映了他重

---

　　①　朱光潜:《生成劳动与人对世界的艺术掌握——马克思主义美学的实践观点》,《朱光潜全集》第十卷,安徽教育出版社 1993 年版,第 197 页。

　　②　李泽厚多次强调,他的一生是"哲学创作"而不是"哲学研究",以区别那种仅有学术而没有思想的机械研究工作。在 2011 年的访谈中,他又重申了这一点(参见李泽厚、刘绪源:《中国哲学如何登场?》,上海译文出版社 2012 年版)。因此,本书使用"创作"一词。

视从心理学的角度研究审美意识的思路;他对艺术形式及其内涵的解读,也是强调这种形式与主体心理之间的同构性关系。李泽厚充分重视审美意识通过形式及其规律带给主体的心理感受问题:"人在这形式结构和规律中,获得了生存和延续,这就正是人在形式美中获有安全感、家园感的真正根源。"①李泽厚将对审美经验、审美感受、审美态度的研究统称为审美意识研究。② 他在对西方美学史上相关研究进行批判性分析后,提出了"新感性"概念,即建立人类的心理本体(特别是情本体)问题。所谓新感性,就是指人类通过"自然的人化"和"人的自然化"两个过程历史地建立起来的心理本体。"外在自然的人化"使客体世界变成美的对象,"内在自然的人化"让人获得审美的情感。这两个过程正是审美意识产生的过程,也是李泽厚美学的基石:"本书(即《美学四讲》)既是从自然人化、积淀和文化心理结构立论,本讲(指"美感")既然重视的是情感本体,即新感性的建立,那么着眼点便不在这种区划和分类,而在注意于审美过程和结构的完成,即人的审美能力(审美趣味、观念、理想)的拥有和实现。"③显而易见,李泽厚美学体系中的"积淀"、"心理本体"、"新感性"等核心概念都是以审美意识的生成过程为基础而提出的,同时也是他建构美学理论的基点。李泽厚虽以"实践"概念(李泽厚的"实践"概念专指物质生产实践)为逻辑起点,但他是以实践为起点研究自然的人化和人的自然化,亦即心理本体的建构过程,其落脚点在审美意识的心理属性。总之,李泽厚美学体系的建立是通过对审美意识的心理研究实现的,这是他一生美学创作过程中一以贯之的基本精神。

审美意识的心理研究是审美意识研究的基本类型之一。心理研究可分两个层面:一是从个体心理角度探讨主体的生理感官经验和心理活动与审美意识生成之间的关系,二是从集体心理角度讨论一个民族、国家或地区审美意识形成的历史过程。审美意识的心理研究还应结合实践观点,充分吸收各派心理学和脑科学的研究成果,将个体和集体相结合的角

---

① 参见李泽厚:《美学四讲》,生活·读书·新知三联书店 2008 年版,第 292 页。
② 参见李泽厚:《美学四讲》,生活·读书·新知三联书店 2008 年版,第 306 页。
③ 李泽厚:《美学四讲》,生活·读书·新知三联书店 2008 年版,第 342 页。

度实现共时性分析和历时性考察的有机融合,推动对审美意识生成问题的研究。李泽厚的美学体系建构是这种研究方式的成功代表,值得总结和继承。

(五)理论建构

审美意识是美学思想得以形成的源头活水。有两层意思:第一,美学思想的形成须以具体、多样的审美意识内容为基础,美学思想的发展也须不断吸收新的审美意识才能得以完成,审美意识的更新促进了美学思想的更新;第二,有些美学思想虽以概念和逻辑为基础而形成但仍将审美意识作为逻辑起点,这时审美意识既具有概念作用,也具有实践作用。这两种情况共同构成了审美意识与美学思想之间的互补共生关系。在中西方美学史上,有些美学思想固然单是通过概念和逻辑的推演而形成,但这种情况较少,而且很快被历史淘汰。

美学学科的建立是从对审美意识的讨论开始的,审美意识赋予了美学作为学科存在的合法性。鲍姆加通在《关于诗的哲学沉思录》一书中用大量篇幅讨论了审美意识问题;他在《美学》中明确指出,"感性经验、想象以及虚构(fabulae),一切情感和激情的纷乱",这些被哲学家所忽视甚至鄙视的内容应被美学所重视,因为它们也是人类知识的重要组成部分。① 鲍姆加通的这一做法虽受到批评甚至否定,但他提升了审美意识在人类精神生活和知识系统中的地位却是事实,并确立了美学(严格意义上说应该是审美意识)在精神科学中的合法地位。此后,建构美学理论者即使否认审美意识,但仍离不开对审美意识内容的吸收,就像黑格尔的《美学》一样②。

---

① 参见[德]鲍姆加通:《美学》,李醒尘译,见刘小枫编:《德语美学文选》,华东师范大学出版社 2006 年版,第 2 页。

② 作为形而上学哲学传统的集大成者,黑格尔反对审美意识研究的合理性,因为至高无上、无处不在的"理念"才是美的根源,不同的美的艺术形式只是理念在不同发展阶段的不同表现。因此,他所说的"美学"也不是鲍姆加通所说的"Aesthetic"(感性学),而是"艺术哲学","或者更确切一点,'美的艺术的哲学'"。([德]黑格尔:《美学》第一卷,朱光潜译,商务印书馆 1979 年版,第 2 页)黑格尔在他的美学著作中虽引用了大量具体的艺术作品(如神话、建筑、绘画、雕塑、诗歌等)进行论证,但审美意识对于美学的重要性没有在黑格尔的著作中得到发展。

康德是从审美意识出发建构美学理论的第一人,美学也在康德的感觉认知学之后才真正成立。需要说明的是,审美意识这个概念是随着现代心理学的兴起而产生的,此前虽没有这一概念,但不代表人们对它没有讨论,也不代表人们没有从审美意识出发来建构美学理论。柏拉图对主体审美能力的论述、亚里士多德对审美快感的论述,以夏夫兹博里等人为代表的经验主义美学等都讨论了审美意识问题。《判断力批判》是这方面的代表作品。在康德时代,审美意识概念尚未形成,但康德以审美共通感、判断力和趣味等概念为基础进行美的分析,实际上就是将审美意识作为逻辑起点来建构美学理论,所以李泽厚说:"在美学,康德则抓住审美意识的心理特征提出了美的分析。"①康德清楚,"任何通过概念来规定什么是美的客观鉴赏原则都是不可能有的"②,能有的只能是主体的心理情感内容,概念在此只具有被想象力"唤回"的存在可能性。康德由此确立了审美意识在审美活动中的基础性地位,并为他对想象力、艺术审美经验、天才观等问题的分析奠定了基础。

鲍桑葵在《美学史》中对康德的审美意识研究给予高度评价。鲍桑葵认为:首先,康德对审美意识的界定使之在学理上获得了存在合理性,"永远不再被严肃的思想家所误解";其次,康德是为审美意识的积极本质制定特殊原则的第一人,即审美意识被承认是"感官和理性的结合点";最后,康德对鉴赏判断"主观性"的论述,打破了传统二元论在客观世界和主观世界之间所设置的严格界限。③鲍桑葵对康德审美意识研究及其意义的评价是准确的。康德不仅是西方现代哲学的奠基者,他的审美意识思想也是西方现代美学发展的基石。黑格尔曾说,他在《判断力批判》的导论中找到了"关于美的第一个合理的字眼"④。他在《美学》中也研究了大量中西方艺术作品所含蕴的审美意识内容,完善了他的理念

① 李泽厚:《批判哲学的批判——康德述评》,生活·读书·新知三联书店 2007 年版,第 388 页。

② [德]康德:《判断力批判》,邓晓芒译,人民出版社 2002 年版,第 67 页。

③ 参见[德]鲍桑葵:《美学史》,张今译,商务印书馆 1985 年版,第 344—346 页。

④ [德]鲍桑葵:《美学史》,张今译,商务印书馆 1985 年版,第 344 页。

论思想。只不过，康德和黑格尔受制于主客对立思维模式以至于他们的审美意识思想仍难以摆脱抽象化和概念化的弊病。这一点在他们的后继者伽达默尔那里得到了有效矫正。

　　伽达默尔对其诠释学美学或真理观的建构，是以审美意识为逻辑起点而展开的。他说："本书(指《真理与方法》——引者注)的探究是从对审美意识的批判开始，以便捍卫那种我们通过艺术作品而获得的真理的经验，以反对那种被科学的真理概念弄得很狭窄的美学理论。"①首先，伽达默尔是以艺术为中心对人文主义传统和康德的审美意识观展开批判的。在《真理与方法》中，他用大量篇幅批判了人文主义传统的"教化"概念和康德审美意识观中的"共通感"、"判断力"和"趣味"等概念，重新抬高了"体验"在艺术审美活动中的重要作用。其次，伽达默尔以生活中的艺术经验为起点展开自己的论述，以反对传统形而上学的审美意识观点，他认为经验本身就是一种与真理相关的哲学思维。在伽达默尔看来，康德美学虽重视审美意识，但康德(也包括席勒)将审美意识纳入先验抽象的时空维度中进行讨论而离开了主体本身的生活经验世界，因为"把审美意识看成面对某个对象(Gegenüber)，这并不与实际情况相符合"②。伽达默尔认为审美活动不是抽象的逻辑和概念活动，而是与现实生活经验密切相关的情感活动，同时也是主体丰富自身、抵达存在之本质的活动。最后，伽达默尔以"体验"反对"先验"，剥去了以往审美意识观的抽象外壳而赋予它以具体的现实存在内容。这是因为，与其他体验相比审美体验最能体现一般体验的本质属性，从而使主体摆脱各种束缚而返回到自己的生命整体当中："一种审美体验总是包含着某个无限整体的经验。正是因为审美体验并没有与其他体验一起组成某个公开的经验过程的统一体，而是直接地表现了整体，这种体验的意义才成了一种无限的意义。"③伽达默尔之所以以审美意识为逻辑起点建构他的诠释学体系，主要在于审美意识是生活经验中的开放性的流动整体，能在集体性中展现

①　[德]伽达默尔:《真理与方法》，洪汉鼎译，商务印书馆2007年版，第5页。
②　[德]伽达默尔:《真理与方法》，洪汉鼎译，商务印书馆2007年版，第143页。
③　[德]伽达默尔:《真理与方法》，洪汉鼎译，商务印书馆2007年版，第101—102页。

个体经验,而这一点正是"我们精神生活的一条普遍准则"①。当然,也由于这个原因,在伽达默尔理论中,艺术品的意义理解或审美意识生成问题变得难以把握。

在中国现代美学史上,宗白华、李泽厚、蒋孔阳、张世英等人都充分重视审美意识在美学理论或哲学理论建构中的重要作用,并以其为基础提出了各具特色的原创性的美学思想或哲学思想。宗白华的艺术意境理论是他在吸收西方相关学说的基础上,通过对中国古代书法、绘画等艺术作品和思想本身的细致品味提出的,是对中国古人一以贯之的审美意识进行提炼的结果。李泽厚"积淀"说虽是在吸收荣格"集体无意识"、贝尔"有意味的形式"、皮亚杰"发生认识论"和完形心理学等思想资源的基础上,以马克思实践观改造康德先验论思想而得以形成,但"积淀"之所以形成,最主要的还是审美意识的积极参与,否则任何积淀都无法完成。这一点李泽厚也做过诸多说明,但人们在分析积淀说时都不同程度地忽视了。蒋孔阳历来重视审美意识研究在美学研究中的重要作用。他晚年的诗画美学研究就是审美意识研究,他的"多层累的突创"说是对审美意识的发生、发展规律的高度概括。② 张世英以"人—世界"为视点对中西方哲学和美学的发展历程进行辨析,将审美意识作为哲学发展和人生存在的最高境界,并对审美意识的直觉性、创造性、不计较厉害和愉悦性等特点进行了论述,提出了"美在自由"的思想。③

总之,审美意识是美学思想形成和发展的基础条件之一。美学思想的更新和发展离不开审美意识的积极参与。美学思想自身固然有不断完善和发展的内在要求,有些新思维、新思想固然也可以促进美学思想发生突变,但就美学史的发展看,只有审美意识才能为美学思想的完

---

① [德]伽达默尔:《真理与方法》,洪汉鼎译,商务印书馆2007年版,第6页。

② 参见朱志荣:《论蒋孔阳先生的"多层累的突创"说》,《学术月刊》2003年第12期。

③ 参见张世英:《哲学导论》,北京大学出版社2008年版,第120页。张世英的其他相关著作还有《美在自由:中欧美学思想比较研究》(人民出版社2012年版)、《天人之际:中西哲学的困惑与选择》(人民出版社2005年版)、《境界与文化:成人之道》(人民出版社2007年版)等。

善和发展提供源源不断的资源。因此,美学研究应加强审美意识研究,美学史研究也应加强审美意识史研究,为当代美学思想和审美实践提供新资源。

(六)审美意识史

审美意识史研究是审美意识研究的必然结果:一方面,审美意识广泛渗透到人们的日常生活中,而不像美学思想那样仅在少数哲学家或学者的案头存在,关注人自身的生命存在必然要将审美意识史纳入视野之中;另一方面,大量审美意识个案研究为审美意识史研究奠定了基础,审美意识史研究又可以反过来为审美意识个案研究提供参照坐标,进而深化审美意识研究。因此,审美意识史研究既是学科建设和学术研究的需要,同时也是人们对自身生命存在关注的结果。

在西方,较早提出"审美意识史"概念的是鲍桑葵。国内学者(如李泽厚、周来祥、吴中杰、蒋孔阳、陈望衡等)对审美意识研究的重视都曾受到他的启发。鲍桑葵认为美学史的撰写"不能仅仅当成是对于思辨理论的阐述。用这种方法来研究哲学史的任何部门都是不恰当的,用这种方法来研究美学史尤其不行",因为"哲学见解只是审美意识或美感的清晰而有条理的形式,而这种审美意识或美感本身,是深深扎根于各个时代的生活之中的。事实上,我是想尽可能写出一部审美意识的历史来"①。鲍桑葵的《美学史》"不仅仅要叙述美学学说,而且还要在力所能及的范围内叙述审美意识,因为正是审美意识为这些美学学说提供了材料,并形成了它们诞生的气氛"②。鲍桑葵的立论很明确:相对于审美意识,依附于哲学的美学思想只是美学史的组成部分之一,与人们社会生活融为一体的审美意识才是美学史的主体。在写作过程中,鲍桑葵贯彻了这一思路,虽然这一贯彻并不彻底。

需要指出两点:一方面,鲍桑葵在力图将审美意识与美学思想融为一部完整的美学史时有将审美意识概念化和凝固化的倾向。这一点带有康

---

① [德]鲍桑葵:《美学史》,张今译,商务印书馆1985年版,"前言"第2页。
② [德]鲍桑葵:《美学史》,张今译,商务印书馆1985年版,第14页。

德审美意识研究的痕迹。另一方面,鲍桑葵虽力图突出审美意识在美学史上的重要性,并安排专章专节对此讨论,但他对审美意识的论述仍处于美学思想的附属地位,因而不是纯粹的审美意识史。李泽厚的《美的历程》避免了这两方面不足。如果说鲍桑葵的《美学史》是一部西方审美意识史,那么,李泽厚的《美的历程》就是一部中国审美意识史。这两部审美意识史是后人进行审美意识史研究的主要蓝本。① 学界越来越认识到人类本身的生命存在和审美活动才是真实的美学史,美学思想史或美学理论史只是这一活动的影像,审美意识史应成为未来美学史书写的重点。

首先,审美意识史同时是生命意识史,每个民族或国家的审美意识史同时就是这个民族或国家的生命意识发展史。这是因为审美意识是主客体之间在生命层次上彼此融通的产物,审美意识归根到底是生命意识。审美意识研究就是要通过对审美意识的物化形式的研究揭示其中所蕴藏的生命意识,并在此基础上揭示每个时代生命意识的具体内容。生命意识的内容是多方面的,不是所有生命意识都可成为审美意识,但审美意识必然以生命意识为主要内容。而且,当主体对自我生命的存在方式及其意义等问题进行思考并将这种思考通过特定的物化形态固定下来,其行为和结果本身就具有审美价值。无论这种生命意识(如宗教意识、政治意识等)与审美意识具有怎样的差异,它们都必须与审美意识结合起来才能更广泛地传播并获得大众的肯定和认同。因此,生命意识的内容虽是多样的,但无论哪种内容都与审美意识密切相关。艺术作品是审美意识的集中承担者。在多数情况下(尤其是早期阶段,在中国是史前至两

---

① 近年来,中国美学史写作问题成为美学界讨论的热点。其中,关于中国审美意识史的研究逐渐引起大家的注意。吴中杰教授在《中国古代审美文化论》中明确提出"美学史应写成审美意识发展史"的观点。吴功正研究员说:"把中国美学史单纯写成中国美学理论史或中国审美理论史是欠妥的。"(《中国美学史的研究理念、程序和书写方式》,《南通大学学报》2012年第1期)李修建博士在《生活美学:书写中国美学史的新视角》中(《文艺争鸣》2011年第3期)也提出美学书写的生活论转向问题。朱志荣教授近年来展开了中国审美意识史的研究,主要论著有《商代审美意识研究》(人民出版社2002年版)、《夏商周美学思想研究》(人民出版社2011年版)、《中国美学史中的审美意识史研究》(《郑州大学学报》2010年第5期)、《论中国审美意识史研究的价值》(《暨南学报》2012年第9期)、《论中国审美意识史的研究方法》(《广东社会科学》2012年第5期)等。

汉时期),艺术品并不是作为纯粹的艺术品身份出现的,而是政治、宗教活动和礼仪制度的产物。因此,这些物化形态不仅包含着审美意识内容,同时还包含其他内容。

其次,审美意识史还应在考察审美意识发展演变的基础上发掘不同时代、不同艺术所蕴含的不同的生命意识。即使在同一时代,不同的艺术门类所蕴藏的审美意识内容也是不同的,或者说,限于其表现形式或所倚重的物质材料的不同,不同的艺术门类对生命意识的侧重也是有所不同的。因此,审美意识史不仅要在整体上研究一个民族或国家的审美意识发展史,同时还要在共时性考察的基础上,挖掘不同的审美意识物化形式所蕴含的不同的生命意识。生命意识的内容是多样的,每个时代或每个门类的艺术风格所表达的内容也是有所侧重的;即使他们关注的内容是同一问题,但其侧重点也会有很大差异。因此,审美意识史研究不仅应该揭示每个时代艺术形式及其风格所蕴藏的不同的生命意识内容,而且要揭示每个时代不同的生命意识的独特性。揭示这种独特性,是审美意识史的价值所在。同样,即使在同一时代,生命意识内容也是多样化的,不同的艺术形式所关注或蕴藏的生命意识内容也是不同的。因此,审美意识史研究不仅要揭示每个时代不同的生命意识,同时还要揭示出同一时代不同艺术门类所蕴含的生命意识之间的共性和独特性。

再次,审美意识通过不同时代、不同类型的艺术的造型、风格等体现出来,因此审美意识史应包括艺术风格史内容。① 艺术是审美意识的集中体现者。审美意识偏重于主体生命情感、文化心理等内容,它的物化形态通过各种方式将审美意识外化,其表征就是造型特征和艺术风格。我

---

① 本书对审美意识史涵盖内容的划分是从审美意识的物化形态和本质属性两个角度进行的,与前辈学者有所不同。叶朗在《中国美学史大纲》"绪论"中认为,"审美意识史=美学史+各门艺术史"(《中国美学史大纲》,上海人民出版社 1985 年版,第 6 页)。李泽厚在《美学四讲》中将美学史分为"审美意识史或趣味流变史"、"艺术风格史"和"美学史"等三个部分(参见李泽厚:《美学四讲》,生活·读书·新知三联书店 2008 年版,第 242 页)。他们两人所谓的"美学史"是美学思想史。叶朗主张美学思想史和各门艺术史应纳入审美意识史;李泽厚认为美学思想史与审美意识史、艺术风格史并列,共同构成历史美学。朱志荣将美学史分为审美意识史、美学思想史和美学理论史三个组成部分(朱志荣:《中国美学史中的审美意识史研究》,《郑州大学学报》2010 年第 5 期)。

们一般通过对这些物化形态的造型和风格的分析挖掘其中所蕴含的审美意识,因此审美意识史应关注艺术风格史,并通过对不同时代不同的艺术风格的解析揭示不同时代的审美意识,由此形成审美意识史。审美意识物化形态的造型和风格是由特定的生命意识所决定的,没有不包含特定生命意识的造型和风格。因此,审美意识史是艺术风格史和生命意识史的统一体。每个时代人们对生命意识的理解是不同的;即使不同时代人们所关注的内容是一致的,但由于时代和社会文化环境的改变也会造成人们所关注的同一内容的侧重点发生转移,转移的风向标就是审美风格。考察这种变化,对揭示审美意识发展的规律和内容的多样性大有裨益。

最后,与美学思想史或美学范畴史的封闭性不同,审美意识史具有开放性:一方面,审美意识灵动多样,渗透到社会生活的各个方面,载体呈现多样化,不仅各个艺术门类承载着大量的审美意识,民俗风习、宗教政治、经济交往等也都含蕴着大量审美意识内容;另一方面,审美意识的变动性和容纳性强,更新速度快,容纳含量多,需要通过不同途径和方法加以发掘。审美意识是集体性和个体性的辩证统一体,与人类的生存体验密切联系,并随时变动,它既吸纳各种因素又与各种因素相融合,体现出较强的开放性特点。

与此相关,审美意识史研究要重视其开放性所可能带来的弊端。一方面,由于审美意识的变动性和开放性及其在此基础上所衍生的依附性和中介性,极易形成"泛审美意识"的现象或心态;另一方面,审美意识载体的多样性也让审美意识史的研究对象极为宽泛,容易造成研究的泛化,因此在研究过程中应区分审美文化史和审美意识史。① 简言之,审美文化史虽含有审美意识史内容,但其重点偏向于外观性的"文化呈现",对象性视野较强,并与器物史研究相重叠;审美意识史的资料与审美文化史有诸多重叠,但由于审美意识偏重于主体的心理内容,超越性和自由性是

---

① 目前,有代表性中国审美文化史有周来祥教授主编的《中国审美文化通史》、陈炎教授主编的四卷本《中国审美文化史》、许明研究员主编的十卷本《华夏审美风尚史》以及吴中杰教授主编的三卷本《中国古代审美文化论》。陈炎认为审美文化是介于中国古代所讲的"道"与"器"之间的特殊层次,对审美文化史研究具有重要价值。

其本质规定性①,因此审美意识史的研究重点是历代人的审美体验、审美趣味和审美理想,透过审美意识揭示主体生活和生命存在的本质内容是审美意识史的研究重点。此外,审美意识的开放性虽要求审美意识史研究要结合美学思想史进行,但不能以美学思想史的思维方式和存在形态来固化审美意识史,进而将审美意识史的开放性转变为封闭性。

综上,在美学研究中我们应充分重视审美意识研究,重视审美意识对美学理论创新和时代审美精神的发展和形成所具有的积极作用。通过对审美意识的形式研究、特质研究、心理研究和审美意识史(尤其是中国审美意识史)研究,概括和提炼每个时代和民族不同的审美意识特质,将之消化、吸收进而实现中国审美理论的创新发展;将之与时代发展相结合,为当下社会审美意识泛滥现象的改进提供理论和实践基础,将当下对形象欲望的无限追求转化为对主体生存之精神价值的内在反省,以重建时代审美精神。

---

① 参见张玉能《论审美意识的总体构成》(《中南民族大学学报》2011 年第 3 期)、杨春时《意识结构与审美意识》(《福建论坛》2005 年第 6 期)以及张世英《哲学导论》等著作的相关论述。

第一章

秦汉书法：极简主义与典正恢弘

　　文字的书写和记录功能,让文字本身具有了神圣性:那些被人类智慧创造的知识和经验可以借助文字得到系统的书写和整理,使人类的生命经验超越了时空限制而具有永恒性,这无论如何都应该是神圣事件——这种观念为两汉时期的知识分子所继承。根据许慎《说文解字》的记载,仓颉发明文字时,"天雨粟,鬼夜哭",这是一个异常重要的时刻。这里类似神话的记述说明,直到东汉时代,人们对文字发明和使用对人类文化发展和积累的极端重要性仍保有深深的敬畏。但是,通过文字的书写来讨论审美意识既具有难度,也是一种挑战:在文字书写成为一门独立的艺术门类之前,文字的使用并不是为了审美,它的首要目的是记录知识、保存记忆,实用性是第一属性。同时,由于文字书写具有神圣性,因而其书写主体、书写方式和书写工具等都有着严格的规定,如何更加美观地让文字呈现出来,成为人们必须思考和解决的问题。因此,即使最古老的文字书写——现在一般认为是殷商甲骨以及此前器物上的一些刻画符号——都体现出规整的秩序和严谨的结构:书写从来都不是一项单纯娱乐化或审美化的活动。汉代的文字和书法正处于这样一个非常重要的过渡环节:事务的增多要求书写方式简化,书写领域和数量的迅速扩展在某种程度使文字书写从神圣行为向日常行为转化。

第一节　极简主义:秦汉文字和书写的发展趋势

　　秦汉时期是中国书法大放异彩的时期,形成了中国书法史上的第一个高峰。汉代书法艺术的巨大成就,使"汉字"成为中国文字的统称,足

见其影响之深远。秦汉篆刻和书法的艺术积累为魏晋时期书法成为一门
独立的艺术门类,奠定了坚实的基础。社会生活和文化发展的需要是文
字变革的基本条件,而文字的变革以实用、简洁为第一要件,秦汉时期文
字书写方式的演进也遵循了这一原则。许慎《说文解字序》对自文字和
书写产生的历史进行了说明,尤其重点叙述了战国至秦汉时期的文字演
变情况:

> 宣王太史籀著《大篆》十五篇,与古文或异。至孔子书《六经》,
> 左丘明述《春秋传》,皆以古文,厥意可得而说。其后诸侯力政,不统
> 于王,恶礼乐之害己,而皆去其典籍。分为七国,田畴异亩,车途异
> 轨,律令异法,衣冠异制,言语异声,文字异形。秦始皇初兼天下,丞
> 相李斯乃奏同之,罢其不与秦文合者。斯作《仓颉篇》,中车府令赵
> 高作《爰历篇》,太史令胡毋敬作《博学篇》,皆取史籀大篆,或颇省
> 改,所谓小篆者也。是时秦烧灭经书,涤除旧典,大发隶卒,兴役戍,
> 官狱职务繁,初有隶书,以趣约易,而古文由此绝矣。自尔秦书有八
> 体:一曰大篆,二曰小篆,三曰刻符,四曰虫书,五曰摹印,六曰署书,
> 七曰殳书,八曰隶书。①

根据许慎的描述,可以看到,自仓颉以类象形而做文字始,文字一直处于
不断的变化过程中:"迄五帝三王之世,改易殊体","封于泰山者七十有
二代,靡有同焉","宣王太史籀著《大篆》十五篇,与古文或异";孔子、左
丘明所书虽为古文,但"诸侯力政,不统于王,恶礼乐之害己,而皆去其典
籍","言语异声,文字异形",这显然不利于文化的交流、积累和发展。至
秦始皇时代,这种情况越发明显:几乎每一个独立小国均有自己的文字及
其书写体系。同时,在秦始皇征服六国的过程中,事件增多,各种文书、印
信、兵符、报告的需求量迅速攀升,促使文字书写由繁入简,简便快捷的书
写方式由此发端。随着秦始皇统一天下进程的加快和逐步实现,统一文
字成为一项重要的文化工程,以适应政治制度和地理疆域的一统局面。
为了治理庞大的帝国,及时有效地处理事务,简化文字、快捷书写成为迫

---

① (汉)许慎:《说文解字》,中华书局 1963 年版,第 314 页。

切的要求。在这种情况下，李斯、赵高等人开始着手简化此前繁缛、多样的文字，统一行使秦国笔画简洁、书写方便的小篆。所谓"秦书有八体"，是指这八种书体在秦时都是存在的，但并非这八种书体在当时都是通用的，大篆、虫书、摹印、殳书等也在使用，但只在特殊场合和器物上使用，当时使用最多的是小篆和隶书，有时有些诏书等公文也使用大篆。李斯、赵高、胡毋敬所改造的书体其实是小篆，是当时秦国正式文书普遍使用的书体。隶书是补小篆之不足而使用的一种书体，一般为下级官吏办公使用，书写便捷，但显得有些草率，不甚典雅肃穆——书体的使用体现出书写者不同的身份特点。这种书体是适应秦国当时各种事务日益繁杂的情况而产生的，带有鲜明的时代性、实用化倾向，以简易为首要特征。

　　秦汉间很多文字书写并不是后世所谓的"书法作品"，因而也不是纯粹的艺术作品，它们都是实用化的产物，用以标识、说明某种重大的事件或时刻。秦简、汉简和帛书上的文字，带有更多的巫术和礼仪色彩；那些殳文和印信，是权威和诚信的代表，也不是用来欣赏的。但是，书写者对文字字体、书体和布局的处理是严谨、严肃的，他们以自己高度虔诚的态度来进行书写，体现文字书写的神圣性特点。因此，考察这些文字书写的变化，可以使我们更好地理解中国文字书写发展变化的轨迹。它们鲜明体现出从西周到秦汉之间的文字书写变化。图1-1是1972年陕西眉县出土的西周成王时期的遗物，文字书写雄浑规整，保留着商周时期文字书写的风格特点。① 图1-2是战国时期的石鼓文，为大篆书体。② 这些文字刻在圆柱形的巨型石柱之上，文字工整，大小一致，布局合理，体现出秩序的美感。图1-3是秦始皇二十六年兼并天下后所下的诏文："廿六年皇帝尽并天下诸侯黔首大安立号为皇帝乃诏丞相状绾法度量则不壹歉疑者皆明壹之。"③这块版文书写不甚工整，一般认为是秦代的"古隶"，而

---

　　① 参见《中国美术全集·篆刻书法编1》，人民美术出版社2006年版，第11页，图版7。

　　② 参见《中国美术全集·篆刻书法编1》，人民美术出版社2006年版，第33页，图版24。

　　③ 参见《中国美术全集·篆刻书法编1》，人民美术出版社2006年版，第50页，图版33。

当时的《泰山石刻》等使用的则是李斯等人改造后的小篆,书写工整细致,整齐划一。① 由于书写方式、对象、工具的不同,这些字体表现出由繁入简的变化过程:文字书写越发简洁,笔画线条逐渐单一,很多象形的成分被简化,文字笔画的抽象成分增加。与此同时,文字的书写工具和载体也发生了重大变化:相比于此前多把文字刻画在青铜器、玉器、石器等材质上不同,战国时期开始将文字直接书写在绢帛和竹简之上,这大大提高了文字书写的速度和数量,书写速度的加快也要求文字笔画尽量简化。笔画的减少、书写的快捷简易,许多下级官吏一学就会,使隶书迅速扩大了流传范围。虽然隶变的时间现在学界还有争议,但一致承认隶变是文字书写简化的必然趋势,最终在汉代完成,形成楷书和草书。有的学者将隶变的时间上溯到春秋战国时期,也是从简化这一角度入手分析的。

图 1-1　眉县大鼎刻辞　　　图 1-2　战国石鼓文　　　图 1-3　秦诏版文

　　秦汉间的这些书写作品虽然还不是纯粹的艺术作品,但它们对书写布局、字体架构的处理等都有很好的思考和实践,为文字书写从实用向审

---

　　①　参见《中国美术全集·篆刻书法编 1》,人民美术出版社 2006 年版,第 33 页,"图版说明"。

美转化奠定了坚实的基础。为此,我们仍用"书法"一词来指称秦汉间的各种书体。秦汉书法的载体是多样的,它们分布在建筑、器物、绢帛、瓦当、雕塑、印信、兵器等各种载体之上。它们对某些文字的书写方式的处理同时也是多样的,某一个字的写法甚至有十几种之多。这些文字的变体形式更加清晰反映出人们在处理字体结构时所付出的智慧和心血,也反映出人们对如何书写更为美观问题的思考。总之,社会环境的变化、文字自身的演变等因素,促使文字的书写越来越简化,以方便实用为根本指针,因而可以用"极简主义"概括这种发展趋势,后来的草书将很多笔画繁多难以书写的文字以简洁符号的方式呈现出来,是这种极简主义文字书写观念的体现。秦汉时期的书法就是在这样的环境下展开的,秦汉书法艺术也是在这样的原则之下发展的。这一趋势也对秦汉审美意识的形成和发展产生了重要的影响:我们在繁复雄大的两汉艺术风格之中同时可以看到简洁凝练之美,审美意识的表现形式多样化了。

第二节　典正和谐:秦汉篆刻对布局和笔画的追求

秦汉篆刻是中国书法艺术的重要组成部分,包括石刻、玺印、铸造、临摹等形式。在中国文字发展史和书法上,秦汉时期的书法雕刻艺术都占有重要位置。秦始皇"书同文"的举措让典雅严整的小篆成为全国通用的正式书体,同时在日常生活和工作中还存在简化篆书的隶书,篆书隶化的现象开始出现。到西汉中期,隶书逐渐代替小篆成为全国通用的正式书体。与此同时,隶书的草化和楷化现象逐渐增多,字体笔画从繁复向简洁转化,后来书法史上的各种书体由此逐渐形成,为魏晋书法艺术的兴盛和书法理论的总结奠定了坚实的实践基础。书法从实用向审美转化,逐渐成为一门独立的艺术形式。本节主要讨论秦汉印玺书法在布局和笔画方面具有的特点,通过对这些特点的分析,发掘审美需要、意识形态等因素与书法之间的互动关系。

篆刻是中国书法艺术重要的载体之一,在纸、毛笔发明和运用于书写之前,篆刻几乎成为中国文字书写的主要方式。在整个上古时期,大多数的文字书写都是以篆刻的方式实现的，有些则是通过浇铸、描绘实现的。
图1-4是秦阳陵虎符的线描图。①虎背上是原刻文字。虎符高3.14厘
米，长8.9厘米，山东临城出土，虎背刻曰："甲兵之符，右才（在）皇帝，左
才（在）阳陵。"（见图1-4、图1-5）"阳陵"为秦郡，现为陕西省高陵县。
此件虎符是秦始皇赐给驻守阳陵将领的兵符，其上文字为许慎所说的
"秦书八体"中的"摹印"。从许慎对"秦书八体"的概括，如"摹印"、"殳
书"、"刻符"、"署书"等名称看，秦代刻在各种器物上的文字数量是极其
庞大的，应用的范围也很广泛。"大篆"多为刻在青铜器等器物上的铭
文，"小篆"多为石刻文字，"虫书"多为装饰性文字，"隶书"则为下级官
吏处理日常事务所使用的文字。从使用数量和范围看，"隶书"和"小篆"
的数量应该是最多的，因为它们是最便于书写且使用较多的两种书体。
因此，秦代的文字书写一部分是用笔书写的，一部分是用篆刻的方式书写
的，有的则是浇铸而成的，种类庞杂繁多，全面研究这些文字书写的方式
和特点及其相互关系，是一项极其复杂的任务。这里所讨论的篆刻主要
是秦印与汉印，还包括铸造在铜镜、瓦当等器物上的一些文字。

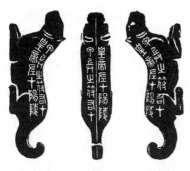

图1-4　阳陵虎符线描图

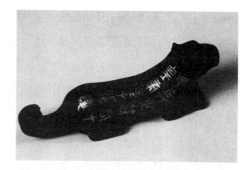

图1-5　阳陵虎符及其刻纹

　　同文字在秦代发生较大变化一样，秦印无论是在数量上还是在质量
上都取得了迅速发展。秦印艺术取得重大发展与当时政治环境变化有
关。印信的使用是历史的产物，中国用印历史较早。在中国书法史上，秦

---

　　①　参见《中国美术全集·篆刻书法编1》，人民美术出版社2006年版，第55页，
图版37。

印和汉印的艺术成就最高,明清时期金石学兴起后,更将之作为师法模仿的范本。据考证,甲骨文中尚未"印"字,但安阳出土了三件铜玺;《周礼》中提到"玺"、"玺节"等三处,郑注:"玺节者,今之印章也。"这说明商代时已有用印的出现,以"玺"称之。《释名》:"印者,信也。"因此,在古代,印章是凭信的象征,用以确保商品交易能够顺利进行:"商品交易日益频繁,需要有一种信用的凭证,保证货物的安全转徙或存放,印章就是在这个需要上通过群众的创造而产生。"①战国时,佩印已很普遍,所以苏秦可以"配六国相印"。但是,就像天下分为六国一样,战国佩印没有一定规制,现存的战国印玺或大或小,尺寸不一,十分凌乱,无法归纳出用印的尺度、规模等规律。秦始皇统一天下后,皇帝印章被称为"玺",所谓"秦命受玺"是也;其他人使用的印章称为"印","玺""印"由此分开。秦始皇传国玺使用蓝田玉刻制,由李斯书写,王孙寿刻,为"受命于天,既受永昌"或"受天之命,皇帝受昌"十字玺。图1-6为宋代薛尚功《历代钟鼎彝器款识》卷十八摹录,不能肯定是否是真正的秦始皇传国玺印章。② 同时,由于事务的增多,当时佩戴印信的人员日益增多,国家成立了专门为官员制造印信的机构,由此促进了印信的繁荣。在佩印的人员中,多数为国家公务人员;私人也可以佩印,但当时有"私印从官"的原则,因此从秦国开始,印信的尺寸和规格逐渐统一,形成了专门的用印制度。在这种情况下,无论是技法还是数量,秦印都取得了重大发展,并影响了汉印的规格和形制。

秦汉印章在布局方面既有一致之处,也有不同。总体上看,秦印布局严整,篆刻和铸造时自由发挥的空间有限,而汉印没有这方面的限制,排列布局的方式多种多样,没有定准,尤其是私印,有更多个性化的发挥。汉代的官印也与秦官印的单一化不同,具有多样的格局。因此,汉印自由发挥的艺术空间较多。秦印一般为"田"字格、"日"字格,两者数量差不多,构成秦印布局的主体;同时,秦印中还有很多圆形、椭圆形印章,形制

---

① 沙孟海:《印学史》,西泠印社1987年版,第4页。
② 参见沙孟海:《印学史》,西泠印社1987年版,第43页。

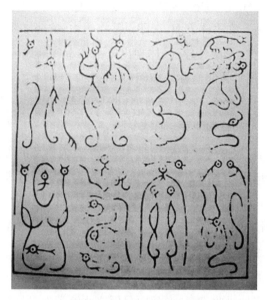

图 1-6　传秦始皇传国玺印章"受命于天　既受永昌"

在固定中体现出变化;而且,与秦建立严格的政治体制相关,秦印多有界格,字与字之间界限明显,体现出极为规则严整的布局方式,所以有学者说:"田字界格几乎成了判定秦官印的一个重要特点。"①汉印则以"田"字格居多,"日"字格很少,圆形印章亦不多见。与秦印不同,汉印有的有界格,但多数印章没有界格,这给制印者留下了更大的创作空间。他可以根据字体和字数等改变印面布局和书写方式,汉印由此比秦印更具艺术的创造性。就字数看,秦印多为两字和四字印,亦有一字印,但数量不多。汉印字数不等,一字、二字、三字、四字、五字、六字、七字、八字、九字等印均有,字数以偶数印居多。字数排列的方式也很自由,顺时针方向和逆时针方向、由左至右、由上至下等排列方式均有。由于字数较多,汉印不仅有两行、两列印章,还有不少三行、三列印章,体现出极为规整典雅的布局方式,给人整饬威严、典雅方正之感。汉印布局的变化体现出人们对书法篆刻的重视和创造,汉代字体和书写方式的艺术性逐渐增强了。

_____

①　许雄志:《秦代印风》,重庆出版社 2011 年版,第 7 页。

　　除布局的变化外,与秦印相比,汉印之变化更鲜明地体现在文字的书写方式的变化上。在书体方面,秦印以篆书为主,这些字体笔画书写婉转饱满,与金文类似,形象性较强,体现出篆书在秦代的地位。汉印在起初时也使用篆书,但隶化的痕迹逐渐明显,篆书在笔画上由婉转转向方折,体现出刚硬和力量之美。在新莽时期,由于王莽提倡复古,秦篆在汉印书体中大量出现,汉印体现出向秦印复归的迹象。但这个时期的是短暂的,新莽政权结束后,这一现象也随即消失,代之更为典型的方折笔画,楷化的现象也逐渐增多。书体方面的变化主要是隶书笔画逐渐侵入篆书,体现出鲜明的隶化现象(见图 1-7①),由此形成汉印书体刚健有力的审美特点。在这种情况下,字体笔画和书写方式均体现出较大的自由度,篆刻的艺术性逐渐增多,成为人们在方寸之间展现创造力的天地。人们这样总结秦汉印章的这个变化:"随着隶书在汉初的不断成熟,一般印章的文字也就越来越多地吸收隶意,秦朝面目因之逐渐消失,形成一种风貌新型的印章文字。这种文字,体相严实方整,结构中笔画时有增省现象。"②这种"增省"形成的篆书被称为"缪篆",是"汉六书"之一,其笔画虽然和秦篆有差距,但并不妨碍人们的辨识。增省现象的大量出现说明文字书写逐渐从实用向审美转化,人们通过对笔画的增省来表达自己具有个性化特点的审美趣味。这种倾向在当时是得到普遍认可的,这种"认可"说明人们(尤其是佩印之人)认同了这种新兴的审美态度。不仅如此,在汉代私印中存在大量笔画增省现象,同时还存在大量取形于鱼、鸟、虫、龙等动物形象的笔画(见图 1-9③),这些笔画运笔波折漂浮,变幻莫测,既显得富丽堂皇、典雅古奥,同时又显示出篆刻者高超的雕刻和书写技巧,及其对汉字造型的深刻理解和运用,文字书写由此体现出较强的装饰性特点(见图 1-8④),实用性逐渐减弱而审美性显著增强。与此相关,人们也十分重视印边的装饰,有时在印面上也增加一些装饰性图案,与文字相映成

---

① 参见庄新兴:《汉晋南北朝印风》,重庆出版社 2011 年版,第 4 页。
② 庄新兴:《汉晋南北朝印风》,重庆出版社 2011 年版,第 7 页。
③ 参见庄新兴:《汉晋南北朝印风》,重庆出版社 2011 年版,第 7 页。
④ 参见庄新兴:《汉晋南北朝印风》,重庆出版社 2011 年版,第 6 页。

趣。当然,由于文字书写向来具有神圣性,书体的选择和变化亦不仅是艺术创造的使然。就像前文论述的那样,秦小篆的制定和流行是秦始皇"书同文"政治制度和措施的结果,隶书在汉代从秦时带有否定性的书写转向正规书体,与汉初平民阶层的兴起有很大关系,并最终成为汉代通行的书体,且改造了秦篆的书写方式,就像汉制取代秦制一样。王莽新政时期,为了强调师古创新,书体又重新以秦篆为正宗,也是政治统治需要的结果。总之,汉印书体的变化是政治文化制度和人们艺术创造精神共同作用的结果,从而使汉印呈现出较高的艺术水平,体现出人们对审美和艺术的自觉追求。

图 1-7　汉·魏霸　　　　图 1-8　汉·婕妤仔娟　　　图 1-9　汉·印

　　秦汉印信在布局和字体等方面均存在不同,但要区分起来难度很大,两者的区分一般只能就大体上的书体特点进行辨识,所以明代学者徐上达说:"格式既定,自决从速。如从秦则用秦文,从汉则用汉篆。"①"秦文"即指前文提到的"秦书八体",以圆润饱满的小篆为主;"汉篆"则是指隶化和楷化的汉代篆书,运笔简洁、自由舒展、方折有力是其主要特点。它们成为秦印与汉印区别的重要标准。对秦汉印玺的品鉴在明代成为风气,但当时人们对两者的区分存在很多疑惑。明代学者张学礼在《考古印文正数》中说:"至于先代玺文印章,湮于水土、暂出人间者,犹可考文,其间世迁代易,或各相同,衔相类者,亦无能辨其孰为秦、汉,孰为隋、唐也。"②

---

① 许雄志:《秦代印风》,重庆出版社 2011 年版,第 1 页。
② 许雄志:《秦代印风》,重庆出版社 2011 年版,第 1 页。

在张学礼看来,由于时代的变迁,大量仿作的存在,不仅秦汉印章不易辨认,即使是隋唐等稍晚的印章也很难准确辨别。一方面,秦印的时间跨度很短,虽然有的学者将秦印的时间上溯至秦始皇统一六国前的几十年,但这些印章的形制和书体更多接近战国,且与秦始皇时期有不小差距;另一方面,汉印在初期阶段多借鉴秦印,因此很难把两者明确区分。这说明两者在制造方式、艺术风格等方面存在诸多一致之处。

秦汉印章对布局和笔法的使用简古深奥、朴拙自然,深得后人喜爱。学习篆刻者也往往以之为师法对象,强调"印必遵秦汉",将秦篆汉印作为篆刻艺术的正宗,由此形成印学中颇为重要的摹古一派。明清印人的摹古主要是模仿秦汉印章。这种模仿强调印章篆刻的典正闲雅。所谓"典"是指所刻笔法要有根据、有所本:"典者,有根据,非杜撰也。凡篆文,凡款识,俱要有所本,不然而妄作焉,则无征不信,不信不从也。"①这里所谓的"有根据"、"有所本"其实就是指秦汉印章和篆刻,人们把这种"所本"看作是篆刻艺术的重要原则。通过对秦汉印章的师法学习,使篆刻笔法平易通达,不入险怪旁蹊,由此形成印章"正"的风格:"正者,犹众人之有君子,多歧之有大道,惟始进者自择之尔。择之果正,自见冠冕威仪,不涉脂粉嬉戏;自见平易通达,不入险怪旁蹊。然而却有一种未易及处,乃秦、汉正印。如诗有唐,书有晋,他皆不得与颉颃已。"②徐上达不仅将秦汉之印看成是印章笔法典正的范本,而且认为它的境界几乎是后人无法达到的,就像唐诗和魏晋书法的境界一样,强调了"正"的重要性。所谓"闲雅",是指在典正的基础上去除雕琢之气而显自然之美,在若无经意之间彰显优雅之美:"正而不雅,则矜持板执,未离俗气。故知雅者,原非整饬,别是幽闲。即如美女,无意修容,而风度自然悦目,静有可观也,动亦有可观也,盖淡而不厌也。"③因此,篆刻字体多典雅、端正,最终

---

① （明）徐上达:《印法参同》,见韩天衡编订:《历代印学论文选》,西泠印社出版社1999年版,第113页。

② （明）徐上达:《印法参同》,见韩天衡编订:《历代印学论文选》,西泠印社出版社1999年版,第114页。

③ （明）徐上达:《印法参同》,见韩天衡编订:《历代印学论文选》,西泠印社出版社1999年版,第114页。

要归于自然,动静皆宜,以自然风度取胜,才是篆刻艺术的最高境界。这也是汉印的境界。

因此,在印学昌盛的时代,人们往往以秦汉印章的篆刻艺术为最高的艺术范本,在学习秦汉印章的基础提出新的理论主张,同时融入新的审美趣味,是一种师古创新的举措。例如,在明清时期盛行对自然、古雅之美欣赏的潮流,这一审美倾向也体现在人们对印章篆刻的要求上。人们从自我的审美趣味出发,认为印章虽然是雕刻技术,但应该在雕刻过程中泯灭"雕琢"之痕迹,整个印面和字体布局显得古拙苍劲、自然天成,由此提出与此前印风不同的主张。可以看到,由于年代久远,秦汉篆刻体现出古拙渺远的意味,由此而成为人们思古之对象。那直接呈现出的苍劲的笔画似乎将渺远的时空以直观的笔画和形象呈现在观者眼前,瞬间让人产生与古人直接交流的感觉,故每在把玩时有思接千载、恍然若梦之感,印章篆刻由此从秦汉时期的实用之物转变为后人的审美对象,对印章雕刻的创造也转化为一种艺术创造和精神活动。因此,明清印人论印多以秦汉印章为抓手,对印章篆刻艺术提出了如下审美原则:苍古、混穆、朴拙、斑驳、苍老等。可以看到,"明清印人'发现'的秦汉印尤其是汉印的精神,是一种重自然轻人工、重心悟轻技巧、重天真轻造作的精神,其核心就是'天趣'。明代以来印坛所追求的浑穆、朴拙、斑驳、苍老等境界,都是这一精神的体现"①。通过明清印坛长期的师法、品评,秦汉印章和篆刻艺术的简朴古拙之美又一次绽放,并为后人不断创新发展提供了精神的动力,体现出强大的艺术生命力。

第三节　实用、简化与审美:隶变的总体特点

中国书法艺术发展的前提是对汉字字体的确定,秦汉时期字体的急剧变化为作为艺术门类的书法艺术的形成奠定了基础,其中尤以隶变最为关键;而且,隶变的最终完成,对于汉文化的形成也具有重要的基础性价值。

---

① 朱良志:《真水无香》,北京大学出版社 2009 年版,第 285 页。

一般认为,"隶变是汉字发展史上的一个里程碑,标志着古汉字演变成现代汉字的起点。有隶变,才有今天的汉字。……只有了解隶变,才能真正认识汉字,特别是现代汉字;只有了解隶变的起因、经过、现象、规律和影响,才能比较清楚地认识汉族文化以及它在隶变阶段中取得的种种成就"①。与篆刻一样,隶变也与战国秦汉时期急剧的社会变化紧密相关,并在秦始皇"书同文"的规定下更加迅速地发展起来。这一过程最终在武帝时期完成,形制、书写、结构、笔画基本一致的汉字系统成为汉民族普遍使用的文字,这为汉晋时期书法艺术的繁荣奠定了基础。隶变现象的形成是多种原因作用的结果,除汉字本身内部发展演变的促进外,政治力量的推动、文化的推广和传播等都起到了重要作用。因此,如何创制既符合人们传统审美习惯又方便使用的汉字书写方式,是当时的文字学家需要综合考虑和解决的问题。概括来讲,实用、简化、美观,成为隶变现象的总体原则。字体的变化既体现出人们对书写方式的要求,也蕴含着人们对审美的要求。

首先,实用和简化既是隶变现象出现的首要原因和原则,也体现出人们对文字书写总体的审美要求。日本学者真田但马说:"秦始皇统一了天下之后,统治区域扩大了,同时又对匈奴和越进行战争,种种事务繁杂起来。由于原来的大篆和新作的小篆仍有许多象形文字残留下来的曲线形笔画,所以书写不便捷。于是将曲线改变成直线以便于书写,这就是产生了'以趣约易'的称为隶书的新字体。"②实用性需求促使着书体发生相应的变化,这是一个长期发展的过程。实际上,即使在秦代,隶书开始时也只是下级官吏所使用的文字和书写方式,仅在非正式场合使用。在祭祀、典礼、官吏任免等重要场合,人们所使用的仍然是典雅、繁缛的篆书:文字书写方式的选择带有鲜明的意识形态色彩,隶书显然是不登大雅之堂的字体。班固《汉书·艺文志》指出:"是时始造隶书矣,起于官狱多事,苟趋省易,施之于隶徒也。"③但是,社会文化和事务的急剧增多,促使

① 梁东汉:《隶变研究》,河北大学出版社 2009 年版,"序一"第 1 页。
② [日]真田但马:《中国书法史》,瀛生、关绪彬译,人民美术出版社 1998 年版,第 13 页。
③ (汉)班固:《汉书》,颜师古注本,中华书局 2005 年版,第 1363 页。

人们追求更加快捷有效的书写方式，在此过程中人们又不得不选择隶书。在居延汉简上可以看到，当时隶书的书写不仅减少了笔画，婉转曲折的篆书笔画明显向方折简洁的笔画转化，而且有些字还出现了更加简化的方式，以符号的方式被书写下来，因此我们可以看到其中有很多后来才能看到的草书字符。这种"草隶"笔画少、书写流畅，可以更加快捷的记录各种资料。

可以发现，隶书在当时被用于各种场合——信件、公文、书籍、诏令等，这些大多是应用性文体，说明隶书在当时是实用化的书体，广泛渗透到人们日常生活和工作的各个领域。隶书的广泛应用不仅使隶书的书写方式更见成熟、富有变化，还催生了新的书体——草书。瑞典、英国、日本等国的探险家斯文赫定、斯坦因、大谷探险队等1901年在楼兰遗址发现了大量木简；1930年，瑞典学者伯格曼在中国西北边境又发现了一万余枚竹简。这些竹简普遍长23厘米、宽1厘米，呈细长形，"其内容以边陲屯戍军队的公文和记录占大部分，也包括书信和书籍之类"[①]。这种情况说明隶书成为汉代时人们普遍使用的书体，能够快捷书写是人们选用隶书的关键因素。当然，由于人们使用隶书书写的内容是多样的，因而隶书的书写方式也随之发生相应的变化，或严谨整肃，或自由随性，随着书写使用场合的变化而发生相应的变化："同是隶书，其中既有工整的书体，也有潦草的书体，其间存在着很多差异，但又并不是没有原则可循的。其中诏敕、法令、书籍等简牍，写得非常仔细工整，隶书特有的笔锋也强调得很明显，这与汉碑的隶书属于同类书体，可以说是最高级别的书体。与此相比，通常的文书类简牍的书体，虽说同是隶书，但多少有些潦草。在一些文书的底稿或写给同辈的书信中，则能看到更加潦草的草书体。可是，即使是潦草的书体，在文章的段落以及最后一字用笔锋等方面却是没什么变化的。"[②]隶书书写本身存在书写方式的多样化，随着应用和书写的快

---

① ［日］真田但马：《中国书法史》，瀛生、关绪彬译，人民美术出版社1998年版，第14页。

② ［日］永田英正：《居延汉简研究》，张学锋译，广西师范大学出版社2007年版，第5页。

速发展,人们对隶书笔画的书写越发产生简易的要求,那些应用在私人场合中的隶书更加体现出书写者本人的个性特点。这种特点不仅仅是出于对书写快捷的要求,在长时间的写作过程中书写者同时也会增长对书写的体悟,进而改变笔画的书写方式或字体的结构。简化、使用和美观仍然是这种趋势过程中的首要原则。书写方式的变化也越来越与书写者本人统一起来,真正的具有个性特点的书法艺术就是在这一过程中逐渐形成的。

其中,书写工具的变化是促进这种转化的关键因素。通过对秦汉隶书笔画的观察,可以发现,用刀刻画的隶书在笔画上多呈现斜方的特点,而用毛笔书写的隶书(尤其是东汉的隶书)可以发现更多的运用书写技巧的痕迹,轻快而随意的笔画在这些作品中时常看到,东汉时期则出现了著名的章草。考古发掘的秦代的笔,说明当时人们已使用刀和笔两种工具来书写文书、信件、诏令和私人著作,书写工具的变化与隶书快捷的书写方式之间是吻合的,它们的共同作用极大促进了人们对书写的认识和领悟,如何让书写的字体更加实用和美观,自然成为一个重要的问题引起人们的思考。这种思考也促进人们对书写工具加以改进,精致而适于书写的笔在汉代是常见的书写工具。人们发现,“与居延出土的汉简一同发现的汉代的笔,其制作之精巧几乎不亚于现在的笔”①;“汉代的笔,虽然在居延的汉代烽燧遗址中曾经发现过,但却是非常粗劣的东西。解放以后,特别是近年来,中国各地的古墓中不断有出土。例如,湖北省云梦睡虎地十一号墓中出土了秦代的笔,湖北省江陵县凤凰山一六八号墓、甘肃省武威县磨咀子四十九号墓出土了汉代的笔。其中磨咀子出土的笔长21.9厘米,嵌于竹管中的笔芯与笔锋用紫黑色的毛,外层覆以黄褐色的狼毫,笔管的一端系着丝线,笔管上涂以漆,阴刻着‘白马作’的铭文,实属上层佳品”②。虽然对居延出土的汉代的笔的精致程度在两位学者眼中存在出入,但汉代存在大量制作精美、工艺考究的笔却是事实。磨咀子

---

① [日]真田但马:《中国书法史》,瀛生、关绪彬译,人民美术出版社 1998 年版,第 16 页。

② 参见[日]永田英正:《居延汉简研究》,张学锋译,广西师范大学出版社 2007 年版,第 5—6 页。

刻有"白马作"的笔似乎说明这支笔是一位著名的工匠或制笔基地的产品,以至于需要直接标明,以显示其贵重程度。不仅如此,睡虎地凤凰山墓地中与笔一起出土的还有砚台和墨,说明当时人们有意使用整套的书写工具作为陪葬品。这些现象都说明汉代人对书写工具的要求越来越高,随之引发的书写观念也出现了重大的突变:书写不仅是实用性的,它同时还是自我文化个性的体现,构成笔画的线条由此转化为艺术的线条。

与此相关,由于书写材质或载体的不同,汉代隶书的风格特点也存在差异。图1-10是1971年12月甘肃甘谷县汉墓出土的东汉木简,是臣下上书给东汉桓帝的文书,为当时宗正府卿刘柜书写。[①] 可以看到,一方面,这些用毛笔蘸墨书写的隶书已不仅是下级官吏的专用,王公贵族和大臣都在使用这种书体进行写作,这说明皇帝本人也接受了这种书体;另一方面,由于书写工具和载体发生了变化,这时的隶书更加强调笔画的波折,修长、奔放而飘逸的线条使用已打破此前隶书书写笔画的限制,书写字体的中心意识明确,笔画挺拔有力,具有更加个性化的特点。图1-11是甘肃武威县旱滩坡汉墓出土的东汉时期的医药木牍,记录的是医药、临床诊断、针灸等方面的内容,是研究两汉时期医药情况的重要资料。[②] 全文用毛笔蘸墨书写,字迹迅捷随意,是典型的章草字体,在风格上体现出率性自然、朴拙粗犷的特点。显然,木牍的光滑程度很适合自由书写,毛笔和墨的使用也适合书写者率性挥洒,两者的结合不仅大大提高了书写的速度,也给书写者的自由创作提供了很大的发挥空间,进而促进了书法艺术的自觉。此时,这种隶书和草书特征兼具的书体逐渐摆脱了篆书和隶书笔画、结构的限制而形成了自己的特点,离纯粹意义上的书法艺术已经很近了。图1-12为著名的《曹全碑》,镌写时间为东汉中平二年(185年),记述的是县令曹全的生平和功绩。[③] 由于书写载体和书写方式的不

　　① 参见《中国美术全集·篆刻书法编·商周至秦汉书法》,人民美术出版社2006年版,第134页,图版82。

　　② 参见《中国美术全集·篆刻书法编·商周至秦汉书法》,人民美术出版社2006年版,第90页,图版59。

　　③ 参见《中国美术全集·篆刻书法编·商周至秦汉书法》,人民美术出版社2006年版,第172页,图版100。

同,《曹全碑》的字体端庄典雅,结构匀称,秀美整洁而又内敛飞动,是秦汉隶书中的代表性作品。虽然此时草隶已有较大发展,书写的人也逐渐增多,"楷变"现象也已出现,但是作为铭刻个体历史和德性的文字,仍然延续了刻石书体的一般性特点。与此前的秦始皇刻石和西汉早期的书体相比,虽然它们都是隶书,但笔画和审美风格的变化是显而易见的:朴拙转化为秀美,疏放转化为精致,庄严转化为典雅,不同时代的审美趣味和品评标准显露无遗。

图 1-10　甘谷汉简　　图 1-11　武威医药木牍　　图 1-12　曹全碑

　　如前所述,隶书的出现非仅为文字和政治力量的使然,它还蕴含较为深厚的意识形态内容:"隶书"本身就是一个带有鲜明感情色彩和价值评判标准的称谓。根据许慎《说文解字》的描述,文字被创制出来时,"天雨粟,鬼夜哭",是一件惊天动地的大事,而且字是被圣贤之人创制和书写的,书写文字被认为是人神交流的一种重要途径和方式,因而也是一件只为少数人所独占的特权。隶书笔画简易,书写方便,易认易学,能够书写的人群迅速增多,这在某种程度上打破了此前文字书写的神圣性。尤其是以小篆为正式书写文字的时期,书写隶书或多或少还带有抵抗强秦暴政的意味:"汉人痛恶亡秦暴政,以隶书乱小篆法度,败坏圣贤作字的规范,为它起了一个带贬义的名称。"①因此,"隶书"所谓贬义实带有革故鼎新的意味,它的大众化发展趋势正符合了社会的发展需要,或者说,社会发展呼唤隶书的出现和使用。可以想见,以刘邦为首的平民阶层在获得国家统治权以后,虽然在制度建设方面延续了很多秦的制度,但建立一种新的文化精神的任务却迫在眉睫。刘邦集团多为行伍出身,知识程度普遍不高,经过多年战争,战国时期的诸多贵族凋零殆尽,平民逐渐占据了历史舞台的中央,成为历史主体,笔画简易、学习方便、书写快捷的隶书自然也成为他们的选择对象。这样,通过学习文字和书写,刘邦集团不仅可以迅速掌握文字书写,而且能够通过这种学习掌握文化主导权,建立属于自己的文化。这个过程与汉初的政治体制和文化制度的重新建设是同步的。隶变在汉武帝时期完成不是偶然的,而是历史的必然:经过汉初60年的发展,汉代政权获得了丰厚的经济的支撑,文化思想和政治疆域的一统局面形成,文字的发展也应该在这种环境下完成。

总之,隶变的完成不仅是文字发展和国家政治的大事,同时它也在塑造一种新的审美原则。这种审美原则就是以实用和简易为基础的极简主义。这种审美原则不追求繁缛多变,而以简洁、简易、迅速、有力、自由为典型特征,它所体现的审美原则与繁缛铺张的汉大赋、眩目惊心的汉代舞蹈和色彩纷呈的汉代绘画截然不同。进一步说,隶变使汉代的审美形式多样化了。但是,汉隶的审美特点并非孤立的存在,作为同一时空和文化环境的产物,汉隶与绘画、音乐、舞蹈等是一母同胞的兄弟,它们在个性特点上虽有差异,同时又体现出一致之处。汉隶除了书写简易外,它也存在一个典雅化的过程。可以看到,很多汉隶作品十分强调运笔的气势和字体的端庄,它从一种带有贬义色彩的书体逐渐成为国家文化系统的正式书体,因而体现出国家意识形态的总体特点。

---

① 丛文俊:《中国书法史·先秦、秦代卷》,江苏教育出版社 2009 年版,第 375 页。

第二章

秦汉雕塑：力量之美和生活之美

汉代雕塑在中国雕塑史上占有重要地位,无论是雕刻技法还是表现对象,汉代雕塑都取得了很大进展。秦代以兵马俑和瓦当等为代表的雕塑艺术,对此前雕塑艺术进行了初步的总结和改造,体现出秦始皇统一天下所具有的宏大精神气象。秦始皇连年征战,他与他的谋士无暇对刚刚统一的六国在文化和思想上进行统一,因而秦代雕塑在表现宏大气象、追求力量和秩序之美的同时,尚无暇将以六国为代表的南北文化和艺术进行有效整合,这个过程只能由汉王朝来实现。秦代雕塑带有鲜明的秦文化特点:注重对现实对象的描摹刻绘,朴实凝重而缺乏流动之美,体现出鲜明的实用化倾向。汉代统治者以想象奇丽的楚文化为基础对南北文化和艺术进行了吸收、改造,其雕塑艺术在保持秦代雕塑某些特点的基础上增加了新的内容:汉代雕塑沉雄宏大而不失婉转流动,既注重世俗生活的表现,也体现出绚丽的想象,塑造了一种崭新的以世俗生活为基础、乐享人生的审美理想。秦汉时期,尤其是东汉中晚期,域外因素逐渐渗透到雕塑中,佛像、胡人以及西域各国人物形象在相关作品中出现,构成了奇特、多样的异域风景。它们是秦汉时期华夏雕塑的有益补充,尚未真正建构起汉代人的精神世界,它们真正产生实质性影响是从魏晋时期开始的。

第一节　精神性与抽象化:雕塑的本性与审美意识

与其他艺术形式相比,雕塑与审美意识的距离最近,或者说,雕塑天然具有审美意识的特质,因为雕塑蕴含的精神性和生命性正是审美意识的主要特征。黑格尔在《美学》中通过与建筑的比较,指出雕塑的精神性特点："通过建筑而获得艺术形象的那种精神无机自然是和精神本身相对立的,现阶段的艺术作品却用精神为它所要表现的内容。"①"现阶段的艺术作品"就是指雕塑。② 在黑格尔看来,雕塑之所以是"精神性的",是因为建筑艺术受到自然物重力规律的束缚从而使内在精神不能显现于客观事物中,内在精神仍需从自然物中抽身出来而返回到自身;与此相反,雕塑则摆脱了这种束缚,因而在雕塑身上我们可以看到内在精神离开自然物而直接通达自身,虽然这种"通达"还具有不彻底的成分。当然,黑格尔所谓之"精神性"是指绝对理念在艺术作品中的不同表现。这里使用马克思的"人的本质力量"概念对之进行重新阐释。在某种程度上说,从人类制造并使用第一件人造工具进行认识自然和改造自然、生成自我意识那一天开始,雕塑就已经存在:对自然物的改造与使用正是雕塑的开端——最粗糙的石器也是最早的雕刻作品。当然,这里被改造和使用之后的"自然物"与作为艺术品的雕塑还存在一定距离,前者以实用性为第一特征,它对形象的选择和创造是单一的、固定的,受到实用目的的限制。作为雕塑存在的自然物,以创造多样的形象体系、展现丰富的精神价值为标准,但其技术是从前者一步一步发展过来的。这个过程也正是审美意识萌芽、形成、发展、成熟的过程。

因此,汉代雕塑也是汉代审美意识的重要载体,是汉代人对自我的本质力量进行确证和表现的产物。由于汉代雕塑无论是种类、数量、技法还是功能和表现对象,都比此前雕塑丰富很多,因而汉代雕塑在中国雕塑史上占有重要的地位。而且,汉前雕塑由于各种原因很难窥得真迹全貌,虽然考古发掘出越来越多的实物,但相比于汉代雕塑的数量和种类还是有不小的差距。同时,两汉时期是中华文明独立发展的关键时期,汉末佛教进入且逐渐发生影响,使中国古代的审美意识出现突变,从而与此前存在

---

① [德]黑格尔:《美学》第三卷(上),朱光潜译,商务印书馆1979年版,第109页。
② 黑格尔在《美学》中使用"雕刻"一词讨论古希腊时期的雕塑作品,这些作品使用的主要材料是木料、象牙、黄金、青铜、大理石、宝石和玻璃等,雕刻的成品(或者说其表现对象)主要是指人。本书使用"雕塑"一词,同时也包括黑格尔所说的"雕刻"。"雕塑"可以分为"雕"、"塑"两个过程,"雕"有雕刻之意,"塑"有塑造之意,两者均是通过改造自然物的形态以创造新的形象。这里的"形象"既包括人的形象,也包括神与自然物的形象。

较大差异。因而全面研究汉代雕塑及其所蕴含的审美意识,对于全面认识中国古代审美意识的特点等问题具有重要意义。梁思成在《中国雕塑史》中对汉代雕塑在中国雕塑史上的位置作出如下评判:

> 秦汉之世,实为华夏文化将告一大段落之期。上承三代之盛,下启六朝之端,其在历史上盖一极之关键也。先秦雕塑遗物,既罕且贵,今日学子之能见者,不过若干铜器及极少数之玉器耳。其在雕塑史上实只为一段绪言。及乎两汉,遗物渐丰。时值天下一统,承平盛世,民有余力以营居室陵墓,日常生活亦渐安适,其遗迹在在皆有。①

梁思成此论内涵颇丰:其一,就研究价值看,汉代雕塑遗迹、种类、功能都比先秦丰富很多且容易见到,因而可以获得大量第一手资料进行研究;其二,由于汉代雕塑处于华夏文化发展的过渡阶段,尚未受到外来文化(尤其是佛教)的影响,因而它所承载的精神内容更为单纯,能够较好反映出此时华夏民族的精神特点;其三,与此前雕塑功能的单一性相比,汉代雕塑更多与人们的日常生活结合在一起,或者说,其更多以人们的日常生活为表现对象,在功能方面突破了此前雕塑较多承担宗教礼仪功能的局限,体现出生活化、世俗化等特点。

这些特点对秦汉审美意识形成的影响尤为重要。先秦雕塑多为礼器,虽然有些也被人们用在日常生活中,但其更多是作为礼器使用的,它们的表现对象也多为神物或神化的自然和人物等。举世闻名的秦始皇陵墓建筑(阿房宫)是这一传统的转折:它一方面表现神灵和万物,另一方面又将秦始皇的举世功业真实仿制出来,人的因素在雕塑中占据了重要位置。在现有的发现中,秦始皇陵兵马俑最直接、最有利地表现了这一特点。由于秦始皇陵墓雕塑主要是为了真实记录秦始皇的举世功业和至高皇权,因而其造型亦体现出自己的特点:对力量和秩序的追求成为这些作品的核心特点。这样看来,对力量之美和生活之美的追求由此成为秦汉雕塑的主要审美特征。

---

① 梁思成:《中国雕塑史》,百花文艺出版社1998年版,第31页。

第二节　秦始皇陵兵马俑:对力量和秩序之美的追求

对于中华民族来说,秦文化具有永恒的精神价值,仅凭这一点,它对中国古代审美意识的重要影响即应被详加关注,而无论秦始皇本人做过多少令后人责备的"错事"。可惜的是,由于常年战争和人为破坏,秦代文化及其物质载体多已不存。后人对秦王朝的研究多依靠文献记载,近年来出土文献和文物逐渐增多,引起了研究者的注意。秦始皇因其"暴政"损害了天下百姓的利益而成为"暴君"的代表,后世学者在记述时多不能秉承客观之态度,因而这些文献虽也记录了部分秦文化的史实,但更多是对秦始皇的伦理批判,他在文化上的功业隐而不彰。即使如此,秦文化对中国古代文化的影响——无论是在政治、道德领域还是宗教、艺术领域,都是不可忽视的,秦文化甚至成为中国文化的原始基因,以至于在外语文化世界中人们以"秦"的音译来代指中国。随着秦始皇陵发掘工作的持续展开,人们越来越多地依靠这些实物对秦王朝进行研究。通过对这些实物(尤其是规模庞大的兵马俑和数量众多的建筑器物等)的细致观摩和分析,可以发现,秦王朝虽然十分短暂,但其在文化上和审美上所作出的贡献不可忽视,它所呈现和凝聚的精神价值在某种程度上成为后人不断汲取的力量。尤其在中国多苦多难的近现代历史上,秦始皇及其人民修筑的万里长城早已摆脱了物质身份而成为中华民族自强不息的强大精神动力的象征并至今传唱。它对中国古人的艺术和审美实践的影响也是这样。值得注意的是,秦王朝的强大文化多以雕塑的方式流传至今,这些作品彰显了无上力量的权威和神圣,可以称之为"力的艺术"。

秦始皇兵马俑规模宏大,展示了秦国所向披靡的无上威力,这种威力同时又是秦始皇本人前无来者的丰功伟业的表征:展示力量之美及其宏大气势,由此成为秦始皇兵马俑的重要功能。因此,秦始皇兵马俑虽然数量和规模均极为庞大,但它却是具有高度个人性或个性化特征的作品。秦始皇兵马俑并非审美的产物,它所具有的审美特点和艺术价值须置于当时的社会历史和文化背景之中才能得以认识。其中,秦始皇本人的性格特点及其对自我功业的高度肯定,对兵马俑的形成和造型特点具有决定性意义。王学理说:"秦始皇兵马俑的出现,不只是具有鲜明的时代性,更主要的是由秦始皇个人的性格特点决定的。"①秦始皇率领庞大的骑兵和步兵横扫六国统一天下而改写历史的事件在中国历史上是第一次,秦始皇创制兵马俑无疑具有将之仪式化的意图:依靠对现实中千军万马的真实模拟和建造将之历史化和永恒化,从而实现自我生命和精神力量的永恒化。秦始皇有建造庞大塑像以威慑天下的喜好和习惯:天下甫定,他就建造规格体制巨大的"金人十二"。贾谊《过秦论》曰:"收天下之兵聚之咸阳,以为金人十二,以弱黔首之民",班固《汉书·五行志》记载:"(秦始皇)二十六年,有大人长五丈,足履六尺,皆夷狄服,凡十二人见于临洮,……销天下兵器,作金人十二象之。"②据当时度量核算,十二铜人的重量可达 45 万斤重。无论这十二铜人的原型到底是传说中的神仙还是域外胡人,都说明它们的制作是秦始皇当时一项重大的文化工程和政治工程,其目的就是要通过这种宏大的雕塑作品表彰自己的权威,所以后来萧何负责营建刘邦的宫殿时也说"非宫室无以重威",刘邦最终也同意了这项建议。因此,规模宏大的雕塑作品和宫殿建筑从来都具有重要的政治意义和礼仪功能。为了顺利施行教化,审美因素也会被使用在这些作品上。新、旧两种审美意识内容由此胶着、凝结在一起,为推行政治统治贡献了力量。

秦始皇兵马俑对力量之美的追求体现在两个方面:其一,兵马俑中的军士、车马和武器均与当时真实的军士等相符合。(见图 2-1、图 2-2)据统计,"秦俑身高 1.70—1.87 米,基本同当时人身高相当。头颅、体躯、四肢及其细部结构,也基本合乎解剖学的比例。陶制的车马高 1.58—1.70 米,体长 1.90—2.20 米,四腿如柱,膘肥体壮,属于重挽型马种一目了然。这些武士俑多半虎背熊腰、膀圆腿粗、体形硕大健壮,大概同魏之'武卒'、齐之'技击'一样,都是经过秦政府严格挑选和严格训练的'虎挚

---

① 王学理:《解读秦俑——考古亲历者的视角》,学苑出版社 2011 年版,第 4 页。
② (汉)班固:《汉书》,颜师古注本,中华书局 2005 年版,第 1192 页。

图2-1　秦始皇陵踞坐俑①　　　　图2-2　秦始皇陵跪射武士俑②

之士'。"③这些勇猛健硕的军士是秦国强大兵力的体现。其二,兵马俑的力量之美也体现在它严谨、规则、整饬的结构和布局上。相对于数量、尺度和规模等仅具有象征意义的汉俑,秦俑的数量、尺寸和规模均可以达到与真实的军队相媲美的程度,因而在排列上也具有现实中军队作战布阵时的严整:兵士的排列方位、战车和兵士的搭配、军官和士兵的匹配、弓弩等武器的使用等,均严格按照真实战场上的标准布置和安排,以至于有军事专家以此为基础对秦国征服六国时的战略战术进行实证研究。只有这样真实呈现现实军队的面貌才有可能真实展现秦军不可匹敌的威力,严整的布局和秩序既是现实中军队产生威力的基础,也是兵马俑给观者产生强大震撼力的基础,由此形成秦始皇兵马俑的力量之美。有学者对秦始皇兵马俑一号坑、二号坑中的军士布局进行精确的研究,认为:"这种

---

① 参见刘兴珍、郑经文主编:《中国古代雕塑图典》,文物出版社2006年版,第80页,图4-1。

② 参见刘兴珍、郑经文主编:《中国古代雕塑图典》,文物出版社2006年版,第81页,图4-2。

③ 王学理:《解读秦俑——考古亲历者的视角》,学苑出版社2011年版,第392—393页。

整齐的构图方式也许反映的是秦屯围军阵的真实情况,但在很大程度上确实呈现了艺术的美感。因为方块构图给予人在视觉上的效果,是整齐、严密,具有无穷的连续性,而对称结构,在轴线关系上延伸、展开,使画面更加整齐,并形成横向或纵向上宽度或深度的变化。"①无论是为了模仿真实的军队还是为了防范假想中的敌人,这种布局严整、规模宏大的结构都足以让人产生敬畏之心。(见图2-3)

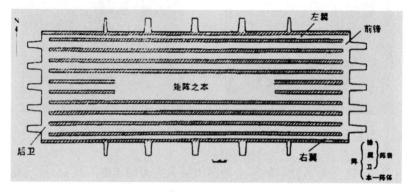

图2-3　秦俑矩阵结构示意图(局部)②

　　需要指出,秦正处于需要重新为世界建立秩序的时代。实际上,秦始皇和吕不韦、李斯等文化官僚也在努力进行这项工作,这是整个时代的要求。在经历数百年的分崩离析之后,无论是物理的疆域还是文化和思想领域,都在呼唤这种新秩序的出现。吕不韦及其门客的编纂工作实际上就是一项社会文化和宇宙秩序再造的活动。《吕氏春秋》十二纪的安排是其成果,并被后来《淮南子》《史记》等著作所吸收、继承和发展。同此,秦始皇的文化工程也与此紧密相关。秦始皇陵的宏大气魄和力量不仅体现在规模宏大的兵马俑雕塑上,它的力量由一整套结构严密的万物组成,除了部分牺牲的是真实的自然物外,这里的"万物"是通过人工模拟的方式实现的。可以看到,"复杂而精巧的秦始皇陵包括真正的人和动物以及缩小的青铜车马、宫殿模型和天体图像,而享有盛名的兵马俑不

---

①　王学理:《解读秦俑——考古亲历者的视角》,学苑出版社2011年版,第392页。

②　参见王学理:《解读秦俑——考古亲历者的视角》,学苑出版社2011年版,第28页。

过是其中一个组成部分。"①司马迁对秦始皇陵内部构造和所藏物品的记述不断被人提起。司马迁《史记·秦始皇本纪》记载：

> 始皇初即位,穿治骊山,及并天下,天下徒送诣七十余万人,穿三泉,下铜而致椁,宫观百官奇器珍怪徙臧满之。令匠作机弩矢,有所穿近者辄射之。以水银为百川江河大海,机相灌输,上具天文,下具地理,以人鱼膏为烛,度不灭者久之。②

可以看到,这座庞大的陵墓是秦始皇本人亲自下令建造并督办的。现存各种秦始皇的诏令显示,他对陵墓的高度、宽度和深度进行了明确规定。经过 70 万人长达数十年的不断营造,秦始皇陵的规模极端庞大,内部构造极其严整、复杂。这个庞大精致的建筑将当时所能发现的宇宙和世间中的所有宝物全部纳入其中,兵马俑是仅这个庞大工程的组成部分之一。由于秦始皇陵至今还未发掘,其内容构造到底如何现在还无人知晓,以至于司马迁的记述不断遭人质疑:既然秦始皇陵在建造完成后那些参加建造的匠人全被处死,皇陵内部的结构和所藏物品自然无人知晓,司马迁又如何知道得如此详细? 因此,人们或以为司马迁的记述带有更多的夸张和想象成分,不能作为严谨的史料使用。但现代科学技术的使用和研究越来越证明司马迁记述的正确性:"据测试,发现地宫内有强烈的汞异常反映,面积达12000 平方米,略呈几何形分布。"③秦始皇陵这种以有限墓葬空间重建宇宙秩序的做法是此前墓葬设置所没有的,这种一统天下的格局是秦始皇宏大精神气魄的物质化呈现,并影响到汉代社会物质文化和精神气象的建构。

　　秦始皇陵兵马俑的"力量之美"并非通常所说的"无功利的美",它从一开始具备典型的意识形态特点。秦国自古有建立宏大宫殿的传统。自秦德公元年(前 677 年)迁都雍城,这种大规模的都城建筑活动一直继续,其中有代表性的有文公时的西垂宫、德公时的大郑宫、宣公时的阳宫

---

① ［英］杰西卡·罗森:《祖先与永恒:杰西卡·罗森中国考古艺术文集》,邓菲等译,生活·读书·新知三联书店 2011 年版,第 211 页。

② (汉)司马迁:《史记》,中华书局 1959 年版,第 265 页。

③ 袁仲一:《秦始皇陵园考古勘探研究中几个问题的探讨》,见《秦俑秦文化研究——秦俑学第五届学术讨论会论文集》,陕西人民出版社 2000 年版,第 21 页。

和高泉宫等。秦穆公霸西戎后也曾修筑了很多宫殿，其中"霸宫"是比较著名的宫殿，以至于使戎使由余发出"使鬼为之，则劳神矣；使人为之，亦苦民矣"的感慨。这些宫殿至西汉时仍在继续使用。作为大一统制度和思想的产物，秦始皇陵和秦宫建筑在建造时具有明确的指导思想。诸多文献显示，秦始皇本人多次对这一庞大的建筑工程作过批示。在秦始皇的意图中，秦宫和秦始皇陵作为人间建筑，它同时也是天体秩序在人间的反映，它们的建筑格局也与当时人们对宇宙秩序的划分紧密对应，后人用"法天思想"概括之："按照'天道圆，地道方'的宇宙观，把陵墓内放置棺椁的主体宫室作成穹窿形顶，以象仰望时看到的天体。再在上面绘画出包括北极星、北斗星、二十八宿、四象和日月的'天文星宿之象'"①，从而实现"既法天又象地"的效果，在有限的空间内包容无限的内容。在这种思想的支配下，即使是对小小复道的建设，也是对天宫的模拟，"为复道，自阿房渡渭，属之咸阳，以象天极阁道"②。因此，兵马俑的建造，实际上也是这项模拟天地宇宙工程的组成部分之一，它的宏大规模和力量正基于这种宏大的思想基础。当然，为了体现这种力量，在形式上它打破了此前兵俑制作的形制、规模和数量，取得了重大发展，形成自己的特点。秦始皇陵的这种陈设方式及其观念并非短时间形成，它对力量之美的追求同样是历史的产物。只有在具备了强大的军事力量、物质力量和思想力量的基础上，这种力图通过雕塑和图像的方式来展现对力量和秩序的追求的愿望才可能实现。如果将秦始皇的伟大功业及其陵墓建造放在整个秦文化(尤其是墓葬文化)的发展历程中，则可发现更多内容。我们甚至可以看到，秦从一个边荒小国到秦始皇统一六国并建造庞大的皇陵，秦文化的特点在一步一步地形成、发展进而达到顶峰，直到汉武帝时期才真正完成了秦始皇统一天下的大业。③

---

① 王学理：《法天意识在秦都咸阳建设中的规划与实施》，见《秦俑秦文化研究——秦俑学第五届学术讨论会论文集》，陕西人民出版社 2000 年版，第 421—425 页。

② (汉)司马迁：《史记》，中华书局 1959 年版，第 256 页。

③ 参见腾铭予：《秦文化：从封国到帝国的考古学观察》，学苑出版社 2003 年版，第 21—42 页。

　　需要指出，当前在对秦始皇兵马俑艺术特色研究的论著中，普遍存在这样一种倾向：将这些雕塑作品的艺术成就进行拔高，以适应它所具有的重要历史地位。这方面的研究论著很多，这里不一一举例了。秦始皇兵马俑如此气势撼人，在中国雕塑史和政治文化史上均有重要地位，甚至可以作为纪念碑性的艺术作品加以审视，因而它的艺术成就自然也是极高的。在这种思维的支配下，很多论著对兵马俑的艺术造型特点进行分析，认为它们的造型技法多样、气韵生动、形神兼备，具有很高的艺术水准；在表述上喜欢使用"有的……有的……"来形容其表现形式的多样性，如此等等。实际上，这些所谓"艺术特点"并非制作者出于艺术需要而有意作出的创造，它更多是由创制主体的不同而形成的。据考证，当时制作兵马俑的匠人主要有宫廷工匠和民间工匠构成，他们制作的兵马俑在风格上存在显著不同。① 而且，如果将兵马俑放在整个中国艺术发展史上分析，可以发现，它虽然也综合使用了圆雕、浮雕、线雕等手法，但其制作技术尤其是其对这些器物造型的细节呈现，与前后其他作品相比还显得不是那么高超；如果将之与汉代的同类雕塑相比，这一点表现得尤为明显。

　　同时还应注意，兵马俑的规模、体制都十分庞大，由于制作主体的多样性，由此形成秦俑制作思想与制作者本人艺术表达之间的矛盾。可以推测，如此规模和数量的兵马俑的制作定然存在严格的运作和审查程序，但效果如何尚待考察。人们发现，虽然秦俑兵士普遍体现出积极向上的精神面貌，但有很多兵士的面部表情却很阴郁，似乎有着无尽的思念与哀伤，林剑鸣将这种情况概括为"秦俑坑涉及的指导思想和具体塑造秦俑形象的工匠或艺术家思想、情绪之间的矛盾"，"前者当然希望从整个群像中表达出昂扬、乐观的情绪，后者只能有意无意地把自己阴暗、低沉的情绪塑造到秦俑身上。这对矛盾其实正是两千前秦统一中国前后历史实际矛盾的反映"②。虽然其中有些军士的面部表情存在多样化情况，有些

　　① 参见袁仲一：《秦俑艺术》，见秦始皇兵马俑博物馆编：《秦俑学研究·艺术编》，陕西人民教育出版社 1996 年版，第 704—705 页。

　　② 林剑鸣：《秦俑主题何处觅》，见秦始皇兵马俑博物馆编：《秦俑学研究·艺术编》，陕西人民教育出版社 1996 年版，第 852 页。

俑的风格也存在差异,但不能否认,其雕刻手法还比较单一、粗糙。众多兵马俑也存在风格和造型的不一致情况,尚未形成艺术风格的多样化。拔高兵马俑的艺术成就无助于真实认识它在中国艺术史上的价值,而且这种观点也忽视了兵马俑的制作所依托的社会文化环境和其最终目的。秦国行事一直奉行实用务实的现实主义原则,因此众多秦墓出土的秦国器物在纹饰造型上普遍存在单一化特点,线条使用僵硬而缺乏变化,有些纹饰仅仅是对自然物的简单仿制,缺乏创作主体更多的创造性加工,因而也不能体现出自由性和灵动性特点。就兵马俑的制作看情况也是这样。这是考察两汉雕塑及其所蕴含的审美意识内容的重要参照。

当然,秦始皇兵马俑提出的艺术问题远不及此。例如,有学者利用《拾遗记》中记载的秦始皇元年有"骞霄国献刻玉画工名裔"的记载,认为秦始皇兵马俑如此大规模的群体雕塑在秦代突然出现,似应受到了域外因素的刺激或影响。[①] 这条文献的记述类似于神话,玄幻夸张的成分很多,因此很多人认为不能当作严肃的史料运用,但其透露的信息却值得深究。由于关于秦始皇陵记载的直接文献十分稀少,这方面的研究还有待更多资料加以补充。这种域外因素的渗透与影响在两汉雕塑中是明显的,例如霍去病墓前的石雕等。同时,如此规模庞大的雕塑群,当时人是如何建造完成的?其制作工艺发展程度之高可想而知,似乎可以使用模件化、规模化的艺术生产来对这种活动进行表述。

第三节 打破"凝聚的光":秦汉雕塑的颜色使用

黑格尔在《美学》第三卷讨论了雕刻艺术的颜色使用问题。在黑格尔看来,由于雕刻在表现精神方面还很单一和抽象,因而还不能意识到颜色变化与精神表达之间的关系,由此形成雕刻艺术在颜色使用方面的单

---

① 参见贺西林:《秦俑艺术研究——探索方法的意义》,见秦始皇兵马俑博物馆编:《秦俑学研究·艺术编》,陕西人民教育出版社1996年版,第838页。

一化。他说:"雕像大体上是单色的,是用纯白色而不是杂色的石头雕成的;有时它也用各种金属物——这种原始物质也是整体一致,见不出差异,可以说是一种'凝聚的光',见不出各种颜色的反衬与和谐。"①在黑格尔看来,即使有些雕刻作品(尤其是人像)利用了金属物的自然颜色,如黄金、玉石、象牙的颜色,但只是为了显示器物的精美和豪奢;而且,黑格尔引用迈约《希腊造型艺术史》对雕刻艺术有意忽略颜色的发展趋势的论述,认为越是高级的雕刻就越是日益抛弃对颜色的使用,而只利用物质空间和阴暗对比形成静穆和明晰的审美感受。因此,"凝聚的光"是黑格尔对雕刻艺术在颜色使用方面所存在局限的概括。由于黑格尔研究的对象主要是古希腊时期比较成熟的人体雕刻,因此他的论述仅具有部分的合理性。

实际上,在早期中国的文化体系中,颜色从来就不是颜色本身,而是天下秩序的重要体现者,因此颜色的使用也带有更多的秩序性和象征性。这种观点在阴阳五行说的哲学体系中固定下来并被系统化,成为重要的艺术创制原则。由于颜色很容易唤起主体的视觉欲望,因而也具有更多感性化的特点。因此,借用颜色的天然本性传达上述理念同样是最为便捷的方式,由此颜色使用就不仅仅是艺术问题,同时还是政治、哲学、宗教乃至伦理道德问题。在中国早期艺术中,这些内容往往交织在一起,很难截然分开。通过对秦汉雕塑颜色使用的分析,可以发现,秦汉雕塑并非仅是"凝聚的光",它同时以自己多样的颜色使用而在当时的文化艺术体系中占有重要地位。

在当时条件受到诸多限制的时代,人们在制作秦俑时创造了一些新的使用颜料的方法,给陶俑上色需要很多道工序;而且,军士不同的身体部位,颜色使用也是不同的。为了能够让颜色很好附着在俑体上,他们还采用了一些方法。袁仲一对秦俑的施色方法作过研究:"先在陶俑、陶马身上平涂一层生漆作底色,然后再彩绘。涂生漆的目的,在于使俑体的表

---

① ［德］黑格尔:《美学》第三卷(下),朱光潜译,商务印书馆 1979 年版,第 115—116 页。

面滑涩相宜,吸水适度;另外也可增强颜色附着力。颜色厚薄不一,面、手、足的颜色较厚,施色两层;其余部位施色一层,颜色较薄。"①这些迹象都说明颜色使用在当时有一定的内在逻辑和要求,有特定的思想基础在起作用。比如,军吏俑和士兵俑的用色是不同的,军吏中高、中、低不同级别的俑的用色是不同的,士兵俑中车兵、骑兵、步兵等不同兵种的颜色也是不同的。同时,这些颜色使用又存在混杂的情况,并不一定会起到区分不同种类和阶层的作用。这与当时秦国尚未形成体系分明、等级森严的颜色使用体系有关。正是这种情况的存在,给陶俑制作者留下了自由创作的空间,颜色使用能够真实反映出当时民众的审美情趣和价值取向。总体上看,"秦人非常讲究颜色的搭配,喜爱强烈的对比色。……秦人的服色给人的感觉、感情和精神力量是热烈、喜悦、活泼,而又深沉。秦人这种审美的情趣,反映了其积极的生活内容及蓬勃向上的精神面貌"②。秦俑颜色以红色和绿色居多,少数有紫色、蓝色等,"秦俑颜色的红绿格调,就是要让人们生生机昂然的联想,产生血与火的联想,通过颜色的直感,把秦兵马俑与力量、地位、坚忍不拔的行为联系起来"③。当时,秦贵族普遍崇尚黑色,而民间百姓比较偏爱鲜艳的颜色,这一点鲜明体现在当时服饰颜色的使用上,体现出两者趣味的不同。

与汉代绘画一样,汉代雕塑对颜色的使用也很讲究,它们是秦汉色彩斑斓世界的重要构成者。对于后世者来说,这一点往往多被忽视。因为随着时间的流逝,这些创制两千多年的历史遗物身上的鲜艳颜色在发掘后不久随即风化、脱落,而成为灰色或黑白相间不等的颜色,好像它们当初就是如此。这种情况的出现既有人为因素,也有技术和保存不当等因素。比如,1977年在试掘秦始皇兵马俑三号坑时,当时的工作人员搁置

① 袁仲一:《秦俑的彩绘颜色》,见《秦俑秦文化研究——秦俑学第五届学术讨论会论文集》,陕西人民出版社2000年版,第539页。
② 袁仲一:《秦俑的彩绘颜色》,见《秦俑秦文化研究——秦俑学第五届学术讨论会论文集》,陕西人民出版社2000年版,第541—542页。
③ 刘占成:《秦俑研究三题》,见《秦俑秦文化研究——秦俑学第五届学术讨论会论文集》,陕西人民出版社2000年版,第546页。

了有人提出的登记兵马俑颜色的建议,致使刚刚出土的车马、兵士身上的鲜艳颜色被大雨冲刷殆尽。王学理先生当时慧眼独具,独自对三号坑秦俑的颜色使用进行详细的记录和研究。① 据他统计,秦俑三号坑群俑使用的颜色有朱红、玫瑰红、粉红、橘红、紫红、粉紫、深蓝、孔雀蓝、石绿、赭、褐等13种;这些俑在颜色使用上比较稳定,设色注重强烈的对比效果,可以收到整肃热烈的艺术效果。研究表明,秦俑在颜色使用上有其独特的规律,显然是经过仔细考量后统一实施的;而且,其着色也有好几道工序。② 秦俑博物馆还与德国合作,在秦俑的颜色分析中发现了雌黄、硅酸铜钡等成分。③ 1999年春,在秦始皇陵内外城之间的东南方向还出土了11具彩绘百戏裸俑,"陶俑仅着彩绘短裙,其余上身、双腿双足赤裸,面部均为粉红色"④。可见,秦墓中的雕塑作品多为彩色。根据现代科学分析,这些颜料使用综合了多种矿物质,在当时处于世界先进水平,并不像黑格尔所说的那样,早期雕塑只是在利用无机自然本身的颜色。1999年9月10日,在秦陵兵马俑二号坑,发掘出一尊绿面跪地武士俑。由于其他俑的面部颜色多为肉红色和粉白色,因而这尊绿面武士俑引起了研究者的注意。有人结合《吕氏春秋》等文献、民族志材料和中国古代面具颜色的象征含义等,认为这尊武士俑的面部绿色是为了表现武士勇猛、无所畏惧之精神。⑤ 由于年代久远,这些雕塑上的斑斓颜色现在均已脱落,斑驳不堪,难以再现当年的辉煌景象。近年来,有不少科技工作者试图通过各种方式复原兵马俑等雕塑上的颜色,取得了不少科研成果,有些已经被

---

① 参见王学理:《解读秦俑——考古亲历者的视角》,学苑出版社2011年版,第472—481页。

② 参见王学理:《解读秦俑——考古亲历者的视角》,学苑出版社2011年版,第476、480页。

③ 参见张立文:《二十五年秦俑研究述评》,见《秦俑秦文化研究——秦俑学第五届学术讨论会论文集》,陕西人民出版社2000年版,第8页;李铨:《学术空气浓郁,学者新论迭出——秦俑研究第四届学术讨论会纪要》,《文博》1994年第6期等。

④ 李铨、苏文:《秦陵新出土"半裸俑"试探》,《秦俑秦文化研究——秦俑学第五届学术讨论会论文集》,陕西人民出版社2000年版,第302页。

⑤ 参见王骏民、包柏成:《秦陵兵马俑中绿面俑文化意义解读》,《宁夏大学学报》2009年第4期。

用到陶俑的保护和恢复工作之中,取得了很好的效果。①

　　因此,在五色配五德观念广泛盛行的秦汉时期,如此重要、众多的雕塑上如果没有颜色才是真正不可思议的;而且,由于颜色与国运盛衰紧密相连,他们对颜色的使用也仅非出于视觉上的考虑,而是紧密结合相关的思想进行的。秦人尚黑、汉人尚黄,都是这种观念的反映,颜色的使用是国运和阶层划分的重要标准,以至于不同时代、不同皇帝都要更改服色。因此,秦汉雕塑对特定颜色的使用是一贯的。1965 年 8 月 24 日,在陕西咸阳杨家湾出土的西汉彩绘兵马俑规模亦甚庞大,被认为是"陕西地区至今发现汉代的制工最精、彩绘最鲜艳、造型最优美、保存最完好的一批陶俑"②。科研人员在这批陶俑身上发现黑、白、红、棕红、黄、紫、橘红等各种颜色,其中棕红和橘红大量在马身上使用,黑、白、红则在人身上使用。由于这些颜料本身附着性差,当时还使用了胶结材料,使之具有很好的黏着性,方便给陶俑上色。除了这些彩色陶俑外,在陕北、晋西等地还出土了很多彩绘画像石墓,出土了一批彩色画像石和画像砖,它们的颜色使用也值得关注和研究。此不赘述。

第四节　雕塑意象生成的差异:秦汉瓦当纹饰之比较

　　在秦汉雕塑体系中,瓦当无疑是重要组成部分之一。瓦当上的图像、图案和文字及其纹饰造型的变化,是研究秦汉审美意识的重要内容。人们常说"秦砖汉瓦",这一方面说明两者具有悠久的历史,另一方面也说

---

　　① 参见殷建强:《秦兵马俑失色之谜》,《科学与文化》2005 年第 10 期;秦俑彩绘艺术保护研究课题组:《秦始皇兵马俑漆底彩绘保护技术研究》,《中国生漆》2005 年第 1 期;贾建业、刘建朝:《秦陵兵马俑的矿物彩绘》,《陕西地质》1993 年第 1 期;汪娟丽等:《陕西杨家湾出土西汉彩绘兵马俑的修复保护研究》,《文物保护与考古科学》2008 年第 4 期等。更详细的论述,参见秦始皇兵马俑博物馆编:《秦俑学研究·保护编》,陕西人民教育出版社1996 年版,第 1261—1342 页。该编收录了关于秦俑颜色分析和保护的中外论文 14 篇,用现代科学分析方法对秦俑使用的颜料构成和颜色谱系进行了细致分析,并提出了具体的保护措施和意见,值得参看。

　　② 汪娟丽等:《陕西杨家湾出土西汉彩绘兵马俑的修复保护研究》,《文物保护与考古科学》2008 年第 4 期。

明它们是秦汉艺术的典型代表。由于瓦当是人们在建筑墓葬、房舍和宫殿时所用之物，因而其象征性含义颇为浓厚，需要体现出所建建筑的特点和吉祥寓意，蕴含着丰富的内容。关于瓦当的"当"所指何意，历来有争论。有人认为"当，底也"，是筒瓦底部之物（清程敦：《韩非子外储说注》）；有人认为"当"为璧珰之意，即班固《西都赋》所谓"裁金璧以饰珰"，为形制若玉璧的饰品；施蛰存先生则认为，"当"的初字为"挡"，意为阻挡、遮挡、抵挡，其作用是"用以蔽护屋檐，其筒瓦部分则遮挡了两行板瓦之间的缝隙，防止屋面雨水渗漏，增加了建筑物的牢固和美感"①。可以看到，上述解释包括三方面内容：其一，瓦当的实用性，即它是为了确保建筑物免受损害而使用的"零件"；其二，瓦当的象征含义，由于其形制多为圆形和半圆形，与玉璧的形制比较接近，因此人们也按照传统玉器的制作方式制作瓦当，以寓吉祥尊贵之意；其三，瓦当的美学价值，即人们在保证实用性和象征性的基础上追求装饰性，以求建筑物美观、大气，给人美感。这些因素综合起来，既促进了瓦当的大量使用，也使之从日常生活用品转化为艺术品。由于它承担了多项功能，因而人们在制作中同时也赋予其多项含义，对当面上的图像、图案、文字的使用也极为用心。瓦当从西周开始即被使用，但大规模使用却在战国晚期，秦汉时代则发展到顶峰，成为我们研究这一时期审美意识的重要对象。

　　秦汉瓦当(包括某些战国瓦当)的图像纹饰是自古以来整个雕刻艺术的组成部分，拥有着共同的艺术特点和思想基础，在继承中有发展。从瓦当作为饰品的角度看，它的制作延续了传统玉器、青铜器等器物的刻绘方式，尤其在图像和图案纹饰的使用方面具有内在的联系，它们同属于一个艺术系统。同时，历经长期发展后，秦汉瓦当在纹饰使用上又有了一些新的变化，在保留此前纹饰造型写实浑厚特点的基础上更加注重线条使用的婉转流动，体现出自己的艺术特点。这既与瓦当使用的材质有关，也体现出纹饰造型本身发展的内在趋势。图 2-4 左边是秦雍城出土的瓦

---

　　①　陕西省考古研究所秦汉研究室编：《新编秦汉瓦当图录》，三秦出版社 1986 年版，"序"第 1 页。

当上的蟾蜍纹,右边是商代青铜器上蟾蜍纹。① 可以看到,青铜器上的蟾蜍纹饰具有较为明显的写实特点,而雍城瓦当上的蟾蜍在保留蟾蜍基本形态特征的基础上更加注重线条的灵活和变化;同时,雍城瓦当上的蟾蜍四周有一个圆圈,而青铜器上的蟾蜍则没有,这是"月中有蟾蜍"这一神话观念在雍城瓦当上的体现,其灵动轻浮的身姿似乎在月中浮动一般,体现出两者在造型和思想意蕴等方面的差异。

图2-4 秦雍城瓦当蟾蜍纹与商代青铜器蟾蜍纹

如前所述,瓦当不仅仅是作为建筑中的"零件"来使用的,而且其性质与传统的玉器造型比较接近,因而人们也认为瓦当是玉珰的一种。在传统的思想观念中,玉器及其纹饰造型从来都是沟通神人(或天人)的重要工具,瓦当的制作在某种程度上也具有这样的特点:它不仅仅是一种建筑器具,同时也具有独特的象征含义与功能。因此,瓦当的制作也具有独特的思想基础。在神权下落的几百年间,中国哲学关于神人关系或天人关系的讨论在战国时期出现了变化:在保留传统神话宇宙观的同时,人是宇宙秩序重要组成部分的观念逐渐成为学者和大众的共识。这种宇宙观念通过各种方式体现出来。即使是小小的瓦当的制作,也与这种宇宙观形成紧密的呼应关系。不能说瓦当多为圆形或半圆形的造型特点与人们对天体形状的认识没有关系,应该说,瓦当圆形或半圆形造型与人们天圆地方的宇宙观正相吻合。那些生动精致的图像和图案设置,说明人们一直就

① 参见申云艳:《中国古代瓦当研究》,文物出版社2006年版,第14页;陕西省考古研究所秦汉室编:《新编秦汉瓦当图录》,三秦出版社1986年版,第31页,图版31。

将瓦当的尺寸天地看作是无限宇宙的缩影,因而其构图和造型也力求达到以有限体现无限的目的:这个尺寸空间是一个独立自足的宇宙空间或生活空间。这几乎成为绝大多数秦汉瓦当的共有特征。

对于无限的宇宙空间、繁复多样的万物组成和生动精彩的日常生活空间,秦汉瓦当均有自己独特的呈现方式,形成其独特的构图方式。我们以此为根据将秦汉瓦当的图像和纹饰分为四种类型:其一,表现无限的宇宙空间的;其二,表现时间万物构成的;其三,表现人类生活的;其四,文字和图案并重的文字瓦当。其中,前两类和第四类瓦当在数量上占据了主体。毕竟,瓦当受其尺寸空间的限制,很难对繁复多样的人类活动进行表现。这类作品在数量上很少。

具体而言,其一,表现宇宙空间的瓦当图像和纹饰多以云纹、云气纹、蛙纹、涡纹为主,同时还有树叶纹、莲叶纹和一些几何纹饰,有时还会辅以鸟纹,以呈现宇宙空间生生不息和流转不居的特点。气化宇宙观经过邹衍等战国思想家和《吕氏春秋》、《淮南子》等著作的细致讨论和建构,已逐渐成为这一时期基本的宇宙观念和哲学思想。如何表现生生不息、永恒存在的宇宙是人们的一项重要任务。除了逻辑上的玄思之外,通过形象的方式呈现这个世界成为器物制作的重要任务。这个任务同样也落到了瓦当的头上,小小的尺寸空间也就变成了宇宙的缩影。可以看到,几乎所有瓦当的图像纹饰,无论表现对象多少,几乎都是在一个圆形的世界中展开的。这个圆形世界就是浩瀚无边的宇宙的体现,所以云纹、涡纹、蛙纹、鸟纹均逐渐抽象化且转变为流动不息的云气的象征。图 2-5 是秦瓦当,面径 15.5 厘米,边宽 0.9 厘米,厚 2.4 厘米,瓦色纯灰色,出土地点不详,现藏陕西省考古研究所。[①] 可以看到,这块瓦当图案对称,几乎全是云纹;居于正中小圆圈内的一只神鸟,说明此处是宇宙空间:云纹与鸟纹合用表示生生不息的宇宙,是秦汉及其前后时期图像的典型特点,由此图案中用线条勾勒而成的云纹就成为充盈于宇宙间的云气的象征。图 2-6

---

① 参见陕西省考古研究所秦汉室编:《新编秦汉瓦当图录》,三秦出版社 1986 年版,第 44 页,图录 44。

是陕西凤翔县南古城遗址出土的太阳纹瓦当图案,有的称其为车轮纹或辐射纹。这块瓦当面径 13.4 厘米,边轮宽 0.8 厘米,现存咸阳博物馆。[①]我们认为应该称其为太阳纹,因为无论是辐射纹还是车轮纹,它所呈现的都是太阳纹的特点;而且,居于图案中心的黑点应该就是光芒万丈的太阳。图案的刻制者通过三十余条射线代表太阳的光芒。这是一种有意识的对"光"进行表现的艺术,虽然"光"很难进行准确的表现。古人认为,太阳是宇宙中最耀眼的星体,它给人间带来光明和温暖,是光明和希望的象征,因而它可以成为整个宇宙的代表。这类图案在秦汉瓦当中大量存在,反映出当时人对宇宙的认识。

 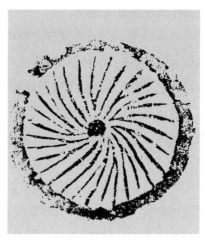

图 2-5 云鸟纹瓦当,秦,出土地点不详　　图 2-6 太阳纹瓦当,秦,凤翔遗址

　　其二,表现世间万物构成的瓦当图像和纹饰,多以动物纹和植物纹为主,有的以动物纹和植物纹组合的方式出现。这类图像和纹饰带有鲜明的世间性特点,同时也保留着神话宇宙观的特点。因为整个图案中动植物形象的选择显然是根据某种特定的思想观念做出的,有些动物也根本不是世间所具有的,有些虽是世间常见的,但由于它们同时也经常出现在神话世界里,因此成为沟通神话时空与现实时空的象征物,体现出上古神话宇宙

① 参见陕西省考古研究所秦汉室编:《新编秦汉瓦当图录》,三秦出版社 1986 年版,第 41 页,图录 41。

观向秦汉时期以天地人一体为主的气化宇宙观转化的迹象。因此，这些动物形象与其说是生物学的，不如说是人类学的。图2-7是陕西凤翔县铁沟遗址出土的秦瓦上的图案。该瓦面径14.7厘米，边轮宽0.8厘米，当厚2厘米，瓦色黑灰相间，现存凤翔县雍城文管所。① 可以看到，整个瓦当底部没有任何其他纹饰衬托，由此形成这一空间的茫然之感。这里似乎成为荒原式的存在，但由于有鹿、雁、犬、蟾蜍存在而又显得生机勃勃。整个画面以一只长角健硕的小鹿为主体，雁、犬、蟾蜍分绕在它的周围，显得主次分明。鹿占主体地位不是突然的：在众多秦汉瓦当中，这类健硕飞动的鹿的形象多次出现。在赵高主持的朝会上，鹿还成为另一种具有象征性含义的动物；在"逐鹿中原"的说法中，它还成为疆域和王权的象征；"鹿"与"禄"的谐音，使人们将二者等同起来；在《诗经》的描写中，它的鸣叫声还成为友好和善的象征，这与鹿温驯的性格特点紧密相关。这些象征含义的产生首先因为鹿可为人类提供丰富鲜美的肉食，鹿由此成为这一时期及其前后图像中十分常见的动物形象。它既是生物学的，也是文化学的，同时也是美学和艺术的。当然，它既是神话中的，同时也是人间的。与鹿类似，犬和雁的象征意义也十分丰厚：雁的来去出现可以成为时令变化的标志，它所提供的卵与肉，是人们常常吃到的食物；它们迁徙的叫声往往引起人们无限的遐思，它们对配偶的忠贞不贰也让人敬仰。据说，狗是人类最早驯服的野生动物之一，它成为人类战胜自然的忠实伴侣；甚至，在某种极端环境下，人们还杀死它以满足自己的生存需要。与鹿、犬和雁不同，蟾蜍既不能给人类提供食物，在视觉感受上也不美观，它与前三者在一起出现的原因显然与它们不同：它更多是作为神话中的动物出现的，它死而复生的特点成为不可解释的谜语，也成为人们不懈追求的目标。在这种情况下，蟾蜍由此成为神话时空的代表物。这样，这个小小的空间由此成为神话时空和现实时空混合的空间。其实，它们都是人类对宇宙和万物认识的物化形式，表现的仍然是当时人们的思想情感和对生活与生命的体验。

————————————

① 参见陕西省考古研究所秦汉室编：《新编秦汉瓦当图录》，三秦出版社1986年版，第6页，图录6。

如果说图2-7尚具有神话的氛围或因素,那么图2-8表现的则纯粹
是世间的场景。这块瓦当是秦咸阳宫的文物,现存咸阳市博物馆。① 可
以看到,图案中的动物只有雁和鹿,同时多了一棵树。一只雁在空中翱
翔,一只在树下休憩,似乎正在欢快地鸣叫;两只小鹿也处于休闲的状态
中:一只正吃着树上鲜嫩的树叶,一只似乎吃饱了,正在旁边欢欣雀跃。
这棵树的出现,说明这里呈现的场景是原野中的一幕,树、鹿和雁的同时
出现,也似乎说明这里出现的一切都处于某个观察者的视野中,因而可以
对之进行全方位的描绘。当然,这个观察者只是整个人类群体的缩影,
"他"既可能是一位守候很久的猎人,也可能是正在为写生做准备而在这
里蹲守观察的雕刻家。无论如何,都说明它们是人类生存活动中不可或
缺的组成部分。同时,圆周左边上的三处刻纹,似乎说明这里呈现的场景
只是某个更大背景的一小部分。可以发现,这里的图像呈现与上一幅图
虽然内容大致相同,但体现出的思想意蕴却有很大差别,它们一同成为当
时人们生存状况和思想意识的体现物。

图2-7 鹿、犬、雁、蟾蜍瓦当,秦,雍城   图2-8 树、鹿、雁瓦当,秦,咸阳

其三,表现人类生产和生活活动的瓦当数量极少,可能以后会陆续有
所发现。这与瓦当尺寸小、刻绘面积有限有关。这类瓦当的图像和图案

———————————

① 参见陕西省考古研究所秦汉室编:《新编秦汉瓦当图录》,三秦出版社1986年版,
第19页,图录19。

设计由于受到有限空间的限制,因而画面设计较为疏朗简洁,线条质朴而
有表现力。图2-9是陕西凤翔石家营乡河北里出土的遗物,面径14.5厘
米,边轮宽2.5厘米,瓦色深灰,现存陕西雍城考古队。① 这块瓦当图案
所呈现的是人类生活的场景:上面两条折现勾勒出屋顶的形状,在屋顶上
有一个凸起,是当时房屋建筑普遍使用的东西,类似小兽之类。与其说这
是一个屋内的场景,不如说是一个院落更为合适:在庭院中央的位置是一
棵小树,树上挂着风好的腊鹅之类的东西;腊鹅的另一边应该是储存酒酿
或米面之类的陶罐,陶罐旁边是一只支架,不知作何使用,支架左边是一
位伸展双臂站立的主人;主人旁边是几珠植物,从其低下的姿态看,好像
是成熟等待收割的稻子或小麦。主人好像正在注视着院中的食物,打算
烧一顿好吃的,然后再喝点自己酿造的米酒。无论这里的场景所示为何,
我们都可以感受到一种浓烈的生活气息。当然,单从技法上看,它的画面
构图还很稚嫩,作者仅采用平面方式处理各种事物的关系,也不讲究画面
的立体感和比例的协调;或许,他还不懂得如何处理远近事物之间的关
系,但他能将瓦当主人生活中的一个片段在方寸之间呈现出来已是难得:
由于各种原因,用瓦当表现生活场景是一个大胆的尝试,在现今的瓦当遗
存中很少见到类似的表现。这足以证明它的价值。

图2-9　房屋建筑纹瓦当,秦,陕西凤翔出土

① 参见陕西省考古研究所秦汉室编:《新编秦汉瓦当图录》,三秦出版社1986年版,
第40页,图录40。

其四，秦汉文字瓦当数量惊人，尤其是西汉中后期以后，文字和图案并存、以文字为主的瓦当使用得越来越多，成为瓦当艺术的主流形态，动物图像和植物纹饰则逐渐类型化，文字的使用虽然以吉祥语和记录使用地点居多，但这些文字多被改造、变形，体现出较强的图案化和装饰性特点。与此相关，为了便于表现和纹饰化，瓦当上的文字几乎全是篆字，很少见到其他字体。这与篆字的书写方式和笔法特点有密切关系。战国中晚期以前，带文字的瓦当极为少见，此后则逐渐增多。就现今发现所见，文字瓦当在秦时使用较少，两汉时期逐渐增多并成为主流。但这不代表秦瓦中没有文字当，秦咸阳遗址发现的多枚十二字瓦当说明对文字的重视和使用在秦瓦的制作中也是常见的。此处说秦的文字瓦当少是与汉瓦相比较而言的。瓦当上的文字主要有以下三类：其一，祝福语，如"千秋万岁"、"长乐无极"等；其二，表明瓦当所用建筑和地点，如"八风寿存"、"长乐未央"、"羽阳千岁"等；其三，表明使用人的身份、官阶等。前两类是文字瓦当的主体。秦瓦在文字使用方面已十分重视文字书写的装饰化，力求达到文字形式与含义和谐一体的效果。这一特点延续到汉瓦。这些瓦当中有的以文字为主，文字书写比较正规，同时配有其他的纹饰；有的以文字为主，但文字书写纹饰化，因而就没有其他纹饰的衬托。纹饰的使用及多寡与否，主要看两者中何者居于主导以及文字本身纹饰化程度而定：有的文字较多，以表达意愿为主体，则会使用较多的其他纹饰；有的文字较少，文字本身纹饰化程度较大，则使用的其他纹饰就较少，或者不使用其他纹饰。在文字使用的数量上，秦汉瓦当上的字数有十二字、十字、八字、六字、四字、三字、二字、一字不等，以偶数为主，以四字当为多数。字数的选择与刻制时方便对称的构图和布局有关。在布局上，这些文字当多采取对称原则，文字分布合理均匀，几乎占满整个当面，给人充实圆满、铺排繁复的美感。在线条使用上，大多数文字的线条流畅而富有变化，随着瓦当形制和当面的空间而发生相应的变化；也有一些文字的线条古拙凝重缺少变化，艺术水平不甚高明。

秦汉时期带文字的瓦当众多，其文字刻制总体上体现出"随形为之，不取方正"的原则：即这些文字的篆刻依据瓦当的形制而发生相应的改变，并不按照传统文字书写讲究方正的法则，在这一原则的支配下，秦汉瓦当上的文字在造型和线条使用等方面均体现出鲜明的装饰性特点。最早指出秦汉瓦当文字造型特点的是宋代学者王辟之。据王氏《渑水燕谈录》卷九记载，北宋哲宗元佑六年（1091 年）正月，陕西宝鸡权氏得到五块古瓦："得古筒瓦五，皆破，独一瓦完，面径四寸四分，瓦面隐起四字，曰'羽阳千岁'，篆字随形为之，不取方正，始知羽阳宫旧址也。"①根据描述，权氏所得"羽阳千岁"瓦当上的文字为篆字，这与后来发现的带字的秦汉瓦当（尤其是汉代瓦当）是一致的。王氏根据这块瓦当推测文献记载的秦羽阳宫旧址即在宝鸡附近。王辟之虽然是第一次看到秦汉瓦当，但其对瓦当用字造型和书写原则的概括十分准确。西汉中后期开始大量出现文字当。与此前的图像和图案相比，这些文字不仅具有鲜明的装饰性，同时还更直接地表明自己的含义。

　　图 2-10 是咸阳长安汉城遗址出土的秦瓦，面径 17 厘米，由右自左而刻"维天降灵延元万年天下康宁"十二字。② 十二字按每行四字分布，上下四方分别刻有雕饰性纹饰，并有十枚乳丁均匀分布其间。这样的乳丁装饰在秦汉瓦当上是常见的，它们并非简单的点缀之物。如果将之与相同时期发现的众多乳丁纹璧对照来看，或许更能明白它的含义。图 2-12 是南越王墓出土的乳丁纹玉璧，乳丁与乳丁之间有细微的纹路连接。③由于环形玉璧一般被认为是宇宙或通天的象征，这样，这些乳丁和细纹自然也获得了宇宙论的意义。处于同一文化中的瓦当上的众多乳丁造型，其意义应该与此一致。有的同类玉器上方还雕刻有龙与凤的形象，乳丁的意义更为显豁。再看文字。这些文字运笔圆润，笔法简奥，带有鲜明的秦篆特点。从其使用的十二字"维天降灵，延元万年，天下康宁"看，这是咸阳秦宫的瓦当，以表达秦国统治能够得到上天护佑而延续万年的祝愿。表达这一意愿或理想是这块瓦当的主要意图所在，文字书写比较规范，容

---

① （宋）王辟之：《渑水燕谈录》，《四库全书》"小说一"第 1036 册，上海古籍出版社 1987 年版，第 520 页。

② 参见陕西省博物馆编：《秦汉瓦当》，文物出版社 1964 年版，第 19 页，图录 19。

③ 参见叶庆良：《汉代玉器》，（台北）震旦文教基金会 2005 年版，第 40 页。

易辨认,装饰性和图案化现象不太明显,因而它的四周同时加上了其他纹饰。与此不同,图2-11四字瓦当上的文字图案化、装饰化的程度很彻底,与一般的云纹和鸟纹几乎是一样的。这块瓦当出自秦咸阳宫,面径15.8厘米,是建造咸阳宫殿时使用的瓦当。[①] 整块瓦面以"十"字平均分为四个部分,每个部分上刻一字,分别为"永受嘉福"四字;采用的篆刻笔法为秦篆中常见的鸟虫篆写法,因而几乎全部纹饰化,观者只能通过纹饰之间的布局和关系知道这四个字所书内容。这里的文字与装饰性纹饰几乎没有区别,因而文字周围没有使用其他纹饰。

图2-10　秦十二字瓦当　　图2-11　秦四字瓦当　　图2-12　乳丁纹璧

　　除了文字与纹饰的搭配使用外,图像与文字的搭配虽然不多,但很有特点,体现出制作者处理图像构成的独特艺术手法。在这类作品中,文字既可以图像化,成为图像的一种;图像也可以被文字化,成为文字的组成部分,或者直接代替文字,履行文字的功能。这类瓦当图文之间相互转化的关系在此前是极为少见的。虽然在甲骨文中会出现象形字,有的文字几乎就是图像,但极少出现图像与文字相互转化的情况,在一个文字内部不可能既是文字的笔画又是图像。秦汉文字当的这一点尚未引起文字学、书法篆刻和考古学研究的注意。下面三幅图片是这种情况的典型代表。这三幅图片代表了秦汉文字当中图像与文字关系的三种类型:其一,以图像代替文字的笔画,图像成为文字的组成部分;其二,图像直接代替文字,履行文字的功能;其三,文字图像化,同时履行文字和图像的功能。

---

① 参见陕西省博物馆编:《秦汉瓦当》,文物出版社1964年版,第23页,图录23。

这类瓦当上的图文造型具有很强的创造性和艺术性。这种图文之间的相互转化,不仅扩大了图像与文字的表意功能,使构图能够容纳更多的思想内容,而且开拓了新的构图方式,打破了文字与图像之间的森严界限,实现了图像与文字的良性互动。

图2-13为汉人墓冢用瓦,面径16厘米,边轮宽1.2厘米,陕西临潼附近出土,现为私人收藏。① 从线条使用看,"冢"字几乎全用直线或折现刻画而成,与当时篆书和隶书所使用的圆润流畅的线条完全不同,其目的显然是要使用直线勾勒出墓室的形状:作者用三条直线形成墓室形状及其内部空间,然后再用几条直线刻画出"冢"字的其他笔画构成,文字的左右和上方同时配有装饰性线条和乳丁。值得注意的是"冢"字的最后一笔,制作者没有使用直线或点,而用了一只鸮鸟的图像:"鸮"是猫头鹰的一种,常在夜间出没,在荒凉无人、草木旺盛的墓葬附近可时常看到它的身影。在上古文化中,它是沟通阴阳两界的神鸟,有起死回生的神力。制作者在这里使用它的形象作为墓主的守护神,可谓独具匠心、神来之笔,具有很强的形象性和画面感。这里的"冢"首先是一个字,表明瓦当所使用建筑的性质,同时又是一幅生动的画面:鸮鸟用简单几笔勾勒而成,形象逼真传神,正站立在高大威严的屋檐之下圆睁双目,静静地守护着墓中的主人。整个画面和谐有致,不觉生涩。这个创造,不仅用图像代替了文字的笔画,使图像成为文字的组成部分,而且将神话信仰内容纳入文字之中,丰富了文字的思想内涵。

图2-14为汉瓦,陕西临潼出土,面径16厘米,边轮宽1.4厘米。② 瓦当的中间是常见的原点,它和周围的圆圈结合在一起既起到分隔当面空间的作用,又是宇宙空间的象征。下半部是"甲天下"三个篆文,用笔简练直接,容易辨识;上半部分则是两只小鹿的形象,质朴可爱。其中一只长着长角,类似于梅花鹿,另一只的角不太分明,似乎是麋鹿的一种。

---

① 参见陕西省考古研究所秦汉室编:《新编秦汉瓦当图录》,三秦出版社1986年版,第208页,图录208。

② 参见陕西省考古研究所秦汉室编:《新编秦汉瓦当图录》,三秦出版社1986年版,第293页,图录293。

这两只小鹿的形象代替了"鹿甲天下"中的"鹿"字,图像在这里完全代替了文字,不仅履行了文字的功能,而且还很形象地表达出当时流行的"鹿甲天下,所从表瑞也"的观念。这种图文使用方式的瓦当在其他地区也有发现,不是个别现象,值得注意。图2-15是华阴华仓遗址出土的一块瓦当,面径12厘米,边轮残破。① 其文字造型极为独特,充分体现出文字图像化的特点。从构图布局看,当面中心是一个圆圈,圆圈内是一只展翅欲飞的鸟儿形象。由此可以推测,这里的圆圈实际上是太阳的化身,而且圆圈四周以直线排列而成的四个条形既将整个当面空间平均分为四块,同时还表示它是太阳四射的光芒。在圆圈外四个区域内自上而下、自右而左书写着"千秋万岁"四字。"千秋万岁"四字用笔古朴而不失灵动,更重要的是,制作者显然有意要将这四个字图像化:它们流动的线条像是跃动不已的生灵,很少按照传统篆书的书写方式进行书写。尤其是立于当面正上方、与观者正对的"千"字,被制作者刻绘成一只展翅飞翔的鸟儿形象,不能不说是一大创举。这样的图像表现方式或文字书写方式是极少见的,充分体现出汉代瓦当艺术所具有的独特艺术特点。可以说,文字的图像化,是秦汉文字瓦当发展的极致,也是它的终结:自此以后,瓦当文字没有出现新的表现方式,瓦当艺术也逐渐衰落了。

图2-13 汉,冢字当　　图2-14 汉,鹿甲天下当　　图2-15 汉,千秋万岁当

除了上述表现内容和图文构造的基本格局外,秦汉瓦当纹饰造型和

---

① 参见陕西省考古研究所秦汉室编:《新编秦汉瓦当图录》,三秦出版社1986年版,第229页,图录229。

图像体系也处于不断的变化中，时代审美观念和其他思想观念的变化往往在这些纹饰的变化中体现出来。这种变化既是渐进式的，也是突变式的，一旦社会文化和思想环境变化，无论是制作方法还是纹饰图像，均会得到及时的反映。在由秦入汉的短短几十年间，秦瓦与汉瓦在各方面均体现出明显不同。例如，在形制方面，"秦代瓦当一般面积都较汉代的小，边棱亦较窄，瓦质色青而坚；汉代的面积较大，边棱亦略宽，瓦质似不及秦代的坚密，呈灰色"①。其他方面的变化和区别还有：纹饰风格方面，秦瓦滞重朴实，汉瓦则流动富有变化；秦瓦多图像和纹饰，只有较少有文字，而汉瓦图文并重，文字当的数量远远超过秦瓦；等等。有学者经过细致的统计和对比，对秦器物纹饰和楚器物纹饰进行了比较，认为："秦人务实而楚人富于幻想，表现在几何类纹饰上，秦人使用的纹饰线条简单、形象粗犷、变化较少，基本上保留了周人的传统风格，只是加以简练用于自己的器物之上。在器物上施纹于秦人看来只是一种单纯的模仿行为，没有什么创造，也没有其他过多的内涵。而楚人的纹饰则富有想象力和艺术的创造力，细观其纹，总给人一种飘逸、流畅的动感，能让人体会到楚人浪漫、脱俗的超凡个性。就其几何纹饰的发展来看，楚人正是力图从纹饰的各种变化中寻求一种洒脱的美感。在器物上施纹于楚人看来，除了增加器物的艺术感染力外，还是一种情感的表达。"②这些变化与时代精神和地域文化均有密切关系，秦人也像他们的艺术一样并不懂得如何细腻、真实地表达自己的情感。当然，这种变化并不是直线前进的，秦瓦纹饰中也有极为灵动的，汉瓦纹饰中也有秦瓦的某些特点，而且云纹、涡纹均是秦汉瓦当中常见的纹饰。这种交织共存的现象说明它们在前后相续的过程中也存在相互影响的情况。

秦国经过长期征战，逐渐使天下一统，各种艺术形式在秦代均存在重大变化，就瓦当来说，情况也是这样。实际上，这种变化在战国时期即已

① 陕西省博物馆编：《秦汉瓦当》，文物出版社 1964 年版，"编后记"第 1 页。

② 彭文：《从出土器物的纹饰看秦文化与楚文化的交流》，见秦始皇兵马俑博物馆编：《秦俑文化研究——秦俑学第五届学术讨论会论文集》，陕西人民出版社 2000 年版，第 280 页。

开始。随着周室王权的衰落,神权分散,各地诸侯通过各种方式表达自己思想和文化的特点,在这种情况下,青铜器纹饰造型由深沉、神秘、威严逐渐向写实、朴拙、逼真转化,体现出鲜明的世俗化倾向,动物和神人造型越来越接近现实生活,给人亲切之感。秦代艺术在保留战国艺术造型的同时又出现复归现象:天下一统要求重新树立皇权的威严。秦始皇陵出土的瓦当造型大气,运笔简古,图案匀称,气象博大,神物形象真实而又神秘,体现出秦始皇的无尚威严,这种气象格局是此前瓦当纹饰造型所不具备的。而且,秦国地处北方,崇尚实用精神,治国理政以法家思想为指导,因而其艺术造型多写实直接,体现出雄浑大气而沉重古拙的特点。因此,秦代瓦当的这些造型特点是秦历经数百年而形成的民族精神的典型体现。

秦代砖瓦除了常见的鹿、虎、雁等图像外,有时也会出现一些神奇的动物或神物图像,但这类图像在现今发现的秦代壁画、瓦当、空心砖等纹饰图案中所占比例很少。20世纪70年代,考古工作者在秦都咸阳遗址发现的一块空心砖上的凤鸟图案比较别致,在秦代图案纹饰中很少见,值得注意(见图2-16)。[①] 虽然图像所存仅为一部分,但仍能窥见大致内容:画面中央是凤鸟衔珠的常见意象,凤鸟的前方应是另一神物,据其展开的形状看,好像是神物的翅膀之类;在凤鸟身上是一位珥蛇的神灵,其伸开的右手类似于鸟类尖锐的爪子,它的头上戴着只有神人才有的"三维冠"。图像的线条使用变化有致,简洁流畅;几何图形与线条交叉使用以呈现对象的不同特点,体现出一定的表现力。从图像内容看,它所呈现的显然是当时流行甚广的神话信仰内容。这些神物形象带有更多楚文化的特点,与秦国地区长期流行的鸟信仰也有一定的联系。《山海经》中记述了诸多类似的神灵形象,可以对比参照。总之,将如此繁复的内容表现出来在秦瓦中值得引起注意。

---

① 参见梁云:《秦咸阳"水神骑凤"空心砖纹内容浅析》,见秦始皇兵马俑博物馆编:《秦俑秦文化研究——秦俑学第五届学术讨论会论文集》,陕西人民出版社2000年版,第511页。

图 2-16　水神骑凤,秦,空心砖纹饰　　图 2-17　神鹿,战国,现藏湖北省博物馆

　　总体上看,秦瓦呈现的动物形象,多为鹿、雁、狗、獾、龟等日常生活中较为常见的动物形象,神人骑凤之类的图像造型极少出现,以至于让人怀疑这块砖是否为秦的遗物。秦地处北方,务实尚用,很少描绘神话中才会出现的神物形象,虽然龟、鸟、凤等也多作为神物形象出现,但在秦瓦上却更多世俗化的特点。而且,这些神物图像之间尚未组成严密的内在关联。它们虽然有时会在同一幅画面中出现,但多是比较外在化的临时组合,鸟纹与太阳的组合延续的是上古时期的固定组合,神物之间新的组合方式在秦瓦中尚未出现。这说明务实的秦国统治者尚未对神话体系进行有意识的整理和系统化,神权在其政治体系中也尚未起到应有的作用。在这些动物形象中,神话中的动物以夔凤为代表,现实生活中的动物以鹿最为常见,体现出鲜明的地域特点。

　　例如,这种以长角为典型特征的鹿的形象在秦汉时期大量出现,既有秦的地域特点,同时也有自己的历史和文化传统。鹿作为吉祥神物,不论是对人的现实生活还是其象征性含义,都值得人们对其加以表现。图2-17 是 1978 年湖北随县擂鼓墩曾侯乙墓出土的木雕漆绘神鹿,高 86.8厘米,通长 50 厘米。在颜色使用上,神鹿通体以黑漆为主,用黄漆绘出梅花的斑纹,十分形象逼真。① 可以看到,它正跪伏在地,微微昂首凝视,给人沉静温和之感;它长长的鹿角既是现实性的,也是夸张之后的产物,它经常出现在秦瓦之上。作为一件雕塑作品,它的表现对象似乎只能以静止的方式呈现。如何在静中显动,利用雕塑形象的格局将静止的立体空间转化为生动多样的生命空间,是雕塑艺术必须解决的问题。可以看到,这只小鹿温驯安静,似乎正在伏地休息,其动态的生命特点没有体现出来。这或许与制作者呈现的鹿的活动状态有关,但这种呈现方式在当时是普遍的而非个案。这种情况在秦汉雕塑中有了转变,秦瓦中的凤鸟、神鹿等形象初步体现出这种努力,汉瓦中的四灵形象则是化静为动的极致。

如前所述,秦瓦上的动物形象已经初步体现出制作者对动态形象追求的努力,云纹、莲叶纹、水纹、鸟纹等纹饰均体现出动态的特点,但最明显的还是它对动物形象的呈现。图 2-18 是陕西凤翔县豆腐村遗址出土的卧鹿瓦当,面径 14.3 厘米,边轮宽 1.1 厘米,当厚 2.2 厘米,瓦色青灰,现存凤翔县雍城文管所。② 这是一只卧地休息的小鹿,它四肢强健,体型健硕。虽然它正卧地休息,但从其顾盼的姿态可以看出,它仍保有高度的警觉,以防遭遇不测。它长长的鹿角让人想起前见雕塑中的鹿的形象,以至于让人怀疑它们应该出自于同一文化母体。它只是秦瓦上众多小鹿中的一个。在秦瓦上存在众多与此类似的鹿的形象:它们或卧或立,或急速奔跑或挺身跳跃,或在树下悠闲地吃着青嫩的树叶,或在草地上自在的散步,无不体现出动态特点。这显然是秦瓦制作者有意创制的结果,体现出他们追求动态形象的努力。这对质朴实用的秦人来说无疑是一大进步,也是对此前雕塑艺术的一大推进。

类似的追求还体现他们对夔凤形象的刻绘上,它是秦瓦上又一常见的动物形象。夔凤形象的大量出现,不仅说明战国及其以前的神话意象影响到秦雕塑形象的制作,而且说明秦人开始有意识地吸收相关内容来

---

① 参见刘兴珍、郑经文主编:《中国古代雕塑图典》,文物出版社 2006 年版,第 59 页,图 3-10。

② 参见陕西省考古研究所秦汉室编:《新编秦汉瓦当图录》,三秦出版社 1986 年版,第 11 页,图录 11。

丰富自己的神话体系。只不过，这一工作刚开始没多久就中断了，而只能由漫长的汉王朝加以完成，并真正形成政权、神权和皇权高度统一的神话意象体系。① 同样，秦人在制作夔凤形象时仍在追求动态的效果。为此，制作者将夔纹、凤纹、龙纹相结合，努力使凤鸟呈现出龙翔虎跃的运动身姿。在这些组合中，我们不时可以看到秦本土动物的影子，例如，獾的形体、神态等因素就经常被融入到这些神物形象之中。图 2-19 是凤翔县铁沟遗址出土的秦瓦，面径 14.6 厘米，边轮宽 1 厘米，当厚 2.2 厘米，瓦色青灰。② 这是一只凤鸟的形象，但与其说是凤鸟，不如说是现实中的某种鸟类更合适：除了某些细部能被纳入凤鸟的形象之外，我们几乎感受不到神话时空中凤鸟翱翔宇宙、自由潇洒的气息，它给我们的更多是现实生活的朴实感。

图 2-18　卧鹿瓦当，秦，凤翔县遗址出土　　图 2-19　夔凤瓦当，秦，铁沟遗址出土

可见，在动物形象的绘制方面，秦瓦虽然体现出对动态形象追求的努力，但显然由于其本身文化因素的限制而未能到达很高的艺术水平，秦文化还尚未将六国文化（尤其是强大而影响深远的南方楚文化）真正吸纳、

---

① 参见王怀义：《论汉代神话意象的审美特征》，朱志荣主编：《中国美学研究》第三辑，商务印书馆 2014 年版，第 67—75 页。

② 参见陕西省考古研究所秦汉室编：《新编秦汉瓦当图录》，三秦出版社 1986 年版，第 24 页，图录 24。

融入到自己的文化体系中,全新的审美理想正在孕育之中。毕竟,相比于地域和政治的一统,文化精神的融合要更漫长,时代精神的提炼与凝缩也更为艰难。楚地出生的项羽和刘邦,大大推动了楚文化和秦文化的融合,这在某种程度上也推动了南北文化的融合,这种新的审美理想经过长期的酝酿、磨合而最终形成汉代沉雄宏大而流动潇洒的审美精神。可以看到,无论是图像、图案还是纹饰、文字,汉瓦都比秦瓦具有更多流动之美,体现出在以静显动技法方面的巨大进步。其实,秦代的工艺制作者并非不具备这方面的雕刻技艺,那只在宇宙空间自由浮动的蟾蜍形象线条婉转、流畅生动,毫无生涩之感(见图2-22),其根本原因应在于民族文化精神的制约。以想象雄奇瑰丽为主要特点的楚文化是汉文化的基本构成因素,流畅大气也成为汉代艺术基本的精神气质。而且,经过汉初儒者和刘氏集团长期有意识地恢复与重建,南北文化和艺术的融合接续起来,政治制度和地理疆域的统一极大促进了文化和艺术向同一方向发展的步伐,由此使汉代艺术在保留秦代艺术某些特点的基础上发展、更新,体现出自己的面貌,新的审美意识最终形成了。汉代砖石艺术是这方面最直接、形象的体现,汉瓦是其中的代表之一。

我们选择秦汉瓦当共有的表现对象说明上述现象。图2-20是凤翔铁沟遗址出土的秦瓦,面径14.3厘米,边轮宽1.1厘米,当厚2.4厘米,瓦色纯灰。① 这是一只夔龙形象,从其前后四肢的状态可以看出,它正处于飞动中,这符合当时以动态为基础制作图像的要求,但其线条使用十分简单,我们只能从轮廓上去观察、辨识它的形象。与它相比,图2-21的夔龙形象显然更精彩、有神气②:它的躯体曲折富有变化,龙首低垂,龙嘴微张,龙角历历,龙爪逼真,龙纹清晰,线条使用浓淡相宜、轻重有致,将一只飞动盘旋中的神龙形象活脱刻出,给人呼之欲出之感。两相比较,汉瓦上的这只夔龙形象显然更富生命力。类似的差距

---

① 参见陕西省考古研究所秦汉室编:《新编秦汉瓦当图录》,三秦出版社1986年版,第23页,图录23。

② 参见陕西省考古研究所秦汉室编:《新编秦汉瓦当图录》,三秦出版社1986年版,第331页,图录331。

还体现在秦瓦和汉瓦中都经常出现的鹿、蟾蜍、凤、龟等形象上。这里的差距只是秦瓦和汉瓦上众多形象之中的一个，但它体现的特点是一致的：它们的差距是秦瓦和汉瓦图像差距的缩影，也是秦代艺术和汉代艺术之间差距的缩影。这种情况出现的原因是复杂的，反映的问题也是多样的。除了艺术形式和制作工艺发展等原因和时代地域文化的差异外，还有其他因素的制约。同时还应指出，虽然都是夔龙，但秦瓦上的夔龙是孤单的，还没有与其他神物组合成严密的神话信仰体系，因此它只是众多神物中的一个。这是秦神话贫乏所导致的。汉瓦上的夔龙不是光杆司令，它是当时盛行的四灵信仰中的一个，频繁出现在各种场合和艺术形式之中，它是当时神话信仰和文化组合严密体系的体现者。因此，它是群体中的一员，它的出现不仅标志一种神圣空间的建构和形成，而且还将与之相关的其他不在场的神物形象和内容一同显现。这也是秦瓦上的夔龙无法做到的。

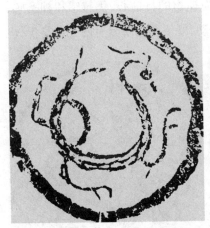

图 2-20　秦，龙纹瓦当，凤翔出土　　　　图 2-21　汉，龙纹瓦当，西安汉城出土

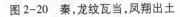

　　类似的情况还体现下面的作品上。图 2-22 是陕西豆腐村遗址出土的秦代蟾蜍纹瓦当，面径 15 厘米，边轮宽 1.3 厘米，瓦厚 3 厘米，瓦色黑灰。[1]

---

[1]　参见陕西省考古研究所秦汉室编：《新编秦汉瓦当图录》，三秦出版社 1986 年版，第 31 页，图录 31。

图2-23是淳化董家村出土的汉代瓦当,面径17.5厘米,现存淳化县文化
馆。① 它们都表现了蟾蜍的形象。秦瓦中的蟾蜍浮动在圆月之中,身体
全用线条的方式呈现,几乎是虚化的,刻绘用力轻重有致,点、块面、线条
的交织使用使形象富于变化。因此,它的形象是灵动的,艺术技法是高超
的,表现形式是成功的,这些是上面夔龙纹瓦当甚至其他秦瓦所不具备
的,因而这种图像在秦瓦中也是少见的。但与夔龙形象一样,它是形单影
只的形象,虽然体现出蟾蜍与月相组合的特点——这是上古时期既已形
成的神话观念——但它的制作者无法作出更大、更多的拓展,这显然是因
为他不具备更多的思想资源,而不是技法上的欠缺。虽然秦瓦上的蟾蜍
形象已很成功,但汉瓦中的蟾蜍无论是技法还是形象都比前者高明:在技
法上,除了线条、块面、点的交叉使用外,它的制作者还将它的脊椎骨以中
轴线的方式呈现出来,尤具创意。在形象展示方面,这只蟾蜍四肢伸展,
举起的类似于人的双手的两只前肢带有呼号和舞蹈的意味;它两只大大
的眼睛与观者直视,充分体现出它作为神物的自信心、优越感和神圣感;
它头上的长缨竖起并随着它的舞姿飘动,既说明它所具有的独特身份,也

图2-22 秦,蟾蜍纹瓦当,凤翔出土   图2-23   汉,蟾蜍纹、兔纹瓦当,淳化出土

---

①   参见陕西省考古研究所秦汉室编:《新编秦汉瓦当图录》,三秦出版社1986年版,
第339页,图录339。

表明它现在正处于一种非正常的癫狂状态中。这样的形象会让我们不由自主地想起汉大赋那种铺张扬厉的文风和不知节制的修辞。同时,这只蟾蜍摆脱了秦瓦上那只蟾蜍形单影只的状态:它身旁同样引人注目的兔的形象,成为它的忠实伴侣,环绕、交错在它们身旁的是神话中的桂枝的形象。同样,这只神兔修长的身姿、俊逸的神态、超大的眼睛,给人无法企及的神圣美感。显然,这块汉瓦的制作者不仅在技法上更为成熟,而且拥有更多的思想资源,这不仅让他可以更加自由地表现对象跃动的形式,而且可以让更多原本不相干的意象组合在一起,构成新的图像空间。

当然,这些现象的存在不代表秦人对宇宙空间和信仰世界没有丝毫认识。作为春秋战国时期急剧膨胀、强盛起来的北方国家,它不可避免要受到这一总体的时代精神的影响。可以看到,在秦瓦上常能发现秦人对宇宙空间的认识和对神话意象与现实生活进行有意组合的图像纹饰。众多将圆形空间分割为四个均匀小块并充满云纹的秦瓦图案,实际上正是当时普遍流行的宇宙观的真实反映。同时,我们还可看到,秦人也试图将信仰世界和现实世界统合在一个有限的时空中。只不过,由于秦国统治者和其谋士一直在进行紧张的扩张和征服工作,这种文化和思想上的一统虽然在秦始皇统一霸业基本完成时被重视起来,但仍相当仓促,效果也不甚明显;甚至这种带有霸权性质的文化统一工程还激起各地诸侯贵族后代和人民的持续反抗,以游侠著称的燕、赵等地的反抗行为更为激烈。因此,真正将南北文化思想和艺术精神统一、融合为一个和谐整体的工作只能由汉代统治者、学者和艺术家来完成。正是这一进程的完成,促使汉代瓦当艺术发展到了一个新的阶段。

第五节　生活化、世俗化和娱乐化:秦汉雕塑的新变

如果我们把眼光暂时从秦汉雕塑移开,从史前牛河梁女神像顺流而下,中国古代雕塑塑造的群像便扑面而来:粗野神秘的原始岩画、精致鲜艳的史前陶器、沉稳凝重的殷周青铜器、陆离变幻的春秋战国的木雕,直到宏大而不失灵动的秦汉雕塑……在如此众多的雕塑作品中,有一个发

展趋势十分明显:除了上文提到线条和纹饰逐渐由简单生涩向细致流畅发展之外,它们的表现对象也在逐渐发生变化:从秦代雕塑开始,人的形象逐渐在雕塑中占据重要地位,而此前雕塑中虽然也有人,但人的地位、人的活动不是雕塑所要表现的主要对象,神物和自然界中的动植物形象占据主体地位。虽然战国时的某些雕刻图像也展现了热烈的人类活动,但这种情况只是一个过渡,此后人类活动才逐渐为雕塑重视。到汉代,人类活动的所有内容均通过雕塑呈现出来,表现人们日常生活内容(如宴饮、娱乐、歌舞等)的作品越来越多,这说明秦汉雕塑(尤其是汉代雕塑)出现了一个生活化、世俗化和娱乐化的发展趋向。这是秦汉雕塑的一个新变。

可以看到,表现人及其活动的雕刻图像和作品从战国中后期逐渐增多,其典型作品是 1937 年在河南辉县流离阁出土的狩猎纹铜壶(见图2-24)①。这件铜壶高 42 厘米,壶身满是雕刻图案,共有七层:第一、七层是传统的鸟蛇组合图案,第二层是一人立于两只大鸟中间,看不出有对立的迹象,两者关系比较和谐;第三、四、六层分别表现人与兽的搏斗场面,第五层是传统的饕餮纹。在这场搏斗中,人完全战胜凶猛的动物:在第三层的图案中,人所持的长剑穿透了类似于虎的神兽的脖子;在第四层,每边两人合力战斗一头凶猛的类似于野猪的动物,野猪身体蜷缩,四肢无法伸展,显然已被制服——自然野兽或神物臣服于人类的力量之下。因此,在这类作品中,人的力量和地位显然占据了图案的核心,成为图像表现的主体。图 2-25 是战国铜器雕刻的车骑纹饰,人的活动是整个画面的主体②:一人腰挂大刀,正在驾驶一辆四匹马拉着的大车,车尾一人手执长矛站在桅杆旁看着车下格斗的人作出戒备的状态;桅杆上的羽饰正在飘动,说明这是一辆正在飞快奔驰的马车。在车下,两个人正在激烈地近身肉搏。此处线条使用还很朴拙,线条的表现功能处于初级阶段,除了大致呈现人、物及其形态外,还无法准备传达各种细节,但用线条图案刻画人

---

① 参见刘兴珍、郑经文主编:《中国古代雕塑图典》,文物出版社 2006 年版,第 74 页,图 3-35。

② 参见吴山编:《中国历代装饰纹样》(第二册),人民美术出版社 1988 年版,第44 页。

及其活动,显然已经成为雕刻艺术家所思考的问题。从数量上看,这类雕刻图案在战国虽出现不少但并不占主流,此时还是以自然物和神灵图案居多。

到秦始皇征服六国建造自己的陵墓,雕塑作品的表现对象出现了重要变化:人在秦始皇陵兵马俑中占据了重要地位,其他物品成为人的活动的辅助物。除了数以万计的武士俑之外,考古专家还在秦始皇陵周边发掘出很多其他表现娱乐百戏的人物雕塑,以及表现秦王宴饮场面的娱乐壁画等。据考证,秦咸阳宫三号坑宫殿遗址壁画,呈现的就是秦国当时很流行的"缘竿之戏"。① 当时,秦、楚、齐等都盛行俳优之戏,其中比较著名的有齐国的淳于髡、楚国的优孟和秦国的优旃。据司马迁《史记·滑稽列传》:"优旃者,秦倡侏儒也。善为笑言,然合于大道。"②司马迁举了两件优旃"善为笑言,然合于大道"的事情:一次秦始皇想要扩大苑囿,"东至函谷关,西至雍、陈仓",优旃说这样太好了,当敌人从东方过来的时候,可以让麋鹿用角把他们抵回去。秦始皇会心其意停止了这项计划。另一次是秦二世准备把宫墙都漆上颜色,优旃说太好了,"漆城荡荡,寇来不能上",秦二世听了也觉得自己的计划很荒诞,遂作罢了。③ 1999 年春天,在秦始皇帝陵内外城之间的东南方向,出土了一批半裸彩俑,这批彩俑的出现证明史籍关于百戏起源于秦国的记载是真实可靠的。这里所谓"百戏"包括鱼龙、漫延、丸剑、山车、扛鼎、漱雾、象人、吐火等各种活动。秦国地处北方,与西域各国交流方便,这些域外娱乐项目首先传到秦国,只不过,"秦时百戏似乎还限于帝王宫廷或贵族的娱乐"④。秦国盛行的百戏内容后来成为汉代画像石、画像砖和雕塑作品中百戏乐舞的重要表现内容。同时,这些在秦时仅为宫廷和贵族享受的乐舞在汉代突破了宫廷的限制,开始在阔大的广场上演出,普通民众和贵族阶层可以同时欣赏到这些表演。这些内容在汉代各类雕塑作品中得到形象、真实地记录。

---

　　① 参见张旭:《秦咸阳第三号宫殿遗址壁画》,咸阳博物馆编:《秦汉论集》,陕西人民出版社 1992 年版,第 202 页。

　　② (汉)司马迁:《史记》,中华书局 1959 年版,第 3202 页。

　　③ 参见(汉)司马迁:《史记》,中华书局 1959 年版,第 3203 页。

　　④ 李铨、苏文:《秦陵新出土的"半裸俑"试探》,见秦始皇兵马俑博物馆编:《秦俑秦文化研究——秦俑学第五届学术讨论会论文集》,陕西人民出版社 2000 年版,第 307 页。

图 2-24　狩猎铜壶纹　　　　图 2-25　战国铜器,车骑纹饰

　　进入汉代,兵马俑的数量、体积均比秦兵马俑小很多,如徐州狮子山汉墓出土的兵马俑等。这说明汉代兵马俑只是对现实军队的模拟,其礼仪性和宗教性特征很明显,而不像秦始皇兵马俑那样直接将现实中的军队完整复制到墓葬中。与此同时,在汉代墓葬发掘中,表现人们日常生活内容的雕塑作品大量出现,那些表现当时娱乐活动的雕塑引人注目。说唱、俳优、抚琴、舞蹈、小范围的宴饮和大型的广场活动,均以雕塑的方式呈现出来。同时,这些雕塑的技法和表现力进一步增强,能够十分生动自然地将现实生活中相关活动的细节准确呈现出来,在技法上也比秦代雕塑圆润熟练,有更强的表现力。图 2-26 是陕西西安汉长城遗址出土的陶制雕塑,是一位身着长裙的女子形象。① 这个雕塑高 31 厘米,身着汉代女子典型的长裙。她双手拢在袖中,头戴长巾,面容恬静祥和。令人注意的是她裙裾拽地的长裙:用现在的时髦的话来说,她的这件裙子甚至比 20 世纪 80 年代刚刚改革开放从西方引进的喇叭裙还要开放、大胆、张扬,所以考古工作者将这件作品命名为"喇叭裙女立俑"。从其衣饰特征

――――――――――
　　① 参见刘兴珍、郑经文主编:《中国古代雕塑图典》,文物出版社 2006 年版,第 85 页,图 4-10。

看,她应该不是宫中女子,而是一位爱美的民间少女,较少受到各种规矩的限制,因此她可以如此大胆开放地穿着和打扮自己。从雕刻技法看,整件作品的线条圆融流畅,收放自如,体现出制作者高超的线条使用技术,同时很好地呈现了女子的衣饰特征和心理世界。这是此前雕塑所不具备的。

　　类似的作品在汉代雕塑中是常见的,说明这件作品及其所体现的高超艺术手法不是个别的现象。图 2-27 是 1954 年陕西西安白家口出土的陶制雕塑,高 49 厘米,表现的是一位舞蹈中的女子:"舞女右手扬起,飘拂的长袖落在右肩上,左袖随乐曲而后摆,双腿似踏着鼓点轻舞。舞女梳着汉代盛行的长发,中分,尾部挽成扁平式发髻。面貌俊美秀雅,流露出甜蜜的微笑。内穿交领长袖舞衣,外罩宽袖长袍,袍袖随乐曲摆动。俑的动态优雅,形体婀娜多姿,神情娴雅恬静。"①从其衣饰特征看,她大约是

图 2-26　陶塑喇叭裙女立俑,西汉　　　　　图 2-27　陶塑拂袖舞女俑,西汉

---

　　①　刘兴珍、郑经文主编:《中国古代雕塑图典》,文物出版社 2006 年版,第 83 页,图 4-6。

一位宫中或某位贵族家的歌女,紧致的长裙与飞动的长袖衬托出她的曼妙身姿。从其雕刻技法看,这件作品的雕刻手法更加纯熟:舞女的容貌、神情、舞姿、内外衣着等都刻画得细致入微,准确呈现了当时女子的衣着情况;而且,线条使用的曲折变化十分自然,曲线与折线交叉使用、相互补充,有很好的表现效果。这是秦俑无法达到的水平。这样生动细致的表现不仅呈现了汉代人物的衣饰特点,而且还将其生活片段一同呈现,反映出这样的歌舞宴会在当时的盛行情况。

事实确实如此。两汉时期发现的与歌舞、说唱有关的雕塑作品不胜枚举,以至于人们往往将之作为汉代生活史的代表性资料加以使用。同时期的画像资料表明,歌舞娱乐活动是汉代人日常生活的重要组成部分。这种奢靡享乐的风气虽然间或受到某些儒生的批评,但并未从根本上发生改变,到东汉年间更达到了顶峰;即使是宣称节俭的儒士在日常生活中也离不开这些歌舞宴会,著名大儒马融就经常一边观看歌舞一边教授自己的学生。不仅如此,他们还通过绘画和雕塑的方式将这些内容复制下来,带入墓葬,希望在死后仍能继续享受这种生活,表现歌舞娱乐的雕塑作品由此逐渐增多。图2-28是东汉时期的陶制说唱俑,高55厘米,1957年四川成都天迥山出土。① 这件雕塑的表现对象是当时盛行的以说唱取笑为生的俳优。他身材矮胖,头戴方巾和小帽,光着脚蹲坐在一块石凳之上。此时,他正右手拿着鼓槌,左臂夹着小鼓;他额头的皱纹和松弛的肌肤说明他是一位年纪较大的艺人,估计从事这项工作已有很多年。从他手脚并用、眉开眼笑的姿势和神情可以看出他正处于演说的癫狂状态:他眯着的眼睛和笑容说明他也沉浸在自己的表演中,不亦乐乎。这件雕塑手法质朴,但十分自然传神,将这位艺人表演时的动作和神情真实地呈现出来,是汉代说唱雕塑中的珍品。图2-29是1973年四川资阳出土的吹笙陶俑,高17厘米。② 他头戴圆帽,侧身跪坐地上,双手持笙,从其鼓起的

---

① 参见刘兴珍、郑经文主编:《中国古代雕塑图典》,文物出版社2006年版,第91页,图4-21。

② 参见刘兴珍、郑经文主编:《中国古代雕塑图典》,文物出版社2006年版,第93页,图4-26。

两腮看,他此时正在演奏中。从其专注的神情可以看出,他正沉浸在优美欢畅的音乐声中而无暇旁顾。他们只是汉代盛行数百年的歌舞升平的生活的一个缩影,背后所潜藏的则是当时人对这种生活的沉浸与热爱之情。

图 2-28　击鼓说唱雕塑,东汉　　　　　图 2-29　吹笙陶俑,东汉

　　这四件雕塑表现对象各不相同,但每一位人物的面部表情和神态特征都很细致准确,各方面的细部特征也很生动真实,无疑可以称得上是"美的雕刻形象"[1]。但是,黑格尔认为,作为"美的雕刻形象",那些特殊的细节、丰富的面部表情等特征都应该被排除掉:一方面,由于雕塑所要表现的"只是人体形式中常住不变的,带有普遍性的,符合规律的东西",因此"外在现象中的偶然的特殊细节"都应该被排除掉[2];另一方面,"雕刻还应该排除偶然的主体性和自觉的内心生活的表现。……因为面相表情只是主体的内心特点以及特殊个别的情感思想和意志在面部的流露。在面相表情上一个人只表现出他这个偶然的主体在某一场合心里偶然感触到的,这或许只涉及他私人的事,或许是接触到旁人旁物时自己心中所起的反映"[3]。黑格尔之所以强烈要求雕塑艺术排除人物形象的面部

① [德]黑格尔:《美学》第三卷(上),朱光潜译,商务印书馆 1979 年版,第 124 页。
② [德]黑格尔:《美学》第三卷(上),朱光潜译,商务印书馆 1979 年版,第 129 页。
③ [德]黑格尔:《美学》第三卷(上),朱光潜译,商务印书馆 1979 年版,第 129 页。

表情,原因在于这种表情是"私人的"、"偶然的",与雕塑艺术应该抽象化的要求是背离的。在这个思想基础上,最能表现面部表情"一霎时"的变化和"心情变化的每一个细微分别"的嘴和眼睛首先应该被排除掉。

但是,正好相反,在上述几件作品身上,黑格尔所强调的原则都被忽略掉了。首先,两位女子的面部表情虽然细部特征不很明显,但显然这是雕刻者有意塑造的结果:图 2-26 的女子身着喇叭长裙,显示出这是一位爱好打扮而时尚的年轻女子,但她静谧的表情之下似乎掩藏着一种淡淡的愁绪。她的头巾显得极为保守,她拢起的双手也显得拘谨,她似乎正在低首沉思,亦或许在暗暗思念着远方的某一个人。这些可能存在的情感内容与她静谧的面容是相适应的。图 2-27 的女子的某些特质显然符合黑格尔所说的雕塑的原则,比如,头发的细节被忽略掉,面部表情也不甚明显,嘴唇和眼睛也看不出有什么显著的情绪表露。但正如上文分析所指出的,她可能是一位宫中女子或某位贵族家的歌女,此时的她似乎正在踏着清幽的音乐做出舞蹈动作,因而她的舞姿清和舒缓。这样的舞姿同时暗含着颇为节制的内容,她安宁的面部表情与这种带有节制性的舞姿相互映照,似乎说明她已厌倦这种重复而没有自主的生活状态,但她又无力改变这种现状,因而只能这样随着音乐的节奏机械起舞。即使这样,她曼妙的身姿和流畅的舞姿也足以引起观者的美感。在后面的说唱俑和吹笙俑身上,这种情况表现得更为显著:说唱俑稍带夸张的面部表情和吹笙俑宁静而专注的神情,都显示出他们正认真地进行着自己的表演;尤其是图 2-28 的说唱男子,他额头上的花饰和两个肩膀上的独特饰物都在表明自己的身份,而且他的高难度动作说明这正是他整个表演活动中的某一个瞬间。显然,如果将这些"外在现象中的偶然的特殊细节"排除掉,这些作品也就失去了存在的价值。

其次,这几件作品,尤其是图 2-28 呈现的说唱俑,不仅没有排除掉那些最能表现面部表情和内在心情的细节,即眼和嘴的表现,而且还有意通过它们来展现人物的形象特点。可以猜到,这位正在表演的艺人十分喜爱自己的工作,因而可以完全沉浸在表演之中并体会难以言传的乐趣,否则他的笑容不会如此真诚,我们发现不了丝毫瑕疵存在于这样真诚的笑容之中。不仅如此,他眯起的眼睛和下垂的眼角以及额头上下弯曲的皱纹,如此和谐一致;此时的他锁颈耸肩,头部前伸,一只光脚伸向前方,表现出极端的瞬间性和偶然性。这些迹象说明这件作品的制作者似乎就在表演的现场,类似的表演他也不知看过多少遍,因而可以准确抓住这样偶然出现但却十分传神的瞬间加以表现。他不仅对说唱艺人的服饰等细节加以准确刻制,而且还更加突出了他的眼睛和嘴巴,使整个面部表情和谐一致。即使是那位吹笙而略显简单的男子,我们也能观察到他细微的表情变化。由于他进行的是吹笙的工作,因此他的面部表情不能出现太大的变化。但从其鼓起的两腮和微侧的头部可以看出,他的演奏显然也处于高潮之中,因而他的神情显得专注而严肃。如果像黑格尔坚持的那样,将这些因素排除掉,这些作品的生命也就不存在了。如此细致和精确的呈现方式,使它们从简单的模仿品转变为艺术品,它们所代表的当时普遍存在的人物和它们的制作者都是当时日常生活的重要参与者,是他们的存在让汉代的生活变得有滋有味,美不胜收。总之,无论从哪个角度看,这些作品都可以称得上是"完美的雕塑"。

实际上,任何完美的艺术都必须通过精细的用心和高超的技巧才能实现,雕塑也是这样;任何思想和情感要想获得更广泛的传播、获得更大的认同都必须依靠完美的艺术形式,包括审美意识在内的各种思想和情感也是这样。这些作品之所以能够成为"完美的雕塑",成为人们记录时代、表达情感的重要手段,原因在于生活本来的丰富性、真实性,以及雕塑制作者对这种生活的细致观察、敏感体悟和热爱的纯洁心灵。黑格尔说道:"最好的古代雕刻作品特别引人惊赞处就在艺术家们在使形象和表情中每一件最细微的特点都和整体和谐一致时所费的那种精细的意匠经营,只有通过这种意匠经营才能产生整体的和谐。"①因此,"意匠经营"、"最细微的特点"与雕塑本身体现出来的"和谐一致"是各种因素综合而成的结果,生活本身与人们对生活之美的肯定与追求,让"意匠经营"的

① [德]黑格尔:《美学》第三卷(上),朱光潜译,商务印书馆1979年版,第171页。

实现变成了可能。推而广之，人们不仅可以用雕塑这一具有瞬时性和偶然性的空间艺术表现具有连续性和时间性的音乐活动，同时还可以表现其他各方面的生活内容。汉代人热爱自己的生活，乐舞活动只是其中的一部分，雕塑也是一样。除了这些数量众多的说唱和舞蹈雕塑外，还有众多作品也表现了当时生活的其他内容，婚丧嫁娶、结婚生子、迎来送往等都有呈现。从这个意义上说，汉代雕塑也是两汉时期的百科全书。下面两件作品呈现的正是人们日常生活中几乎都曾遇到的问题：养育子女和饮食操作。

在这两件作品身上，我们同样能够感受到汉代人对自己生活持有的巨大热情。图2-30是四川彭山出土的一尊陶制雕塑，它的表现对象是一位正在哺育的母亲。① 可以看到，这位母亲身着当时流行的广袖长衣，跪坐在地上给自己的孩子喂奶，虽然这种姿势对母亲喂奶来说并不是最佳的，但却很适合作为雕塑的基本形式；她的头发挽起，梳着隆起的发髻；她的神情虽不甚清晰，但我们能感受到这位母亲对喂奶工作的认真态度和喜悦之情。从技法上看，这件作品不追求对人物的形貌特征进行细致呈现：母亲的容貌特征不甚明显，褓褓中的婴儿也以极简略的线条呈现，因而我们只能通过轮廓线条来考察它。即使如此，我们仍然能够观察到制作者对细节把握的用心：这位母亲掀开前衣，露出饱满的乳房，一只手把孩子搂放在胸前，一只手捏着乳房送往婴儿的嘴里。可以推测，她的哺育工作或许刚刚开始，或者是婴儿在吃奶过程中由于转动致使奶头从口中滑出，她又重新将之送到婴儿口中；从其衣襟开合的程度来看，应该属于前者。无论是哪种情况，我们都应该为这样温馨的场面感动。显然，它也感动了这件作品的制作者，并将之捕捉下来使之成为一件艺术品。

与喂养婴儿一样需要耐心的是厨房里的工作。正像老子所说"治大国如烹小鲜"，没有高度的细致和耐心，这样两件事情都是无法出色完成

① 参见刘兴珍、郑经文主编：《中国古代雕塑图典》，文物出版社2006年版，第90页，图4-19。

的。图 2-31 是 1972 年重庆望天堡出土的一件红陶雕塑,高 45 厘米,表现的是一位正在工作中的厨师形象。[①] 这位厨师正在工作中:他头戴高高的厨师帽,衣饰也很整洁;平和宁静的面孔说明他可以对这件工作付出极大的耐心。事实确实如此,因为在他面前摆满了各种食材,说明他的工作才刚刚开始,他挽起的衣袖说明他正准备大干一场;他的左手细致抚摸着眼前的材料,右手握着空拳,似乎正拿着一把自己用了很长时间的菜刀,准备对手中的材料进行切割的工作;从他平视的眼光可以看出,他现在正在进行的是如何处理这些材料之前的思考工作。这件作品呈现的只是东汉时期某一个家庭或庄园中某一位厨师工作和生活的一个瞬间,这不由让我们想起东汉时期在那些高墙深院中举行的无休无止的宴会。在阅读、观摩两汉文献和图像资料的过程中,我们无时不被这样的宴会场面所震撼,没有这样高度负责的厨师和他们的辛苦工作,这种生活方式是无法持续下去的。当然,有人会将这作为两汉时期权贵阶层豪奢生活的反

图 2-30　哺婴俑,四川彭山出土,东汉　　图 2-31　庖厨俑,重庆出土,东汉

---

① 参见刘兴珍、郑经文主编:《中国古典雕塑图典》,文物出版社 2006 年版,第 94 页,图 4-28。

映,但我们也可将之作为了解他们日常生活状态的窗口,并对他们的生活态度作出自己的理解和判断。

类似的形象在秦汉其他雕塑作品中也极为常见。这说明无论其材质为何,汉代雕刻家们将他们的眼光一起投向了这些生活场景、自然景物或神物,将它们的生命特点展示出来,体现出鲜明的生活化特点。下面三件玉雕都出自汉代墓葬,材质娇小玲珑,所刻制的对象也是自然界中的小动物,都稚拙可爱,具有较强的赏玩价值。它们的主人将之埋入自己的墓葬也是希望能够在另一个世界中于闲暇时拿出把玩,或者将之佩在身上随时清赏。这似乎说明它们作为玉器具有礼仪的功能,但显然它们的礼仪功能淡化很多而转化为拥有者的生活用品。图 2-32 是汉广陵国出土的玉蝉,长 6.7 厘米,宽 3.3 厘米,厚 0.6 厘米。[1] 其材质薄脆狭小,雕刻难度极大。类似的玉蝉在汉代墓葬中多有出现,说明蝉的形象此时已成为人们重要的观赏对象,虽然人们将之诗意化和人格化的时间与此相比要晚很多。雕刻者利用玉石上方两角的凸起将之磨制成蝉的两只眼睛,形态逼真,一下即将蝉的形象突出出来;同时,他又用细微的刻痕勾勒出蝉的两只翅膀和颈部的关节。这样逼真自然的形象不会让人认为它来自墓葬中黑暗不清的世界,而是我们日常生活中一只常见的蝉,或许与我们屋后在夏日里不停鸣叫的那只还依稀相似。图 2-33 是私人收藏的汉代玉猴,高 2.3 厘米,宽 1.4 厘米,厚 0.4 厘米。[2] 其尺寸更小,雕刻难度更大。这是一只蹲在地上的可爱的小猴形象,它的右边有一个圆孔,供穿线佩戴之用。这块玉的形制虽然极小,但小猴的形象却雕刻得很逼真:长长的耳朵、圆圆的大眼睛,准确传达出小猴的一般特征;它的右臂伸到左臂下边,似乎正在拿着一个东西。这是雕刻者很好利用玉的形制而作出的创造。虽然这是一块尺寸极小的玉石,但雕刻者仍能将之生命化,使之从自然物转变为艺术品。图 2-34 是广陵汉墓出土的东汉玉猪,左长 11.8 厘米,右长 11.9 厘米。[3] 这是两只伏地休息的小猪的形象,它们闭着眼

---

① 参见叶庆良:《汉代玉器》,(台北)震旦文教基金会 2005 年版,第 67 页。

② 参见叶庆良:《汉代玉器》,(台北)震旦文教基金会 2005 年版,第 155 页。

③ 参见叶庆良:《汉代玉器》,(台北)震旦文教基金会 2005 年版,第 63 页。

睛,正在酣睡;圆圆鼓鼓的鼻子显得笨拙而可爱;蜷缩起来的四个蹄子藏在身下,自然而真切。这件作品的雕刻显然不需要太多的技法,关键在于雕刻者对材质的理解和把握,他只需要用寥寥几笔勾勒出整个动物的形象轮廓即可。即使是这寥寥几笔的刻画也十分生动传神,很好把握住小猪睡觉时的神态,艺术效果良好。类似的作品在汉代玉器中是常见的。它们的制作者就是要将自己的日常生活经验融入到这样生动逼真的形象中,即使是在死后的世界里,它们的拥有者一旦看到这些形象,也不会觉得生活在另外的世界里。它们是一个连接物,是生者日常生活经验的一个"点"——过往生活在记忆中重新复活的"点",通过它们,主体似乎即可唤醒那些曾经存在但消失已久的生活。

图2-32 玉蝉,汉代,广陵出土

图2-33 玉猴,汉代,私人收藏

事实确实如此。玉器不仅具有礼仪的功能,它的表现对象既可以是神物神灵、邈远难测的宇宙空间,同时也可以表现主体日常生活中的细节。它们将这样的生活细节永恒化使之在墓葬中仍继续存在,当它的主人在墓葬中醒来目睹这些形态逼真的作品以及与自己生活如此贴近的生活场景,他应该会感到些许安慰吧!墓葬似乎也由此转化为生活空间。图2-35是西汉时期的仕女玉人像,高13.5厘米、宽5.4厘

图 2-34 玉猪,东汉,广陵出土

米,厚 8 厘米。① 这位仕女身穿汉代宫廷贵族家中仕女常穿的长裙,拖在
她身后的长长的裙裾引人注目;她的双手拢在袖中,是当时仕女侍奉主人
时的一般姿势。衣褶流畅,腰带历历,连发丝也清晰可见;从作品后面看,
在她头上盘着厚厚的发髻,带着长长的装饰性丝带,从右边耳后垂下来。
这是贵族女子典型的发饰。我们无法断定她是对墓主人妻子的模拟,还
是墓主人期望死后也能有这样的女子服侍,但她所呈现的状态无疑会给
墓主人带来心灵的慰藉。图 2-36 是东汉时期的玉舞人像,长 4 厘米,宽
2.4 厘米,厚 0.3 厘米。② 这块玉的形制虽然很小,但呈现的内容却极为
丰富:这是一位正在舞蹈的妙龄女子,五官端庄;虽在舞蹈的瞬间,但她仍
以正面的方式面对观者;她长长的舞袖上下飘逸,她的身型曲折婉转,上
演的正是当时流行的长袖折腰舞;从其肢体的重叠可以看出,她的腰身几
乎柔软无骨,因而可以作出这样高难度的动作;从其雕刻技法看,由于玉
材形制狭小,材质薄脆,因而雕刻者化繁为简,用笔简洁,仅依形制随笔雕
刻,寥寥几笔后,生动美观的舞者形象便跃然纸上,充分显示出雕刻者高
超的雕刻能力、线条的表现力和对形象的掌握能力。她只是两汉四百年
间无数舞女中的一员,她所呈现的舞姿既是当时贵族生活的凝缩,也已成
为汉代盛世的典型表征。这样的盛世和生活由此定格在舞者的一瞬间,

① 参见叶庆良:《汉代玉器》,(台北)震旦文教基金会 2005 年版,第 177 页。
② 参见叶庆良:《汉代玉器》,(台北)震旦文教基金会 2005 年版,第 174 页。

让后人无限缅怀!

图2-35　玉人仕女,西汉

图2-36　玉舞人佩,东汉

当然,汉代雕塑的种类还有很多。除了这些表现日常生活的作品外,还有大量其他作品。霍去病墓前的辟邪和马踏匈奴雕塑,气象雄浑,气势撼人,至今仍让人感受到大汉盛世的雄伟气象;著名的"马踏飞燕"雕塑,那凌空奔跃的骏马似乎已然腾飞,以至于一只脚踏上了正在飞舞的燕子身上,它也是大汉气象的缩影;如此等等。这些作品是汉代雕塑所展现的汉代精神的另外一面,是我们窥见两汉时期人们生存状态的重要窗口。这些作品所呈现的虽只是汉代人生活极小的一部分,但其所反映的内容却异常丰富,所蕴藏、体现的时代精神弥足珍贵。汉代雕塑通过不同的题材和表现手法,将汉代的时代精神和审美理想表现出来,成为我们重新走进汉代的重要途径。从这些作品也可看到各种域外因素开始对汉代雕塑产生影响,胡人、佛教等因素在东汉末期的作品上多有体现。这些作品从另外的角度向我们呈现了汉代审美意识的其他特点。这些内容,其他章节已有涉及,这里就不再展开了。

第三章

秦汉绘画：以动为美

　　长期的艺术实践的积累、繁荣的宗教信仰的促进以及强大的政治伦理观念的保障,造就了汉代绘画的辉煌。汉代绘画集各种功能于一身,成为现实世界、精神世界和理想世界的物质载体,具有实用性和审美性的双重特点,形成了以"动"为核心的审美特征。汉代绘画的"动"与它所蕴含的生活真实与生命真实紧密相关,包括艺术形式的灵动与生命精神的生动两层含义。与此相关,汉代绘画在线条和颜色的使用方面相互促进、相互构成:线条的使用创造了形式的灵动,颜色的使用铸就了生活和生命世界的生动,由此形成了汉代绘画形式与意蕴之间体用合一、灵肉不二的审美特征,并为此后中国绘画的理论建设和艺术实践提供了基础和范本。随着时代精神的变化,后世绘画也在汉代绘画这一特征的基础上不断改进、突破和发展:形式与意蕴的分裂过程形成不同时期绘画的不同特点。

第一节　技艺、宗教与政治:汉代绘画的兴盛

　　汉代是绘画兴盛的时代。张彦远《历代名画记》:"图画之妙,爰自秦汉。降于魏晋,代不乏贤"①,将中国真正的绘画定位于秦汉时期。陈师曾《中国绘画史》指出:"图画之鉴赏,实自汉始。盖汉代之绘事,于种种之点大为发达。"②郑午昌《中国画学全史》指出:"中国明确之画史,实始于汉。盖汉以前之历史,不免有一部分之传疑;入汉而关于图画之记录,

---

① (唐)张彦远:《历代名画记》,浙江人民美术出版社 2012 年版,第 4 页。
② 陈师曾:《中国绘画史》,中华书局 2010 年版,第 14 页。

翔实可征者较多云。"①三人所论虽有贬抑汉前绘画的嫌疑,但他们将中国绘画之兴盛定位为汉代的观点则一致。汉代绘画遍布社会各个领域,数量之多,实属罕见;即使汉代绘画多已焚毁,今人只能通过考古资料管中窥豹,但传世文献所记录的汉代绘画之盛况仍斑斑可见。汉代绘画是汉代精神的重要载体,也是秦汉时期中国人审美取向和审美理想的载体。究其成因,主要有以下四个方面。

首先,春秋战国时期绘画的工艺、技巧得到了长足发展,为秦汉绘画尤其是两汉绘画的兴盛奠定了基础。汉代人在宫殿、墓室之上绘制图像的传统在战国时即已盛行。王逸《楚辞章句》即认为,屈原《天问》就是依据楚国先王宗祠中的壁画而作:"(屈原)见楚有先王之庙及公卿祠堂,图画山川神灵。……周流罢倦,休息其下,仰见图画,因书其壁,何而问之,以泄愤懑,舒泻愁思。"②《天问》记述的天地开辟、女娲补天等神话故事和殷商时期的历史事件,多具有片段性特点,体现出依图而作的特点。结合和林格尔等墓葬发掘和史籍文献记载来看,战国秦汉时期,在祠堂、墓室、宫室等处绘制图像从南到北普遍流行,且技艺已十分精湛。《韩非子·外储说左上》所记画筴者和买椟还珠两个故事是典型的例子。画筴者三年所制之筴表面上看与普通之筴没有区别,但在阳光下看,小小的筷子上"尽成龙蛇禽兽车马,万物之状备具"③;郑人买椟还珠向来被人嗤笑,但郑人之所以"还珠"是有原因的,因为盛放"珠"的"椟"是这样做成的:"为木兰之柜,薰以桂椒,缀以珠玉,饰以玫瑰,辑以羽翠。"④此"椟"艳丽眩目、装饰精致,具有很高的工艺和美术价值,其价值可能超过珠。《庄子·达生》亦记载:"梓庆削木为镰,镰成,见者惊犹鬼神。"⑤"镰"是一种木制乐器,类似夹钟,形状似虎,上刻诸物,并雕饰彩绘。梓庆的技艺

① 郑午昌:《中国画学全史》,上海古籍出版社2001年版,第25页。
② (汉)王逸:《楚辞章句》,岳麓书社2013年版,第83页。
③ (清)王先慎:《韩非子集解》,《诸子集成》第五册,中华书局2006年版,第202页。
④ (清)王先慎:《韩非子集解》,《诸子集成》第五册,中华书局2006年版,第198—199页。
⑤ 陈鼓应:《庄子今注今译》,中华书局1983年版,第489页。

之高由此也可见一斑。这里提到的"镶"和"筴"今不可见,但其他同时期的作品可以提供佐证。图3-1是1988年在湖北当阳赵巷四号墓出土的木俎,长24.5厘米,宽19厘米,高14.5厘米,在其四只脚和两边绘制了24只形态各异的小兽,它们或蹲或伏或立或坐,生动逼真、惹人喜爱①,印证了《韩非子·十过》中"觞酌有采,而樽俎有饰"②的记载。可见,战国时期的器物制作和绘画实践十分繁盛,为汉代绘画提供了技术和艺术上的支持。

图3-1　战国木俎

　　其次是两汉异常繁盛的宗教信仰的促进。两汉四百年间,宗教信仰巨变,西汉以神仙信仰为主,东汉以谶纬思想为主,它们都借助绘画来宣传自己。以神仙信仰为例,秦始皇和汉武帝为了致神成仙,在方士的鼓动下,在宫殿墙壁上画上各种画像。据《史记》记载,秦始皇营造的宫殿和墓室里绘有天地山川万物图像;《史记·孝武本纪》记李少翁对汉武帝说:"上即欲与神通,宫室被服非象神,神物不至。乃作画云气车,及各以胜日驾车避恶鬼。又作甘泉宫,中为台室,画天、地、太一诸神。"③神仙信仰和人们对死后世界的设想结合在一起,构成了汉代信仰的主体,支配着汉代人对生命的理解。这种思想非仅为帝王诸侯所有,两汉时期的神仙信仰

---

　　①　参见《楚秦汉漆器艺术·湖北》,湖北美术出版社1996年版,第16页,图版3。
　　②　(清)王先慎:《韩非子集解》,《诸子集成》第五册,中华书局2006年版,第49页。
　　③　(汉)司马迁:《史记》,中华书局1959年版,第458页。

和谶纬之学成为人们思想中的主要信仰观念，即使在偏远地区，人们也深受其影响。他们通过绘画的方式，将这些想象世界加以呈现，并绘制在宫殿、居室、朝堂、学屋、墓室、祠堂、生活器具等处，极大促进了汉代绘画的发展，也形成了格局、主题、形象较为固定的图像表现方式。它们是汉代绘画的主体。

再次，汉代人的人生观十分奇特，它既容纳了原始道家修道成仙的思想，也含有儒家积极用世的思想；而且，前者为后者服务——前者只是将后者无限延长的工具或途径，他们既享受生活的乐趣，又立志在生活中建功立业，实现自己的人生价值和理想。享乐和用世很好地结合在一起，成为汉代人普遍信奉和践行的人生准则。余英时将这种思想观念概括为"此世精神"①。因此，两汉期间高度关注现实生活和人生价值的思想观念深入人心，人们希望能将一生的功业以图画的方式记录下来。这种容纳了道家成仙长生思想和儒家经世致用思想的人生观在两汉时期甚为流行。汉代初兴，高祖就将开国元勋的图像绘制在自己的宫殿中；东汉明帝在云台设画馆，雕饰三十余著名人臣图像供他人观览学习。在东汉中后期，这种需要极度膨胀，甚至达到了"士或不在画像者，子孙耻之"的地步。《三国志·蜀书·诸葛亮传第五》记载"景耀六年春，诏为亮立庙于沔阳"，裴松之注引《襄阳记》云："自汉兴以来，小善小德而图形立庙者多矣。"②在画像旁侧，人们同时还撰写赞语，以表彰图像上的人物所作出的举世功业，"画赞"文体亦随之兴起。有人将之汇编成册，曹植还为此撰写过序言。对于实现以道德、功业为基础的人生价值的极度渴望，促进了汉代绘画的发展。此习上承孔子观周之意，下启列女诸传，由此所形成的鉴戒绘画传统贯穿了整个封建时代：从《女史箴图》到《养正图解》，从《孔子圣迹图》到《帝鉴图说》，可谓源远流长（见图3-2）③。据文献记载，当

---

① 余英时：《东汉生死观》，上海古籍出版社2005年版，第9页。
② （晋）陈寿：《三国志》，裴松之注本，中华书局2005年版，第690页。
③ 丁云鹏绘，"寝门视膳"，出自《养正图解》，1a，故事一，焦竑版，约1595年，木刻版画，黄奇雕刻，高约24厘米。参见孟久丽（Julia Murray）：《道德镜鉴——中国叙述性图画与儒家意识形态》，何前译，生活·读书·新知三联书店2014年版，第159页。

时稍具经济能力、在社会上有一定地位的个人和家族都要在墙壁上雕饰绘画,以将自己与普通平民区别开来。①因此,居室建筑是否具有彩绘图像以及这种图像的规模大小、种类多寡,都成为居住者是否具有高贵社会地位的象征和标志。②

最后,与此相关,两汉皇帝和王侯贵族的大力支持,极大促进了汉代绘画的发展。从秦始皇"写放宫室"到汉高祖刘邦采纳萧何建筑宫室的建议,从汉武帝的甘泉宫、麒麟阁到汉明帝的云台,从皇室宫殿到地方行宫、地方

图3-2   丁云鹏《养正图》

政府和民间的祭祀祠堂,这些所在都在绘制图像。没有政治力量和宗教信仰的支持,要达到这种程度是不可能的。郑午昌说:"盖汉代绘画,虽极富美,以累代帝王用以章饰典制,奖崇风教之故"③,指出了汉代绘画"富美"背后的政治原因。据记载,汉代宫廷设有专门的绘画机构"少府",内设"黄门署长、画室署长、玉堂署长各一人"④,以负责皇家所需图像的制作工作。张彦远《历代名画记》"叙画之兴废"条:"汉武创置秘阁,以聚图书;汉明雅好丹青,别开画室。又创立鸿都学,以集奇艺,天下之艺

---

① 《汉书》卷六十四上《严朱吾丘主父徐严终王贾传》第三十四上:"今陛下昭明德,建太平,举俊材,兴学官,三公有司或由穷巷,起白屋,裂地而封。"颜师古注"白屋"云:"白屋,以白茅覆屋也,寿王言此者,并以讥公孙弘。"颜师古认为"白屋"是白茅所建之屋,指平民百姓居住的地方。同样的观点还见于《汉书》卷七十八《萧望之传》。颜师古注"致白屋之意":"白屋,谓白盖之屋,以茅覆之,贱人所居。"颜师古所解释的只是表象,因为能否在自己屋子墙壁房梁等处绘制图像在当时有着严格规定,普通百姓的屋子是不允许修饰彩画的,因而被称为"白屋"。

② 参见汪涛:《颜色与祭祀》,上海古籍出版社2013年版,第164页。

③ 郑午昌:《中国画学全史》,上海古籍出版社2001年版,第41页。

④ (南朝宋)范晔:《后汉书》,李贤注本,中华书局2005年版,第2451页。

云集"①,道出了汉代绘画兴盛的情况。在偏远落后地区,地方长官还以图像的方式对人民进行教化,是夏商时期以图设教方式的延续和发展。这种施教方式至三国时期仍在流行。《华阳国志·南中志》:"诸葛亮乃为夷作图谱,先画天地、日月、君长、城府。次画神龙,龙生夷,及牛马羊。后画部主吏,乘马幡盖,巡行安恤。又画牵牛负酒,赍金宝诣之之象,以赐夷,夷甚重之。"②在这些因素的促进下,专职画工大量涌现:宫廷画家、民间画家和文人学者画家都在汉代相继出现,他们互相切磋,推动了汉代绘画的发展,其高超艺术造诣在当时就引起了大家的注意。王延寿《鲁灵光殿赋》说鲁恭王灵光殿的壁画"千变万化,事各缪形,随色异类,曲尽其情"③,是对当时壁画艺术的赞扬。

　　总之,汉代绘画的勃兴是多方面因素共同作用的结果。两汉之前的艺术实践在技术层面为它提供了支撑,两汉期间的宗教信仰、政治制度和哲学思想等都在某一方面促进了汉代绘画的发展,汉代绘画也很好地履行了自己悦神悦人、施政化民的任务。由此也可看出,汉代绘画并非纯粹的艺术形式,审美功能作为附属功能而存在,在汉代的宗教、政治和社会生活的交织中而存在,绘画成为各种意识形态的交汇之地,审美意识也成为各种意识形态的中介,并将它们连接成一个整体,建构了汉代人的精神世界。

第二节　图像的占有者:秦始皇与汉代诸王

　　在魏晋山水画和人物画兴起之前,作为纯粹审美形式的绘画尚不存在。在这些绘画作品中,色彩、线条的运用虽能营造出美轮美奂的审美情境,其图像设计和各种艺术手法的运用极其灵活、高超,但其目的仍偏重于实用性,礼仪功能占主体地位,但这并不妨碍它同时具有丰富的精神价

---

① （唐）张彦远:《历代名画记》,浙江人民美术出版社2012年版,第4页。
② 饶宗颐:《〈楚辞〉与西南夷之故事画》,见《饶宗颐二十世纪学术文集》第十三卷,第198页。
③ 龚克昌:《两汉赋评注》,山东大学出版社2011年版,第801页。

值:绘画由此成为知识图典、政治疆域空间和人们信仰世界的统一体。在神圣性和礼仪性的双重规范下,图像制作过程变得极其严肃而慎重。正是这种情况下,那些精美的作品才被制作出来,以至于被后人称为难以企及的艺术范本。十分明显,这些器物图像中审美因素的渗透或参与只是为了强化其神圣性,以将图像所呈现的事物或世界既与日常事物相关又将其区别开来。在特定思维方式的影响下,人们将绘画所呈现的图像世界与真实世界等同,由此,绘画以其实用性和礼仪性而成为知识的载体、现实空间的具体化以及精神世界的形象呈现物。于是,占有图像在某种程度上也就占有了图像所包含的内容,无论是物质的还是精神的。这与西方《圣经》文化传统贬抑图像的做法截然不同。秦始皇和张良由此进入我们的考察视野:在社会政治关系中,两人虽然相互对立,欲杀彼此而后快,但在对图像世界的重视方面两人却具有惊人的一致性。各种文献证明,在历史发展的紧要关头,他们对占有图像都有极其鲜明、强烈的需求,在将这种精神需求转化为具体行动的过程中,他们也改变了秦汉社会文化和艺术的历史进程。

秦始皇对图像的嗜好程度非常人所及:他力求通过以占有图像的方式将世界万物占为己有。如前所述,在这一时期中国人的思想观念中,图像从来都不是虚拟性的,其真实性甚至超过它所表现的事物本身,以至于占有图像成为极少数特权阶层的专属权利。秦始皇将这种专属权利发展到极致——这位以武力将天下疆域纳入一统的中国始皇帝,在六国城破之时,"写放其宫室,作之咸阳北阪上,南临渭,自雍门以东至泾、渭,殿屋复道周阁相属"①。可以看到,伴随着秦始皇统一战争的是庞大和持续的图像仿写工程:六国诸侯的知识集成、社稷礼仪、精神信仰、疆域辖区等,都被秦始皇以图像的方式真实记录、呈现并占为己有。秦始皇将六国诸侯宫室以图像的方式复制到自己生活的宫殿中,这是一项庞大的图像制作工程,难以计数的画工、石匠、乐工参与其中,历经数十年仍尚未完成

① (汉)司马迁:《史记》,中华书局1959年版,第239页。

(见图3-3)①。无论这项工程的初衷具有多么强烈的政治色彩,但这项耗费无数时间、人力、物力的工程无疑也是一项对此前艺术进行总结、汇集的文化工程:雕塑、绘画、篆刻、乐舞等各种艺术被交替、综合使用;为了彰显新帝国的宏大气象,这些形式亦需要打破此前孤立单一的使用方式而被综合化。同时他还修建了自己的庞大陵墓,以与地面上的宏伟富有的宫殿相媲美。于是,"我们从司马迁的记述中认识到,秦始皇把自己安全地置于一个可以被理解为图谱的宇宙中。他认为自己处于这一空间的中心,是四方宇宙的轴心。"②这些活动无疑促进了早在春秋和战国时期就极为兴盛的绘画与其他各种艺术形式的交流与融合,并使之发展到一个新的阶段。

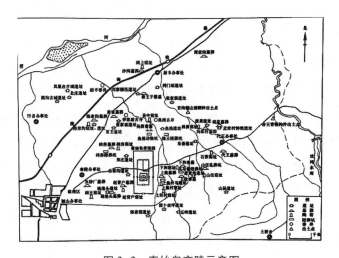

图3-3 秦始皇帝陵示意图

同样,以高祖、武帝和张良、萧何为代表的汉代皇帝与诸侯对图像在政治统治方面的重要性亦有深刻认识。张良,这位因刺杀复仇而与汉代开国皇帝刘邦结为同盟的韩国贵族,对秦始皇有着极其深刻的了解。在因复仇而耗尽家财的过程中,具有隐忍性格特点的张良在一次偶然机会中遇到传说中的黄石公。在对黄石公所付与的"一编书"《太公兵法》的

---

① 参见段清波:《秦始皇帝陵园考古研究》,北京大学出版社2011年版,第23页。
② [英]杰西卡·罗森:《祖先与永恒:杰西卡·罗森中国考古艺术文集》,邓菲等译,生活·读书·新知三联书店2011年版,第220页。

诵读记忆和灵活运用并取得成功的过程中,张良深刻认识到图书的重要性,刘邦也在他的帮助下取得了成功。萧何,这位沛县的低级文官,对图像文书却有着超乎寻常的敏感。与秦始皇对图像的重视一样,他也深刻认识到图像典册在国家统治中的核心作用:这些图像文本不仅是疆域、知识和信仰的载体,同时也是国家政权获取合法性存在的基础力量。根据史籍记载,萧何对秦始皇的图像收集和制作活动了然于胸:六国文化集成都被秦始皇收归己有并封藏在自己的宫殿中。所以,当刘邦率先进入咸阳时,与其他人忙于劫掠财富和美色不同,萧何独自率众来到秦始皇的国家图书馆,将这些图书一律封存并收归汉王。① 这为汉代学者对先秦典籍进行大规模的整理、编订和创新以建立新的意识形态的工作提供了文献基础。天下初定后,萧何建议高祖大兴宫室,并以"天子以四海为家,非壮丽无以重威"的理由打消了刘邦的顾虑。② 记载甘泉宫、麒麟阁、云台二十八将的同时期的各种文献证明,两汉宫殿建筑都伴随着大规模的图像创制活动。由于两汉贵族在创制画作之前就有明确的记述意识,因而各种神灵和人物画像在这些画作中占据重要位置,人物画首先得到长足发展。后世绘画中的山水、宴饮、娱乐、花鸟、人物等绘画类型都可在此找到渊源。汉代诸王对绘画艺术的发展厥功甚伟,无论他们的目的是出于宗教、政治还是娱乐、学习,他们以其独特的特权地位及其强大影响力,改变、加固了人们对图像的认识,也塑造了整个时代的审美趣味,改变了它的发展过程。至东汉时期,这种以图像彰显宇宙规则和人生价值的做法在整个社会中普遍盛行,以至于王充在《论衡》中花费大量篇幅对这些图像的虚假性进行批判,但效果甚微,并引起了后代画家和理论家"对牛鼓簧"(张彦远语)的嘲讽。与之相伴的是人们对墓室壁画和帛画的创作活动,现今发现的大量精美的墓室画作体现出两汉时期人们对图像制作

---

① 司马迁《史记》"萧相国世家":"沛公至咸阳,诸将皆争走金帛财物之府分之,何独先入收秦丞相御史律令图书藏之。沛公为汉王,以何为丞相。项王与诸侯屠烧咸阳而去。汉王所以具知天下阨塞,户口多少,强弱之处,民所疾苦者,以何具得秦图书也。"(司马迁:《史记》,中华书局1959年版,第2014页)

② 参见(汉)司马迁:《史记》,中华书局1959年版,第386页。

的热情。可以想见，如果没有强大的功利驱动和宗教似的情感需求在起作用，这种图像制作活动不可能持续四百年之久。

古代中国的统治者对绘画重视的历史可上溯至传说中的夏代。人们发现，图书的转移往往伴随着王朝的兴衰、更替。张彦远《历代名画记》说："昔夏之衰也，桀为暴乱，太史终抱画以奔商。殷之亡也，纣为淫虐，内史挚载图而归周。燕丹请献，秦皇不疑。萧何先收，沛公乃王。图画者，有国之洪宝，理乱之纪纲。"①这个历程有力证明，人们的各种实用需求对艺术的发展有极大的促进作用。秦汉时期人们对自己生命价值的追求尤其强烈，正像曹操所感叹的那样，"人生不满百，常怀千岁忧"，人们对短暂的生命有着敏感的觉察和体悟，希望通过各种方式延长自己的生命过程，以实现对政治功业的追求，并将这种功业永恒化而被后人敬仰、缅怀。这种强烈的人生愿景带有宗教和世俗的双重成分：它既是一种热烈而持久的宗教情感，带有超越性特点，同时又具有鲜明的世俗化特点，功利性追求（如施行教化、巩固统治、得道成仙等）始终是其核心目的。无论哪种情感都指向一点：它们需要一种旺盛、热烈、沉着的生命活力才能实现。相对于纸质文献所呈现的无声无形的秦汉盛世，图像资料为我们展现了有声有形的世界，这个世界充满了生命活力，以至于此后的人们往往以"汉"来指称自己的归属。绘画及其意象世界，最直观、最典型、最形象地呈现了这个奇异、充满魅力和活力的时代。

根据汉代绘画的发展历程，可以看出，实用性成为其根本属性。这也从侧面说明，那些蕴含道德鉴戒意义的绘画在当时应该普遍流行，最伟大的画家和最优秀的作品应该属于这些世俗绘画，更何况，儒家文化的思想和价值观也为这些绘画的流行提供着坚实的理论基础。《汉书》等史籍关于两汉王侯对绘画的重视的记载也证实了这一点。只不过，由于时过境迁，岁月的侵蚀、战火的焚毁、私人的占有等等，让它们很难在两千年的时间中再保存下来，哪怕是断片残稿现在也很难觅见；除了考古出土的墓葬绘画之外，我们几乎很难再见到它们。因此，下面我们对汉代绘画审美

---

① （唐）张彦远：《历代名画记》，浙江人民美术出版社2012年版，第3页。

特征的描述和概括只能依靠后者,虽然这些概括只能是片面性的,但也足以让我们认识到汉代绘画对后世社会和艺术的重要价值。

第三节　秦汉绘画:"动态艺术"

秦汉时代——这个充满生命活力的世界,孕育了它的独特艺术。这种艺术可用"动态艺术"来指称,绘画是它的典型代表。汉代绘画的"动",既指人与万物的生命活动,也指艺术形式的生动特点。可以看到,在这个形象世界中,人、神和万物都处于一种生命勃发的状态:漆画和帛画中的神灵、怪物和自然云气,都跃然欢腾、流动不居;画像石和画像砖中的日常生活细致、逼真、多样,就像它的拥有者仍在存活——这些场景中的各种人物都以极其认真的态度从事着自己的工作。在墓室壁画中,那些看似静止的形象也在以沉默的方式表明一种生命关系:门吏手拿仪仗,似乎在等待着从远方来访的客人;高大的墓主端坐在仪台上,似乎正向伏地而拜的来访者或他的后人交代着极为重要的事情。一句话,万物与人事结构中的人与物构成了这种"动"的基础:在汉代绘画中,只要有人存在,人就处于一定的生活结构中;只要有物存在,物就显示出它作为物的生命特点;即使没有人物和他们的活动,那些盘旋跃动的装饰纹饰也是生生不息的宇宙的象征。

以此比照,可以看到,从魏晋时期的人物画、山水图卷到明清时期的工笔绘画,虽然在表现对象方面与秦汉绘画有共同之处,但总体上是"静态艺术"——在这些画作中,我们无法体味到一种盎然的生机,秦汉时期青春、鲜活的生命活力转化为沉静、寂然的生命之思,就像一个活力四射的青年已成长为成熟的中年和老年一样。在艺术表现方面,秦汉绘画中的繁复铺张的线条使用方式也向简约、节制发展,朴拙、稚气转化为精细、典雅。图3-4是东汉时期的画像砖,它所呈现的是一幅生动热烈的捕猎场面①,但在

————————

① 参见《中国画像砖全集·四川汉画像砖》,四川美术出版社2006年版,第80页,图版109。

后世文人画中,这样的场面却成为主体跃身大化、实现身心自由的精神象
征:活力四射的生活场景转化为洒然自适的精神境界,"鸢飞鱼跃"由此
具有两种完全不同的含义。这种转变是一种由"动"至"静"的转变:它们
是古人生命精神和审美趣味的不同呈现方式。即使与同一时期或稍微不
同时期的古希腊和古埃及的艺术相比,汉代绘画这种"动"的特点也极为
明显:古希腊艺术对比例和秩序的追求使其显示出"静"的艺术特点;在
古埃及的壁画中,所有事物和活动都在一条直线上展开,这种刻板和严谨
显示出人对神的绝对臣服,因而也属于静态艺术。刘纲纪《周易美学》将
秦汉绘画与古希腊瓶画进行了比较,指出中国早期绘画"动"的特点:"一
个在精确符合数学比例的形式中显示其明晰的宏大、秩序、单纯、稳定之
美,另一个则在颇难把握的错综变化中显示其运动、气势、力量之美。而
且,即使在它看上去是很稳定的情况下,它也似乎要冲破这稳定而飞动起
来。"①当然,古希腊的瓶画和古埃及的壁画中的"静"与中国后期绘画追
求的精神之"静"仍有很大不同。

图 3-4 渔猎画像砖

汉代绘画与后世绘画的动、静之分,与中国绘画总体发展趋势是一致
的:汉代绘画的"动"转变为不同形态的"静",在后世不同时代的绘画中
存在。黄宾虹《古画微·总论》对中国不同时期绘画的特点概括得很准

---

① 刘纲纪:《周易美学》,湖南教育出版社 1992 年版,第 296 页。

确:"周秦汉魏画法,石刻图经,犹是形象","两晋六朝,顾恺之特重传神",唐代吴道子"尤以气胜","宋开院体,画专尚理","元人又尚意,显有不同","明初研习宋元"而"稍变旧法","清代之画,卒不及于前"。①中国绘画的这个历程牵涉到一个重大问题,即绘画艺术形象与意蕴的分离过程。这个过程也是中国绘画由"动"趋"静"、由"形"向"意"转化的过程。可以看到,从两晋六朝传神论开始,人们已将形象与意蕴分开,无论是"传神"、"以气胜",还是"尚理"、"尚意",他们都把绘画形象本身作为工具或手段,"得鱼忘筌",中国绘画逐渐由"形"向"神"、"气"、"理"、"意"转化,逐渐由"实"化"虚"、由"动"趋"静":汉代绘画专注于形象塑造("犹是形象"),特别强调动态之美;后世绘画强调形象之外的神、气、理、意,它们需要主体拥有"神合体道"的精神状态方可把握,因而它力求通过形象引导主体进入冥思的精神状态中,以静态之美取胜。因此,汉代绘画中的万物形象都处于动态的结构关系中,是动态的形象,人"惟于动中得之";后世绘画强调"象外之象"、"象外之意",因而人"惟于由动趋静中得之"。

造成这种分裂的原因是多样的,审美意识的变化在此过程中的作用不可小觑。在秦汉等早期绘画中,"形"、"神"、"理"、"意"、"气"等,原本都是一体的,最起码在汉代绘画中还是一体的。刘勰《文心雕龙·神思》说:"神用象通,情变所孕,物以貌求,理以心应。"②这就是强调"神"、"象"、"理"、"情"、"物"、"心"之间的一体性关系,它们原本不能分开,在审美感兴的过程中,它们相互作用、彼此构成,最终形成玲珑剔透的艺术形象。但是,随着审美意识的变化,人们的兴趣、关注点或着眼点发生了变化,由此也使它们从一体性关系逐渐分化而向不同方向发展,形成后世绘画或尚意、或求理、或以气胜的不同特点,一旦这些追求完结,绘画就只能在模仿之中重复前人而毫无创意了。由此似可得出结论:先秦两汉绘画才是后世绘画真正的源头活水,它的形象、结构、技法和境界为后世绘画提供了基本蓝本,后世绘画只是它们的不同变体。宗白华说:"中国的

① 黄宾虹:《古画微》,浙江人民美术出版社 2013 年版,第 1 页。
② 范文澜:《文心雕龙注》,人民文学出版社 1958 年版,第 495 页。

画境、画风与画法的特点，当在此种钟鼎彝器盘鉴的花纹图案及汉代壁画中求之"①，说的也是这个意思。

下面，我们通过对汉画像石中的一幅嫦娥奔月图像和明代画家唐寅的《嫦娥奔月图轴》的比较来说明这个问题（见图3−5）②。"嫦娥奔月"见于西汉文献《淮南子》、《归藏》等书，并被同一时期及其前后的图像资料所证实，其较早原型是《山海经》记载的常羲神话。图3−6是河南南阳西关出土的一块嫦娥奔月画像石。③ 在图像中，常羲是人首蛇身的样子，

图3−5 唐寅《嫦娥奔月图轴》　　　　图3−6 嫦娥奔月画像石

① 宗白华：《论中西画法的渊源与基础》，《宗白华全集》第二卷，安徽教育出版社2008年版，第100页。

② （明）唐寅：《嫦娥奔月图轴》，台北故宫博物院藏，46.1厘米×23.3厘米。参见朱良志：《南画十六观》，北京大学出版社2013年版，第237页。

③ 参见《中国画像石全集》第6卷，山东美术出版社2000年版，第168—169页，图版205。

在她的下身还有两只脚,以显示她实际上是龙的一种。在云气缭绕的星空中,她飘然飞跃,正向前方的月亮飞去;在她的前方是一轮圆月,一只健硕丰满的蟾蜍伸展其中,似乎正在水中浮动。这幅图像所展现是常羲奔月即将到达月亮之上的情景,是奔月过程即将完成的瞬间。为了说明这是一个正在进行的过程,图像作者一方面将常羲的身体刻绘成向前倾斜飞动的样子——她身后长长的尾翼正在摆动当中;周围的云气以盘旋的状态显示出星辰与圆月之间的运行关系。因此,奔月事件本身的运动过程通过图像中各种富有生动气韵的要素加以呈现。在这款图像中,嫦娥奔月的各种构成要素多已齐备:常羲、蟾蜍、圆月、人首蛇身,成为后世相关文学艺术作品的基本构成要素。可以发现,在这幅图像中,它的每一个形象和细节都处于不断流转的整体结构中。

与此不同,无论是诗歌还是绘画,后世文人作品中的嫦娥均变为寂寞、孤独的美人形象,蛇身的特点不再出现。就像李商隐在他的诗句中所猜测的那样:嫦娥窃取仙药之后,独自生活在寂冷的月宫中,因为不能忍受这种寂寞,她每夜都在为自己的鲁莽行为而懊悔。① 为了表明她的寂寞,人们还将神话中担负捣药任务的玉兔作为嫦娥的唯一伴侣加以咏叹。唐伯虎的《嫦娥奔月图轴》延续了这个传统。在这个寂寥的画面中,一轮金黄的圆月在云层中若隐若现,一位装扮精致的女子被命名为嫦娥,她轻拢双手静静地站在一棵古松下,天上的圆月没有引起她丝毫的兴趣,她似乎只沉浸在自己难解的思绪中,就像云层对明月的掩盖一样。与画像石对"奔月"情节的呈现不同,在这幅作品中,唐寅改写了嫦娥与月的合体关系,圆月成为一种点缀,那位无声沉思的女性的寂寥思绪成为整幅画作的灵魂。在作者的题诗中,他虽然使用了神话中的各种意象,但均与其本意无关,女子无尽的忧伤或者作者无可排遣的抑郁成为这幅画面的主体色调。因而,在这种雅致的图像中,其情境与艺术家曲微幽深的心灵正相映衬,不断将观者也引向虚无、悠远而沉寂的意境之中。

---

① (唐)李商隐《嫦娥》:"云母屏风烛影深,长河渐落晓星沉。嫦娥应悔偷灵药,碧海青天夜夜心。"

与嫦娥奔月图像一样，两汉绘画的内容多集中在宗教、政治活动领域，神话思维脱落后，它们就成为人物画和风景画的表现对象。后者在创作时从前者吸取了有益成分并加以改造，使之成为较为纯粹的审美对象，因而两者蕴含的生命特点由此呈现出较大的不同。即使是在高度写实的生活场景中，秦汉绘画所呈现的时人精神状态仍与后者有较大差距。在世俗生活的表现方面，北宋张择端的《清明上河图》历来堪称佳作（见图3-7）①，它真实呈现了北宋时期汴梁的繁荣景象：各种商人和农人小贩络绎不绝，人们或步行、或乘车来到这里，进行各种各样的商业交易。其繁忙程度令人惊讶，城郊来往的马匹都在急匆匆地赶往城中，几个似乎正在郊游的人让运河两岸显得极为空旷。但是，在这幅据说容纳814个人物的长卷中，几乎没有人对汴梁城外美丽的春色进行欣赏活动。可以发现，张择端所呈现的画面虽然极富动感——各种人物都在进行着自己的活动，但其精神意蕴却乏善可陈，因为在如此繁忙的景象背后，人们对物的追求超越了日常生活的本色之美。这实际上也是人与物的分离，因而与汉代绘画相比，它也属于"静态艺术"：人与自身的关系被人与物的关系

图3-7　张择端《清明上河图》（局部）

---

① （宋）张择端：《清明上河图》（局部），原图藏北京故宫博物院，25.2厘米×525厘米。

所取代,那种对日常生活的热情和从容态度消失不见了。

　　相似的生活场景是汉代绘画的重要组成部分,它数量可观,所反映的人们对自己生存状态的认识,与《清明上河图》有重大区别:汉代人似乎并不思考生活之外的事情,在他们眼中,日常生活的本色之美成为图像制作的根本追求。落实在整个汉代的信仰、伦理和政治体系中,它们似乎也都是围绕着日常生活而展开,绘画形象所呈现的生活世界就是他们的生活本身。可以看到,人们将乐舞百戏、车马出行、赌博行令、迎送往返、庖厨制作等内容全部以高度写实的方式加以记录,全方面展现汉代人们的日常生活景观。在这景观中,我们可以感受到汉代人对生命和生活的热情,这种热情让这些画面具有生气。一旦对比例秩序和玄冥之境的追求代替了对生活和生命状态的呈现,绘画艺术也就从动态转向静态,虽然后者仍然属于生活的一部分。

第四节　两种真实:汉代绘画的内容与精神

　　无论中西,人类祖先对生命和死亡的态度,决定一切早期艺术的表现形式和形象构成。汉代绘画“动”的审美特征,在形式上崇尚飞举灵动,在内容上注重表现生活的乐趣与生命的活力,它们都指向一点:抵抗和消解死亡,维系自我生活和生命的永恒存在。抵抗死亡是先民热爱生命的一种方式。这影响了早期艺术的形象呈现方式。卡西尔说:“即使在最早最低的文明阶段中,人就已经发现了一种新的力量,靠着这种力量他能够抵制和破除对死亡的畏惧。他用以与死亡相对抗的东西,就是他对生命的坚固性,生命的不可征服、不可毁灭的统一性的坚定信念。”①抵抗和消解死亡、展现生命的灵动之美,成为汉代绘画“动”的审美特征的内涵和特质,是这一时期生命意识和生命精神的真实呈现。这种对待生命的态度又分为两种形式:一是表现生活真实,二是表现生命真实。表现生活真实,是指主体将自我的日常生活过程美化和

---

① ［德］卡西尔:《人论》,甘阳译,上海译文出版社2003年版,第135页。

永恒化，让观者通过对图像的观赏，体悟到生活本身的美和价值；表现生命真实，是指主体并非孤立地生活与生存，与生活相关的每一个事物都具有独特的生命形态，正是这些生命形态让主体的生活更加真实可感。

汉代绘画的内容很丰富，包括了人类生活的每个方面，这为汉代绘画提供了充实、多样的基础。因此，汉代绘画的生活真实性也包含着这样一层含义：人的生活与天地万物之间结成互动结构，彼此之间相互影响、相互制约，这鲜明体现出两汉时期人们普遍信奉的"天人合一"与"天人感应"的世界观。在后者的影响、制约、支配下，汉代绘画必然将所有对象包含其中，以体现这种一体性关系。因而，汉代绘画中的"生活真实"与"生命真实"是一种"真实"的两个方面，有着共同的思想基础和实践基础。这种一体两面的真实观，决定了汉代绘画的内容构成：它必定包含万物，并将人类活动置于万物的结构之中。

在表现生活真实方面，受当时思想观念和社会现实的影响，汉代绘画对日常生活的呈现独具特点：细致、全面、多样，甚至达到事无巨细、一概呈现的地步。汉兴之初，刘邦即施行休养生息之政，鼓励人们安心农桑生产，过幸福的生活。大约经过70年，这一政策使社会财富迅速增加，人民生活安居乐业，生产、生活、狩猎、农事、娱乐、锻炼，等等，开展得有声有色。《史记·货殖列传》对此有详细记载。这在某种程度催生了人们对自己生活的重视的思想，也让"人"的观念获得了萌生的条件。《吕氏春秋》、《淮南子》、《春秋繁露》等著作无一不表明：在天、地、人结成的统一结构中，人处于核心地位，"举凡一切，皆归之以奉人"。这种思想建构了当时人对自我生存和生活方式的理解。当然，这些内容必然也会通过民俗、艺术、文学等各种方式体现出来，绘画对此有着丰富、形象的记录，以至于后人多将汉代视为一个"视死如生"的时代：人们为了无限延续自己的世俗生活，通过各种方式消解死亡对生活的终结价值，甚至直接否定死亡的存在——它只不过是人换了一个生存的空间而已。生活真实，就这样成为汉代绘画的主体："学界普遍同意，汉代墓葬图像艺术的特色在于它生动反映了时代的日常生活。时人，尤其是上层人士，享受世间荣华富贵,而将这些世间快乐延伸到来世乃是他们的愿望。因此在墓葬的图像艺术中,尽现他们生前所享受的各种社会生活。"①人们似乎就是在日常生活的享乐中确定自我的生命存在及价值实现。这种观念在道教和养生思想的影响下被进一步强化,只不过,后来佛教信仰的传入在某种程度上消解了它的部分影响。

当然,汉代绘画如此注重表现生活真实,非仅汉代一世形成,它有着深厚的历史渊源。古代中国追求不朽的现实生活的观念在殷商时期就已达到令人惊讶的程度。董作宾通过对殷商甲骨记录分析发现,商代末期的三代帝王,每一年中祭祀的次数竟然达到 360 多次。② 人们不禁会问:是什么力量让殷人如此频繁地与死去的祖先的神灵进行交流? 各种证据表明,在时人的观念中,死去的祖先仍像生时一样,需要食物和美色以继续生活,而且他们很害怕孤独,希望能不断地与后世子孙交流,同时伴以宴饮、娱乐、政治、伴侣等以克服这种孤独感。这实际上是活着的人自己的需要,毕竟,每个人都必将走向这里。因而,这种频繁祭祀活动的背后,所蕴含的是华夏先民对生活的执着和迷恋。而且,殷王朝覆灭后,人们对其指责最多的也是殷王醉生梦死的生活方式,人们多以"酒池肉林"指代这种以娱乐与食物、美色享受为主要内容的生活。此后的统治者和学者虽然此对多有警戒,但对生活之乐的追求从来没有停止过,而且它还转变为礼仪制度,建构和强化人们的这种观念:在对祖先的祭祀过程中,精美的食物、精致的器具、美丽的侍女和强健的仆役,都在说明祖先需要这些生时的物品;人们往往使用"享"来指称祖先神灵对这些祭品的使用。这里似乎暗含这样一种观念:祖先的灵魂如此贪图享乐,他们似乎有着不能被满足的欲望,以至于活着的人要不停地献祭于他。可以看到,汉代人对现实生活的执着其实是对这种思想传统的接续,并将之发展成为一种全民认同的人生观。享受人生、满足对乐趣的追求,就这样在汉代变成一种哲学观念、宗教信仰而内化为人体的人生行为准则。只不过,与现代社会

① 余英时:《东汉生死观》,上海古籍出版社 2005 年版,第 92—93 页。
② 参见胡适:《中国人思想中的不朽观念》,见《中研院历史语言研究所论文类编·思想与文化编》(一),中华书局 2011 年版,第 856 页。

满足欲望而缺乏礼制制约不同,汉代人在满足现实生活乐趣的同时,将之
发展成一整套的礼仪制度和伦理原则,将这种人生与形而上的价值追求
结合在一起,因而形成一种以生活真实呈现生命真实的时代精神:人们既
在生活真实中完成自我对功业、声望和乐趣的追求,又在这种追求中将自
我生命的价值追求与社会发展结合在一起以实现人生之不朽。这些内容
同时成为汉代绘画的主要表现对象。

图 3-8 白虎瓦当 　　　　　　　图 3-9 伏羲图像

　　在表现生命真实方面,汉代绘画有自己的特点:它善于抓住表现对象
的独特生命特点,以动态的方式将之呈现,从而体现出表现对象的生命活
力。因而,有些动物和神灵形象,虽是单个出现,但由于制作者能通过特
定的手法将之独特的生命特点呈现出来,显得活灵活现,充满生命活力;
有时,图像制作者为了表现对象的生命特点,还会使用各种手法改造对象
在现实生活中的形态,将之转化为其他状态,以凸显其生命特点。图 3-8
是西安北郊坑底寨村出土的汉代白虎纹瓦当图像。[①] 瓦当本是用来遮挡
屋檐椽头的东西,往往单独使用。为了使屋檐外观富有装饰性,人们多在

---

　　① 参见赵力光:《中国古代瓦当图典》,文物出版社 1998 年版,第 128 页,图版 108。

上面绘制各种图像,实现实用与审美的统一;尤其是秦汉瓦当上的图像,具有很强的艺术表现力和价值。随着北宋金石学的兴起,它也逐渐引起相关学者注意。这只瓦当直径 19.4 厘米,是一只飞跃中的翼虎形象:它是静止的,却给人十足的动感。这只白虎身长双翼,气势威猛,伸展中的四肢孔武有力,向上扬起的尾翼和身上的双翼表明它正处于快速的运动之中,它张开的大口蕴含着无上神威,充分体现出它作为神物所应具有的威武而不可侵犯的特点。可以看到,在现实生活中,老虎跃动时的姿态与此并不相同,为了表现出白虎的神性,作者对现实生活中的虎的肢体语言进行了夸张和改写:线条运用极为自由、灵动、虚化,它的四肢和头部、颈部都被抽象化,体现出高度写意的特点以及生活真实向生命真实转化的过程。由此可以发现,为了表现生命真实,汉代绘画还可以对表现对象进行变形,以极度写意化的线条使用将对象最为独特的生命特点表现出来。如果将类似图像集中在一起,可以发现,汉代绘画中的各种图像体系多有从现实向写意发展的趋向。这种趋向就其本质来说,也是生活真实向生命真实转化的过程。一旦支配这种技法使用的思想基础发生转变,绘画艺术也就走向新的路途。例如,从后汉开始,人神一体的宗教思想逐渐脱落,人的自由思想随之兴起,这种对表现对象生命特点的追求就逐渐转化为对人物生命精神的追求。这个转变为后来绘画对"神"、"意"、"理"、"气"的追求奠定了基础。

现存的汉代绘画资料多为考古发掘,其中宗教绘画居多,从一个侧面反映出绘画在当时人们生活中所占有的重要位置:它们承担着政治、礼仪、信仰和宗教、艺术等各种职能。职能的多样化决定了汉代绘画内容的多样化。东汉末年王延寿《鲁灵光殿赋》真实记录了当时宫殿壁画的内容。鲁恭王刘余是汉景帝刘启的儿子,于公元前 155 年被封为淮阳王,后来徙于鲁地,是为鲁恭王。因其好治宫室苑囿、喜爱狗马声色而建立灵光殿。根据王延寿的描述,可以看到,到东汉末年,灵光殿的壁画历经三百年仍保存完好,虽然赋家之文每多夸饰,但王延寿的描述仍具有可信度:灵光殿的壁画在当时流传极广,其内容广为人知,作者如果全凭虚构,几乎是不可能的。另据王延寿的经历可知,他年轻时随父亲到山东泰山向鲍子真学习算术,后来到鲁地得观灵光殿盛迹。他的父亲王逸是著名的楚辞研究者,有意作赋赞颂灵光殿,"命延寿'图其状',延寿即作此赋。父见此赋后,以为无以复加,遂辍"①;"后蔡邕亦造此赋,未成,及见延寿所为,甚奇之,遂辍翰而已"②。王逸、蔡邕是当时著名学者,也是见载于史籍的著名画家,他们对王延寿赋文的肯定证明王延寿赋作描写的真实性和准确性。灵光殿崇高宏大,达到"周行数里,仰不见日"的程度,每一座宫殿都彤彩周章、琉璃烂漫,十分绚丽;宫殿与宫殿之间阁道连接,组成独立的空间。其间均雕以彩绘,内容无所不包:"图画天地,品类群生。杂物奇怪,山神海灵。写载其状,托之丹青。千变万化,事各谬形。随色象类,曲得其情。上纪开辟,遂古之初,五龙比翼,人皇九头,伏羲鳞身,女娲蛇躯。鸿荒朴略,厥状睢盱。焕炳可观,黄帝唐虞。轩冕以庸,衣裳有殊。下及三后,淫妃乱主。忠臣孝子,烈士贞女。贤愚成败,靡不载叙。恶以诫世,善以示后。"③王延寿描绘的神灵形象,与同时期墓室壁画中的神灵形象是一致的;其对颜色的使用("托之丹青"、"随色象类"),也与这些绘画作品一致。图3-9是1976年洛阳卜千秋墓室脊顶出土的阳神伏羲图像。④ 这是一位老者的形象,头戴黑冠,身着紫衣,两撇小胡子使他显得很有人情味;红白相间的长长的尾巴,显示了他的神灵身份。类似的伏羲女娲形象在汉代图像资料中十分常见,与王延寿的描述也是一致的。通过赋文,可以看到,灵光殿壁画的内容包括自然万物、神话传说、历史人物,是宗教、政治、礼仪和艺术的综合体。在艺术、宗教和政治尚未分离的两汉时代,这种综合性绘画符合当时意识形态的要求,并将各种功能融为一体。

　　从中国绘画的发展历程可以看到,表现真实是中国绘画的一贯传统,只不过,不同时代人们对真实的理解是不同的,这样绘画在形态上也会随

---

① 龚克昌:《两汉赋评注》,山东大学出版社2011年版,第799页。

② (南朝宋)范晔:《后汉书》,李贤注本,中华书局2005年版,第1766—1767页。

③ 龚克昌:《两汉赋评注》,山东大学出版社2011年版,第801页。

④ 参见《中国墓室壁画全集·汉魏晋南北朝卷》,河北教育出版社2011年版,第3页,图版4。

之产生相应的变化。就早期礼仪艺术的独特职能来看,它们必然以真实准确呈现对象为主要目的,即所呈现的对象就是对象本身;如果图形所呈现的对象给观者造成误解,那么它就不能实现其功能,这是图像制作者和使用者都不允许的。虽然它们的表现技法可能还很稚嫩,但呈现真实的对象却是其根本追求。无论是对动植物和神灵、神物的表现,还是对历史人物的表现,都须遵从这一原则。从人物画这个角度看,与印度等东方美术直到公元前1世纪左右因受到古希腊艺术的影响才开始对人物进行表现的历史不同,中国绘画在一开始就将动植物和人物一起加以表现,对人物画的要求也以真实为第一标准。据《史记·殷本纪》记载,商代初年,伊尹就以"九主"图像劝诫成汤以治理国家。[1] 这是人物图像承担政治和教化功能的最早记录。《尚书·商书·说命上》曰:"王庸作书以诰曰:'以台正于四方,惟恐德弗类,兹故弗言。恭默思道,梦帝赉予良弼,其代予言。'乃审厥象,俾以形旁求于天下,说筑傅岩之野,惟肖,爰立作相。"[2] 可以看到,殷商统治者对图像及其真实性是高度信奉的:武丁将梦中所见到的贤人形象画出,命人依图寻找,并在现实中找到了在"傅岩之野"干建筑的奴隶"说",让他治理国家。这说明图像与图像所呈现的对象之间应保持高度的统一,才能实现它所应承担的功能。这是中国早期绘画崇尚真实的典型体现。这个艺术传统,也成为汉代绘画的基本特点。除了现存的现实性汉代绘画外,我们也能找到相关记载证明这个传统在东汉时期仍然存在。据《西京杂记》卷二"画工弃市条"记载,毛延寿"为人形,丑好老少,必得其真。……元帝时后宫既多,不得常见,乃使画工图形,案图召幸之"[3]。这里的"真"应是生活真实和生命真实的统一体:因为如有"失真",其后果是极其严重的——毛延寿的失职让他与其他几位画工

① 《史记集解》引刘向《别录》说,"九主"分别是法君、专君、授君、劳君、等君、寄君、破君、国均、三岁社君等。长沙马王堆汉墓出土的帛书《老子》附录亦记"九主",分别是:法君、专授之君、劳君、半君、寄君、破邦之主二、灭社之主二。两种记录有同有异。

② 江灏等:《今古文尚书全译》,贵州人民出版社1990年版,第176页。

③ (晋)郭璞:《西京杂记》,见《汉魏六朝笔记小说大观》,上海古籍出版社1999年版,第86页。

一起受到了死刑的惩罚。① 这个记载说明，在东汉元帝时期，当时以人物为表现对象的画作仍以真实为第一标准；人们仍然相信画像可以真实表现对象，以至于将图像上的人物和现实中的人物相等同，人们对图像的真实性是高度肯定的。

第五节　线条与颜色：构成要素分析

汉代绘画是此前绘画艺术的汇总，因而其艺术表现方式既与此前绘画有着明晰的承续关系，同时又表现出自己的时代特点。大体而言，汉代绘画在线条和颜色的运用等方面有自己的特点。这两方面的繁复变化、交相融合，形成了汉代绘画的"动"的审美特点：线的柔和多变适合表现多种多样的生命形态，颜色的协调使用让生活和万物的本色的生命形态更加真实地呈现出来。

在这方面，汉代绘画有着深厚的历史根源。使用线条勾勒出万物的轮廓，然后施以彩绘，是中国古人传统的作画方式。现存的原始岩画、陶器画给我们提供了很好的实例。裴文中、饶宗颐和法国考古学家步日耶（Abb Henri Breuil）等认为中国绘画最早可以追溯到石器时代，它所留下来的绘画资料已体现出用笔与着色相结合的特点。饶宗颐说："中国新石器时代的绘画，已有相当造诣。这无疑是绘画史上最古老的资料，尤其是用色方面，更值得我们研究哩。……可想见毛笔的发明，已有相当悠远的历史，这对于绘画，自然有莫大的帮助。"② 即使是用刀笔作画，人们的线条使用技术也达到了很高的水准；那些对物象形式的抽象模仿和提炼，可看作早期的绘画资料：中国文字以象记事的书写方式成为"书画同

---

① （晋）郭璞：《西京杂记》"画工弃市条"说毛延寿等受到了"弃市"的惩罚。按："弃市"原指受到刑罚的人站在街市之上示众，让人们鄙弃之。《周礼·王制》："刑人于市，与众弃之"，即为此意。在汉景帝二年，弃市被改为死刑。《汉书·景帝纪》："二年春二月，……改磔曰弃市，勿復磔。"颜师古注云："磔，谓张其尸也。弃市，杀之於市也。"由此推测，毛延寿等人所受刑罚应为死刑。

② 饶宗颐：《饶宗颐二十世纪学术文集·艺术卷（上）》，中国人民大学出版社2009年版，第137页。

源"理论的有力证据。图 3-10 是刻在商代子渔尊上的图像①,真实呈现了"渔"字的原初含义:人们在河边打鱼的情景。可以看到,一人站在河边观察良久,各种成群结队的鱼儿让他手舞足蹈,似乎今天将要有大收获。在技法方面,作者用粗细变化有致的线条将渔人标明,两条曲线代表流动的河水,鱼儿则用点线结合的方式加以呈现。线条的功能展露无遗:它不仅可以模写物象,还可以记录场景。其技法已很娴熟、富有变化,将朴拙的线条向流动方向发展,成为此后艺术家的任务。

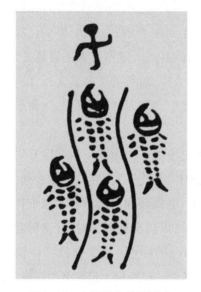 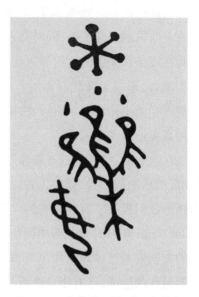

图 3-10　商代子渔尊"渔"字　　　　图 3-11　商代母乙觯"集"字铭文

华夏先民对于颜料(如漆、有色矿石等)的使用,至今已有近万年历史。颜色是先民辨识世界和万物的基本手段,因而在各个领域中也被广泛使用。例如,北京周口店山顶洞人对赤铁矿石的使用,反映出他们对颜色与生命之间关系的认识。在浙江萧山跨湖桥遗址,出土了距今约 8000年的漆器实物②,证实了《韩非子·十过》中所记载的尧舜禹时代对漆的使用情况:"尧禅天下,虞舜受之,作为食器,斩山木而财之,削锯修之迹,

① 参见李松:《中国美术:先秦至两汉》,中国人民大学出版社 2010 年版,第 238 页。
② 参见裘铮:《中国古代漆器艺术》,上海书店 2012 年版,第 29 页。

流漆墨其上，输之于宫以为食器，诸侯以为益侈，国之不服者十三。舜禅天下而传之于禹，禹作为祭器，墨漆其外，而朱画其内。"①从这个记载可以看出，在尧舜时代，人们已开始通过使用朱红墨漆的方式雕饰生活用品；由于有人认为用这样精致的器具作为生活用品太过奢侈，所以在禹的时代，人们将之改为祭器使用。正因如此，考古发现的战国精美漆器多属于祭器，当然也包括一些生活用具。石器时代的漆器使用多在江浙一带，殷商时期扩展到河南等中原地区，战国时流传至全国，可见其传播速度之快、覆盖范围之广。在这个过程中，颜色的使用技术也得到了长足发展。②

在这个过程中，线条与颜色的结合使用，由此成为中国绘画的显著特点延续下来，并成为中国画和西方画的重要区别之一。张彦远《历代名画记》甚至将绘画颜色的使用上升到"工欲善其事，必先利其器"的高度③，以强调绘画用色的重要性。人们甚至认为形象与色彩是构成绘画的两个基本要素，是绘画之所以成为绘画的本质规定性。张彦远《历代名画记》"叙画之源流"引《释名》云："画，挂也。以彩色挂物象也。"④因此，人们常用"丹青"这两个表示颜色的词汇来指代绘画艺术。当然，随着时代精神的发展，用笔与着色的方式及其所内含的意蕴也会发生相应的变化。历代绘画虽然都在使用它们，但真正达到气韵生动和情感饱满之境界者并不多见。对于汉代绘画来说，线条的繁复使用和色彩的相互搭配，将汉代充满活力的生活世界和精神世界真实地呈现了出来。汉代绘画也是在这个传统中而逐渐形成、发展和繁荣起来的。它的很多技法、形象和构图方式都与这个传统密切相关。

下面，我们通过对殷商、战国和东汉三幅射鸟图的分析来说明线条在表现场景方面的变化情况，以探讨它在中国早期绘画中的演变过程，并说明它对汉代绘画所形成的重要影响。图 3-11 是商代母乙觯上的铭文⑤，

① （清）王先慎：《韩非子集解》，《诸子集成》第五册，中华书局 2006 年版，第 49 页。
② 参见于非闇：《中国画颜色的研究》，北京联合出版社公司 2013 年版，第 31—43 页。
③ 参见张彦远：《历代名画记》，浙江人民美术出版社 2012 年版，第 27—28 页。
④ 张彦远：《历代名画记》，浙江人民美术出版社 2012 年版，第 2 页。
⑤ 参见李松：《中国美术：先秦至两汉》，中国人民大学出版社 2010 年版，第 238 页。

呈现的是三只小鸟正栖息在一棵大树上,顾盼有致,富有动感;在小鸟的上方,是一个符号标记,至今人们尚未明确它所指何意;树下有一少女直身、盘膝而坐。这是"集"字的最初原型。在《说文解字》中,"集"字仍以这种形象方式被书写下来——只不过,图像上方的"十"字形标记和跪坐树下的少女不见了——许慎以"群鸟在木上也"释之。可以推断,母乙觯铭文"集"字呈现的是这样的场景:一名少女正踞坐树下,似乎在静静地祈祷着什么;她是一名未婚或者尚未有孩子的女子,她的这一举动似乎含有祈子的意味,毕竟,鸟在上古文化中一直是雄性的象征。在随后的图像和绘画中,这样的构图方式既延续下来又发生了变化:人在群鸟聚集的树下活动的场景反复出现,但树下之人却由女子变为男子:女子祈祷图转化为男子射鸟图。自春秋战国至两汉,这一构图模式和内容成为绘画的重要资源。

图 3-12 是 1978 年湖北随州曾侯乙墓出土的彩绘衣箱,是公元前 5 世纪早期的作品。[①] 考古学者根据图像呈现的内容将之命名为"彩绘后羿射日衣箱"。由于衣箱出现于墓葬中,是宗教艺术,因而图像中的内容也与神圣事件有关。在一棵茁壮茂盛的神树上,栖息着硕大的两只鸟,另外一只被树下之人射杀,正落向地面;在主干树枝的顶端,是一轮散发出耀眼光芒的太阳;其他八个枝丫上分别有一个类似的太阳。这些迹象说明树上的鸟儿就是神话中的"乌"。这个场景与商代母乙觯铭文"集"字所呈现的场景既有联系又有区别:相同的场景和母题建立了两者之间的一致性关系。类似的图像在汉画像中频繁出现,值得注意,而事件与人物的变化又显示出某种新变的痕迹。图 3-4 是 1972 年在四川大邑县安仁乡出土的东汉画像砖上的图像,呈现的是繁忙的渔猎场景[②]:河中众多肥美的大鱼惹人艳羡,似乎正等待着人们的捕捞,几只野鸭正在莲池间游玩;但河边二人对此似乎并无兴趣,他们正隐蔽地盘坐在树下,专心致志地射杀群飞的鸟雀;在他们身后各放着四颗"磻"。许慎《说文解字》释

---

① 参见《楚秦汉漆器艺术·湖北》,湖北美术出版社 1996 年版,第 65 页,图版 48。
② 参见《中国画像砖全集·四川汉画像砖》,四川美术出版社 2006 年版,第 80 页,图版 109。

"磻"为"以石箸雔繁也"。这种独特的射鸟方式在汉代被称为"缴射"或"弋射"——一种将锋利、坚硬的细小石子系在生丝之上射杀鸟雀的捕猎方式。这种射鸟方式与曾侯乙墓彩绘衣箱上的方式是一样的：落向地面的巨鸟的脖子上有长长的细线，它的脖子显然被一个锋利的物件射穿，以至于从树端落下。

图 3-12　后羿射日彩绘

这种迹象说明长期流传、广泛盛行的射鸟图像有其自身发展演变的内在逻辑：在内容方面，在保持场景和主题基本一致的基础上，其内容逐渐增益；在线条使用方面，线条逐渐由单一转向繁复，并被用来表现更为复杂多样的对象和内容；在构图方面，整幅图像的构成逐渐由静止向动态转化——线条在表现"动"方面的功能逐渐增强的趋势相当明显，图 3-4 的画面由近及远，逐渐层深，给人视觉上的动感，显示出汉代绘画在技法方面的变化。我们还可以通过三幅图像中的人的姿态的变化来说明这一点。作为青铜器铭文，商代母乙觯"集"字场景主要是一种静态的呈现方式：树下祈祷的盘坐或跪坐的女子给人沉静安详的感觉，似乎她正沉浸在自己的思想中。当然，对于动态的要求仍成为图像的基本要素：顾盼有致的三个鸟首，显示出它们的生机和活力。图 3-12 呈现的是一个神异的场景，怪异的鸟首、纠缠的修长巨蛇和参天古木给人一种现场感；从人、树、鸟的比例可以看出，这实际上是一个恐怖异常的情景，人在其中显得极为渺小,但英雄后羿在树下搭弓射箭的姿势清晰可见。图 3-4 中的人物由一个变为两个,他们射箭时的身姿有了显著变化:为了显示他们射猎过程中的专心程度,作者对两人的姿态进行了区别性表现,以说明他们正在射杀不同的对象;他们的肢体动作表明这是一个正在进行的生活场景,而不是人们对往昔生活的回忆。在同时期的其他画面中,射者的人数或一、或二、或三不等,射猎的场景多在树下进行,有的也在屋檐上展开,呈现出多元发展的态势。这个过程实际上是线条功能多样化的过程,几乎所有的物象和场景都可以用线的方式加以表现。线的灵动多变,最终造就了汉代绘画独具特点和生气的"动"的审美特征。

下面再来讨论颜色使用问题。如前所述,华夏先民对颜色的使用历史悠久。在他们眼中,颜色从来就不具有科学的意义,颜色是生命体表征自我存在的显著特点,因而他们将颜色与生命之间建立了同一性关系。这种观念在五行说和五德说确立后被更加系统化,并将之与四方对立,建立了一个完整的宇宙结构体系。五色不仅具有了生命含义,同时也具有了宇宙论的价值。虽然老子哲学中"五色令人目盲"的观点,有压抑以视觉为代表的感官体验的倾向,但"目击而道存"的传统肯定了视觉感官体道的可能性,因而颜色的使用仍在中国文化发展过程中占有重要地位。况且,在老子之前,华夏先民对颜色的使用已颇为规整、严格,有自己的系统。有学者结合人类学、民俗学等资料,对甲骨文中颜色词的使用情况进行了细致深入的考证、分析,发现在殷商时期,人们在祭祀过程中就已十分重视对颜色的使用,不同的颜色与不同的祭祀对象和方位、时间、地点等都有着呼应关系。[①]《周礼·冬官·考工记》对"画缋之事,杂五色,东方谓之青,南方谓之赤,西方谓之白,北方谓之黑,天谓之玄,地谓之黄"、"杂四时五色之位以章之,谓之巧"[②]的记述,说明这时人们对颜色的使用更加讲究、系统。明代学者杨明在《髹饰录序》中对人类使用漆的历史进

---

① 参见汪涛:《颜色与祭祀——中国古代文化中颜色涵义探幽》,上海古籍出版社 2013 年版,第 14—30 页。

② 《周礼注疏》,郑玄注,贾公彦疏,上海古籍出版社 2010 年版,第 1605、1607 页。

行总结后得出了"漆之为用也其大哉"①的结论。从人类开始使用漆艺开始，漆艺技术就被广泛使用在各种重要器物的制作上，以此彰显器物的神圣属性："漆之为用也，始于书竹简。而舜作食器，黑漆之。禹作祭器，黑漆其外，朱画其内，于此有其贡。周制于车，漆饰愈多焉。于弓之六材，亦不可阙，皆取其坚牢于质，取其光彩于文也。后王作祭器，尚之以着色涂金之文，雕镂玉珧之饰，所以增敬盛礼，而非如其漆城、漆头也。然复用诸乐器，或用诸燕器，或用诸兵仗，或用诸文具，或用诸宫室，或用之寿器，皆取其坚牢于质，取其光彩于文也。"②对漆的广泛使用就是对颜色的重视。在生活领域中，人们力求通过颜色的运用来表现某物所具有的特殊含义和功能。刘安《淮南子》说"色之数不过五，而五色之变，不可胜观也"③，指出了色彩运用变化无穷的特点。郭璞《西京杂记》卷二"画工弃市条"记载东汉有专以"布色"闻名的画工："下杜阳望，亦善画，尤善布色。樊育亦善布色"④，反映出汉代绘画在颜色使用方面取得长足进展。对多样色彩的有意追求和使用，正是审美意识从自发向自觉发展的典型标志。所以，真正见诸史籍的漆工出现在汉代，反映出以漆器为代表的绘画艺术在汉代也取得了辉煌的成就。汉代绘画，尤其是墓室壁画、漆画和帛画，它们的色彩构成方式和颜色使用情况具有很高的一致性，形成了汉代绘画色彩运用的主要特征。

由于秦汉时期的居室和宫殿绘画早已焚毁，这里所讨论的只能是墓葬绘画及其颜色构成的特点。总体上看，汉代绘画可用"色彩斑斓，精彩绝艳"概之，黑色、红色和白色、黄色的搭配和使用是最常见的。这与"天地玄黄"的宇宙观有关。对艳丽色彩的追求和享受成为汉代绘画基本的审美特点。有学者说："只有（秦汉）漆器艺术发展起来之后，才形成了中

① 王世襄：《髹饰录解说》，生活·读书·新知三联书店 2013 年版，第 19 页。
② 王世襄：《髹饰录解说》，生活·读书·新知三联书店 2013 年版，第 19 页。
③ （汉）刘安：《淮南子》，高诱注本，《诸子集成》第七册，中华书局 2006 年版，第 11 页。
④ （晋）郭璞：《西京杂记》，见《汉魏六朝笔记小说大观》，上海古籍出版社 1999 年版，第 86 页。

国人的色彩体系,创造出了一种极为热烈、丰富而又和谐统一的色彩效果。"①这个评价是正确的。这些色彩运用创造了一种热烈、奔放、丰富、多样、自由的美,具有较强的情感表现力,体现出当时人们对生命的热爱。

这种情况的出现与战国时期既已形成的颜色政治学观念有关。人们认为日常使用的器服颜色具有区别的作用,不同阶层的人可以通过颜色被加以分层和区别。由此,作为统治阶级的帝王贵族特别重视对自己居室器服的雕饰,"为人主上者,不美不饰不足以一民也"②。雕饰由此具有了政治的含义与功能,落实到艺术上即荀子所说的"不全不粹,不足以美也"。前引《韩非子·十过》亦说明,在当时,人们对一个盛放珍珠的盒子都极尽工巧,通过其精致的装饰来说明它非常人所有。这种风气通过秦始皇的实践而流传到秦汉时期。秦宫规模宏大,且都绘有色彩各异的图像。考古发掘的秦宫壁画的残片,至今仍具有鲜亮的色彩,给考古人员留下了深刻的印象:"(壁画)残块四百四十多块,其中最大的一块高37厘米,宽25厘米。壁画五彩缤纷,鲜艳夺目,规整而又多样化,风格雄健,具有相当高的造诣,显示了秦文化的艺术特色。……壁画颜色有黑、赭黄、大红、朱红、石青、石绿等,以黑色比例最大,赭、黄其次,饱和度很高。用的是钛铁矿、赤铁矿、朱砂等矿物质颜料。"③这不仅证明了史籍中"秦人尚黑"的记载,也说明秦宫绘画对颜色的使用已达到很高的水平。这为汉代绘画的发展提供了很好的技术经验以供借鉴。秦宫壁画的内容我们虽只能见到一鳞半爪,但现今留存的秦代瓦当和画像砖等图案仍给我们了解当时的图像构成提供了资料。《淮南子·俶真训》记述了当时人们对器用百服的雕琢工夫:"百围之木,斩而为牺樽,镂之以剞,杂之以青黄,华藻镈鲜,龙蛇虎豹,曲成文章。"④其华丽程度可想而知!这类精致描绘在汉代咏物赋中大量出现。这类日常生活用具颜色鲜明,艳丽逼人,

---

① 《楚秦汉漆器艺术·湖北》,湖北美术出版社1996年版,"导言"第8页。

② 梁启雄:《荀子简释》,中华书局1983年版,第127页。

③ 陕西省社会科学院考古研究所:《秦都咸阳故城遗址的调查和试掘》,《文物》1976年第11期。

④ (汉)刘安:《淮南子》,高诱注本,《诸子集成》第七册,中华书局2006年版,第26页。

可用"明丽"概括之。毕竟，生活在世俗社会中的人，要充分享受艳丽的色彩所带来的视觉享受。因此，汉代绘画对华靡艳丽之美的追求与当时社会对丽美的追求是一致的。

现存的汉代绘画热烈而沉静的审美特点，与它作为宗教美术的功能有关。这些图像多出现在宫殿、祠堂、墓室中，具有政治功能和宗教功能。毕竟，黄泉世界和天堂世界，都应该既是沉静的又是明丽的。老子虽然对颜色使用有过否定，但他也说"玄之又玄，众妙之门"，他所强调的实际是黑色所具有的独特哲学价值：幽深而不可猜测，就像宇宙尚未形成、开辟之前一样。由于这些器物太过精致，后来人们多将之用作祭祀礼器埋在墓葬之中，这影响了墓葬绘画颜色的整体使用情况。深沉、幽玄而又热烈、鲜明，是其总特点。《韩非子·十过》云："禹作为祭器，墨漆其外，而朱画其内。"①这说明当时作为祭器使用的物品的颜色使用有着严格的规定：就漆器来说，应该在外表使用黑色，在内部使用红色。现在出土的战国秦汉时期的漆器证明《韩非子》的描述是真实的。朱色、黑色和黄色的搭配、使用，让这些作品呈现出一种幽深、沉静之美。

就墓室壁画来看，它的颜色使用更有特点。通过这些至今仍色彩绚丽的墓室壁画，可以看到，在汉代人的思想观念中，墓室绝对不是漆黑的死气沉沉的世界，而是一个色彩斑斓，充满动感、力量和生命的世界，颜色由此具有了生命性特点。图3-13是2003年在洛阳宜阳县丰李镇尹屯村发现的新莽时期的壁画墓中室西壁内景情况。② 可以看到，在阔大的墓室墙壁上，人们先用较粗的红线分隔为很多区域，然后再根据区域功能和方位的不同再绘制各种神物和神灵的图像，它们多以淡青色绘出。根据图像，可以看到，匠师们先用毛笔勾勒出神物和神灵的大致轮廓及其典型特点，然后再在相关区域内填充色彩，于是神态各异、神采飞扬、色彩鲜明的神像就绘制完成。这是当时墓室壁画创造的基本模式。根据现今发掘的不同地区的壁画墓来看，每一座墓葬的壁画绘制都会选取一种主流颜色，然后再以其

---

① （清）王先慎：《韩非子集解》，《诸子集成》第五册，中华书局2006年版，第49页。
② 参见洛阳市文物管理局编：《洛阳古代墓葬壁画》，中州古籍出版社2010年版，第119页。

他颜色作为辅助颜色;就某一个具体神像看,也是以一种或两种颜色为主体色彩,然后再以其他颜色为补充。就绘画的风格看,汉代墓室壁画基本一致。

图 3-13　洛阳尹屯村墓室内壁

值得注意的是,在众多的颜色使用中,红色、黑色和白色三种基本颜色占据主流地位,其他颜色基本成为这几种颜色的补充。主体的颜色和补充的颜色,它们在一幅神像中的作用和地位是不同的。图像制作者对颜色的使用十分精通,他清楚该在何处使用何种颜色,以将对象的精气神呈现出来,哪怕只使用一点点,他也能将对象的生命特点表现出来。在这种情况下,辅助色彩瞬间就转化为核心色彩。2002 年发现于洛阳新安县磁涧镇里河村的西汉壁画墓室是一座以红色使用为主体的墓葬,然后以青色、白色和黑色为辅。壁画中的各种神像多以红色绘出其突出特点,然后再用青色等补充、点缀。图 3-14 是同一墓室第三组壁画中的一只白虎图像①,其颜色使用很有特点。这只行走中的白虎绘制在三块方砖之上,长长的尾巴向上扬起,刚劲有力;四肢健硕,身体矫健,张开血盆大口做怒吼状,似乎在向想要侵入墓葬的危险之物发出警告。可以看到,这只虎以方砖的白色为底色,再用墨色线条绘制出虎的整体形态和花纹。引

---

① 参见洛阳市文物管理局编:《洛阳古代墓葬壁画》,中州古籍出版社 2010 年版,第 86 页。

人瞩目的是其对红色的使用：作者使用红色点出了白虎的两只眼睛和张开的大嘴，瞬间让这只白虎获得了神性和生命力，具有了无上神威。因此，在这个图像构成中，虽然白色和黑色是主体色调，红色是辅助色调，但三处红色却点燃了虎的生气，起到了"画虎点睛"的作用。

图 3-14　　洛阳里河村墓室白虎壁画

　　这种颜色使用方式在其他墓室壁画中同样存在。1991 年在洛阳偃师高龙乡辛村出土的新莽时期的墓室壁画以浅黄色为主体色调，同时兼用白色、黑色、青色、紫色等。它的大多数神像，都是在浅黄色的基础上稍加点染而成。虽然所有颜色的使用均以淡为主，但其画面景观却颇具活力。图 3-15 是该墓室勾栏门上的辟邪神像。①　图像中间是一个张开大口的辟邪神的面部，从形貌上看，像是一个带有人面特征的虎首。它居于门栏中央，是一种守护神。在它左边是捧月的女娲，右边是捧日的伏羲，月用白色表示，日用淡红色表示。当然，这里女娲和伏羲分属的左右位置与同一时期的其他图像恰好相反，这是何种原因造成的尚待考察。为了将其神性显示出来，作者在用白色和红、黄相间的颜色勾勒出其整体形象的轮廓后，突然使用颜色较深较重的黑色表示它的两只眼睛，并在眼眶上方用淡淡的青色加以衬托，瞬间让这只神物获得了生命力，彰显了它的神

─────────────

①　参见洛阳市文物管理局编：《洛阳古代墓葬壁画》，中州古籍出版社 2010 年版，第 107 页。

性。这里的颜色使用亦可谓"点睛之笔"。在遵从统一使用红、黑、白三基色的基础上——当然,例外的情况也是存在的——汉墓室壁画的颜色使用亦带有很多的灵活性,从而使这个形象世界多姿多彩、生动逼真。图3-16是2008年发现于偃师的新莽时期汉墓壁画中的一幅。[①] 这座汉墓壁画以白色为主体颜色,以淡红、淡青和淡黄等色做点缀,与其深灰色的砖石底部正相映衬,色彩对比鲜明。可以看到,一位身形巨大、处于人兽之间的巨人赫然占据图像正中位置,其双手揽握伏羲和女娲蛇躯的姿势说明这是一位超越时空界限、出入幽冥与人世的特殊神灵或力士。它长着一对长长的耳朵,还有两撇细长的小胡子,它张嘴、瞪眼的形象只是为了证明它的凶狠与崇高。从颜色构成看,它通体素白,身着灰色裤子,作者用浅红色呈现它的舌头和耳朵,用墨点代替圆睁的眼睛,使之显得很传神;红点同样成为伏羲和女娲蛇形躯体的点缀。从这幅图像可见看到,作者对颜色的使用亦十分讲究。

图 3-15　偃师汉墓壁画

图 3-16　洛阳辛村汉墓壁画

　　总之,就一幅墓室壁画来说,神像能否获得神性,能否以生动的方式获得生命的存在,和谐、合理的颜色使用具有极其重要的作用,颜色使用成为生命、神性和威严的本质性规定;这样的图像组合在一起就形成具有生机活力的事件场景和逼真情境,天、地、人三个世界也在图像中获得真实存在的价值。英国学者柯律格在分析秦始皇兵马俑的颜色使用时说:"有

---

　　① 参见洛阳市文物管理局编:《洛阳古代墓葬壁画》,中州古籍出版社2010年版,第179页。

可能存在给各部件涂上底层颜料的处理方法,增添了特殊效果,其目的不是为了单纯的美感,因为这些人像绝不是打算呈现给活人看的。让今人欣喜的逼真性是为了获得人的基本功能的效果。他们越是形如生人,在地下世界里扮演守护君主的角色就越出色"①,指出了颜色使用与其生命特点之间的关系。举世闻名的马王堆汉墓出土的帛画,是另一个典型的代表。它繁复多变、深沉绚丽的色彩运用在汉代绘画中独具特色,至今为人称颂。关于它的研究已有很多成果,多集中在对画中场景和意象功能的探讨,对于它在中国绘画史和艺术史上的重要地位至今还缺乏相应的研究和评估。

第六节 线条与纹饰:动态形象的呈现方式

作为一种动态艺术,汉代绘画注重线条的使用和色彩的搭配,以表现各种生命形式的动态的生命特点,由此形成其独特的精神意蕴。绘画是以形象的方式表达主体思想和情感的艺术。在汉代绘画中,这些形象都是动态的。为了将这种动态呈现出来,图像制作者通过各种方式和途径,充分运用了线条、色彩和纹饰的表现力。运用线条的多变性,将万物形象置于特定的事件和情境中,对生命体的活动瞬间加以表现,是其主要的表现方式。可以看到,线条的表现功能在汉代绘画中几乎达到了极致:无论是自然物象、神灵和人物形象,还是想象的虚幻空间,它都能用线的方式将之完美呈现。

这是汉代绘画的典型特征。可以看到,在汉代以后,中国绘画的线条运用向两个方向发展:一方面,一些新的时代精神和画风的出现,往往是从对线的改造开始的;另一方面,那些力求创新的画家会以各种方式改造对线的使用,同时他们还创造新画法,来代替传统绘画对线的依赖。因此,虽然中国绘画向来被认为是线条的艺术,以此与西方绘画相区别,但同时也可发现,经过佛教艺术在魏晋六朝时期的盛行,线的表现功能有逐渐减弱的趋势,而仅仅成为勾勒物象轮廓线的工具。尤其是水墨画和禅

---

① [英]柯律格:《中国艺术》,刘颖译,上海人民出版社 2013 年版,第 26 页。

画,以及皴染法、泼墨法等新画法的兴起,更推进了这个过程。因而,与中国画作为线条艺术一同发展的(尤其是文人画对神似和意境的追求)是不同时期对线的表现功能的压制和改造的趋势。

在汉代绘画中,为了营造特定的情境,形成流动而充满生机的宇宙境界,让万物有一个存在的场所,图像制作者往往使用各种装饰性纹饰。云雷纹在这些纹饰中占据重要位置。可以发现,花纹、水纹、夔纹、鸟纹和植物纹等,都有向云雷纹靠近或转化的倾向。《史记》、《汉书》等文献都记载当时皇室宫殿绘有云气图案的事情,亦可佐证。这些纹饰多通过线条的方式加以表现,线条在表现动态世界和营造情境方面的功能得到最大限度的实现。图3-17是1996年在江陵老家园1号墓出土的西汉彩绘变形鸟纹圆盘上的线条纹饰。① 在这里,线条纹饰出现组合形态,人们将植物纹、云纹和鸟纹结合,以各种曲折、润滑而相互循环缠绕的线条表示宇宙空间。从其构图看,这里所呈现的场景是理想中的宇宙空间:边缘上有系列直线段,它们被圆点连接在一起,这是当时典型的表示星辰的方法。这种方法在明清版画中仍被继续使用。

图3-17　西汉彩绘圆盘

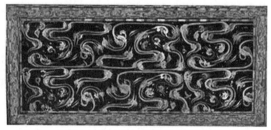

图3-18　马王堆汉墓棺椁云纹

汉代绘画对云纹的重视和大量使用,与春秋时期即已形成、在汉代形成体系的元气自然论思想和阴阳思想有密切关系。这一思想不仅残留着

---

① 参见《楚秦汉漆器艺术·湖北》,湖北美术出版社1996年版,第211页,图版162。

万物有灵的原始思想的成分，同时还将包括人在内的万物容纳到同一个宇宙模式之中，而将万物连接成一个整体的东西就是"气"。《淮南子·天文训》以系统而严谨的思维论证了万物与气之间的内在关联："天地未形，冯冯翼翼，洞洞灟灟，故曰太昭。道始于虚廓，虚廓生宇宙，宇宙生气，气有涯垠，清阳者薄靡而为天，重浊者凝滞而为地。清妙之合专易，重浊之凝竭难，故天先成而地后定。天地之袭精为阴阳，阴阳之专精为四时，四时之散精为万物。积阳之热气生火，火气之精者为日；积阴之寒气为水，水气之精者为月。日月之淫为精者为星辰。天受日月星辰，地受水潦尘埃。"①这种宇宙观念将"道"作为宇宙的本源，"气"既是宇宙的产物，又证实宇宙的存在；宇宙中的万物由不同程度的"气"凝结而成：天、地由其形成，日月星辰、青山绿水、虫蛇草木也是如此。人与气的关系同样如此：人活着要呼吸气体，人死了通常称为"没气"了，这是对人的生命与"气"之间关系的通俗化表述。在许慎《说文解字》中，他将人的生命看成是由阴、阳二气组合而成，"魂"代表阳气，"魄"代表阴气。无论如何，"气"都是万物生命的根本。

除《淮南子》外，《春秋繁露》、《黄帝内经》等著作对此也有较为充分的论述。可见，"气"不仅是万物的本体，万物也以其多样的形象证明"气"的存在。"气"充塞天地之间，流动不居、容纳万物，它可以存在于任何地方，人也以呼吸的方式直接感受到它的存在与重要，但它并无形象可见，偶尔可见的就是变幻莫测的"云"。于是，有形象的"云"自然成为"气"的替代物，云纹也成为将万物统一成有机整体的重要手段——云纹不仅是一种纹饰，同时还是宇宙整体的象征。图 3-18 是湖南马王堆汉墓出土的西汉棺椁上的云纹图饰。棺材四面均绘制了这样繁复缭绕的云纹，以此说明死者处于一个独立而完整的宇宙结构中，并成为宇宙的一员。可以看到，这些相互缠绕、彼此连接的纹饰处于永恒运动的状态，既没有起点也没用终点。它想要表明这里是一个永恒运动、往复循环的宇宙空间，在此长眠的死者同时具有这一性质。如果再仔细观察，可以发

---

① （汉）刘安：《淮南子》，高诱注本，《诸子集成》第七册，中华书局 2006 年版，第 35 页。

现,在这些盘旋无止尽、象征永恒性的纹饰中间,还存在一些奇异的神物:它们的形象处于人、兽之间,有的手挥长袖,有的手持仪节,有的正在奔跑,有的翩翩起舞,它们是活跃在这个宇宙空间里的神灵,既守护着死者免受侵犯,同时也表征着这一空间的永恒(见图3-19)①。

图 3-19　马王堆汉墓棺椁纹饰　　　　　图 3-20　西汉彩绘漆奁纹饰

与此相关,在汉代绘画这个庞大的形象世界中,几乎不存在独立于情境之外的形象。即使表现单个的神物形象,它也要将之置于特定的氛围中,即在其周围绘制感动十足的云纹,以说明它并不是一个孤立的存在物,而是一个处于循环往复的宇宙结构中的存在物。当然,这种情境或背景的创造仍通过线条加以实现。类似的造型在汉代图像资料中十分常见。图3-20是1998年在扬州市邗江西湖山头2号西汉墓出土的彩绘云气几何纹漆奁底部的图像。② 可以看到,在黑色而有限的奁盒底部,作者用一只圆圈将底部分为内、外两个部分。在圈内,一只昂首前行、展翅欲飞的凤鸟处于中间位置,姿态悠闲、神骏;它的身形由细而多变的线条构成,更显灵动多姿。在它的周围,是从圈壁伸展而出的云气纹饰,以说明这只凤鸟并非人间之物——云气纹饰作为宇宙空间成为凤鸟遨游的场所;有限空间由此转为无限空间,并形成一个独立自足的生命世界。可以看

_____

① 参见《中国美术全集2·绘画编·原始社会至南北朝绘画》,人民美术出版社2006年版,第75页。

② 参见扬州博物馆:《汉广陵国漆器》,文物出版社2004年版,第41页。

到,凤鸟的线条化呈现也有向云气纹转化的倾向。不仅凤纹如此,在汉代绘画中,各种动植物纹饰都有向云气纹转化的倾向,以说明图像中的万物是处于宇宙结构中的,图像所呈现的世界也是一个独立自足的生命世界。

因此,在汉代绘画中,将人物、神灵和神物形象放置在特定情境中使之获得生命性特点,是汉代绘画表现对象的主要方式。同时,还可看到,与后代画家以纸张和绢帛作画不同,这些图像的作者能够很好地利用铺设于墓室墙壁的方砖的质地和色彩,以及它们之间的相关结构关系。有时,他们直接将方砖或墙壁作为底色来表现一些事件或场景,在此空白也具有了提供情境背景的功能,它与线条的使用结合在一起,使图像获得动态的特点。图 3-21 是 1916 年至 1924 年间在河南洛阳八里墓出土的交谈壁画,为西汉后期的作品,现藏美国波士顿艺术博物馆。这幅画像位于墓室迎面隔梁横面,是五个男子交谈的场景。对于其内容,现在还不能确定。贺西林认为这可能是孔子见老子的图像①,但他们身着的衣服和头饰很显然不是孔子时代的东西;苏利文、高居翰等人对此不作猜测,而从形式分析的角度作出自己的判断:苏利文认为这幅作品用"完全忽略场景"的方法来"超越真实画面的空间延伸感",其"由右向左的读画顺序"成为"以后中国长卷画的基本特征"②;高居翰则认为这幅画作通过自己的独特方式将人物连接成了一个整体③。可以看到,这五位男子均身着长衫、器宇轩昂,第二、第四位手中还拿着节杖或笏板之类表明自己身份的东西。线条是呈现这五位男子的主要工具,它不仅勾勒出人物的形貌、轮廓和他们正在进行的动作,在某些地方还起到刻画人物形象和姿态的作用。最左边的男子双手拢在袖中,第二位手持节杖的男子抬起下巴边说边伸出手,似乎在向他质询什么;他身后的男子则在认真听着他的叙述,第四名男子正在向这边赶来,边走边回首招呼第五名男子,似乎嫌他

① 参见贺西林、郑岩:《中国墓室壁画全集·汉魏晋南北朝卷》,河北教育出版社2011 年版,第 8 页"图版说明"。

② [英]苏利文:《中国艺术史》,徐坚译,上海人民出版社 2014 年版,第 91 页。

③ 参见[美]高居翰:《图说中国绘画史》,李渝译,生活·读书·新知三联书店 2014年版,第 4 页。

走得过慢。五位男子之间是"散漫的空白",每一个人都是独立的人,"但是画家已经找出两种统一画面的方法:经由象征性的动作,所有人物好像共同摇晃在一阵韵律中;经由眼神的交流,一种相互的觉察意识把人物连贯在一起"①。相互间无声而又具有内在关系的神态,将他们结成一个生活整体,因而空白不仅不妨碍人们对这幅作品意义的直接领悟,反而凸显了这些人物的不同个性,并使他们获得了自己的独立性,进而让整幅画面形成一个生活或生命的统一整体。

图 3-21　河南洛阳八里墓交谈壁画

这种以空白提供空间场景的技法很有价值,它不仅提供人物或事件活动的背景,还让他们的活动获得广阔的存在空间。同一时期的其他绘画证明,这些壁画的作者是有意在使用这些空白,以凸显世界的动态特点。图 3-22 是 2003 年发现于陕西定边县郝滩 1 号墓墓室后壁的狩猎图像。② 画面直接以青灰色墙壁为背景,以说明它是发生在空阔草原上的活动;作者用几笔有力的线条刻画出起伏的丘陵,同时将画面分为几个部分。在丘陵中间,一位身着红色衣服、手执弓箭、骑着黑色骏马狂奔的猎手正在射杀一只小鹿;这只小鹿身中两箭,正在惊慌失措地逃跑,边逃边向后方张望;它的前面是两只疾飞的燕子,它们也受到了捕猎者的侵扰。为了表现

---

① ［美］高居翰:《图说中国绘画史》,李渝译,生活·读书·新知三联书店 2014 年版,第 4 页。

② 参见贺西林、郑岩:《中国墓室壁画全集·汉魏晋南北朝卷》,第 8 页,图版 51。

小鹿的奔跑速度，线条使用极为奔放并被虚化。在其他的丘陵间，一只猛虎正在追着一只绵羊，一只狐狸正在追着两只小兔。这幅画生机勃勃，动态十足。空白背景的营造和衬托，线条的表现张力，都使用得恰到好处。

图 3-22　陕西定边县汉墓狩猎图

　　由于极力追求和表现形象的动态特点，汉代绘画不像埃及墓室壁画那样，在刻板平直的直线上来展开活动，而是将对象独特的生命特点呈现出来，在形式表现方面体现出极大的自由度。无论是线条的使用，还是纹饰的绘制，都体现出这种开放自由的构图特点。上面所讨论的是线条和纹饰对形成汉代绘画"动"的审美特征方面的作用。颜色的使用在这方面也具有重要的作用，尤其在表现不同的生命真实方面，颜色更为重要。就像扬州邗江西湖山头 2 号墓出土的那个彩绘凤鸟奁盒，其深黑色底部正像深邃的宇宙，在它的衬托下红黄相间的深色越发显得耀眼，盒底那只昂首奋发、展翅欲飞的凤鸟亦显得尤具神采。这样黑、黄、红颜色相互映衬的使用方法在墓葬美术中被经常使用，马王堆漆棺上的彩绘也是典型代表。总之，汉代绘画"动"的审美特征，主要是通过线条、纹饰和颜色的混合恰当使用而实现的，并让这个时代显得生机勃勃。

第七节　比较视野：形象与意蕴的分离

　　汉代绘画中的"两种真实"与其"动"的审美特征一致：生活的生动与

生命的灵动浑然一体,构成了汉代绘画的基本精神,其实现途径是线条和色彩的运用。因此,在汉代绘画中,它的形式与意蕴之间是和谐一体的,或者说是直接同一的,宗白华用"一片混然无间、灵肉不二的大和谐、大节奏"①的特点概括之。后来,汉代绘画的"动"出现了分化,人们对绘画的"神"、"气"、"理"、"意"的追求有借助形象又突破形象的内在要求。造成这种情况的原因是多方面的。毕竟,每个时代的生命精神都有自己的特点,并需要通过艺术的方式呈现出来。这首先与人们对待自己日常生活的态度的转变有关:日常生活中的事与物不能满足人们的精神追求,因而需要超越生活中的物象。从艺术观念角度看,"意在言外"的哲学思考方式在秦汉艺术中并未成为指导思想,人们在表现现实世界和想象世界时只专注于他所表现的对象,并力求通过形象的方式将之呈现和固定下来。魏晋玄学的致思方式将"言"与"意"分离,并最终使后者凌驾于前者之上,进一步催生后世学者和艺术家对"象外之象"和"象外之境"的追求。虽然讨论言、象、意之间关系的类似哲学观点在《庄子》中即已存在,但这一思想对庄子前后的艺术实践并未产生实质性影响。魏晋玄学的言意之辩,让这个本处于思想界边缘的观念一跃而成为当时知识分子普遍思考的问题,并进而对此后的艺术实践产生了颠覆性影响:形象与意蕴的分离由此成为艺术家创作的基本准则之一,虽然他们仍然要通过形象来表达自己的思想和情感。司空图和王昌龄等人对诗歌意境的讨论既是这种观念的结果,同时又促进了这种观念的流传,并将之上升到理论的高度而凝结为一种艺术上的真理和准则。落实在艺术上,这种观念使艺术形象与它的思想之间形成一种既相互统一又相互对立的吊诡性关系。

营造情境是一切艺术的共同旨归,绘画也不例外。只不过,不同时期的绘画所营造的情境有明显区别,不同的情境对观者所要求的参与度也是不同的。可以发现,汉代绘画也力求营造一种"情境",但这个情境是一种整体性情境:各种组成物之间构成一个圆满自足的生命空间,其目的

---

① 宗白华:《艺术与中国社会》,《宗白华全集》第二卷,安徽教育出版社2008年版,第412页。

在于将观者或图像拥有者容纳到图像之中而无须他求。这与汉代绘画的物质载体、保存方式和礼仪功能具有内在关系。汉代绘画多保存在宫殿和陵墓的墙壁，以及这些神圣空间中存放的物品上，如器皿、箱笼、雕塑等。这些器物上的图像有一个共同目的：营造真实的神圣空间。离开这些形象，这个空间无法形成。在这种情况下，意蕴和形象之间无法形成断裂：如果形象不能与它所表现的物质和精神世界相统一，图像制作者和拥有者的理想亦无法实现。图 3-23 是河北满城中山王刘胜墓的复原线绘图。① 可以发现，这个穴中世界实际是一个独立空间：储藏室、居室和卧室、出行的车马和生活器具，以及盛放在各色箱笼中的金银珠宝和各种珍贵玉器首饰等。在这个庞大的墓室中，各种图像充斥其中，几乎所有的器物上都有精美的图像呈现，图像在此成为营造独立空间的重要组成部分。无法想象，如果缺乏这些形态各异、灵动鲜活的图像，这样一个深埋地下的穴中世界还是否具有存在价值。因此，汉代绘画中的图像不仅本身存在于一个完整的空间结构中，而且这些图像与它所代表的祈求、愿望或思想也是直接同一的，因而也不存在形象与意蕴的分离问题。正是这种同一结构生成了汉代绘画"动"的审美特征。

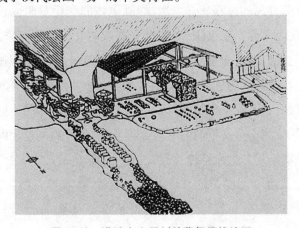

图 3-23 满城中山王刘胜墓复原线绘图

---

① 参见［英］杰西卡·罗森：《祖先与永恒：杰西卡·罗森中国考古艺术文集》，邓菲等译，生活·读书·新知三联书店 2011 年版，第 250 页。

　　这其中蕴含着形象与意蕴分离的可能,或者说它的艺术实践为这种分离做了准备:正是对线条的灵活使用、对生命和生活真实的完美呈现,使绘画的形象与意蕴相统一的特点引起了人们的关注。直接继承、改造汉代绘画对线条使用的是魏晋时期的人物画,并在此基础上生成了人们对人物画风神追求的观点。傅抱石说:"自汉以来,中国绘画已趋于线条变化的追求。山水画尚没有怎样的展开,虽然渐脱了陪衬的地位。而所谓'皴法',还没有人敢利用。但人物画的发达,却突飞猛进。这因为汉代的画像日渐其多,若云台,若麒麟阁,……都是宏大的制作。它给予人民的暗示,出于帝王意想之外。不是形式的意义把人民有所感动,是笔迹的绵绵有致,奇异的刺激,倒深入了一般有绘画天才者的脑海,充任了魏晋六朝人物画大兴盛的引子。"①这个判断说明:一方面,魏晋六朝人物画的兴盛与汉代绘画密切相关;另一方面,这种新转向的出现实际上是汉代绘画对线条改造使用传统的延续。因此,汉代绘画形象与意蕴合一特征的形成本身就是通过对线条的改造得以实现的。

　　这种形象与意蕴分离的情况在东汉时尚不明显。到魏晋时期,时人的哲学观念和人生观发生了巨变,魏晋玄学的"言意之辩"推动了中国绘画形象与意蕴分离的过程——当然,绘画主体的变化对此也起到了很大的影响:秦汉画家除了东汉张衡、蔡邕等有数的几位学者画家之外,大多为民间画工,他们对哲学思想的有意追求极为薄弱,他们所因循的思想多为世间大众普遍认同的思想,因而前者也很难影响到他们的创作。在每一个历史时期,在不同思想精神的影响下,在人们对生命的不同体验和理解下,两者的分离会呈现不同的方式。因此,这种分离的过程既终结了汉代绘画的基本结构和生命精神,同时也是一个新生的过程,它促进了中国绘画的多元发展和多样美的形成。总体上看,从魏晋人物画、山水画开始,中经唐代水墨画,一直到宋元时期兴起的文人画,都是"形"、"意"之变的结果,同时,形象与意蕴分离的情况日益显著:形象只是一种载体、一个媒介,作者的主观情意或思想才是形象的根本。它也营造情境,但这个

---

　　①　傅抱石:《中国绘画变迁史纲》,上海古籍出版社1998年版,第25页。

情境多是精神化的，与我们的生活世界有着深深的隔离；这种情境也是隔离的，它需要主体的想象加以重建。因此，对于观者来说，如果不能进入这个私密的精神世界，即使进入了形象世界，仍不能真正理解作品。这个过程，实际也是中国绘画由"动"趋"静"、由"外"而"内"的演变过程。与此同时，在绘画理论方面，"重意（理）轻形"的观点铺天盖地。这种理论诉求极大促进了上述进程的发展，并使这种观念成为评价画作的基本准则，也成为画家创作必须遵守的准则。如果哪位画家不能"由形入意"，则被认为他仅停留在了较低的层次或境界，所以苏轼说："世之工人，或能曲尽其形，而至于其理，非高人逸才不能办。"①这种观点实际是将"形"与"意（理）"对立，贬"形"而贵"意（理）"，在中国画论的发展过程中成为一种传统而被大多数人奉行。

　　就其手段来看，这种分离是通对线条和笔墨的改造而实现的：一方面，线条仍然起到表现对象生命特点的功能，但这种功能逐渐减弱，在有些画作中仅具有勾勒物象轮廓的作用，对于一些有独特个性的画家来说，线条的使用则显得相当随意；同时，晕染、皴染、泼墨等各种新的画法逐渐出现，并被广大画家认可进而落实在创作中，线条从主体地位转向了附属地位。除一些宫廷画院中的画家在他们的作品中保持着线条使用的谨严的法度和规则外，以表现性灵为特点的画家几乎都在改造着线条的使用方法。另一方面，与秦汉早期画家对颜色的高度肯定和灵活使用不同，后世画家对颜色的重视逐渐减弱，有些画家除了黑、白两色之外甚至拒绝使用其他颜色，即所谓"绚烂之极归于平淡"。清人王原祁在《画史会要·六如论画》中对时人尤憎"红绿火气"的绘画设色观进行了论述，强调"气"对"色"的超越和制约，"色由气发"："惟不重取色，专重取气，于阴阳向背处逐渐醒出，则色由气发，不浮不滞，自然成文，非可以躁心从事也。"②在他们看来，真正的生命精神、真正的美，是无色之美，不需要任何

---

　　① （宋）苏轼：《东坡集》，转引自傅抱石：《中国绘画变迁史纲》，上海古籍出版社1998年版，第13页。

　　② （清）王原祁：《画史会要》，转引自涂光社：《原创在气》，百花洲文艺出版社2001年版，第233页。

绘饰。一个典型的例子是,除了在一些宫廷绘画、表现私人宴会和宗教盛境的画作中我们偶尔能看到艳丽的红色被使用外,在其他绘画中几乎不再出现它的身影。这些绘画正是通过淡薄而悠远的画面将观者引入渺远的时空之外,进而体验到自己的内心和宇宙的精神。

这种转变也通过其他方面体现出来:万物形象和人物形象均被改写,处于生活事件中的人物被孤独深思的孤单身影取代;跃动腾挪的万物(尤其是动物形象)也以静止的方式出现,它们或交首沉睡,或自在游弋,相互之间既没有任何关系,也没有自然界中的紧张感和秩序感。于是,汉代绘画中铺满整个画面、让人应接不暇的万物景象不再出现,那些独具精神性特点的物象在图像中占据了核心位置:萧条的远山、迷离的晚雾、幽冷的黄叶、枯败的古木、寂冷的黄昏,成为画家寄托情思和加以表现的主要对象。我们通过一些具体的作品加以对比,可以更好地看到这种转变。图3-24是河北定县三盘山出土的车伞铤纹饰。[①] 纹饰原为彩色,是一个五彩斑斓的形象世界。图像分为四层,每一层都画着众多的动物形象,有的也有人的活动:第一层是三个人骑在一头大象上;第二层是一个人在飞驰的骏马身上回身射杀一只凶猛的老虎;第三层是一个人骑着一头骆驼正在行走,在他的周围是山野中的各种野兽在活动。整个画面被纤细的线条所描绘的各种动物占据着,充满了生机和活力。以第四层为例,可以看到:一只神骏的凤鸟昂首展翅、引吭高歌,几乎占据了整幅画面的一半;画面的上方是各种飞翔的鸟类,一只熊在画面的左上角悠闲地散步,另一只熊在凤鸟的下方舒展着手脚,好像准备捕食或者战斗。这只熊的前方正发生着两起激烈的战斗:一只斑斓猛虎跃身上前扑在了一只野牛的头上,野牛四肢蹬地、低头伸角,做反抗状;在它们的前方,另一只猛虎对它前方的一只健硕野牛虎视眈眈,而这只野牛则蹬蹄翘尾,低下头将自己锋利坚硬的、长长的牛角对准了老虎。各种鸟类在它们的上方飞旋,似乎要看看鹿死谁手;一只孔雀在旁边敛翅收尾,似乎也被眼前的景象惊呆了。

---

① 参见《中国美术全集2·绘画编·原始社会至南北朝绘画》,人民美术出版社2006年版,第93页。

像这样繁复多变、色彩绚丽的画面设计在后世绘画中很少看到，即使是以
靡丽著称的宫廷画作，也几乎看不到类似的景物组合方式，更何况那些以
传达神思为要的山水作品！

图 3-24 河北定县三盘山车伞铤纹饰

就人物来说，汉代绘画中的人物多处于生活事件的结构中，他们或者
迎来送往，或者例行自己的公事，或者在进行紧张的劳作，或者正在欣赏
热闹的歌舞表演，或者在就某一个重要的事件进行商谈；即使是以静坐的
方式出现的墓主人，他们也正襟危坐，正在等待着自己的子孙辈人物或远
方来宾的觐见；那些以单独形象出现的门吏或仆童也做好姿态，他们正手
拿节杖，准备迎接远客的到来。与此不同，后世绘画中的人物在随后兴起
的山水画中一下变得很小，只有经过细致辨认才能发现其影踪；即使有人
的存在，这里的人也多是孤单的形象，只有一两个书童或奴仆相伴，但他
们往往出现在主人公背后较远的地方，这个距离说明画面中的人物之间
根本没有精神上或生活上的交流。我们看到，这些画作中的人物都具有
沉默的特点：或临水沉思，或昂首远望，或低首内省，或等待一个永远不会
出现人物。图 3-25 是宋代画家马远的山水册页图卷中的一幅。[1] 画中

---

[1] （宋）马远：《山水人物图册页》，绢本设色，24.7 厘米×26 厘米。

的主人公形象在同类作品中具有代表性。可以看到,画面主体是空蒙的远方,虚实交错的树和树影极为古朴,主人公背对着观者,斜坐在一块岩石上,望着空濛渺茫的远方已不知多长时间。书童站在他的身后,不敢打扰沉思中的主人,虽然他可能对此已感厌烦或者身上已经很冷,毕竟,他是无法进入那个不可言说的境界中的。从技法上看,写实性的线条和笔墨显然仅具有点缀的功能,画家所要真正呈现的是以晕染的方式所画出的不可捉摸的空山之境,这也从一个侧面说明整幅画作所唤起的不是生命的活力,而是冷静的沉思。

图 3-25　马远《山水册页》　　　　图 3-26　无名氏《宫乐图》

如果说上幅作品中的人物关系因为主仆关系而造成疏离感,那么,在其他人物绘画中,即使人物与人物之间具有某种亲密关系的可能,我们仍可发现这种疏离,这在其他以表现人物为主要对象的画作中也时常出现,即画面中的人物不再像汉代绘画中的人物那样,或被某一件正在发生的事情,或被某一种共同认知的观念,结成整体性的关系。图 3-26 是唐宋之间的一幅没有题款的作品《宫乐图》,据说模仿的是南唐著名画家周文矩的风格和画法。① 正如它的标题所示,图中是九位衣着艳丽的宫装女子,在她们身上可以看到久违的红色。她们正在一场歌舞升平的宴会中,虽然这场宴会没有男主人公的出现。可以发现,图像所呈现的是这场宴

———————————————

① 参见[美]高居翰:《图说中国绘画史》,李渝译,生活·读书·新知三联书店 2014年版,第 47 页。

会的高潮时刻：每个人在这时都体现出了自己的特点——有的人弹起了琵琶，有的人正端着酒碗喝酒，有的人好像没有喝酒而正襟危坐在那里观看众人；有的人则已经喝醉，需要宫女的搀扶才能坐稳，但她仍端起精致的酒碗而低头畅饮。值得注意的是，虽然酒已喝得很多，但她们之间并无过多的交流——坐在右边端着酒碗的女子转过身来面向场外的某个人而对坐在她面前的女子熟视无睹，两人好像没有过多的话要说。在这样热闹的场面中，每个人都干着自己的事情，不能不令人称奇。就像前一幅图所呈现的那样，人与人之间已无可供交流的内容，无论这种交流是生活中的琐事，还是精神上的玄思。因此，这幅作品虽题名为《宫乐图》，带来的却是无尽的寂寞与哀思。生活为何失去了它本应有的乐趣呢？这在汉代绘画中是不可想象的。

需要指出，全面解释上面这种现象的形成，是一本专著所要解决的事情。现在只能这样认为：形成这种转变的原因是多样的。就像前面所提到的，言意之辩对形象的否定，无疑为这种画作提供了哲学基础；禅宗的兴起、宋元理学和心学的新变，无疑都带有内省的倾向，张扬外向、动感十足的画面不能与此相应，作为诗人、哲学家和艺术家共同体的中国画家，又如何能在艺术实践中改变这种倾向呢？几乎同一时期的自由浪漫精神和对世界真实精神的领悟，也造成人们将自我泯灭于山水之间的思想倾向；同时，在陶渊明的影响下，隐士或隐士似的生活和精神成为高洁品格和思想境界的象征，这也反映到相关的绘画作品中。就像前面所提到的，对绚烂之美的否定和对自然之美的追求，也让汉代极为盛行的"丽美"不再是美的标准，那种平淡无奇、冷静自然的美成为文士的最高追求，这也影响了中国后期绘画对画面的处理和形象的表现。从此以后，汉代绘画所呈现的"动"的审美特征，逐渐被后世绘画"静"的审美特征所取代，汉代绘画的活力和精神由此成为绝响，但它毕竟为此后绘画奠定了精神的和物质的基础。这种生活与生命的真实也已融入中国艺术的血液之中而不断发展和更新，为后人创造更精致、典雅的艺术提供源源不断的动力。

第四章

汉画像：日常生活之美

　　汉画像是汉代艺术的瑰宝,它凝缩着"中国人之为中国人"、"汉族之为汉族"的独特精神特质。对汉画像所蕴含的审美意识内容等进行提炼和总结,对于我们认识中华民族的审美传统和文化心理为何在两汉时期得以奠基这一问题具有重要意义。顾森《秦汉绘画史》、巫鸿《武梁祠》、朱存明《汉画像之美》等著作,以及海外学者 Wilma Canon Fairbank(费慰梅)、Patricia Berger(白瑞霞)、Jessica Rawson(杰西卡·罗森)、Robert W. Bagley(贝格利)、Martin Powers(包华石)和林巳奈夫、土居淑子、长广敏雄等人的相关论著对此均有涉及。近年来逐渐兴盛的美术考古、宗教美术和墓葬艺术研究等,也将汉画像作为研究重点。学界对汉画像精神价值的挖掘仍在继续。

　　汉画像以"极端写实化"的手法对汉代日常世俗生活世界进行了全方位塑造。在特定宗教信仰和审美情感的支撑、促进下,这一形式经过长期发展在东汉晚期臻于完善。在天、地、神、人的整体性宇宙图像结构中,主体的日常生活场景渐居于核心位置;墓主形象及其生活图景被纳入整个画像结构中,成为图像历史获得完整性的重要组成部分;主体的人生历程和生活价值由此被纳入神话—历史的时空结构并获得了永恒存在的可能,日常生活由此获得了神圣性,诞生其间的节义、孝行、名望、富贵等也获得了永恒存在之必要。汉画像所反映的这种思想观念赋予了日常生活以无法取代的本体地位。这一思想深深地影响、塑造和建构了中华民族的文化心理结构,制约、支配着人们对自我生活、生命的认识和实践。这是其他国家和民族乃至中国历史上其他时代所不具有的审美特点。

第一节　融化为对象：点与线

在汉画像研究上，形式研究与历史研究一直处于分裂状态：严谨的艺术史家往往将汉画像这一独特艺术形式置于中国艺术发展的历史中加以考察，力求以一种或几种具有规律性的艺术模式来揭橥汉画像艺术形式得以形成的艺术史依据；同样，历史研究者往往对汉画像所呈现场景的具体内容进行确定，无论这些内容是想象的还是现实的，都力求将之纳入当时人们活动范围和精神世界中考察。巫鸿认为，这两种研究都不同程度地存在问题：前者"预设了一种'普遍进化模式'的存在，并由此将中国艺术转变为西方艺术史的等同物"，后者"表明特定历史活动的具体形式可以被轻而易举地压缩为简单的抽象概念"。① 有些学者力求摆脱西方艺术史的形式分析方法，从汉画像本身的点、线、面及其构图的形式特点进行分析②；有的学者则将汉画像置于两汉时期华夏民族特定的思维方式和思想图式中，发掘其蕴含的精神价值③。本章将上述研究综合起来，考察汉画像艺术的形式与思想之间是如何通过对点、线、面及其图像构型的运用，将当时人们的人生理想、价值观念和对理想的期待等内容融合为一个图像结构，以发掘其中蕴含的审美意识。

图像的构成不外点、线、面，它们是构成图像的基本要素。人们对图像的创造也主要通过它们而实现。同时，不同历史时期和地域的形象创造对上述要素的使用或要求是不同的。这里固然有作者本身的艺术技法或兴趣的使然，同时也与时代精神和审美需求有很大关系。无论何种图像，如果要实现表达情感、思想的意图，上述构图要素必须成为图像的一部分，其本身特点应该被图像所掩盖。对于观者来说，呈现要素本身的特

---

① 巫鸿：《武梁祠——中国古代画像艺术的思想性》，柳杨等译，生活·读书·新知三联书店 2006 年版，第 80—81 页。

② 参见信立祥：《汉代画像石综合研究》，文物出版社 2000 年版，第 22—65 页；黄雅峰：《汉画像石画像砖艺术研究》，中国社会科学出版社 2011 年版，第 80—211 页。

③ 参见朱存明：《汉画像的象征世界》，人民文学出版社 2005 年版，第 76—104 页。

点不是作者想要实现的,而应是在通过要素呈现形象之后使观者忽略这些要素。即,要素要融化为生命形象才能获得自身在形象世界中的合理位置。对于早期艺术来说,它们尚不是纯粹的艺术,而是政治、宗教、礼仪、民俗等活动的形象化,因此这种要求比后世自觉的艺术更为迫切:人们对形象所呈现的内容的重视大于构成形象的基本要素。对于汉画像艺术来说,这种表现更为鲜明,因而也更有说服力。

汉画像是点和线的艺术,同时也有块面造型,但前者是主要的。这主要是由其材质特点和创制手法所决定的。工匠将选出的上好石材抛光后打磨成光滑的平面,然后用颜料和画笔在这平面上画出将要刻制的图像的外形,再用斧、凿之类的工具依图作画。一些以浮雕技法创制出的形象有更突出的视觉效果,在这类图像中形象与线条之间的关系较为密切,点的使用相对较少。在前类图像中,点的使用随处可见,比如生命体的眼睛,树上的果实,羽人给凤鸟喂食的珍珠,以及一些图像周围的装饰,等等。这些似乎都是细微的。在汉画像中,还有一些图像几乎全用点构成,十分独特。1937 年在山东曲阜韩家铺村出土西汉晚期(8—88 年)的"东安汉里"画像是这种图像的代表。这组图像共由 7 块石头构成,其原石排列方位由蒋英炬先生复原。① 从艺术表现方式看,东安汉里画像石最独特之处在于这 15 幅图像均是用点塑造人物、神灵的形象以及其他装饰图案。虽然类似的表现手法在其他地区也曾出现,但像这样大规模使用的尚不多见。

图 4-1 是张翅而立、似乎将要起身飞去的朱雀,在它的对面是同样身形的伙伴②:点成为主要的构图要素。图 4-2 是呈现的是一个乐舞场面。③ 图像中间是一面带有飘带饰物的建鼓,两侧各有人执鼓槌边舞边敲;右边是一位长袖起舞的女子,女子左边两人拿着排箫正跽坐吹奏。从图像看,这名女子身形曼妙,舞姿灵动,宛若飞仙,与排箫悠扬清和的声音正相应和。在此,点,这种孤立而很难构成整体的最基本的构形要素通过

① 参见蒋英炬:《略论曲阜"东安汉里画象"石》,《考古》1985 年第 12 期。
② 参见《中国画像石全集》第 1 卷,山东美术出版社 2000 年版,第 78 页,图版 110。
③ 参见《中国画像石全集》第 1 卷,山东美术出版社 2000 年版,第 81 页,图版 112。

图像制作者的雕刻同样成为构图的主要成分，而且人物形象和神物神态都鲜活如生。

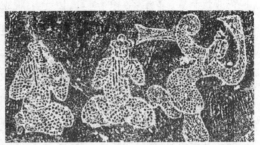

图 4-1　东安汉里朱雀画像石　　　　图 4-2　东安汉里乐舞画像石

　　当然，从图像形态可以看出，这些形象的构成体现出点与线完美结合的特点，因为形象的轮廓需用线条标明，朱雀伸展欲飞的翅膀也需用线表明其奋发之前的力量，这不是点所能实现的。而且，舞女流动舒展的水袖、纤细的腰肢等，也需要线条予以呈现：点在这些方面有其不可克服的局限。这类构图在东安汉里的其他图像中同样存在。图 4-3 呈现的是一个左手前伸、右手执刀的武士形象①。由于这名武士已摆好姿势准备奋身向前，因而作者也通过有力的线条把武士蓄势待发的形态予以呈现。在此，作者用线条刻画出锋利的刀身、武士后伸的手臂、大腿与胯等这些能够显示出力量的部分。毕竟，与线多样的表现性相比，点的单一性和孤立性在表现主体生命运动方面的能力还有很多欠缺。但无论如何，能以单一而孤立的点为主体而塑造出如此生动的形象已属难得，毕竟这类形象在中西方成熟的绘画中都极少见到。

　　因此，要想全方位、多层面地将现实生活和理想世界呈现出来，线条的使用必然成为主体，因为无论是生命形象还是装饰图案，用线条表现比用点表现要更简单、便捷而成效显著；而且，生命体的运动变化特征与曲线之间具有内在的联系，无生命的装饰图案则可多用直线加以表示。汉画像中丰富的生活世界景观就是通过这些繁杂而有序的线条形象而呈现

① 参见《中国画像石全集》第 1 卷，山东美术出版社 2000 年版，第 84 页，图版 116。

出来。因此,汉画像的意象世界是线条的呈现,线条的独特性让这一独特世界得以形成,它们是这个世界的最终边界。只不过,由于它们所呈现的世界过于丰富、多样、形象、逼真,以至于观察者经常忽略线条在这个世界中的存在。这些线条相互作用、彼此构成,进而加固它们所要呈现的形象而自身却被这些形象所涵盖,自己成为对象本身进而获得真实性和神圣性。杜威在《艺术即经验》中这样讨论线条与形象的关系:"线条所限定的对象的特性以及与线条相关的运动的特性已经太深地嵌在线条里了。这些特性与多种多样的经验形成了共振的关系,我们在关注对象时甚至都意识不到线的存在。"[1]这一评价用在汉画图像的线条特性上同样是恰切的。英国学者威廉·安德森(William Anderson)在对武氏祠石刻图像进行考察后得出结论认为,包括汉画在内容的中国绘画有"以书法入画"的特点,而且"对轮廓线之美与丰富笔触的追求超过对形体的科学考察"[2]。诚然,中国绘画确实存在"以书法入画"的情况,但后者却并不如此,至少汉画像的图像制作并不是单纯追求"轮廓线之美"和"丰富笔触",因为这些因素不构成图像拥有者对图像占有的心理愿望,线条所表现的对象形态的逼真才是他们真正在意的东西,"轮廓线之美"和"丰富笔触"只有在符合这个目的时才具有存在之价值:形象在汉画像中具有点、线条等不可具备的价值。

图4-3　东安汉里武士画像石　　　图4-4　山东楼宇画像石

---

① [美]杜威:《艺术即经验》,高建平译,商务印书馆2010年版,第116页。

② [英]威廉·安德森:《大英博物馆图录》,转引自巫鸿:《武梁祠——中国古代画像艺术的思想性》,柳杨等译,生活·读书·新知三联书店2006年版,第61页。

　　在汉画像中,有些图像几乎全是用线条刻画而成,线条在此确实完成其勾画轮廓的作用,而且其笔触也相对丰富。汉画像中的线条可分为直线、曲线和折线三类。这些线条的使用有其内在的规律:直线多用在车毂、伞盖、车轮、规矩、佩剑、门阙、城墙、工具、楼宇等物品上。这些物品多是无生命之物,因而可以通过直线呈现。图4-4是发现于山东的一幅图像。① 居于图像正中的是一座三层的楼宇,女主人在周围仆人的簇拥下在楼的正中央倚栏而坐,似乎正在观看楼下的景象或表演;围栏下方蹲着两个敦实的卫士,他们担任着警备的工作。在楼顶上有各种鸟类,两个人在弯弓射之;在楼宇的最顶端,两个机警的武士正向不同的方向张望,以随时准备不测之事的发生。在这幅图像中,楼宇、围栏等均用直线标明,尤其是楼层屋盖全用纤细的直线表示,很有特点;而武士、守卫、禽鸟、仆人以及女主人等皆用简洁的曲线稍加刻画而成,从而实现了直线与曲线的协调共生。当然,在表示图像所处的范围时,制作者一般用直线框标明图像的所属范围。曲线多用在人物及其服饰、动物、神灵、猛兽等身上,它们多是鲜活的生命体,因而需要曲线来呈现其生命存在状态。折线多用在动物关节、物品转弯等处,起到连接作用,以增加表现物的灵活性。有些装饰的花边既有直线构成的三角形,也有曲线弯成的半圆形等。

　　当然,存在更多的情况是这些线条的交叉运用,如神灵的翅膀既可使用长短不一的直线表示,也可以使用弯曲线来表示。图4-5是东汉年间的作品②,1966年在山东费县垛庄镇出土,是一只正面直立的朱雀形象。在汉画像中,如此直面展示的朱雀形象是不多见的。我们关注的是它身上的线条组合:是曲线与直线的交叉使用使之获得了自己的形象,而不至于让我们将之与其他鸟类混同。图4-6是同一地点出土的伏羲形象③,他手中的矩昭示了他的身份。这个与规在一起指天画地的工具是用直线呈现的,而伏羲的身体、尾翼和衣服的褶皱等则全用曲线呈现。因此,在汉画图像中,线条必须融化为对象,物理必须转化生命,它才能获得自己

---

① 参见《中国画像石全集》第3卷,山东美术出版社2000年版,第80页,图版93。
② 参见《中国画像石全集》第3卷,山东美术出版社2000年版,第69页,图版82。
③ 参见《中国画像石全集》第3卷,山东美术出版社2000年版,第69页,图版83。

的存在价值。无论是阴刻还是阳刻甚至浮雕,都须遵循这一原则。分开来看,汉画像中所运用的线条极其简单,不外直线和曲线等,呆板、单一、缺少变化,不像后世绘画的线条那样灵活。但从这些线条所构成的形象看,它们的意蕴和精神却让这些单一的线条获得了独特的精神属性。因此,线条呈现出形象,而形象让线条获得生命。我们不能从纯粹艺术技法的角度去分析汉画像线条的艺术特征。作为死后世界的形象呈现物,它本身就是精神和想象的结果,是时人所有情感、思想、观念的凝缩。因此,当我们与这些线条接触时,当时当境的生命经验会以形象的方式切入我们的生命存在,我们也只有在这个层面将汉画像的线条表现称为艺术,我们也才真正成为汉画像艺术的欣赏者和再生者。

图 4-5　朱雀画像石　　　　　　图 4-6　伏羲画像石

　　这些线条固然是刻板的,但其背后却含有灵动多样的生命经验,以及它们所呈现的对象的独特性。用于车毂的直线段大多是一致的,单调而机械,这有理由让我们相信它们是通过同一种方法制作出来的,但车前的骏马和车厢上轩昂的盖饰却显示出明确而完整的人生追求和价值肯定标准。因此,坐在车上出行的人通过这些外在单调的线条获得自身的规定性。毕竟,它们让他们获得了更多的正面的人生价值体现。即使回到刻板的线条本身,它们尽管是单调、刻板的,如车毂线、伞盖线等,但却通过自身的组合与直接表达呈现出与其他线条不同的姿态,从而让自己与衣服刻线、身体曲线等区别开来。毕竟,滚滚向前的车队与人流的行动要通过它们而得以展现。在这些行动中,呆板的线条获得了自己的独立性:是它们让自然获得生命性,也是它们让已成过去的生命经验重新复活并在刻板的线条中成为永恒性存在。

第二节　模仿与创新:共性与个性

如前所述,汉画像的制作是依据早已存在的图像资料。并且,在动工之前,图像制作者还要将他们所要制作的图像谱系拿给这些工程的支持者审核,审核通过后,整个工程才能开始。因此,这些图像的完成不是即兴的艺术创作,而是有计划、有规模、有准备的图像模仿行为。为了更好地完成这项工作,制作者要进行充分准备。除了长年累月所形成的技艺基础和工具准备外,这些早已获得社会各阶层认识认同的图谱则是最重要的依据。因此,汉画像整体呈现出各种程式化的图像设计和各种类似手法,当然也包括反复出现的仙境、人间、地下等场景。从汉画像图像资料的整体看,其数量之庞大至今仍无法估算,现已出土的资料对于当时来说可以说微乎其微。如果没有被当时制作者熟练运用的早已定型的模件的支撑,要完成这些图像制作工程,几乎是不可想象的。

雷德侯(Lother Ledderose),这位在 20 世纪 40 年代初出生于德国的著名艺术史家,通过对中国汉字、书法、青铜器、瓷器和建筑甚至菜肴制作等艺术遗存的考察发现:"有史以来,中国人创造了数量庞大的艺术品。……这一切之所以能够成为现实,都是因为中国人发明了以标准化的零件组装物品的生产体系。零件可以大量预制,并且能以不同的组合方式迅速装配在一起,从而用有限的常备构件创造出变化无穷的单元。"①在雷德侯看来,这种模件化生产不仅没有抑制中国人的创造能力,反而以更为节俭、高效的方式塑造了中国的社会结构:因为只有在这种情况下,如此大量的艺术品才能被生产出来,艺术在陶冶人心方面的影响和建构作用才能如此广泛地产生作用;它既改善了人们的物质生活方式,同时也与等级制度的社会结构相适应。但是,在如此众多的艺术类型中,雷德侯没有考察汉画像这一较能代表两汉及中国民族精神和生活特点的艺术形式。而且,这种艺术形式的模件化生产与他所发现的其他艺术形式相比,同样广泛存在。劳弗(B.Laufer)指出:"这些画像石并无意唤起人们的特别注意。它们所展现的画面可说基本上毫无新意,只是重复一些早已为人所知的主题和设计。不过这种状况赋予这些石刻另一种意味,即它们再次证明了汉代的雕刻者是根据现成的模式来制作他们的作品,这些作品因而往往表现出某些典型的、变化有限的图景和人物。"②劳弗所指出的这种情况在汉画像艺术中广泛存在,不论是题材和主题,以及表现这些题材和主题的艺术形式,都如此广泛地存在模式化情况。当然,对于汉画像来说,模式化不仅仅是技法上的,同时也是内容上的。就后者来说,作为墓葬艺术的定位,使它所表现的内容是特定的同时也是类型化的。因而,内容的模式化在某种程度上促成了技法的模式化。毕竟,大量相同内容的图像需要被制作出来。

　　我们可以汉画像中典型的马的形象为例来讨论汉画像制作的模式化问题③。在汉画像中,最常见的形象莫过于马和马车,"车马出行图"是汉画像中闻名而典型的场景。"马踏飞燕"(见图4-7),这块1969年出土于甘肃武威雷台墓的雕塑,还被选为国家旅游局的标志。这不仅在于这件作品的铸造技艺和艺术手法引人惊叹,而且这只无拘无束的骏马在某

---

　　① 〔美〕雷德侯:《万物——中国艺术中的模件化和规模化生产》,张总等译,生活·读书·新知三联书店2012年版,第4页。

　　② 转引自巫鸿:《武梁祠》,柳杨等译,生活·读书·新知三联书店2006年版,第70页。

　　③ 台湾学者邢义田教授在他的系列论文中用"格套"来指称汉画像的模式化问题,并用格套与题榜的关系,捞鼎图、猴马造型母题、"七女为父报仇"、"射爵射侯图"、"胡汉战争图"等来论证这个问题。参见邢义田:《画为心声——画像石、画像砖和壁画》,中华书局2011年版,第92—196、315—435页。

种程度上成为两汉雄飞的精神标志：此骏马凌空奔跑以至于不小心踏在
了一只正在飞翔的燕子身上，马的威武腾飞彰显了时代精神和国家气象。
图 4-8 是 1978 年四川太平乡出土的东汉时期的图像。① 两匹马虽然所
处状态不同（一匹自由奔跑，一匹在拉车），但其神骏姿态却极相似。无
论何处的汉画像，都少不了马和马车的存在，它们是墓主人显赫身份和精
神气度的主要象征物。显然，如何处理如此众多且重要的马的形象，是图
像制作者在工作过程中必须首先解决的问题。通过对不可计数的马的形
象的考察，可以发现，无论时空如何变化，制作者的手法如何变化，马都是
以几乎相同的姿态出现在不同的图像系统中。这里，我们以极具代表性
的武梁祠的画像为例讨论这个问题。

图 4-7　马踏飞燕雕塑

图 4-8　出行图

　　武梁祠图像中的马的确切数量现在已不可知，但从《中国画像石全
集》第 1 卷《山东汉画像石》中所收录的图像看，马的数量已超过百匹，内
容、状态各有不同：有战马，有生活用马，有奔跑的马，也有站在树下休息
的马，等等。可以说，马是武梁祠图像系统中出现频率最高的形象，其他
形象无法与之相提并论。图 4-9 是武氏祠东阙正阙身背面画像，是两个
戴冠之人骑着骏马自右向左行驶，所做何事，现在已不可知②，极可能是
下列队伍的引领者。这两匹马体现出汉画像中马的一般形态：健硕高大、

① 参见《中国画像石全集》第 7 卷，河南美术出版社 2000 年版，第 47 页，图版 56。
② 参见《中国画像石全集》第 1 卷，山东美术出版社 2000 年版，第 15 页，图版 29。

俊朗雄浑。图4-10是武氏祠西阙正阙身北面画像①,除了前者马嘴微张
之外,我们几乎看不到两匹马之间的不同之处:无论其健硕的体型,还是
其飞动的马蹄,都如出一辙。因此,我们可以把它们看作是汉画像中马的
一般形态。如果我们将之作为参照标本去观照其他马的形象,可以发现,
武氏祠图像中所有马的形象几乎都是这种形象的不同变体,制作者可以
通过更换一些细节(如马腿线条的变化等)来说明马是正在奔跑还是站
在原地。比如,他可以将马首上扬、双腿并拢,以显示马正在树下悠闲的
休息(见图4-11)②。这似乎也说明汉画像的制作虽有程式存在,但并不
妨碍其个体创新,即"于其规律中曲尽变化之妙"③。

图4-9　出行图　　　　　　　　　　图4-10　出行图

　　图4-12出自武氏祠前石室后壁。④ 男主人体型健硕,端坐在画像中
间偏右的位置上,周围是前来拜谒的人员;女主人头戴冠饰,两边的女仆
正在用盘子进献食物,女仆身后是跪伏在地拜见的其他女子。这些内容
说明来拜见墓主夫妇的人员经过长途跋涉才来到目的地,并在正堂中参
见他们想见的祖先或前辈。这时,出现在图像最左边的马以悠闲的姿态
呈现在我们面前:它正在一棵硕大的合欢树下休息,驾车人把马套解下,
正在查看马车经过长途运转是否出现问题。这也说明此次出行的目的地
和出行者的居住地之间有很长一段距离,他们已经来到了草木森森的郊
外。此外,合欢树上栖息和飞舞着各种鸟类,一个武士站在阙檐上已弯好

　　①　参见《中国画像石全集》第1卷,山东美术出版社2000年版,第8页,图版16。
　　②　参见《中国画像石全集》第1卷,山东美术出版社2000年版,第45页,图版66。
　　③　邢义田:《画为心声》,中华书局2011年版,第60页。
　　④　参见《中国画像石全集》第1卷,山东美术出版社2000年版,第45页,图版66。

弓，准备射几只下来；另有一人站在车盖上，做出类似的动作：他们可能是
这趟出行中随行的武士，在主人谒见先人时，他们也获得了休闲的机会。
让我们的目光再回到在合欢树下休息的马身上。可以发现，与图 4-9 中
的马相比，这匹马的身躯与其基本相同。将两者分别开的是图 4-9 中的
马四肢放开，体现出正在奔跑的姿态，因而马的脖子也微向前倾。图
4-11 中的马经过长途跋涉后解下装备而一身轻松，因而它的脖子稍微后
倾，呈现出自得的神态。此外，更显著的区别是，图 4-11 中的马的四肢
与图 4-9 相比出现了变化：它的前肢挺直了，后肢也并拢在一起，以进一
步说明它正处于休息的状态。同样类似的图像还出现在武氏祠其他地
方，表现内容和手法也基本相似。

图 4-11　武梁祠画像

图 4-12　武梁祠画像

　　武氏祠出现的逾百的马形象大都如此：它们的形体基本相同，只不
过，随着情境的变化，图像制作者再对马的细微处进行稍微改造，一匹神
态迥异的马随之融入正在发生的事件中，进而获得了它的独立性和完整
性，成为"这一个"。这种设计不仅未将马的独特形象淹没，反而使之具
有代表性和典型性。以图 4-11 为例，这匹在合欢树下休息的马只是其
他众多马的缩影。因为，在图像的最低层，三匹马驾着三辆车正在急忙赶
路，两名武士骑着两匹马在队伍中间守护，两名背着弓箭的武士在右边第
一辆马车前引导着（见图 4-12）。因此，这次出行的人数很多，马的数量
也很多。图像第二层和第三层分别是人们参见男女主人的情景，加上在
外面修理马车的车夫和正在打猎的武士和随从，这次出行的人数也是可
观的，因而会有众多马参与此次活动，但图像却只选取了一匹在树下休息

的马的形象来说明其他人和马实际上也处在休息状态。因此,我们说这种独特的程式化设计不仅使表现对象获得独立性,同时还彰显出它所具有的典型性和代表性。实际上,在汉画像的图像系统中,这种通过细微改造而呈现不同形象的手法不仅仅是马,其他反复出现的形象(如凤、龙、虎、兔、西王母、墓主、先人、纹饰、云气等)也大多如此。而且,即使在不同的墓葬或地区的图像中,这些形象虽有风格或技法的不同,但其呈现方式却基本一致。这正说明汉画像的制作不仅有预先备好的图像纹样,而且还有一些相关的模具或工具:它们的制作是一种模式化的制作,汉画像由此也成为一种纯粹的模仿艺术。

　　当然,这些马的形象由于出自于同一座祠堂而显出诸多相似性,而且这种现象在同一处发现的图像资料中都不同程度地存在。毕竟,它们是出自于同一人或同一团队之手,制作方法和所使用工具等都基本相同。即使如此,不同地区的形象比较仍可展开。1965 年在安徽宿县褚兰镇墓山孜出土的车马出行图,无论是风格还是形式都与武氏祠的马的形象呈现出不同的面貌(见图 4-13)。① 稍微比较即可发现,在这些图像中,无论是马的形象,还是车的形象,都存在十分鲜明的模式化倾向。只不过,这些马的马身虽相对比较丰满,但与前者相比却不显得圆润;马腿细长,不仅不显得灵动,反而有几分屠弱;马首虽也高高抬起,但缺乏轩昂的气质,与驴首类似。这些完成于东汉建宁四年(171 年)的图像与武梁祠的图像(78—151 年)相比,虽只晚了几十年,但无论是数量规模、精神气象还是制作手法、刻画工艺等都差之甚远。但即使如此,也不能否定这些图

图 4-13　车马出行图

① 《中国画像石全集》第 4 卷,山东美术出版社 2000 年版,第 123 页,图版 162。

像的制作存在模式化情况,反而说明图像制作者都统一使用了它,虽然这些图像在风格上存在地域或时代的不同。不过,这也可以说明在当时的画像制作中,既存在一般通用或流行的模式,同时也存在个人化的制作方法,虽然这种个人化或个性化仍为这些图像的集体内涵服务。而且,这同样不排除极具夸张和想象的马的形象出现,虽然这种特点在汉画像中出现不多(见图4-14)。①

图4-14 车马出行图

这幅四川新都县出土的东汉图像表现出四川汉画像常见的飘逸自由的艺术风格,因而作者对驾车的三匹马的形象的塑造也极大胆,轩车的线条疏朗简约而富有表现力。从其功用和形态上我们知道前面驾车者是马,但再仔细观摩可发现它们同时具有龙的特点:它们的首和尾都有向龙首和龙尾转化的痕迹,其身躯也不像其他马的形象那样健硕丰满。虽然模件化的因素仍在它们扬起的马蹄上呈现,但其个性特点在汉画像中是极为独特的。这类形象出现的具体情况尚不好断定。在图4-12、图4-13、图4-14中,马首形象依次呈现出不同形态,可以将之看作是马首向龙首转化的轨迹。前文说图4-13的马首像驴首只是根据表面的观察

---

① 参见练春海:《汉代车马形像研究》,广西师范大学出版社2012年版,第118页。

而言,但这种马首是否是马首和龙首之间的过渡形态现在还不好确定,因为从马首到龙首的转变可能不仅是由艺术手法的演变所造成,因为将马看作龙的化身的观念在汉代较为普遍,因而可能存在观念对形象改造的情况。但这似乎可以说明汉画像艺术在遵循模式化创作的同时也存在图像制作者对于形象的创新,并为后世绘画艺术提供可资借鉴的技法。例如,张彦远在《历代名画记》中就将谢赫提出的"气韵生动"上溯到上古时期,虽然当时墓葬画像还很少被作者所见,但同时期的其他图像也可能呈现汉画像的这一特点。

第三节　生命精神:神似与形似

在中国艺术史和艺术理论的发展中,关于形似与神似的辩论汗牛充栋,并逐渐形成这样一种观念:高超的艺术作品必然超越形象的限制而达到神合体道之境界,由此形成强调神似而贬抑形似的观念和传统,并认为形似是艺术创作的低级阶段。张彦远在讨论谢赫六法后评说道:"古之画,或能移其形似,而尚其骨气,以形似之外求其画,此难可与俗人道也。今之画,纵得形似,而气韵不生,以气韵求其画,则形似在其间矣。"[1]这是说古画能形似与生气兼备,今之画形似者而无气韵,有气韵者但形似痕迹明显,终不能到达两者完美融合的境界。于是,形似与神似由此在艺术理论和实践中开始成为对立物而分道扬镳。我们现在所做的工作是通过对汉画像模式化艺术呈现方式的分析,讨论形似与神似对于汉画像的价值,进而重塑形似与神似之间的共生性关系。

讨论汉画像的神似与形似问题,首先面对的问题是汉画像所呈现世界是真实的还是想象的。在中外研究史上,这个问题历来存在争议。[2]争议的焦点在于这些图像到底是对两汉时期生活世界的真实呈现,还是对理想世界的想象塑造。从汉画像艺术表现形式角度看,这个争议所涉

---

① (唐)张彦远:《历代名画记》,浙江人民美术出版社2012年版,第16页。
② 参见[日]林巳奈夫:《刻在石头上的世界》,唐利国译,商务印书馆2012年版,第10页。

及的实际上是汉画像艺术中的形似与神似问题。作为宗教美术,讨论汉画像的形似与神似问题似乎是多余的,因为无论形似还是神似,汉画像都必须首先实现其宗教功能,因而无论是气韵还是形象,都应该是一种表现:将图像拥有者的现实生活和理想世界统以图像的方式表现出来。因此,"表现(expression)是一种基本的表征。它是一种内在的精神皈依的外在可见形象"①。从这个角度看,汉画像的制作并不以形似还是神似作为自己的标准,将图像拥有者的现实和理想忠实呈现才是其首要任务。在这个意义上,我们也可以说汉画像首先要做到"形似":所有的形象都应该是对墓主现实生活的模仿,并对其死后的生活进行形象建构。如果这些图像不能做到"形似",墓主如何在死后世界按照这些图像再来规划自己的生活? 因此,无论是作为宗教艺术,还是作为程式化很强的模仿性艺术,汉画像都必然以忠实表现对象为最高标准。

形似在区分图像内容方面的作用是重要的,它们往往由最富表现力的细节充当。由于模式化创作的存在,汉画像中有很多图像的线条轮廓、形象特征几乎是相同的,如果不细加辨析,我们不能找到二者的分界到底何在。在这种情况下,形似就是区别这些相似物的关键所在。图4-15和图4-16是四川博物馆所藏的东汉时期的作品。从其形体特征看,虎与龙都以蛇的身躯呈现,不同之处在于制作者对虎首与龙首的设计:图4-16在龙首上画了胡须和角,前肢处的几条线说明此物具有翅膀;图4-15除了虎首具有虎的特征外,整个身躯、形态与图4-16几乎没有区别。② 在这种情况下,图像中的龙首与虎首与人们普遍认同的龙首与虎首是真实对应的,因而可以成为区分白虎与青龙的主要标志。

同样的情况还出现在1942年在四川芦山沫东乡石羊上村出土的王晖石棺上的青龙和白虎形象。③ 图4-17的青龙形象与图4-18的白虎形

---

① [英]怀特海:《宗教的形成》,周邦宪译,译林出版社2012年版,第65页。
② 参见《中国画像石全集》第7卷,河南美术出版社2000年版,第44页,图版51。
③ 参见《中国画像石全集》第7卷,河南美术出版社2000年版,第73、74页,图版92、93。

图 4-15　白虎画像石

图 4-16　青龙画像石

象存在模式化成分：两者的躯干几乎是相同的，不同之处在于龙首与虎首，尤其是龙须和龙角与白虎相差很远，比较易于将两者区分开来。在这种情况下，形似往往成为区分相似物之间的主要标志。同类的情况也出现在女娲和伏羲的形象中。人们往往根据两者手中所持的不同形状的规与矩来对几乎没有区别的两者形象进行区分。在这种情况下，细节的相似性对于图像整体就具有了极为重要的意义：是细节的形似让整体形象获得了身份的确定，随之形象所代表的理想或情感也同时得以传达。在这个意义上，对于整个图像系统来说，形似具有本体性价值，神似显然还没有成为必备问题而进入人们思考的范围。

图 4-17　王晖石棺青龙画像

　　不仅如此，追求形似是早期艺术普遍遵循的规律。因为，这时人们尚未产生形神二分的思想：形与神本身统一于形象。在中国，早期圣人甚至认为人类所有文化都是人们在仰观俯察之中对自然万物模拟的结果，并

图 4-18　王晖石棺白虎画像

以形象的方式呈现和保存下来;这些形象同时等同于万物本身,因而也具有万物的生命特点;而且,这些形象之间就像自然中各种生命之间的关系一样,在生命精神融通的基础上结为整体。在《周易》的作者看来,天地万物"在天成象,在地成形",是流动不居的"变化"维系着它们相互之间的关系,人们创制的各种形象体系以"通神明之德"、"类万物之情"为根本,同时也要体现出这种变化互生的关系。在这种思想的主导下,形象创制活动首先应该是一种模拟活动:"像也者,象也。"人们创制的万物形象首先应在形象上与万物相吻合,其次要在生命特点上与万物相一致。由此,形象与它的模拟物之间不仅不具有本质上的区别,而且就是模拟物本身。因此,对万物形象及其生命特点的真实模拟成为人类早期文化和艺术的基本原则。在这一思维分化后,正是这种观念让后来艺术理论家所讨论的形似与神似问题成为可能。

按照上述思路可以发现,秦汉时期的墓葬艺术从来都是对天地万物的模拟,无论是想象世界还是现实世界,人们都力求将之容纳到自己死后的永恒居所——墓葬之中。这再次说明汉画像艺术首先是模拟的产物,形似是其理应达到的基本要求。秦始皇是此种观念的重要践行者。他的骊山陵墓"上具天文,下具地理",是宇宙世界的真实复现;陵墓中真人大小的兵马俑形态生动逼真而富有生命个性,而且,他们手中所持的兵器也是真实的。人们在对其逼真性和完备性进行惊叹时,应该想到秦始皇是想将他们的军队完整地复制到地下世界。类似情况屡次在两汉的考古发掘中出现:琳琅满目的生活器具、姿态各异的奴仆侍卫、繁忙有序的生活场景,等等,与现实生活中人们的存在状态几乎没有差距。这种情况同样体现在汉画像的形象世界中,因为对于图像拥有者和制作者来说,这些图像只有拥有了真实性才能实现它们所应承担的功能:安抚死者,连接神灵,打破生与死之间的隔阂,将过往生活与理想世界融合为一,进而实现生命和灵魂的永恒存在。当然,也有人认为人们这样做还存在另外的原因:"生者为死者在墓中提供所有给养和娱乐,可能就是为了将其留在墓穴之中",因为"死者一旦离开他们的墓穴将会对生者构成威胁"。① 但无论出于何种目的,它都须以图像的真实性为基础,并且认为图像就是它所表现的对象本身("象其物宜"),这些目的才有可能实现。在这个意义上,使用"形似"一词反而有些不合适:这些图像与它的表现对象之间不是"相似"关系,而是"等同"关系。

当然,机械的等同不是汉画像制作的最终目的,因为机械模仿出的形象是没有生命的因而也是失败的。任何图像制作者都明白这个道理。图4-19 是四川绵阳出土的东汉时期(25—220 年)平杨府君石刻②,它呈现的是两只嬉戏中的虎;其左有一人在回首观看,他似乎也沉浸在虎的游戏状态中而忘记了逃跑。将这幅图看作后代的水墨写意画并无不妥,但它却是刻在石头上的图像,用"神似"形容之也十分恰切。汉画像作为宗教

图 4-19　双虎嬉戏画像石

① ［英］杰西卡·罗森:《祖先与永恒:杰西卡·罗森中国考古艺术文集》,邓菲等译,生活·读书·新知三联书店 2011 年版,第 223 页。
② 参见《中国画像石全集》第 7 卷,河南美术出版社 2000 年版,第 66 页,图版 81。

绘画向人文绘画转变的重要过渡阶段,它的上述特征可以反映出形似与神似问题产生的某种根源。可以看出,正是在真实模仿与再现的基础上衍生出神似问题:图像所模仿和再现的生活世界(包括理想世界)并不像它的表现媒介石头或砖块一样冰凉而死气沉沉,这个世界充满生机活力,永远处于运转的状态中,是人类活动让它所表现的世界成为属人的生命世界。因此,这些图像如果不能将人类生活世界中的各种生命状态表现出来,那么它将是失败的,图像制作者不仅有被解雇的危险,而且可能还要赔偿雇主的损失。在这种情况下,如何将天地万物的生命本真状态"逼真"呈现就成为图像制作者必须解决的问题。这其实就是神似问题。在这个意义上,神似其实也是形似:神似是对生命精神的逼真模仿与再现。因此,汉画像的制作必须同时满足神似与形似两方面要求,这样才能真正实现其功用。换个角度说,在汉画像的艺术手法和精神特质等方面本就不存在神似与形似的区分问题。

汉画像艺术的独特魅力不仅仅在于其表现方式和材质的独特性,更在于其精神特质:它能通过图像将同时期人们的生活状态、精神面貌、人生理想甚至国家气象和时代精神完整呈现。因此,神似存在于每一幅图像之中。为了真实呈现现实之物和理想之物的独特生命特点,图像制作者会使用各种手法,模式化在此不仅没有妨碍这种特质的传达,反而成为有效的技艺经验而代代相传。图 4-20 和图 4-21 是河南方城东关墓1976 年出土的东汉时期的两幅图像。① 一幅处于西门,另一幅处于北门。两幅图像所呈现的都是处于现实与想象之间的神物:应龙和朱雀属于神话之物,是当时人们生活中普遍信仰的神物;熊和武士虽在现实生活中存在,在墓室中两者却担任着守护神的角色。中间的辅首实际上也是神物的化身,它们两只异常的眼睛让企图进犯者不寒而栗。因此,在图像中不存在现实与想象之间的对立,无论是现实之物还是想象之物,都必须呈现出它们本应具有的特点:展翅高飞的应龙、飘逸神骏的朱雀、神力威武的

①　参见《中国画像石全集》第 6 卷,河南美术出版社 2000 年版,第 32、35 页,图版 46、图版 50。

神熊、跨步挥臂的武士,都通过极具表现力的线条呈现出它们独特的神秘力量。在这里,人们不必遵循现实原则,只有在精神神态上呈现出对象的独特性,这样的形象塑造才是成功的,也才能让它们本应具有的神力得以发挥:生命活力和精神成为图像表现的根本指针。需要指出,在图4-20中,应龙飞翔的姿态及其表现技法与敦煌壁画中的飞天有惊人的相似之处,虽然我们不能断定两者之间是否具有承续关系。

图4-20　墓门画像　　　　　　　　图4-21　墓门画像

　　同样的情况也存在于那些以纯粹表现日常生活为内容的图像中。在这些图像中,神似问题往往会被形似取代,因为在我们努力辨析图像的具体内容时会忽视它的神似问题,只有等我们全部辨析清楚后才能再回过头来分析它们的神似问题。一旦我们被图像所呈现的生动的生活景象所折服,这些生活图像的神似与形式问题也就被消解了。虽然这些生活内容因为太过常见而被我们忽视,但一旦它们被以图像的方式呈现出来,生活本身的生动意味便使其不断获得新的意义。图4-22是1967年在山东诸城前凉台村出土的东汉顺、桓帝(126—167年)时期的庖厨图像。① 它生动、形象而全面地展示出一场热闹、紧张而有序的食物准备和制作的生活场景。

图 4-22　庖厨画像石

整幅图像全用极为纤细的线条刻画而成，有些线条的使用也出现了程式化现象。在图像最上方，一根横着的长细线表明这是一支长长的被支起的横架：在它上面悬挂着各种动物。经过凝神观察，从形态上我们可以知道它们分别是大鱼、兔子、羊、一个大大的猪头和已分开的两扇猪肉，在最右边则是两头已去毛洗尽的整猪。在大鱼的下方，两个人正在六层的架子上摆放各种物品，右边这人的身后站着一个端着簸箕之类东西的人，我们不知道他是在往这边送东西，还是等着他身前的人往簸箕上放东西。这人身后是个大且深的水盆，水盆右边是一个同样端着簸箕的人，在他面前一个人正用薄薄的刀片给一条大鱼去鳞，他似乎正等着将鱼端到厨房去。在洗鱼人的右边，一个人正拿着刀子在对一头倒挂的猪进行肢解工作，他的旁边也站着同样端着簸箕的人，似乎也在等着将肢解下来的肉端到厨房去。这只是这幅庖厨图的一小部分，但内容已经很丰富了。

———————————

① 参见《中国画像石全集》第1卷，山东美术出版社2000年版，第90页，图版125。

上面的描述是通过其线条所呈现的形象而进行的,形似在此成为基础。实际上,这里正触及一个极为敏感而耐人寻味的问题:无论线条的纤细是否是制作者的有意为之,它都必须让观赏者处于这样一种状态,即观者只有对这些形象凝神注视,只有通过形象的线条轮廓才能辨清此形象到底为何物,而当观者经过努力而分清这些图像的内容时观者的凝神注视使自己早已忘记了线条本身而只专注于形象。这似乎说明图像制作者正是要通过这样细微的线条呈现让观者处于自我的凝神状态而忽略形象的表现技法进而进入图像世界中去,形似由此转化为神似:图像中生机勃勃、忙碌异常的生活场景让观者也成为图像的一部分。

第四节 时代精神:模式化与集体性

当然,模式化并不仅仅表现在汉画像的制作技法方面。在汉画像中,题材、主题、寓意等等,都存在模式化问题。自汉画像出土以来,对某一图像具体内容的争论构成了汉画像图像研究的重要内容,而且这些争论至今也不存在恒定的解释,既有将其中图像等同于历史事件和人物的解释,也有将这些图像看作是象征和譬喻的手段的观点。于是在各种新阐释不断出现的过程中又出现了各种具有折中主义的观点:"汉画像题材的反复出现与认为画像表现墓主人特殊生平事件的假说看来相互矛盾。为了解决这个问题,一些学者提出了一个介乎历史特殊论与象征主义解释之间的折中观点。"①原因很简单:就当时的社会环境来说,人们日常生活和理想生活中的内容是有限的,人们所遵循的价值观和人生观以及由此形成的人生理想也是确定的,而且这些内容被广泛遵守并施行。因而,在墓葬图像中,人们想要生活在过往生活和理想世界中并重获价值肯定也只能通过这样相对固定的方式表明自己拥有了前者。于是,拜谒、出行、宴饮、游戏、求仙、运动、劳作等等,生活和理想中的每个场景都会以图像的

---

① 巫鸿:《武梁祠——中国古代画像艺术的思想性》,柳杨等译,生活·读书·新知三联书店 2006 年版,第 71 页。对于汉画像内容解释的不同学说,参见该书第 67—76 页。

方式呈现出来：社会集体的人生理想和价值观念内化为个体的人生追求，个体的人生追求也随之成为社会集体的价值准则的体现者，模式化表现由此成为集体性原则的体现物。

汉画像艺术的这一特性引起我们对现代艺术的重新思考。在倡导艺术个性的现代艺术传统中，无论是理论还是实践，实际上都出现一种否定模仿的倾向，以至于模仿被认为是低劣的，模仿的人不配称为艺术家，模仿的作品也不配称之为艺术品。人们认为艺术作品之所以成为艺术品，主要是因为这件作品具有其他作品所不具有的独特性，无论是艺术技巧还是所使用的材料。本雅明对机械复制时代艺术品复制现象的研究愈发让人们觉得，复制与模仿虽然可以扩大艺术品的流传范围从而让更多人拥有欣赏艺术的权利，但这种复制与模仿却只会让艺术品的"灵韵"丧失，而且这些复制品本身存在或收藏的价值不大，因为它只是众多模本中的一个，不具有独一无二性。但是，这个问题在汉画像艺术中是不存在的。对于图像制作者来说，模仿的逼真性是他们力求追求和达到的境界。如果他们不能通过模仿把主人的现实生活和理想生活精确模仿并复制到他们的墓葬中，他们的创作就是失败的，因而也不能获得主人的认可并面临被解雇的危险。①

问题随之产生：模式化是否永远处于艺术创造的对立面？如此众多的模式化（或程式化）图像为什么没有削减汉画像的艺术价值？在两汉四百年间，这些反复出现的图像到底表达了以图像制作者和拥有者为代

---

① 当然，这些图像制作者在整个工程进行期间也并非毫无主权。流传至今的关于工匠的各种习俗或迷信让人们相信他们是拥有巫术技法的人，如果雇主对他们存在不敬或怠慢，他们往往会在暗中以各种手段破坏雇主家的风水或既成传统。因此，雇主即使可以解雇雇工，但一旦确定雇佣他们，这种解雇行为还是很少发生的。雇主不仅要很好地招待他们，而且在工程进展期间还要举家侍奉，以免因自己的过失造成雇工们的不满而出现上述情况。山东东阿县西南铁头山出土的芗他君石祠堂题记生动而细致地说明这一点："起立祠堂，冀二亲魂灵有所依止。岁腊拜贺，子孙欢喜。堂虽小，径日甚久。取石南山，更逾两年。迄今已成，使师操□、山阳瑕丘荣保、画师高平师盛、邵强生等十余人，假钱两万五千。朝莫侍师，不敢失欢心。天恩不谢，父母不报，兄弟共居，甚于亲在。"同类的记述在出土的墓地、祠堂题记中十分常见。这说明匠师在整个图像制作过程中仍拥有一定的自主权，雇主也很难干涉他们的工作。

表的汉代人怎样的思想和情感？对这些问题的追问暗含的问题是：艺术
是否具有传统？这些传统中所蕴含的思想和情感是固定不变的，还是不
断叠加而变化的？石守谦通过对《洛神赋图》演变的考察得出结论说：
"在中国艺术的发展历程中，'传统'的存在扮演着极其重要的角
色。……它们的存在系以一种于时间轴上不断重复出现的某一'形象'
为表征，不过，这个重复出现的'形象'却在实质内涵上永远与前一次出
现时有所不同，因此，'变化'遂被视为某一种传统之得以长时期维系于
不坠的关键。"①对于汉画像中以同样手法和质料制作的反复出现的图像
与原型来说，固然存在一些求新求变的情况，但这些变化主要还是决定于
它所表达的思想和目的。制作者对艺术程式的依循或改造都是如此。而
且，这些在三四百年间反复出现的形象，它所蕴含的思想情感几乎是固定
的，虽然其间神仙思想、佛教思想等观念有所渗透，但墓葬美术的性质决
定了其思想情况的变化处于极度缓慢的发展过程中，而不像后世绘画那
样迅速。于是，它在形式上和思想上都呈现出模式化和集体性特点具有
了必然性：它孕育于时代精神，同时也加强时代精神的流传并使之进一步
强化。这构成了墓葬美术的基本特点。

综上，汉画像是一种模仿艺术，具有形式上的模式化和精神上的集体
性等特点。汉画像的制作者在创作时依据的是一种事先准备好的图像资
料，如当时极为盛行的祥瑞图、征兆图和《山海经》图谱等。这些资料自
成系统，是当时人们思想世界的形象化。因此，在他们的制作行为展开之
前，这些图像实际上早已存在。它的制作者只不过是展开复制与模仿的
工作。虽然中国古代的艺术理论极端强调模仿是一种低劣的手段，但汉
画像的制作却与此观念不同，毕竟它们是被运用于墓葬并为死者服务，在
这种情况下，唯有模仿而不是创作才能真实再现死者生前所拥有的一切，
包括他的官阶、名誉、财富以及结婚生子等私人化的生活事件。因此，纯
粹模仿是汉画像艺术创作的出发点和立足点：它只能对墓主现实和理想

---

① 石守谦：《洛神赋图：一个传统的形塑与发展》，《台湾大学美术史研究集刊》2007
年第 23 卷。

的生活世界进行模仿。因而，在制作过程中，图像制作人所能增加的成分少之又少，除了操作过程中的细微差距外，我们几乎看不到个人艺术创造因素的存在。作为礼仪制度尤其是丧葬礼仪用途的特殊性，人们（尤其是墓主）不需要这些图像有过多的个人因素渗透其中，除非这些个人因素能够增加图像的审美性和艺术性（如逼真、生动等）。而且，任何礼仪美术都在力求排除个人因素的存在，因为这些因素（尤其是地位低下的匠人的这些因素）无法具备与神灵沟通交流的品质。只有当个体的制作技艺和经验能够增强其作品的神圣性，它们才能获得进入图像的资格或可能性。即使在制作这种极端私人化的活动中，其指导思想仍是公众的、集体的和社会化的思想价值观念。因此，汉画像是排除私人经验的艺术品，而以汉代人集体的观念、情感和思想为其精神基础。只有这样，个体才能在死后最终融入集体，以实现个体生命的永恒存在。

第五节　本体化的此岸世界：世俗生活的永恒化塑造

汉画像所表述的内容到底是现实世界还是彼岸世界，对我们研究两汉四百年间的审美意识内容极为重要。这个问题困扰了以研究中国上古艺术而著称的日本学者林巳奈夫。他在《刻在石头上的世界——画像石述说的古代中国的生活和思想》一书中，屡次表达了他对这一问题的困惑：如果将之作为世俗生活场景来看，那些具有文献依据的神物形象让其显得"不可思议"；如果将之作为神话世界，他又认为"画像本身虽然是为表现神话传说的场面而作，但是用来反映当时铁匠铺里的工作情景的资料，并无丝毫不足之处"①。这正反映出林巳奈夫对汉画像内容的矛盾心理，以至于他有时将之作为现实生活内容看，有时又将之作为神话内容看。实际上，汉画像所记述的内容正是将这两种内容融汇而成的独特、完整的精神结构，它是汉代人将自我世俗生活进行永恒化塑造的产物，神话意象因素的大量使用是其手段之一。这种将"昨日"重现的艺术是汉代

---

① ［日］林巳奈夫：《刻在石头上的世界》，唐利国译，商务印书馆 2010 年版，第 71 页。

审美意识内容的核心所在,但这一点在以往的汉画像研究中被严重忽视了,本节拟对这一问题进行初步的探讨。

汉画像对世俗生活的痴迷程度是令人吃惊的。它所记述的那些生活资料是如此丰富、详细、准确、全面,以至于它对当时人们生活娱乐、工业制作、出仕做官、拜谒觐见和狩猎战斗等内容的记述可以作为严肃而严谨的学术研究资料而进入这一时期的社会生活史研究,并起到文字资料所不可替代的作用。显然,汉代人在创制这些图像资料时并未将之作为幻想材料加以处理,而是采取了"彻底的写实主义"态度。正是这些逼真、准确、精细的世俗生活内容建构了汉画像的精神世界,后者又反过来加强了人们对世俗生活乐趣的认同和建构。罗森说:"中国人似乎并没有前往天国或把天国作为遥远目标的观念,他们只想待在他们原有的地方。从新石器时代到现代社会,中国人的墓葬大多设计成死者的居所,以真正的器物或复制品随葬。因为这些墓葬重现了墓主人的生活,它们不仅仅显示出墓主如何理解死亡与冥世,还反映出他们如何看待社会各个方面。"①种种迹象表明,"人间生活的乐趣"是汉画像审美意识内容的核心主题,而且这一主题具有极强的生命力,一直在影响着华夏民族对自我生活和生命存在的认识,并反映在他们的墓葬中。这里,我们从山东沂南出土的一块常见的画像石谈起,以发掘汉代人是如何享受自我的世俗生活的。

山东沂南出土的这块汉画像石生动、翔实而全面地记录了一对墓主人夫妇进食时的热闹繁忙景象(见图4-23)。② 墓主人夫妇长跪在衽席或坐垫上,在他们面前放着耳杯、樽和长柄勺等饮食器皿,两堆似乎永远吃不完的谷物给人深刻的印象。在两堆谷物中间,有四个人在进行着将谷物磨成小米或面粉的准备工作;几只鸡鸭在谷物堆边来回寻觅,表现出它们对这两堆谷物的浓厚兴趣。在墓主人右边,两个人捆好了一头猪,正抬往案上准备宰杀;一名屠夫正在对倒挂在横杠上的一只羊进行剥皮、去

---

① [英]杰西卡·罗森:《祖先与永恒:杰西卡·罗森中国考古艺术文集》,生活·读书·新知三联书店2011年版,第179页。

② 参见《中国画像石全集》第1卷,山东美术出版社2000年版,图版204。

肉的工作;此外还有几名佣人似乎还在进行着准备面食的工作,因为旁边的多层蒸笼似乎正散发着热气(见图4-24)①。总之,这块画像石再现了墓主人夫妇进食前的各项准备活动。他们祥和、安宁而充满喜悦的面部表情,说明他们正在尽情享受这种衣食无忧的生存状态。

图4-23 沂南宴饮画像石

图4-24 沂南宴饮画像石

　　作为整个墓葬的重要组成部分,这幅画像所记录的正是当时士人阶层的自我世俗生活场景。对于熟悉汉画像的人来说,这样的画面并不陌生,它几乎构成了汉画像表现内容的基本主题之一。由此,这块画像石所

---

① 参见《中国画像石全集》第1卷,山东美术出版社2000年版,图版204。

表现的内容亦具有了不同寻常的意义：墓葬的设计者似乎要将自己现世的生活完全带入死后世界；换言之，在他的思想观念中，死后的世界实际上是现世世俗生活的延续。于是，汉代人墓葬里的图像世界就具有了延续世俗生活的意义和作用，日常生活由此被无限延展而获得永恒性。通过对各种文献和资料的考索，可以发现，有汉一代，人们一直在倾其所有、通过各种手段和途径将自我的世俗生活延续下去，并使之永恒化。这构成了汉代艺术尤其是汉画像艺术的基本的也是最重要的主题。

山东沂南出土的这块汉画像石仅展现了汉代人生活中的一个场景，更多的同类图像资料证明，他们不仅将自己生活中的各种场景以图像的方式保存下来，而且还将生活中所能使用到的几乎所有物品均以模型或实物的方式一同埋入墓葬："除了日常用品及饮食之外，还有房屋、水井、灶具、畜棚、家畜、马车以及男女奴婢等。……不仅如此，连音乐和舞蹈等娱乐活动也都周到地安排好了。"①虽然这些物品或活动，有的只是以图像或模型的方式被再现出来，但这种无微不至的墓中世界让林巳奈夫——这位日本学者惊叹："这么好的住所，只怕别处也不会再有了吧。"②显然，这种方式在两汉时期（尤其是东汉）已逐渐发展成为一种具有规范性和强制性的习俗："把死者专用的模型放在墓中，而且随葬品也渐趋种类繁多。如前所述，这种风俗到了东汉变得完备起来。"③除了对日常世俗生活的极端迷恋外，没有任何原因能解释汉代人这种几乎是用尽一切心思来制造死者日常生活用具的行为。鲁惟一说，这种设计是"根据活人及其物质价值来设想的，例如日常用具和消费品储存等"④。应该指出，这里丧葬物品设计所根据的"活人"应是墓主本人，因为其他活人的生活物品与墓主没有关联，也起不到建构和谐的地下世界的作用。因此，在汉代人看来，自我日常世俗生活中曾经存在的事与物具有不可抗

---

① ［日］林巳奈夫：《刻在石头上的世界》，唐利国译，商务印书馆2010年版，第7、10页。

② ［日］林巳奈夫：《刻在石头上的世界》，唐利国译，商务印书馆2010年版，第10页。

③ ［日］林巳奈夫：《刻在石头上的世界》，唐利国译，商务印书馆2010年版，第8页。

④ ［英］鲁惟一：《汉代的信仰、神话与理性》，王浩译，北京大学出版社2009年版，第27页。

拒的力量，它甚至就是一种神圣的记忆和召唤。

林巳奈夫将汉代人的这种做法归结为，生者担心死者的鬼魂因在黄泉世界中生活不好而来到世间作祟："设计这样的措施是为了阻止魄在身体一旦被埋葬之后便离开其中"，"所以想方设法要死者的灵魂能够心满意足地住在坟墓中"。① 即使类似的观点有同一时期的图像榜题和文字记载作为证据，而且这种心理至今在中国各民族的习俗中均有不同程度的留存，但这不足以完整解释汉代人的上述行为。因为坟墓的建造者不仅是墓主本人（此前或当时的礼仪还规定皇帝即位一年后即要开始建造自己的陵墓），而且大多数是死者的亲友或子孙，他们有朝一日同样要走进坟墓，能给他们死后生活带来安定感、安全感的同样是他们世俗生活中的各种所有和价值观念。而且，对于死者来说，贸然进入生者的领域就像生者无意间进入死者的领域一样，并不是充满乐趣的事情，而更多的是受到伤害。也就是说，陵墓建造者或享有者并非要到他人的日常生活中获得自己存在的乐趣。对于汉代人来说，每个人只有生活在自己的世界里才是最美好的存在，自己的日常生活具有独立自足性，他人如何与己无干。

与此相关的一个重要的表征是，以往在祭祀等仪式活动中占有重要地位的鼎等器具逐渐被人们的日常生活用具所取代。这种变化发轫较早，在早期阶段的表现极其细微，经过几百年的演进而演变为引人注目的事实。器具的变迁反映出人们关注问题的变迁，日常生活因素参与建构了人们的仪式活动，并在此过程中使后者世俗化了。这一情况同样鲜明地留存在这一时期的汉画像中。在更早时期，前者在整个仪式活动中占据着核心地位，并建构、组织和支撑着整个仪式活动的顺利展开。但在同一时期的汉画像石中，它们的地位被人们的日常生活用具所取代，墓主生前使用过的生活器具从而具有了他物不可取代的作用。对此，杰西卡·罗森在她的论著中有着详细、精确的考察。她得出结论说："鼎在以酒和食物为祭品的祭祀典礼中，可能不再具有重要的地位。漆器，特别是耳

---

① ［日］林巳奈夫：《刻在石头上的世界》，唐利国译，商务印书馆 2010 年版，第 10—11 页。

杯,在这个阶段明显担当着重要的角色。而且,这些漆器和日常用于饮食的器皿并无太大的差别。……换言之,鼎和壶可能仍然作为饮食器皿被使用,但是,它们的地位似乎比墓主生前实际使用的器皿要低,因此也就被遗忘在墓室壁画的题材之外了。"①这种情况的出现,进一步证实了汉代人对自我生活中事与物的迷恋情况。

这种迷恋及其所产生的情感,作为一种持久性同时混杂着宗教神圣性的动力,不断塑造或改造着汉代艺术尤其是汉画像的表现形式和主体内容。东汉后期的河南密县打虎亭汉墓壁画是汉画像这种发展趋向的典型代表。在长达22米的三个地下墓室中,一幅巨大的车马出行图占据了核心位置。端坐于中央而体格健壮、姿态尊贵的墓主人在傲视着向他参拜的幕僚或下级官吏;一幅7米宽的巨大宴饮图引人注目,图像中正上演着杂技和歌舞等活动,侧室壁画上姿容祥和的女性人物让图像中的日常生活场面具有了灵动和温馨的气息。这些将私人的生活、娱乐、社交等活动汇集一身的图像资料向我们说明:"在2世纪,死后家园的理想被设想和描绘为富裕的家居——或为大型庄园,或为官员的府邸。"②显然,以打虎亭墓主、当地太守张博雅的这座墓葬为代表,东汉时期的地主庄园经济形态和他们的生活方式被完整地复制到墓葬中。在这种经济形态基础上所形成的这样一个自给自足而相对封闭的世俗生活和情感世界,是其他生活乐趣所不能取代的。那些权贵、地主、豪门乃至部分成功的知识分子无疑在此舒适而逍遥地生活着,并享受着生活本身的乐趣。

第六节　写实风格:塑造的手段

汉画像所表现的内容带有鲜明的综合性特点。换言之,这些图像的设计者费尽心思地将当时人们所能想到的生存空间和美好事物全部融入

---

① [英]杰西卡·罗森:《祖先与永恒:杰西卡·罗森中国考古艺术文集》,邓菲等译,生活·读书·新知三联书店2011年版,第66、72页。

② 巫鸿:《黄泉下的美术——宏观中国古代墓葬》,施杰译,生活·读书·新知三联书店2010年版,第39—42页。

其中,由此形成了汉画像独特的图像设计程序。这里的图像世界无疑是当时人们的理想世界。汉画像中无以计数的仙境和天国意象让人们认为这些图像设计只是为了墓主达到升仙的目的,其典型代表就是西王母和东王公所生存的仙境:"西王母和东王公的仙境里淌着不死之水,生长着不死之树,是人们寄托了对永久幸福之向往的福地。"①这一点似乎已成为汉画像研究中极为普通的常识或共识,但事实并非如此。汉代人并未设置一个与世俗生活世界完全不同的彼岸世界,在他们看来,真正的"仙境"或"彼岸世界"只存在于现实生活中,主体也只有在世俗生活中才能获得存在的意义和价值。因此,众多的仙境意象由此变为一种手段:神仙境界以其永恒性让与之相关的世俗生活也变成永恒性的存在。

有人将秦汉时期的艺术风格和手法与同一时期的罗马帝国建筑等艺术相提并论,认为两者都是"彻底的写实主义"②。这似乎只看到了汉代艺术的表象。在这种写实主义风格的背后,所蕴含的是汉代人对现实生活的极端沉迷和热爱;在他们眼中,世俗生活中的每一件细小事物似乎都充满了乐趣,以至于希望在死后也能延续并享受这种乐趣。这影响甚至决定了人们对幻想世界的塑造和建构。有学者这样认为:"这些绘画的描绘内容,无论是多么的细致和生动,都不可能与现实生活的描述相重叠,而只能是在非现实的层面上存在,是一个关于彼岸空间的描述。"③这种将宗教与日常生活分开的思想观念非中国本土所有。在中国人看来,宗教是内含于日常生活的,而且几千年来人们也很少将二者截然分开,这也是很多国外学者认为中国不存在纯粹的宗教的原因所在。这种情况也适合汉画像。诸多证据表明,在汉代人的思想意识中并不存在纯粹的幻想世界或彼岸世界,后者只是换了一种表现形式的"此岸世界",亦即人们的世俗生活世界:"在当时人们心目中,惟有人间的、此岸的、世俗的生

---

① 巫鸿:《武梁祠:中国古代画像艺术的思想性》,柳杨等译,生活・读书・新知三联书店 2006 年版,第 239 页。

② [美]倪克鲁(Lukas Nickel):《亚洲视野中的秦兵马俑》,见巫鸿、郑岩主编:《古代墓葬美术研究》第一辑,文物出版社 2011 年版,第 37 页。

③ 汪小洋:《汉墓壁画的宗教信仰与图像表现》,上海古籍出版社 2012 年版,第 3 页。

活才是人心所系,灵魂所归。"①这种观念支配着人们对壁画、石刻等艺术形式的创作和表现,并极大改变了神话传说世界中的神物或神人形象。在不可胜记的汉画像石上,那些神骏飘逸的凤鸟形象往往具有极为浓厚的世俗化或现实性特征,与其说它是神鸟凤凰,不如说它是肥重而营养丰富的公鸡;只不过,画像周围跪着为它进食的羽人在昭示着它的神鸟身份。两汉时期墓葬前常见的石兽雕塑(如麒麟、辟邪、石狮、天禄等),其形象虽来自于神话,但其内在思想却指向人间世俗生活。

汉画像中常见的"泗水升鼎"图是其创造者对神话意象进行改造以表现现世生活观念的又一典型代表。升仙固然是这些图像的主题之一,但这一活动组织者身份的转变却更耐人寻味:世俗生活主体代替了历史主体或神话主体。邢义田教授通过对现今发现的 33 件捞鼎汉画像的考察,发现这些图像不仅集中出现在鲁西南包括紧邻的苏北一带,而且在这些画像中,捞鼎这一活动的组织者也逐渐从秦始皇演变为一般的富豪。其表征是:一方面,这些图像的作者将其上的榜题由"秦王"改为"大王",以"有意淡化或模糊捞鼎人物和地点的明确性";另一方面,在东汉时期出土的同类题材画像中,榜题不仅不再提及捞鼎的地点,同时"大王"的字样也不再出现,捞鼎活动的组织者和参观者完全被墓主和民众所取代。② 这种变化所体现出来的思想观念是不言而喻的:"泗水捞鼎"这一具有神话和历史意味的典型事件随着墓主及其随从的加入而逐渐向日常生活事件转化,鼎中出现的龙最终让日常生活主体获得了永恒性,神话意象由此被日常生活化了。

从汉画像的表现内容看,世俗生活内容占据主体和核心地位,因为离开了生活于世俗中的主体,仙境也就失去了存在价值。顾森在《秦汉绘画史》中将汉画像中所表现的人间生活内容划分为"尊儒与崇武"、"仕宦与家居"、"娱乐与体育"、"生产与交换"、"求吉与辟邪"等类型,并得出

---

① 参见仪平策:《中国审美文化史·秦汉魏晋南北朝卷》,山东画报出版社 2000 年版,第 121 页。

② 邢义田:《画为心声:画像石、画像砖和壁画》,中华书局 2011 年版,第 415—428 页。

结论说:"从汉画像天、地、冥三界的内容来看,是以人世间的生活内容为主体,分别延伸上天组成天界,延伸入地组成冥界,以及延伸到汉人所独创的跨越天地冥三界的神仙世界中。由此可以看出汉人对人生、对人世的热爱和依恋之情。"①这个总结是准确的。朱存明教授对汉画像所呈现的多重时空世界之间的关系及其审美价值进行了总结:"汉画像是一种装饰艺术,表现的却是一种生命意识的幻象。人只能生活在一个现实的世界,人不可能生活在一个死后的世界,但却可以幻想一个死后的世界;人只能生活在大地上,不可能升入天界,但人可以幻想羽化成仙,不死的幻想只是人对现实的眷恋。成仙只是人恐惧思维的一种安慰。人在宇宙中的地位是汉代人世界观的核心,天界、仙界、人界和鬼界,才是汉代人整个的宇宙。"②这种概括诚然是准确的。"人对现实的眷恋"是汉代审美意识内容形成的根本性的心理动力。在汉画像所呈现的四界时空结构中,居于核心地位的仍然是主体的世俗生活内容,其基始性意义毋庸置疑。在很长一段时间内(甚至可以上溯到新石器时代),华夏先民并没有将死后世界想象或建构成与世间生活迥然不同的异域世界,这一点至秦汉时达至顶峰;而且,从发掘的同一时期的墓葬内容看,人们对死后世界的想象和描绘仍以死前的现实生活世界以最高理想。

那种不加区别地将死后世界与神仙世界等同的观点无疑忽视了汉代人对死亡世界的设想,因而与汉画像的相关内容也是不符合的。秦汉时期,对于神仙的渴求似乎遍布于社会的各个阶层,但应该区分两种升仙模式或者目的:其一,对处于社会底层的平民百姓来说,升仙的目的很简单,就是摆脱现实中的困苦生活。根据《汉书》、《后汉书》及同时期的史料记述可知,这一时期的贫民不仅毫无人格尊严,而且还要抛妻卖子、世代为奴;那些以种地为生的农民因常年从事繁重的体力劳动而"支体屈伸"、"形容似人",连草木禽兽都不如,以至于连以赌博为生的流氓混混都嗤之以鼻。③ 与此同时,神话思想平民化趋势加快,并逐渐参与建构了下层

①　顾森:《秦汉绘画史》,人民美术出版社 2000 年版,第 209 页。
②　朱存明:《汉画像之美》,商务印书馆 2011 年版,第 21—22 页。
③　参见(汉)崔骃:《博徒论》,《全后汉文》,商务印书馆 1999 年版,第 445 页。

百姓对生活世界的想象,人们相信一无所有的普通百姓也可通过特定的方式或难得的机遇而成仙。显然,这种升仙模式的目的是明确的,就是追求自己在现实生活中没有得到的美色、金钱、地位、名誉、特权等内容,因而带有既超越现实又复归现实的双重成分。其二,对处于社会统治阶层的士人或官僚来说,升仙不是他们的目的所在,因为在现实生活中他们是成功的,他们拥有一切具有肯定性价值的东西,因而他们对神仙的追求是为了延续他们所曾经拥有的完美的世俗生活;对他们来说,世俗生活本身就是仙境。当然,这两种升仙模式或目的不可截然分开,两者之间的界限也并不十分明显,但他们对日常生活中名望、富贵、权力、娱乐等感性活动的追求心理却是一致的。

汉画像对天、地、人、神四界时空的表现存在一个逐渐演进的过程,世俗生活内容在汉画像中所占据的地位逐渐凸显,并在东汉时期成为主要而核心的内容和主题;东汉中后期汉画像对黄泉世界内容的有意回避,更加凸显了世俗生活在人生存在中的重要性。这反映了汉代人对世俗生活乐趣的逐渐发现并积极肯定的过程。在西汉时期,汉画像对天、地、神三界所描绘的内容占据主体地位,三者秩序谨严地分处于特定的结构中。从马王堆出土的非衣帛画可以看出,在西汉前期,"汉代人的死亡观念中最关心的是那梦想中天界的景况,人世间次之,地下阴界再次之;这也跟西汉墓室壁画以天象神仙题材为主导的情况吻合";"到了东汉时期,当现世生活的种种大小细节成为了汉代人最关心的课题时,墓室壁画在题材内容上有相应的表现,这时期就更难在墓室内找到关于地下世界的绘像"。①

在笔者看来,这种情况的出现与以下原因有关:一方面,随着东汉中晚期地主庄园经济的发展,独立自足的生产生活方式让自我在一个特定的物质时空环境中自在地享受着生活乐趣,其他问题变得不那么重要了。仲长统《昌言》所记载的这一时期的"豪人生活"与汉画像所描绘的生活景观惊人地相似:"豪人之室,连栋数百。膏田满野,奴隶千群,徒附万计。船车贾贩,周于四方,废居积贮,满于都城。琦赂宝货,巨室不能容;

---

① 黄佩贤:《汉代墓室壁画研究》,文物出版社 2008 年版,第 255 页。

马牛羊豕,山谷不能受",而且"妖童美妾,填乎绮室;倡讴伎乐,列乎深堂。"①这种贴近自然、在封闭的高墙深堂中乐享人间一切欢乐的生活方式,比幻想世界中的仙境更贴近仙境的本质。作为汉画像制作活动的重要组织者,豪族士人自然不希望这种生活在死后终结,而力图使之永恒存在。另一方面,东汉中晚期佛教轮回思想对地狱世界的恐怖化塑造改变了汉代人对黄泉世界的想象和建构,"其原因十分简单:作为死者灵魂的居所,墓葬旨在提供舒适和安全。在葬礼上召唤神祇的目的只是为了保护死者,而不是审判和惩罚他们。基予同样的道理,墓葬内的装饰必须否定可能的危险和危害,从而把墓葬造就成一个幻想中的理想世界"②。显然,神仙世界和黄泉世界所可能具有的永恒性乐趣与主体日常生活中的乐趣相比并不是那么切己和现实;汉代人清醒地知道,这两种世界只不过是虚幻的反映,其永恒性和真实性存在与否尚不可通过切己的体验而得到证实,人生所能切实拥有的乐趣仍在世俗生活本身。在此基础上,世俗生活对于主体生存的审美价值获得了前所未有的肯定和高扬。

这种思想观念和艺术实践与汉代人在长期历史过程中对神仙世界和黄泉世界的想象与建构的情况并不矛盾,前者反而正是后者的物质化呈现。在他们的思想观念中,黄泉世界和神仙世界与现实中的日常生活世界有着相同的社会结构,死者在这两界中的生活需求与现实生活一般无二。正是这些内容促使着汉代人通过各种途径将大量日常生活中的物品、活动乃至观念一同在墓葬中呈现出来,力图使之获得永恒。总之,无论是黄泉世界还是神仙世界,在汉代人的心目中,其精神价值都是指向现实生活世界的,失去了世俗生活乐趣的黄泉世界和神仙世界也将失去存在价值。

第七节　主体意识:日常生活与历史

日常生活是主体的日常生活。汉画像对日常生活的永恒化塑造背后

① （南朝宋）范晔:《后汉书》,李贤注本,中华书局 2005 年版,第 1112 页。
② 巫鸿:《黄泉下的美术——宏观中国古代墓葬》,施杰译,生活·读书·新知三联书店 2010 年版,第 35 页。

所蕴含的是汉代人对自我人生价值的追求和肯定,在此过程中,自我作为主体的价值进一步凸显了。主体意识的凸显和形成,对有汉一代审美意识及其在后代的延续具有重要影响,以至于有些学者将中国文学和艺术的自觉时代上溯到两汉时期(如龚克昌教授等)。这种概括是从汉赋中的主体意识出发的,有其合理性。汉代人的主体意识不仅在汉赋中体现出来,汉画像作为汉代艺术的重要代表,在其艺术表现方面具有更为鲜明的主体意识倾向,其表征就是通过艺术手段对自我生活状态和生活方式的物质化塑造。汉代人的主体意识虽然还带有浓厚的实用理性和伦理规范的意味,但我们不能否认它对各种艺术创作的重要影响。

有汉一代,人们为了使自我的日常世俗生活永恒化,陵墓或祠堂的设计者充分利用各种图像资料,将自我的生命存在过程接入到神话和历史的秩序中,以表现自我人生的存在价值。这种认识无疑具有集体性质,其根本目的即在于通过图像叙事来获得自我的存在意义,并使自我融入神话与历史的传统以获得永恒性。正是在这种思想和情感的鼓动下,墓主的主体地位在这个纷繁复杂而颇具生活意味的图像世界中获得了核心地位。当然,这种地位的获得经历了不断演进和发展的历程。武梁祠,这个极具代表性的东汉祠堂,是我们考察汉画像中墓主位置变迁的好材料。

武梁祠堂壁上所绘的图像大致遵循着这样一个顺序:伏羲女娲→神农颛顼→五帝→禹和夏桀(他们是美德或恶行的象征)→历代帝王→历史人物(主要是忠臣孝子、烈士贞女等)→武梁本人。这个秩序井然的图像设计程序是饱含深意的。巫鸿说:"一个接一个的历史故事把观者引向最后一幅画面,即对武梁本人的描绘。这幅画面标志了整部图像历史的结束。"①显然,这些图像的排序是武梁本人精心设计的结果,其目的是让居于其中的人(即武梁本人)在神话—历史时空中获得合适、合法的存在位置。这与两汉时的整体性思维方式有关。在这种观念的影响下,人

———————————

① 巫鸿:《武梁祠——中国古代画像艺术的思想性》,柳杨等译,生活·读书·新知三联书店 2006 年版,第 239 页。

们认为神话—历史时空和现实时空可以转化合一，日常生活由此成为与神话和历史具有同样基始性质的存在并获得其永恒性。而且，个体也只有将自我纳入到这种时空结构才能实现自我生命的永恒性存在。武梁本人将自己的图像附会在一系列神话人物和历史人物之后并不是宣布历史的终结，而是在宣告历史的完整。在他看来，无论是神话抑或历史，只有到了自己的存在才能显示其完整性。于是，自我融入神话和历史的完整结构中，同时也使神话和历史获得了完整性。对于墓主和历史来说，这种方式才是完满和谐而自足的。

武梁的这一图像设计活动不是偶然的、个别的，同类设计在东汉墓葬中屡见不鲜，这正反映出汉代人对自我生命永恒性存在的思考和行动。在汉代两部著名的史书——司马迁的《史记》和班固的《汉书》——的结尾，我们均可以看到这两位作者的传记：司马迁在第 130 卷写下了《太史公自序》，班固将第 100 卷分为上下两编写下了《叙传》。同时，这两部经典史书在写作方式上都采用了"纪传体"这一体例，这无疑向当时或后世的读者说明：人既是历史的主体，又是历史的创造者；作者正是在对神话—历史人物进行回顾和反思的过程中，一方面向古人的伟大功绩或罪责进行致敬或谴责，另一方面是在此过程中使古人业已逝去的生命存在获得新生。这一写作行为背后所隐藏的心理不言而喻：作为书写主体的"我"有一天也要进入历史。除史书外，即使是在比较私人化的哲学著作或抒情作品中，两汉人这种将自我纳入理性—情感结构中的行为也在在皆是。比如，王充，这位以前卫和先锋姿态出现在晚汉时期的思想家，在人生遭遇坎坷后也不得不在他的哲学著作中留下"自纪篇"作为整部书的结语，以此昭示自我精神和思想的永恒性。这些都是汉代人将自我的生命存在接续到历史传统中的精神实践活动，其目的就是要将自我人生与历史传统接续起来以实现其价值的永恒性。

实际上，汉代人一直都在试图为自己能在宇宙整体结构中获得一个合适的栖息位置而不懈努力，陵墓和祠堂是这种努力的重要成果之一。从其图像设计来看，"云气仙人"与"孝友贤仁"相结合的上下结构正是"把祠堂转化为一个微型宇宙。死者虽然离开了人间，但他的灵魂仍得以跻身于这个模拟的宇宙之中"①。为了使这个微型宇宙获得整体性或完整性，人们充分利用了各种资料和途径形成宇宙空间图景，以生成汉画像得以存在的独特情境。与这些图像资料结合为一个整体的，是那些与之相关的器皿、建筑和装置等。巫鸿认为，这些物品所组成的特殊空间，其根本指向是为了确定墓主的"主体位置"（subject position）："重构他的视觉、保留他的形象，展示他的社会等级和官阶、颂扬他的道德和精神成就。"②显然，在以汉画像为核心载体的墓葬世界中，这种全方面设计让墓主获得了主体性存在价值。这与汉代人不懈余力地将自我纳入历史和神话传统的努力是一致的。汉画像对墓主生活内容的细致描绘，说明其制作者并未将墓主看作是世俗社会结构之外的成员，死者作为主体仍处于这一结构之中。与之相关的祭祀、礼仪乃至占卜等活动都说明活着的人仍将死者看作是他们中的一员，因而他们有必要、有义务将自己生活中的重要事件向死者述说。在徐州洪楼、山东临沂白庄等地出土的画像石上，我们常能见到生者定期拜见死者的内容：生者似乎在向死者讲述家族或国家新近发生的事情，又似乎有难以决断的事务需死者指明方向并作出裁断，又或许是生者因怀念等情感需要而来此与死者聊聊家常。从生者毕恭毕敬的礼仪姿态和神情可以看出，死者作为"活生生"的主体成为现世社会组织结构的永恒性成员，并不断地参与到社会和家族事件的组织、建构和决策过程中。

另一方面，汉代人主体意识的确立是以在现实生活中获得的权力、富贵、名誉、地位等为基础的。这些看似外在于主体的抽象观念这时却具有无比切己的价值。与历代以隐居自称的人士对权力和富贵的蔑视不同，汉代人似乎并不以追求权力和富贵为耻辱，虽然此前以接舆等为代表的隐者曾嘲笑过孔子的行动，但这种观念仍然在汉代人的心理中占据极为重要的地位。他们很明确地认为权力、富贵、节义、功名等才是人生价值

---

① 巫鸿：《武梁祠——中国古代画像艺术的思想性》，柳杨等译，生活·读书·新知三联书店 2006 年版，第 240 页。

② 巫鸿：《黄泉下的美术——宏观中国古代墓葬》，施杰译，生活·读书·新知三联书店 2010 年版，第 66 页。

的终极化体现，并认为这些内容是值得永恒化的，他们所做的一切似乎都在为此而努力。这一点应溯源于汉王朝的缔造者刘邦。这位曾做过泗水亭长、农家出身的小人物，在取得天下后不由吟唱出"威加海内兮归故乡"的诗句。显然，对权力和富贵的成功获得是刘邦如此急切回归故乡的唯一动力，其目的是向亲友证明自己的人生价值已然实现。"安得猛士兮守四方"的疑问正反映出刘邦想将已获得的富贵和权力永恒维持下去的愿望，因而他希望有人能为自己固守江山。这两种心理都指向了一点：日常生活及其意义使人生获得了存在之价值，因而也具有永恒存在下去之必要。这种观念在后来逐渐成为汉画像创制活动的精神基础。东汉中晚期，这些图像周围的榜题内容逐渐从简短、零散走向丰富、系统的趋势说明了这一点。人们似乎觉得以图像方式隐喻这一观念反而不如用文字直接表达更为显豁。这些长久而浩大工程的完成没有近乎狂热宗教情感的支撑是难以想象的。所以在竣工之后，活动的组织者似乎有道不尽的言语要向世人诉说。那些带有总结性意义的榜题将墓主的生平、功绩，活动组织者的辛劳、花费，世人对这一活动的态度，以及修建墓葬的礼仪价值等内容都囊括在内。这些概括既是对主体曾经的生活及其人生价值的总结，同时也在向后人宣示实现人生价值的重要性。

汉画像所显示的墓主在整幅画像结构中的核心位置无疑指向了一点：人本身具有不可替代的核心价值，墓主及其所代表的意义由此在整幅画像中占据了核心支配地位。历史人物、神话意象所构成的整体性宇宙时空给墓主创设了一个整体性的生存结构空间，而墓主本人及其生活理想也让这种结构获得了存在的意义。可以想见，如果没有墓主的存在，星辰天象、神话与历史等也均将失去存在之价值。我们更应注意的是，无论是这些制作活动的完成者（如工匠），还是这项工程的组织者（如墓主或其亲友），他们在实施或组织这些工程时心中都有一个明确的声音不断地在召唤着：他们有朝一日也会成为墓中人。正是这种心理使图像制作活动所代表的世俗化和神圣化相结合的意义得以无限延展。这种生存观念的形成是以长达四百余年的两汉间的稳定而富足的社会生存环境为基础的，一旦这种社会环境不再存在，这些活动也就失去了存在基础。汉代画像石艺术在三国魏晋时期的突然消失说明了这一点。汉代人对世俗生活审美价值的独特认识,在魏晋时期即被变化的社会环境和各种思潮侵蚀而逐渐消散了。

第八节　比较视野:汉代日常生活的精神价值

汉画像主要与墓葬相关,这体现出汉代人对死亡的重视。在经学盛行的两汉时期,以孔子"未知生,焉知死"为代表的儒家生死观无疑仍起着重要的影响。可以说,汉代人对死亡问题的重视同时也就是对生命存在本身的重视,具体而言就是对主体在世问题的重视。人们常用"视死如生"来概括汉代人的死亡观。实际上,汉代人并未"视死如生",在某种程度上说,他们根本就没有将死纳入自己的思考范围;对于他们来说,死是生的延续,与生一般无二。这一点深深影响了华夏民族对自我生命存在方式的认识和实践。

学者一般将秦汉时期(尤其是两汉)盛行的神仙思想看作这一时期人们对死亡的恐惧、对生命的留恋,并与这一时期的哲学思想等互为表里。有学者说:"汉代哲学,不管是儒家还是道家,普遍关注人的长生和成仙问题。对人而言,如果死亡是最不易克服的生之大丑,那么,长生久视、成道成仙就是人最渴望实现的生之大美。由此看来,汉代哲学对人长生久视、成道成仙可能性的探索,就是关于如何化丑为美的探索。"①无疑,这种看法有其合理成分,"化丑为美"的概括也基本符合汉代哲学和艺术的精神指向。但通过对大量文献和图像资料的考察,我们发现,对于汉代人来说,成仙得道、长生久视并不是目的而只是手段,因为人们对长生久视之后世界的描述和建构仍以世俗生活为蓝本,回归日常生活才是其目的所在。因此,对世俗生活乐趣的追求并将之永恒化才是汉代思想和艺术的根柢所在。换言之,如果日常生活本身可以永恒存在,则汉代人根本不会费尽心思去进行如此规模宏大的精神建构活动了。

---

① 刘成纪:《形而下的不朽——汉代身体美学考论》,人民出版社 2007 年版,第 239 页。

　　有学者统计,现今发现可考的汉墓有上万座,但拥有壁画或画像石、砖等装饰的墓葬不过数百座,其中壁画墓约为 70 座,画像石墓 200 余座,而画像砖墓较多。① 这不能否定汉画像所传达的上述意义在两汉所具有的普遍性和代表性。出现这种情况的原因是明显的:大多数汉墓的主人不具备修建壁画墓或画像石墓的物质能力。多种资料表明,祠堂和陵墓的建造往往要经过很长时间,有些是墓主人生前即已开始,有些是经过死者的子孙、亲友、门生等人的共同努力而修建。这些都不是寻常人等所能做到的。相比于前者,有能力制作画像砖的人就很多了,因而这种类型的墓葬就显示出数量的优势,但更多的人连这样的能力也不具备。不过,我们可以想见,如果他们拥有足够的财力、物力和人力,他们也会按照前者的模式来建造自己的陵墓。

　　无可否认,汉代人是承认死亡的,因为大量的死亡事件如此真切地发生着。但他们同时认为,人死并非是永远消失,而只是换了一种形式在另外时空中如生前一般地生活,其生活内容和活着时一般无二。墓葬和祠堂是生死两界的连接处。显然,与之相关的一整套仪式、制度和文化制作无不在达成同一种观念:死亡既存在又不存在。这无疑含有否定死亡而追求永恒性生命存在的意味。生之乐趣何在? 就在日常生活本身。宴饮、出仕、天伦、孝道、节义、权力、富贵等,这些都是人存在于世界中的最根本的规定性。所以有学者这样认为,虽然汉画像"属于礼乐的内容占了相当大的比例,在这些礼乐为主的画面上,描绘记录了当时礼俗、服饰、武器、道具、乐器、舞蹈、百戏、建筑等,内容十分丰富。而且尽管是神圣的圣典、礼乐,但所感到的不是刻板和死气沉沉的束缚,而是人间生活的生气盎然和积极开朗,虽是借礼乐神化,却宣扬了人间生活的乐趣"②。通过这些图像内容可以看到,汉代人并没有为自己设置一个与此岸世界完全无关、毫不相似的彼岸世界以供超脱,人们希望死后仍然能按照原有的世俗的生存方式继续存在。这是对世俗生活价值的最高肯定,也已融入

---

　　① 　参见信立祥:《汉代画像石综合研究》,文物出版社 2000 年版,第 13 页。

　　② 　吴中杰:《中国古代审美文化论》第一卷,上海古籍出版社 2003 年版,第 140 页。

国人文化心理结构的建构过程中。虽然其他外来宗教(如佛教)进入中国后对之进行了改造,进而影响了国人对死后世界的理解和建构,但上述内容却是华夏民族区别于世界其他民族生命精神的独特之处。

汉代人对世俗生活和自我生命存在的这种态度(亦可称为"日常生活美学")是中国其他历史时期所不具有的。在中国历史上,有两个时代涌起了对世俗生活风尚追求的审美风潮,一是魏晋时期,一是晚明时期。日常生活本身的审美价值在这两个历史时期均得以凸显,但其思想意蕴与汉代相比却差之甚远。

先看魏晋时期。以"风流"(或曰"魏晋风度")和"自然"为核心精神的魏晋日常生活美学"以玄学为哲学基础","在价值观念上,它重意而轻言,重自然而轻名教,重情感而轻礼法,重个体而轻群体,重出世而轻入世"。① 究其本质,它追求的是主体所设置的精神世界,主体的精神追求处于核心位置,日常生活本身却不具有永恒存在之价值;毋宁说,它只是一种外壳,主体一旦获得精神的自由和安宁,无疑会弃之如敝屣。从汉末到魏晋这段被宗白华称为"中国政治上最混乱、社会上最苦痛的时代"②,与两汉数百年的稳定一统相差甚远,人们没有条件也没有心力去对日常生活本身之精神价值进行系统全面的建构而只能转向"幻境"。落实到日常生活和人生态度上,魏晋人的两种做法值得注意,即"把玩'现在'"和"寄兴趣于生活过程"。③ 这两点同时指向了对日常世俗生活的否定:一方面,"把玩'现在'""在刹那的现量生活里求极量的丰富和充实,不为着将来或过去而放弃现在的价值的体味和创造"的做法,彻底斩断了当下日常生活与过去和未来之间的承续关系,这与汉代人将过往的自我生活历程纳入神话—历史时空以实现其永恒的做法迥然有别;另一方面,"寄兴趣于生活过程"的做法否定了主体目的在日常生活中的存在位置,

① 李修建:《风尚——魏晋名士的生活美学》,人民出版社2010年版,第308页。

② 宗白华:《论〈世说新语〉和晋人的美》,《宗白华全集》第二卷,安徽教育出版社2008年版,第267页。

③ 宗白华:《论〈世说新语〉和晋人的美》,《宗白华全集》第二卷,安徽教育出版社2008年版,第279页。

以往生活的伦理乐趣和未来生活的价值实现都被魏晋士人悬置,功名、名誉、富贵、声望等这些被汉代人奉为人生之全部的价值追求在魏晋士人刹那而永恒的情感体验中失去意义。正由于魏晋士人将自我精神过多渗透到日常生活中以寻求精神之自由,从而降低了日常生活本身的审美价值,因而他们的日常生活虽可称为"哲学彻悟的生活和审美生活"(宗白华语),但这种"彻悟"和"审美"在发现自然和生活之美的同时也否定了后者。因为,如果自然和日常生活本身具有无尽的审美价值,又何须主体对之进行"审美化"的塑造呢?这种塑造不是对它的肯定,而是对它的否定。

再看晚明时期。与汉画像对汉代人世俗生活世界的建构类似,明代中后期的图像实践也渗透到明人日常生活中最为隐秘也最为本质的生活领域。只不过,这些图像不是对明代日常生活的全方面再现,而更为集中在对时人私生活领域的描摹,春宫图是这种图像实践的集中体现者。以傅山、陈洪绶等人为代表的高雅的图像艺术创作,对明人日常生活的影响是有限的。即使是像唐寅、仇英这类艺术修养颇高的艺术家也留下了大量这方面的画作。这些作品与同一时期盛行的小说、戏曲插图和版画一同建构、再生产着明代中后期人们的日常生活景观和方式。这些颇具世俗意味的图像资料是对相关故事情节的再现或凝缩,主体的日常生活内容被缩小乃至遗忘,这与汉画像对汉代日常生活世界的本体性建构迥然有别,所反映的思想观念也大相径庭。同样,这些图像实践所呈现的日常生活也不具备永恒性价值,并与主体的人生价值追求毫不相干。世俗生活成为放纵人欲的场所,道德、礼仪、节义等所具有的精神塑造价值被自我的感官享乐打碎,日常生活由此失去了本身所具有的秩序感,其价值被彻底消解了。这与汉代人对日常生活价值的永恒性追求是截然不同的。

综上,汉画像作为两汉墓葬艺术的代表,全面传达了汉代人对自我生命和生活的认识。在混合着宗教信仰和审美情感的心理观念的基础上,两汉四百年间,人们创制了大量的汉画像作品,这些作品对两汉时期人们的日常世俗生活进行了全面再现。它通过各种方式将主体的日常世俗生活及其意义纳入神话—历史结构中以获得永恒,以此肯定主体世俗生活的价值。其中所蕴藏的是汉代人对自我生活的热爱和极端迷恋,人生在世的情感、伦理和追求以及各种礼仪制度所赋予的人生价值,都在汉画像中得到了展现。汉画像既以这些内容为基础,又促进和加固着这些内容在人们心中的地位和力量,由此也使汉代的日常生活具有了不同于世界其他国家和民族的审美价值;在华夏民族的发展历程中,这种独特的审美意识内容也是其他历史时期所不具备的;虽然某些历史时期对这种观念有所改造、疏离,但其影响却未因而减弱,它早已融入华夏民族的心理情感中,成为人们处理自我与世界关系的重要观念和方式。

第五章

汉代舞蹈：眩目惊心、趋丽尚奇

中国舞蹈在秦汉时期迎来了繁荣发展时期,表现出独特的审美特点:以长袖折腰舞为代表的宴会乐舞注重舞者的容颜雕饰、衣饰的华美艳丽、舞姿的流动多变,以及由此所形成的靡丽绚烂的形象世界,反映出汉代人追求极致视觉享受的审美趣味;以鱼龙曼衍舞为代表的公众乐舞具有较为典型的包容性和多样性,它将当时盛行在南越、东夷、巴渝、西域、中原各地的各种乐舞融合在一起,将杂耍、幻术、舞蹈、音乐等娱乐形式同时演出,追求眩目惊心的审美体验,反映出汉代人趋丽尚奇的审美趣味。汉代舞蹈以创造五彩缤纷、多样复杂且相互转化的形象世界为根本,形成了独特的舞蹈意象创构理念和实践方法,并将其上升到"大象无形"的本体论地位。在此过程中,在先秦时期受到广泛批判的以"郑姬"、"赵女"为代表的民间俗乐在两汉社会生活中广为流行,获得了与雅乐平等共存的地位;雅乐与俗乐的互动发展,反映出汉代审美意识发展的新特点。

第一节 "翘袖折腰"与戚夫人的舞蹈人生

讨论汉代舞蹈,要从戚夫人开始,她也注定成为两汉盛世的一个符号人物,虽然她的悲惨结局让人不忍目睹。这位山东定陶的平民女子,因其绝世舞姿登上了汉代的历史舞台:在一次战乱中她与刘邦相会,刘邦在其优美舞姿和清雅歌声的触动下娶之为妻。刘邦,这位莽野出身的皇帝,往往在戚夫人的歌舞触发下体验到各种人生况味并因此大展歌喉。戚夫人后来生下赵王如意,屡次要刘邦立为太子。但太子在张良的帮助下,安然保全了自己的太子位。此事结束后,刘邦对戚夫人说,太子得到了道德高尚的"商山四皓"的帮助,羽翼丰满、根基稳固,已经换不得了。随后,刘邦带着悲伤的情绪央求戚夫人再为他跳一次让他动心的舞蹈,刘邦也在其侧以楚歌伴奏。歌舞结束后,两人相拥而泣。[1] 乐舞由此具有了非同寻常的意义:它成为个体人生遭遇与政治变动的连接点或典型表征。这个场景类似于当年虞姬和项羽凌晨诀别的场景,似乎也隐含了戚夫人后来的悲惨结局:她被吕后制作成"人彘"而死。戚夫人的悲惨遭遇,也在某种程度上掩盖了人们对她曼妙舞姿的注意。葛洪《西京杂记》"戚夫人歌舞"条云:

> 高帝、戚夫人善鼓瑟击筑。帝常拥夫人倚瑟而弦歌,毕,每泣下流涟。夫人善为翘袖折腰之舞,歌《出塞》、《入塞》、《望归》之曲,侍婢数百皆习之。后宫齐首高唱,声入云霄。[2]

戚夫人的"翘袖折腰"舞最为刘邦欣赏,但她的歌舞唤起的更多是感伤的情怀。这时,老弱病笃的刘邦在告知前者不能更易太子后让她"为我楚舞",此一行为说明刘邦已预感到此后再难看到她的舞姿。戚夫人一生的荣耀与惨祸都与其善舞有关,她与刘邦结缘起于舞蹈;她的死也与她的舞蹈有关:从上述记载看,戚夫人的歌舞被大量宫女学习并集体表演,"声入云霄"的宏大场面自然引起吕后的极端嫉恨;而且,在被吕后罚做春米劳役的时候,她还赋歌一首,希望自己的儿子能来拯救自己,这最终让她唯一的儿子也因此而被吕后以鸩酒毒死,她自己也随之身处极刑。吕后之所以斩去她的手脚、毒害她的喉咙、熏聋她的耳朵,很大一部分原因是为了让她在生前和死后既不能歌,也不能舞,甚至连欣赏歌舞的基本的生理能力也不再具备。

现在,我们已难以知晓戚夫人的"翘袖折腰"舞为何,但两汉时期留下的各种赋文、诗歌、雕塑和图像资料却真实保存了当时颇为流行的"长

---

[1]　(汉)司马迁《史记·留侯世家》:"戚夫人泣。上曰:'为我楚舞,吾为若楚歌。'歌曰:'鸿鹄高飞,一举千里。羽翮已就,横绝四海。横绝四海,当可奈何!虽有矰缴,尚安所施!'歌数阕,戚夫人嘘唏流涕。上起去,罢酒。竟不易太子者,留侯本招此四人之力也。"

[2]　(晋)葛洪:《西京杂记》,见《汉魏六朝笔记小说大观》,上海古籍出版社1999年版,第79页。

袖折腰"舞的情况。它们是我们研究汉代舞蹈审美特征的主要资料。图 5-1 是 1983 年广州象岗南越王赵眜(在位时间为前 137—122 年)墓出土 的玉舞人。[1] 这件雕塑记录的是一位发髻左偏的年轻女子舞蹈时的一个 瞬间;发髻左偏,是两汉时女子中流行的堕马髻(参见《后汉书·五行 志》)。她扭腰而跪,长长的舞袖一边从脑后垂下,一边从她丰满的臀部 垂下:流动的长袖与纤细的腰肢把女子身形的曲线灵动之美展露无遗。 这是西汉时普遍流行的长袖折腰舞的忠实记录。当然,我们不能断定这 样的舞蹈形象就是戚夫人所跳的"翘袖折腰"舞,但我们仍能从她身上想 象到当年戚夫人优美的舞姿对刘邦所造成的吸引力。

图 5-1　南越王墓玉舞人　　　　　图 5-2　永城汉墓玉舞人

　　图 5-2 是 1986 年在河南永城芒山镇僖山汉墓出土的一对玉舞人佩 饰。[2] 类似的造型在北京大葆台西汉墓中亦有发现。沈从文引用《周礼》 注"人舞""以手袖为威仪"推测说她们的长袖造型可能与礼制有关;同 时,由于"受使用材料限制,因而不免文静中见板滞,欠活泼"。[3] 在笔者 看来,两位女子流动的水袖和欣长的身姿呈现出流动飘逸之美,旁边自然 下垂而翘起的衣袖显示她们似要起身飞去,这不由让人想起汉成帝观看 赵飞燕舞姿时的场景:美丽恬静的舞女在清风的吹拂下长袖凌空,恰似仙

---

　　① 参见《中国陵墓雕塑全集》(西汉卷),陕西人民美术出版社 2009 年版,第 25 页, 图版 16。

　　② 参见《中国陵墓雕塑全集》(西汉卷),陕西人民美术出版社 2009 年版,第 32 页, 图版 35。

　　③ 沈从文:《中国古代服饰研究》,商务印书馆 2011 年版,第 197 页。

人凌空飞舞。这两块玉舞人高 4.66 厘米、宽 2.55 厘米,十分精致,并用阴刻线表明衣服之间的褶皱;上下有小圆孔,以方便佩戴。就其成色看,左为乳白色,右为翠绿色,清新动人,大小适当,可拿可佩,携带十分方便。这些特征似乎说明类似的物品是墓主人生前随身携带之物,也从一个侧面反映出他对这种舞蹈的喜爱程度。各地出土的造型、做工、材质几乎完全一样的玉舞人,说明长袖折腰舞在当时受到人们的普遍喜爱,它在各种宴会和庆典场所出现,人们也通过雕塑、玉器、赋文等形式将它的美丽形象记录下来。毫无疑问,"长袖折腰舞"可以成为汉代舞蹈的典型代表,也最能集中体现汉代舞蹈典型的审美特征。

第二节　侈丽宏大:舞者演出的形象设计

在丽美盛行的汉代,一切艺术都以尚丽为根本,舞蹈也不例外。汉代舞蹈非常讲究舞者衣饰和容貌的修饰:精致艳丽的服装设计和美丽容颜的女子结合在一起,才能呈现出最美的舞蹈,才能给人带来最美的视觉体验和享受,所以傅毅在对那场精美绝伦的舞蹈表演的描述的最后提到观者的感受时说:"观者称丽,莫不怡悦。"[1]以丽美唤醒观者的美感,是汉代舞蹈的根本目的和功能。汉代的舞蹈设计无不与此有关:美丽的服装、美丽的容颜、美丽的舞姿。由于一切都在追求丽美,汉代舞蹈最终走上了以侈丽为根本审美特征的路途。

从两汉赋作的描述中可以发现,作者在描述乐舞的展开前,都对舞者的装扮和靓丽形象进行了细致的描绘,其细致程度让读者觉得它似乎成为舞蹈演出能否成功的关键因素。在傅毅《舞赋》中,楚襄王听完宋玉的解释后同意上演乐舞:"于是郑女出进,二八徐侍。姣服极丽,姁媮致态。貌嫽妙以妖蛊兮,红颜晔其扬华。眉连娟以增绕兮,目流睇而横波。珠翠的砾而照耀兮,华袿飞髾而杂纤罗。顾形影,自整装;顺微风,挥若芳。动

---

① (汉)傅毅:《舞赋》,见龚克昌:《两汉赋评注》,山东大学出版社 2011 年版,第 416 页。

朱唇,纡清阳;亢音高歌,为乐之方。"①可以看出,华丽的衣饰、美丽的女子、愉悦婉转的神情,是华丽乐舞的基本构成要素。这反映出一种普遍的观念:在舞蹈演出中,舞者的衣饰应该达到华美的程度,这样,年轻貌美的女子姿容才能与衣饰之美相得益彰,在表演时才能真正将舞蹈的美呈现给观者。图5-3是战国时期的玉舞人雕塑。② 可以看出,衣饰之美对舞蹈的重要性在战国时即已为人关注,并通过玉雕的方式将之凝固下来。

图5-3　战国玉舞人

可见,衣饰容貌对舞蹈丽美的生成具有决定性作用。这一点在当时人们的心目中达到了共识。在司马相如的《子虚》、《上林》二赋中,这种观念有更为细致的呈现;而且,司马相如还将乐舞的优美绚丽上升到宏大巨丽,以彰显汉代的帝国统治者和人民非同寻常的精神气象和审美追求,司马相如用"丽靡烂漫于前,靡曼美色于后"对此加以形容和概括,体现

---

① （汉）傅毅:《舞赋》,见龚克昌:《两汉赋评注》,山东大学出版社2011年版,第415页。

② 参见刘恩伯:《中国舞蹈通史·古代文物图录卷》,上海音乐出版社2010年版,第25、27页。

出汉代乐舞对侈丽之美的极致追求。① 可以看到,除了傅毅提到的华美装饰外,这些舞女在飞舞艳丽的彩衣的映衬之下获得了神人的身份:她们缥缈恍惚、难以预测的姿容与神仙境界中的仙子毫无二致。② 受巨丽之美的影响,即使是对纯粹女子美色的欣赏,司马相如的描写也达到极致:"若夫青琴、宓妃之徒,绝殊离俗,妖冶娴都,靓妆刻饰,便嬛绰约,柔桡嫚嫚,妩媚孅弱。曳独茧之褕绁,眇阎易以恤削,便姗嫳屑,与俗殊服,芬芳沤郁,酷烈淑郁;皓齿粲烂,宜笑的皪;长眉连娟,微睇绵藐,色授魂与,心愉于侧。"③这种将神女之美与人间女子之美相互转化而达到"色授魂与,心愉于侧"的审美愉悦是美色欣赏的极致。这在司马相如的《美人赋》中也有同样细致的描绘。

同时,司马相如笔下的乐舞表演带有鲜明的集体表演的特点:在他看来,乐舞之美不仅要有眩目的美色和多变的舞姿,而且还要有惊天动地的宏伟气魄,这样才能达到"巨丽"之境界。所以他说上述舞蹈只不过是"齐楚之事,又乌足道乎"! 在"君未睹夫巨丽也,独不闻天子之上林夫"的反问中,司马相如转向对这种巨丽乐舞的描写:

> 于是乎游戏懈怠,置酒乎颢天之台,张乐乎镠辐之宇。撞千石之钟,立万石之虡,建翠华之旗,树灵鼍之鼓,奏陶唐氏之舞,听葛天氏之歌,千人唱,万人和,山陵为之震动,川谷为之荡波。巴渝宋蔡,淮南干遮,文成颠歌,族居递奏,金鼓迭起,铿鎗闛鞈,洞心骇耳。荆吴郑卫之声,韶濩武象之乐,阴淫案衍之音,鄢郢缤纷,激楚结风。俳优侏儒,狄鞮之倡,所以娱耳目乐心意者,丽靡烂漫于前,靡曼美色于后。④

---

① 参见(汉)司马相如:《天子游猎赋》,见龚克昌:《两汉赋评注》,山东大学出版社2011年版,第92页。

② (汉)司马相如:《天子游猎赋》:"于是郑女曼姬,被阿緆,揄纻缟,杂纤罗,垂雾縠。襞积褰绉,郁桡溪谷。衯衯裶裶,扬袘戌削,蜚纤垂髾。扶与猗靡,噏呷萃蔡。下摩兰蕙,上拂羽盖。错翡翠之威蕤,缪绕玉绥。眇眇忽忽,若神仙之仿佛。"见龚克昌:《两汉赋评注》,山东大学出版社2011年版,第89页。

③ (汉)司马相如:《天子游猎赋》,见龚克昌:《两汉赋评注》,山东大学出版社2011年版,第92页。

④ (汉)司马相如:《天子游猎赋》,见龚克昌:《两汉赋评注》,山东大学出版社2011年版,第92页。

在游戏懈怠之后，天子的皇家乐舞开始上演，将上林苑中的娱乐推向了高峰。司马相如所呈现的乐舞演出具有以下特点：首先，舞蹈演出有诸多装扮、衬托之物，如钟、虡、鼓等乐器的伴奏等；其次，舞蹈演出规模庞大，人数众多；再次，这些乐舞均与祭祀乐舞有关，充满神话色彩；最后，这里的舞蹈演出是全国各地地方舞蹈的汇演，因而演出人员、形式和节目也是多种多样的。这些特点交织在一起，形成了上林苑乐舞的巨丽之美："洞心骇耳"、"娱耳目乐心意"的审美追求最终得以实现。赋夸饰与雕琢的文体特征让人们认为司马相如对这种宏大的乐舞表演场面的描写不可避免带有夸饰的成分，但此处描写的写实成分却毋庸置疑：这种对宏大演出场面的追求并不始于武帝，虽然那些模仿戚夫人歌舞的宫女们的演出即已达到"声入云霄"的程度。在更早的记述中，秦始皇宫殿前多达万人的乐舞表演更以华美和宏大气势而载入史册。据《史记·秦始皇本纪》记载，始皇统一六国后，大建宫室，"殿屋复道周阁相属，所得诸侯美人钟鼓，以充入之"①。唐张守节《史记正义》引《三辅旧事》："始皇表河以为秦东门，表汧以为秦西门，表中外殿观百四十五，后宫列女万余人，气上冲于天。"②秦始皇将天下钟鼓乐舞汇集、融合之举，无疑影响了汉代皇家舞蹈的表演形式和审美追求。

如果将视野再往上追溯，可以发现，在大约一万年前的史前时期，人们即已开始通过宏大的舞蹈演出来表达他们力求与神灵沟通的愿望。图5-4是著名的广西宁明县明江花山岩画中的集体舞蹈场面。③ 明江两岸的人将这些舞蹈形象奉为祖先神灵，定时祭拜。④ 从画面可以看出，这次舞蹈场面甚为宏大，舞者的身体语言几乎是一致的：张开四肢，作祈祷状。在呈现方式上，有些人是侧身呈现，有些人则是正面呈现，正可以相互补充。居于中间的领舞者站在一只类似于狗或狼的动物身上，他的头上还

---

① （汉）司马迁：《史记》，中华书局 2013 年版，第 304 页。
② （汉）司马迁：《史记》，中华书局 2013 年版，第 306 页。
③ 参见《中国美术全集·绘画编·原始社会至南北朝卷》，人民美术出版社 2006 年版，第 31 页。
④ （宋）李石《续博物志》卷八："二广深溪石壁上有鬼影，如淡墨画。船人行，以为其祖考，祭之不敢慢。"类似内容在明张穆《异闻录》、清末《宁明县志》等文献中均有记载。详见陈兆复：《中国岩画发现史》，上海人民出版社 2009 年版，第 36 页。

顶着一只异兽，不辨何物；他的腰间挂着一柄大刀，显得十分威武。在他的左上方，有一人形体方位和姿态均与其类似——他们应是这场演出的主导者。只不过，舞者的衣饰特点不能通过这幅图像观察到。这是早期舞者的普遍特点：衣饰装扮尚未成为舞者的重要构成要素，舞者的仪式化动作和明确的目的诉求是整个舞蹈的主要组成部分，其目的性（或祈求狩猎成功，或祈求生育等）呈现鲜明。这与后世作为娱乐形式的歌舞有较大差别。类似的舞蹈场面在云南、内蒙古、青海等地均有发现，在史前至战国时期的彩陶、漆器纹饰中亦可时常见到。

图 5-4　广西花山舞蹈岩画

可以看出，这些画像中的舞者衣饰和舞蹈造型逐渐增多且有变化，体现出鲜明的发展和演进的痕迹。经过上万年的演进，到汉代时，舞者的衣饰之美和舞蹈造型达到了完美结合，舞蹈艺术获得了繁荣和发展。舞者的服饰、容颜之美，对于舞蹈演奏效果十分重要。这一点，舞者本人也有着清醒的认识。李夫人，这位"妙丽善舞"的女子，曾经出现在她的善舞的哥哥李延年"北方有佳人"的歌词中，并引起了汉武帝的注意。后来，在阳平公主的安排下，她果然成为孝武皇帝的妃子。后来李夫人病笃，武帝多次探视均遭其拒绝。哪怕这已引起武帝的"不悦"，但她仍坚持自己的原则。在姐妹的询问下，她道出了实情：自己当年"以容貌之好，得从微贱爱幸于上。夫以色事人者，色衰而爱弛，爱弛则恩绝。上所以挛挛顾念我者，乃以平生容貌也"①。从这则事例可以看到，李夫人对自己之所

_____

① （汉）班固：《汉书》，颜师古注本，中华书局 2005 年版，第 2909 页。

以得宠有着清醒的认识，以至于她宁愿冒犯天威也不愿让皇帝看到自己因病而变丑的容颜。这也说明，一个美丽形象的呈现，不仅需要优美、灵动、多变的舞姿，同时还需要舞姿的呈现者具备与之匹配的容貌；只有两者同时兼备，那种至上而不可方物的"丽美"才能形成。人们很难想象，一个容貌奇丑的女子跳出变化莫测的优美舞姿，是多么令人不可思议的事情；哪怕这种事情可以真实存在，但这不仅不能唤起人们心中的美感，反而会觉得这本身就是一件怪诞不堪的事情，无论如何也不能被人接受。

　　在此前的观念中，追求丽美被认为是无道之事，礼制、德性和武功的呈现才是乐舞的根本职责。在《吕氏春秋》的论述中，这种以侈丽为特征的乐舞被认为是夏桀、殷纣以及齐、楚昏庸王侯的专属，并成为无道统治、家国衰败的象征。这种观念虽亦在贾谊、刘向、班固等人的著作中频繁出现，但未能影响汉代人的对舞蹈丽美的追求。《吕氏春秋·仲夏纪·侈乐》言："夏桀、殷纣作为侈乐，大鼓钟磬管箫之音，以巨为美，以众为观，俶诡殊瑰，耳所未尝闻，目所未尝见。务以相过，不用度量。宋之衰也，作为千钟；齐之衰也，作为大吕；楚之衰也，作为巫音。"①这里被作者批判的齐、楚、宋、卫等国的音乐以其奇诡巨丽、规模庞大而成为衰败亡国的象征。吕不韦认为其原因在于这些乐舞违背了中和有度的原则，而成为"肆心"之物。与此不同，先秦时人们对乐舞和谐静穆之美的追求，在汉代发生了翻天覆地的变化：被视为"侈乐"的楚声是刘邦的最爱；被视为淫声的郑卫之音，也达到空前盛行的地步，以至于汉哀帝（前 25 —前 1 年）——这位在位仅 7 年的年轻皇帝，也不得不对此加以节制，并消减乐舞机构及其从业人员，而仅留下祭祀雅乐。但是，"百姓渐渍日久，又不制雅乐有以相变，豪富吏民湛沔自若，陵夷坏于王莽"②。班固将"陵夷坏于王莽"归因于乐舞享受的评价又重新回到先秦时期较为保守的观念。在《汉书·礼乐志》的结尾，他又将乐舞演奏与三代之礼乐传统相接续，

---

　　① 　许维遹：《吕氏春秋集释》，中华书局 2009 年版，第 112 页。
　　② 　（汉）班固：《汉书》，颜师古注本，中华书局 2005 年版，第 914 页。

但当时民众"庶且富",对娱乐生活有强烈的需求,因而他将乐舞重新拉回古典传统的期望仅停留在文本上,而不能扭转时代的需要;此后兴起的东汉豪族不仅未受这种观念的影响,反而有过之而无不及:侈丽宏大、艳冶逼人的舞蹈享受仍是人们娱乐生活的重要内容,"长袖折腰"舞由此成为这种审美追求的典型体现者。

第三节　长袖折腰:美色与灵动兼具的舞蹈之美

如同上文所提到的,长袖折腰舞在高祖刘邦的喜爱和提倡下,逐渐成为当时乐舞表演的主流形象。沈从文在《中国古代服饰研究》中对两汉时期不同载体的长袖折腰舞有过简要分类,并指出它们在审美风格方面的不同。除上文提到的玉舞人的长袖折腰舞姿外,沈从文还提到砖印石刻、文人诗赋和绢帛彩绘中的这类舞蹈姿容。他认为玉舞人的舞姿"舞容多呈静止状","反映于砖印石刻宴会乐舞中图像,(这类舞蹈)才潇洒自由,给人以随风转折双袖飘举感。至于两汉文人诗赋中的舞姿形容,则惟在彩绘中才能给人以一种翔鸾舞凤、飞燕惊鸿的炫目动人印象"。[①] 沈从文将汉代长袖折腰舞,按照载体的不同分为四类:器物中的长袖舞、砖石中的长袖舞、诗赋中的长袖舞和彩绘中的长袖舞。这四种类型的长袖舞呈现出三种审美风格:器物中的长袖舞文静但略显板滞;砖石印刻中的长袖舞有灵动飘举之形态;诗赋和彩绘中的长袖舞则灵动多变,给人"炫目动人"之感。可以肯定,无论哪种形态,它们都是两汉长袖折腰舞的忠实呈现。

沈从文提到的彩绘中的舞蹈形象,主要是指漆画和帛画中的舞蹈形象。在这些图像呈现中,由于多用线条勾画,较少受到材质表现的限制,并有流动变化的云气加以衬托,因而其形象更显灵动鲜活。图5-5是1976年广西贵县罗泊湾1号墓出土的铜制漆绘图像。在图像的左边,一位男子正在跪拜祈祷,中间一位男子正在举手奔跑,他宽松的衣服也随之

---

① 沈从文:《中国古代服饰研究》,商务印书馆2011年版,第197页。

舞动。① 图像运笔,极疏放自然、不拘一格,线条粗细不一、变化多样,各方面均较为成熟。图 5-6 是 1985 年 2 月在扬州市邗江县甘泉乡姚庄西汉晚期 1 号墓出土的木胎漆绘中的《鸟兽云气图》。② 画面以云绘图案为主,纹饰飞动流畅,在其间奔跑的神兽也显得飞动灵活而富有生命力。只不过,在这些图像中,舞者的姿态虽甚为灵动,但尚未形成具有统一性的审美特点,不如画像石、画像砖和雕塑、玉器所呈现的舞姿更为具体、形象。当然,这可能与这类资料很难保存有关。如果更多这类资料发现,或许亦具有类似的特点。

图 5-5 罗泊湾 1 号墓铜制漆绘　　　　图 5-6 姚庄汉墓木胎漆绘

可以看出,沈从文对上述三种类型汉代长袖舞审美特征的概括是依其灵动程度进行划分的,并认为这种舞蹈应通过灵动多变的意象呈现而给人"炫目动人"之感。"炫目动人"即"丽美",这正是汉代舞蹈根本的审美特征。刘安编纂的《淮南子·诠言训》表达了类似的看法:"故不得已而歌者,不事为悲;不得已而舞者,不矜为丽。歌、舞而不事为悲、丽者,皆无有根心者。"③刘安将丽美定为舞蹈形象的本质属性,而且是舞者内心情感的直接、真实的流露。舞蹈丽美通过美色与舞蹈意象的流动和组合的方式呈现出来,这反映出汉代审美意识的独特追求。这种通过人体

① 参见《中国美术全集·绘画编·原始社会至南北朝卷》,人民美术出版社 2006 年版,第 89 页。

② 参见《中国美术全集·绘画编·原始社会至南北朝卷》,人民美术出版社 2006 年版,第 95 页。

③ (汉)刘安:《淮南子》,高诱注本,中华书局 2005 年版,第 245 页。

的形体之美与容貌之美通过舞蹈加以呈现的审美需求,在当时成为一种
普遍的潮流。这说明汉代人开始将自我的身体转化为审美对象:无论是
男子还是女子,都可以表现身体之美。在汉画像中,男子一般以力士、武
士、战士、勇士等各种形象出现,以彰显男性特有的力量之美;同时,随处
可见的女子舞蹈形象,尤其是长袖折腰舞将女子曼妙、多变的身体之美展
露无遗。这昭示新的审美观的兴起:身体打破了此前的伦理禁忌而成为
人们的观赏对象,视觉审美的需求首先通过对身体之美的观赏而实现。
这与先秦时期(如庄子"凿破混沌"的表述)或以道剥夺身体、或以礼禁锢
身体的观念截然不同。

　　在现存的汉代舞蹈图像资料中,几乎每一处都可以看到长袖舞的存
在,形成了"无袖不舞"的局面。除了艳丽女子外,一些男子在舞蹈过程
中有时也着长袖起舞。图5-7是1965年河南省南阳宛城英庄出土的一
块画像石。① 可以看到,一位男子在两边乐手的伴奏下正疾身舞蹈,以和
旁边且鼓且舞的人相呼应。从表现效果上看,长袖折腰舞须由女子表演
才能真正呈现其审美价值,因而女子长袖舞在这些资料中占据了绝对优
势;而且,几乎所有图像都无一例外地展现女子纤细曼妙的身姿和舞姿的
灵动优美。毕竟,相对于女子的灵动艳丽来说,男子的舞姿更适合表现速
度和力量。

图5-7　南阳乐舞画像石

---

　　① 参见《中国画像石全集》第6卷,河南美术出版社2000年版,第138—139页,图
版169。

从其构成要素看,长袖折腰舞是一种综合性的舞蹈,舞姿繁复变化,堪称汉代舞蹈的代表,"长袖"、"折腰"是其两个典型表征:一是衣饰的造型特点,一是身体的造型特点。在实际演出中,舞者的神态、表情和衣饰、肢体的变化要完美地结合在一起。范晔《后汉书·五行志》记载:"京都妇女作愁眉、啼妆、堕马髻、折腰步、龋齿笑。所谓愁眉者,细而曲折;啼妆者,薄拭目下,若啼处。堕马髻者,作一边;折腰步者,足不在体下。龋齿笑者,若齿痛,乐不欣欣。"①此处所记是东汉桓帝时大将军梁冀家舞女的装扮和舞姿情况,上演的正是当时全国盛行的长袖折腰舞。只不过,在范晔的观念下,这种奇特舞姿被认为是社稷将亡的表现。这是范晔的主观看法,并不符合实际情况。所谓"足不在体下"的"折腰步","是(舞者)在行走时,上身留在侧旁,款摆下身折腰而行,尽娇态媚姿之极致"②。能够呈现这种舞姿,对表演者的舞技有很高要求。当然,这种舞蹈的审美效果也不是其他舞蹈所可比肩的。图5-8是1978年河南唐河郁平大尹冯君孺人墓出土的一块新莽天凤五年(18年)的画像石③,真实呈现了折腰舞演出时的情况及其身法、步法。画像左边是一个长几,四个女子正在演奏乐器:第一个女子侧身踞坐,捧竽吹奏;第二、三两个女子一手拿着小鼓、一手拿着排箫;第四个女子正在吹着竖管。她们的合奏是为了给右边

图5-8 唐河乐舞画像石

① (南朝宋)范晔:《后汉书》,李贤注本,中华书局2005年版,第2225页。
② 彭松:《中国舞蹈通史·秦汉卷》,上海音乐出版社2010年版,第90页。
③ 参见《中国画像石全集》第6卷,河南美术出版社2000年版,第25页,图版35。

两个女子的舞蹈伴奏：这两个女子皆高髻细腰、折腰而舞，宛若一对春燕翔飞，正印证了《后汉书·五行志》"足不在体下"的描述。这只是舞蹈表演过程的一个瞬间。从图像可以看出，长袖折腰舞既可以一人独舞，也可以双人共舞，没有人员的限制；但是否可以多人同时共舞，笔者暂时尚未见到当时相关的图像资料。根据她们衣袖的平行形态，可以推断，两人须以这个姿态迅速奔走才能将此形象呈现出来，其难度可想而知。

在汉代舞蹈发展过程中，赵飞燕无论如何都可以称为一个标志性人物：她纤细灵巧的体态和舞姿不仅令汉成帝迷恋不已，而且她在太液池上临风而舞的身姿也不断激发后世文人的诗意想象——人们在对这种事件的可能性进行种种猜测时，也同时认同了这种优美舞姿的存在。可以说，赵飞燕宛若飞仙的舞姿将长袖折腰舞的美发展到了极致。（见图5-9）在崔骃的记述中，主人在客人宴游娱乐达到一定程度后，让"美人进以承宴"："振飞縠以长袖舞，

图5-9　赵飞燕掌上舞意想图

袅细腰以务抑扬。纷屑屑以暧暧，昭灼烁而复明。当此之时，孔子倾于阿谷，柳下忽而更婚，老聃遗其虚静，扬雄失其太玄。此天下之逸豫，宴乐之至盘也。"①可以看出，长袖折腰舞的魅力太过强大，以至于让道德家和哲学家都忘记了自己的原则而沉浸其间不能自拔。

表现舞姿的灵动飞扬不是长袖折腰舞的终极目的，通过灵动多样的舞姿营造一个色彩缤纷的形象世界，才是其根本追求。在舞者俯仰转折、来回不定的舞蹈过程中，美丽的容颜、艳丽的衣饰，将这一世界完整呈现。2004年在陕西西安理工大学发掘的西汉壁画墓的西壁南部发现了一幅乐舞观赏图。（见图5-10）②画面中间靠上的位置有一副三面合围的屏

---

① （汉）崔骃：《七依》，见龚克昌：《两汉赋评注》，山东大学出版社2011年版，第454页。

② 参见《中国墓室壁画全集·汉魏晋南北朝卷》，河北教育出版社2011年版，第24页。

风,屏风内的木榻上坐着八
位妇人,其中一位妇人穿着
红黄相间的衣服,与其他人
明显不同,似乎是这场歌舞
的主要欣赏者。在她们前方
的左右两边分别坐着四位女
子——这十六位贵族女子在
一同欣赏一位女子的舞蹈:
如此隆重的场面预示这场舞

图 5-10 西安理工大学出土西汉墓室乐舞壁画

蹈也定然是难得一见的表演。在画面中央,一位身姿纤细婀娜的女子头
梳圆形的发髻,面色雪白,上身穿灰色短衣,下身穿浅黄色短裙,腰束白色
宽带,双手执约是其身体两倍长的红色丝带,正在大厅中央翩翩起舞。这
个场景虽是当时表演的一个瞬间,但我们可以想见,场中女子在临空起舞
的过程中,她的红色长袖会营造怎样一个色彩绚丽的形象世界,这样一个
世界又会给人造成怎样的视觉冲击力。司马相如所谓的"丽靡烂漫于
前,靡曼美色于后"在此有了最好的说明。

　　可以发现,原始岩画中的舞蹈形象几乎没有衣饰特征,他们多是裸
身,舞者的装饰物多为刀、戟、仪仗等兵器或礼器;在战国漆画和器物图像
中,舞者的衣饰特征逐渐明晰,他们所持饰物一方面延续了此前的特征,
另一方面衣饰特征逐渐明显,长袖的形象开始出现,并成为重点表现对
象。在这个漫长的历史发展过程中,这些图像对当时舞蹈形象的呈现方
式进行了精确的记录。可以看出,在战国时期,遍布诸侯家的"郑姬"和
"赵女"们的绝妙舞姿已经在社会上广泛流行。在图像中,舞者仅以人形
的方式出现,长袖及其所形成的形象世界在整场演出中占有本体地位,从
而也成为汉代舞蹈的本质规定性之一:没有长袖舞姿的存在汉代舞蹈也
会失去其独特性。这也是汉代舞蹈之所以形成"无袖不舞"局面的重要
原因。通过对汉代以后舞蹈形象的比较可以发现,长袖在此后的舞蹈形
象中虽仍占有重要的位置,但其装饰功能更为明显,长袖的飞洒效果仅成

为衬托人物的因素,例如云冈石窟雕像(见图5-11)①和敦煌壁画(见图5-12)②。无论是绘画还是雕塑,它们所呈现的舞蹈形象都以人的本身形态为核心,衣饰只起到装饰的作用,它们在舞蹈形象中的本体地位丧失了:以色彩鲜艳的长袖呈现舞蹈形象世界的艺术至此成为绝响。

图5-11 云冈石窟雕像　　　　　图5-12 敦煌飞天壁画

第四节 "骇心气,动耳目":汉代舞蹈 趋丽尚奇的审美追求

长袖折腰舞是汉代众多舞蹈中最具有代表性的舞蹈之一。除此之外,汉代还盛行众多其他的舞蹈,它们一同构成了汉代舞蹈的意象世界。虽然表现形式有别,但追求多样、灵动、变化和眩目的感官体验的目的则是一致的。整体上看,包括长袖折腰舞在内的汉代舞蹈可用"眩目惊心"概括其总体特点,体现出时人趋丽尚奇、雅俗共赏的审美趣味。在司马相如的《天子游猎赋》中,这种乐舞享受被称作"洞心骇耳",他认为这才是乐舞之美的极致。③ 这种"骇心气,动耳目"的乐舞被《吕氏春秋》加以批

① 参见《中国美术全集·雕塑编10·云冈石窟雕刻》,文物出版社1988年版,第35页,图版33。
② 参见《中国美术全集·绘画编15·敦煌壁画下》,上海人民美术出版社1985年版,第104页,图版103。
③ 参见(汉)司马相如:《天子游猎赋》,见龚克昌:《两汉赋评注》,山东大学出版社2011年版,第92页。

判,认为它不是真正的乐舞,而且会扰乱社会秩序、鼓动人性中的不安分成分。① 虽然类似的观点在两汉之间反复出现,但这并未影响汉代人对舞蹈丽美的追求。除了上文提到的舞蹈对侈丽之美的呈现外,几乎所有汉代舞蹈都在力求达到这一境界,只不过由于舞蹈类型的不同而有所侧重。除了上文所述那种满足视觉欣赏需求的私人化的舞蹈表演外,在那些将杂技、幻术、乐舞融为一体的表演中,侈丽之美同时具备了奇丽的成分:“骇心气,动耳目”又获得了更为广阔、多样的表现形式。这里,我们通过对两汉时期流行广泛的“鱼龙漫衍”舞的分析来讨论这个问题。从文献和图像资料可以看到,鱼龙漫衍舞不仅在天子的园林中经常上演,而且在地方性演出中也经常出现。这种极具容纳性和多样性的舞蹈不仅可以呈现汉帝国的宏大气魄,同时也以其惊险动魄的表现满足人们尚奇的审美追求。

汉代疆域的扩大和统一、乐舞机构的成立,为奇丽乐舞的形成提供了条件。舞蹈最初出现在宗教祭祀和巫术活动中,起到与神灵交流的作用,具有神圣性。这种交流是精神性的,也是情感性的,因而与其他艺术相比,舞蹈更容易走向审美领域,成为纯粹的表演艺术。到汉代,除宗教舞蹈外,用以表现生活内容和纯粹娱乐的舞蹈开始大规模出现,这些不同类型的舞蹈交织在一起,构成了汉代舞蹈的独特局面,为汉代舞蹈意象的繁复多样提供了条件。每个时期的舞蹈都是多种多样的,两汉作为承前启后的时代,尤其如此。除了上文所述长袖折腰舞外,角抵戏、七盘舞、建鼓舞、五行舞、巴渝舞、傩舞等,在汉代都是极为著名且流行广泛的舞蹈。当时,国家还专门成立了管理舞乐的国家机构:在汉初时成立了太乐署;东汉时太乐署改为“太予乐署”,由太常卿领导,用以管理代表国家形象的各种乐舞。李延年还因他的妹妹李夫人的缘故担任了协律都尉,它也是管理音乐的各级机构。与太乐署相对,国家还专门成立“乐府”,用以收集、管理民间乐舞。这一官一民、一雅一俗两个机构极大促进了汉代乐舞的发展。同时,由于国家版图的迅速扩大,中外各民族交流、融合的进程

---

① 参见许维遹:《吕氏春秋集释》,中华书局 2009 年版,第 112 页。

加快,舞蹈也呈现出快速发展的趋势,各种不同风格的舞蹈开始融为一体,形成了复杂、多样的舞蹈演出景观。班固《东都赋》用"四夷间奏,德广所及,僸佅兜离,罔不具集"来描述这种盛况。① 在《白虎通卷三·礼乐》中,班固对当时东、南、西、北四方部族的乐舞表演情况及特点也进行了记述:"东夷之乐持矛舞,助时生也。南夷之乐持羽舞,助时养也。西夷之乐持戟舞,助时煞也。北夷之乐持干舞,助时藏也。……先生推行道德,调和阴阳,覆被夷狄。故夷狄安乐,来朝中国,于是作乐乐之。"②班固将夷狄来朝归因于先王礼制的教化,是其儒家正统观念的使然。这说明在当时,汉代舞蹈不仅在国家的推动下实现了雅乐舞与俗乐舞的共同繁荣,而且周围各少数民族的舞蹈也与中原舞蹈相交流、相融合,为汉代舞蹈的繁荣发展奠定了坚实的基础,也使汉代舞蹈的形象创造体现出综合、多样的特点。

　　图 5-13 是 1954 年在山东省沂南县北寨村出土的东汉晚期的画像石,被专家命名为《百戏图》③,它生动地呈现了包括各种形式在内的舞蹈表演盛况。在画面的最左面,一人正在同时表演掷丸、飞剑,其下一人在同时表演掷丸和七盘舞,他们的右边是顶橦悬杆:一个成年人将一根橦干顶在额上,在橦杆上有三个小孩在一个十字架上同时做着不同的表演动作,其惊险性不言而喻;在这个人右边是建鼓舞,一人正在起身击鼓;旁边是规模盛大的乐器表演:排箫、磬、铙、编钟等被人们同时使用,以显示这是一场不同寻常的乐舞节目表演。

　　图 5-14 是同一幅图的第二部分,表演的是当时盛行的鱼龙曼衍之戏④,其奇幻性和惊险性至今让人惊叹。"鱼龙漫衍"是一种模拟怪兽变化的舞蹈表演,同时带有魔术表演的成分,在西汉文、景时与四方边境传入的巴人舞、角抵戏等舞蹈一起兴起。汉代皇帝在上林苑上演此戏带有

---

① 参见(汉)班固:《东都赋》,见龚克昌:《两汉赋评注》,山东大学出版社 2011 年版,第 470 页。

② 陈立:《白虎通疏证》,中华书局 1994 年版,第 109—110 页。

③ 参见《中国画像石全集》第 1 卷,山东美术出版社 2000 年版,第 152—153 页,图版 203。

④ 参见《中国画像石全集》第 1 卷,山东美术出版社 2000 年版,第 152—153 页,图版 203。

图 5-13　沂南汉墓百戏画像石（局部）

图 5-14　沂南汉墓百戏画像石（局部）

夸饰富厚和威慑四夷的双重目的。班固《汉书·西域传赞》言："设酒池肉林以飨四夷之客,作巴渝都卢、海中砀极、漫衍鱼龙、角抵之戏以观视之。"[1]这种舞蹈过程所依据的实际上是西域地区流行的神话传说,以及神物之间可以相互转化的观念。颜师古注云："漫衍者,即张衡《西京赋》所云'巨兽百寻,是为漫延'者也。鱼龙者,为舍利之兽,先戏于庭极,毕乃入殿前激水,化成比目鱼,跳跃漱水,作雾障日,毕,化成黄龙八丈,出水敖戏于庭,炫耀日光。"[2]通过这段解释可以想见,如果在现场观看这类演出,其震惊程度可想而知。

各种迹象表明,图 5-14 所呈现的场景正是此戏:左边上方一人扮演成怪兽的模样,手执小旗作舞,似正作喷水状;在他的下方,三人挥运一个

---

① （汉）班固:《汉书》,颜师古注本,中华书局 2005 年版,第 2893 页。
② （汉）班固:《汉书》,颜师古注本,中华书局 2005 年版,第 2894 页。

大鱼作舞。在他们右边，一人执旌幡面对着一只大凤。这只神奇的凤鸟，显然也是人为装扮的——凤身下面的两只脚说明了这一点。有三个人坐在旁边的衽席上吹箫伴奏，以烘托这热闹、神奇而又变幻莫测的表演。可以看见，右边两人已停止吹箫，他们似乎被眼前变幻莫测的神奇景象惊呆了。从戏凤到怪兽的表演过程，与颜师古的解说有着惊人的一致。在"鱼龙漫衍"舞的右边，是极具人间情味的各种杂技表演：左边一人站在飞奔的马上，一手持剑，一手挥舞着长长的类似于舞鞭而具有表演功能的工具；右边一人双手持剑，同时紧握马鞍飞身而起并做出各种动作。在他们的下方，三匹骏马拉着一辆双轮车正在快速奔跑；在车上，有一根橦杆，在橦杆的顶端，一人飞身作倒立的动作，下有四人吹着排箫、击打建鼓伴奏；后面有三人正在击打着拖在车子后面的三面小鼓。这些高难度的动作表演，与左边奇幻的鱼龙漫衍舞正成对照：神奇眩目、动魄惊心是人们观赏这些舞蹈的目的所在。

班固《汉书·西域传》提到的"漫衍鱼龙"是在文景二帝犒赏四夷宾客的宴会上演出的，图5-14则是东汉晚期的作品，两者之间的一致性可以说明：一方面，这种舞蹈在两汉时期极为流行，以至于在偏远的沂南小城也可以看到；另一方面，这种来自西域的舞蹈进入中原后广泛流行，迅速被各层人士所接受，反映出时人审美需要的新变。这种舞蹈以奇幻、变化、眩目为主要特征，表演者扮演各种神话中的神灵异兽形象，各种形象之间不断互相变化，在给人带来新奇感的同时又具有神圣性和神秘性。在这类乐舞演出中还有专门司职幻术的人，人们称之为"眩人"，他们多来自于西域大宛诸国（参见《汉书·张骞传》）。这种将幻术、拟兽舞、杂技综合在一起的舞蹈形式在当时极为盛行。为了适应人们不断变化的口味的需要，舞蹈演出者还在原有基础上不断变化、增补新的内容①，这更

① （汉）班固《汉书·张骞传》："是时，上方巡狩海上，乃悉从外国客，大都多人则过之，散财帛赏赐，厚具饶给之，以览视汉富厚焉。大角氏，出奇戏诸怪物，多聚观者，行赏赐，酒池肉林，令外国客遍观各仓库府藏之积，欲以见汉广大，倾骇之。及加其眩者之工，而角氏奇戏岁增变，其益兴，自此始。"见班固：《汉书》，颜师古注本，中华书局2005年版，第2041—2042页。

促进了各种舞蹈形式的融合过程。同时,与"鱼龙漫衍"舞一起被班固提到的巴渝舞,是四川地区流行的一种战舞,由多人在旷野或广场上一起表演,气势刚健淋漓,由于当时巴人帮助刘邦平定三秦而被引入中原。在表演中,有人持剑,有人裸身,有人背部装饰着长长的羽毛,不一而足,它所彰显的是巴渝地区人们强健劲锐的精神风貌。在四川出土的汉画像石中,我们现在还可看到这种巴渝舞的表演场面。①

　　总之,通过以上舞蹈场景可以看出,各种高难度的杂技表演、规模宏大的音乐演奏、样式多样的宗教舞蹈都在演出过程中一一呈现。任何舞蹈都以形象呈现为根本,汉代舞蹈也不例外。只不过,在汉代舞蹈中,各种各样的内容均被以舞蹈的方式加以呈现,由此形成一个具有多样性和容纳性的意象世界。在这个世界里,宗教祭祀、娱乐赏析、政治人事等都被生动、鲜明、真实地加以呈现:舞蹈具有了超强的统摄整合能力,形成了一个以塑造形象、娱乐精神为核心的意象世界。

第五节　"雍容惆怅,不可为象":
汉代舞蹈的意象本体

　　作为一种即时性表演艺术,汉代的舞蹈表演我们已无法见到,而只能通过图像和文献资料加以想象和重新建构。就其本质,舞蹈是舞者通过肢体的不断变换而创造灵动不居的形象体系的艺术。它可以表现情感,也可以叙说事件,但前者是主要的。而且,因其以直观的肢体形象加以表

━━━━━━━━━━

　　① 这里呈现的乐舞场面在李尤的《平乐观赋》中也有细致的描绘。平乐观是高祖在长安上林苑所建,武帝时修缮,又称"平乐馆"。这篇赋文所描写的是汉明帝永平五年(62年)平乐观的各种奇珍异兽和万物尽有的场面。赋的后半部分写的是热闹异常的乐舞场面:"戏车高橦,驰骋百马,连翩九仞,离合上下。或以驰骋,覆车颠倒。乌获扛鼎,千钧若羽。吞刃吐火,燕跃鸟跱。陵高履索,踊跃旋舞。飞丸跳剑,沸渭回扰,巴渝隈一,逾肩相受。有仙驾雀,其形蚴虬。骑驴驰射,狐兔惊走。侏儒巨人,戏谑为耦,禽鹿六驳,白象朱首。鱼龙曼延,崀蜒山皁,龟螭蟾蜍,挈琴鼓缶。"(见《艺文类聚》卷六十三)类似的场景同样出现在张衡的《西京赋》中。从这些描写看,他们所观看的正是鱼龙漫衍之戏,与沂南画像呈现的场面有惊人的一致性,可以断定两者之间具有内在的关联,趋丽尚奇的审美追求在当时确具有普遍性。

达，因而其表达情感的功能比诗歌等语言艺术更为直接，也更容易表达和唤起人们的情感。《毛诗序》曾经对此进行过区分："诗者，志之所之也。在心为志，发言为诗，情动于中而形于言。言之不足，故嗟叹之。嗟叹之不足，故咏歌之。咏歌之不足，不知手之舞之足之蹈之也。"①可见，即使是毛苌之类的思想保守者，他们也认为，与诗歌相比，舞蹈的形象表现和情感表达更为形象、直接、有力，更富有感染力；类似的观点在《礼记》、《诗经》、《春秋》的正文和注疏中被反复提及，表明先贤对舞蹈在表达情感方面所具有的优先性和直接性有着清醒的认识。从舞蹈的构成要素和表演效果看，如果舞者能够将服饰之美、容貌之内、音乐之美、舞姿之美等融为一体，那么它所创造的意象世界定然超过诗歌：毕竟，在人类认识世界和体验世界的过程中，视觉感受力要来得更快。傅毅《舞赋》表达了同样的观念："歌以咏言，舞以尽意，是以论其诗不如听其声，听其声不如察其形。"②在这篇文章中，傅毅假托宋玉规劝楚襄王而表达了这一思想。宋玉以舞蹈形象更能"尽意"为由，让楚襄王同意上演乐舞并尽享舞蹈之乐。因此，以多样、丰富的意象世界唤醒观者的情感并使之融入这一世界，是舞蹈演出的最终追求。对于汉代舞蹈来说，它的魅力似乎也正体现在这一方面。从下文的论述可以看到，当时许多知识分子都表示，他们曾沉浸在舞蹈的意象世界里不能自拔并忘却世间所有。傅毅在《舞赋》中记录了一场精彩绝伦的舞蹈表演，舞者灵动多变的形象创造令他产生"雍容惆怅，不可为象"③的感慨。傅毅以直观感受的方式提出了汉代舞蹈的意象构成问题。

汉代的舞蹈意象达此境界经历了漫长的发展过程。先秦时期的舞蹈以"达帝功"为根本，不追求形象的繁复变化和多样灵活；在神话传说时代，黄帝等"功成作乐"，其他时候舞蹈不能上演；因而舞蹈虽然可以起到

---

① 陈立：《白虎通疏证》，中华书局1994年版，第96页。

② （汉）傅毅：《舞赋》，见龚克昌：《两汉赋评注》，山东大学出版社2011年版，第415页。

③ （汉）傅毅：《舞赋》，见龚克昌：《两汉赋评注》，山东大学出版社2011年版，第416页。

娱人的作用,但更主要的是"宣德"、"示礼"、"娱神",前者只是附属功能。而且,在同一时期的文献中,对于舞蹈的礼仪功能的论述也限制了舞蹈向纯粹审美功能方向的发展。孔子"是可忍,孰不可忍"的愤怒就是针对季氏私人的舞蹈演出而发的;孔子所谓的"尽善尽美",主要也是指舞蹈形象与其表达的礼制思想之间的统一性。《左传·襄公二十九年》记载的季札观乐,是指季札欣赏《大舞》、《大夏》等舞蹈,他"观止矣"的感慨是针对这些舞蹈形象所呈现的尧舜、夏禹等人的宏大盛德而发出的。这些舞蹈以典雅、华贵、雍容等为主要特征,不追求舞蹈形象的多样化,其形象呈现以表达礼制功德为核心,因而是德、礼、功的混合物,在形象上呈现出简易、自然、古拙等特征,尚不是纯粹的欣赏对象。这种情况在汉代得到改变,人们对乐舞的怡情作用有更深刻的认识和体验,并将之贯彻到自己的日常生活中:人们审美趣味和情感需要的变化,促进了汉代舞蹈意象的重大改观。汉代舞蹈意象的多样性与当时人们对舞蹈的纯粹审美态度有莫大关系,是对此前人们对舞蹈态度的极大扭转。

　　下面我们通过一幅东汉时期的舞蹈场景来讨论人们对舞蹈功能认识的巨大转变。两汉帝王对舞蹈的偏爱上文已有触及,他们也具有各种条件进行歌舞欣赏。这里我们把视角从帝王将相的"宏大叙事"转移到一个因病早夭的 5 岁的孩童身上。这更能说明乐舞与时人尤其是普通百姓生活之间的密切关系。图 5-15 是 1973 年在河南南阳东关李相公庄出土的一块画像石。① 这块石头原是一个死于东汉建宁三年(170 年)的名叫"许阿瞿"的小孩墓葬中的一块石头;后来,这块石头又被使用在更晚的墓葬(约 4 世纪)中。② 这幅图像分上下两层,呈现的是许阿瞿在冥世中的生活场景:他的父母担心他死后一个人寂寞无聊,特地制作这块乐舞石头来陪伴他。在图像上层的左边可以看到,一个小孩端坐在衽席之上,在他身后有一个仆人正在给他扇扇子,在他前面有两个与他年龄相仿的小孩正在玩耍。一个在玩着小孩爱玩的"架鸟",一个小孩牵着一只鸡或一

---

① 参见《中国画像石全集》第 6 卷,河南美术出版社 2000 年版,第 165 页,图版 202。
② 参见巫鸿:《礼仪中的美术——巫鸿中国古代美术史文编》,生活·读书·新知三联书店 2005 年版,第 225 页。

只斑鸠。显然，他们是陪伴许阿瞿玩耍的小伙伴。图像的第二层呈现的
是当时极为流行的七盘舞和杂耍诸戏：在图像的最左边一人正在端盘扣
节，他的前面一个成年男子在玩着飞剑和弹丸，中间是一个衣着殊丽、梳
着双髻的女子在跳着当时盛行的七盘舞，右边有两人在吹箫抚琴伴奏。
可以想见，许阿瞿悲痛的父母为他设想了他在冥世里的各种生活：上层图
像是为他儿童时期的生活所准备；下层图像则为他长大以后的生活所准
备，因为5岁的许阿瞿无论如何也不能欣赏这些繁复多变的舞蹈、声韵悠
扬的音乐和身材曼妙、舞姿动人的美女。在许阿瞿的父母看来，如果在冥
世中有人陪他玩耍并在他长大后有乐舞可以欣赏，则他的生活也就圆满
无缺了。这实际上正反映出当时人普遍存在的生活和审美观念：在日常
生活中，没有乐舞是不可想象的，参与游戏和欣赏乐舞让生活变得充实而
圆满；反过来说，对乐舞的欣赏也让人们的日常生活获得了生存意义：乐
舞由此转变为纯粹的审美对象。

图 5-15　南阳李相公庄乐舞画像石

在崔骃的《七依》中，这种艳丽侈靡的乐舞不仅可以消磨寂寥的日常
生活，而且更可以给人无尽的美的享受，甚至可以让人忘却所有，让业已
形成的价值体系在这种体验中崩溃：即使是孔子和柳下惠之类的道德楷

模也会忘记自己所坚守的伦理原则,老子和扬雄这类痴迷于玄思的哲学家也会遗忘自己所赞扬和追求的形上境界。这说明美丽多姿的乐舞以其无上魅力满足了当时人们多样化的审美需求。在先秦时期,人们对乐舞对主体情感的陶冶作用有着深刻的认识,他们如此反复地论证乐舞的礼乐功能实际上正是这种认识的曲折反映。《吕氏春秋·仲夏纪·古乐》:"昔陶唐氏之始,阴多滞伏而湛积,水道壅塞,不行其原,民气郁阏而滞著,筋骨瑟缩不达,故作为舞以宣导之。"①此论正道出舞蹈与情感宣泄之间的密切关系。孔子在齐国闻韶乐,三月不知肉味,曰:"不图为乐之至于斯!"这也暗示出孔子沉浸在韶乐的优美境界中而不能自拔。所以班固说:"夫乐本情性,浃肌肤而臧骨髓,虽经乎千载,其遗风余烈尚犹不绝。"②所指的仍是乐舞对观者情感的持久陶冶作用。在乐舞大发展的汉代,这种观念被刘邦加以践行并发扬光大,舞蹈也随之堂而皇之地进入人们的日常生活。在这种生活趋势和审美需求的推动下,如何呈现更多更好的美丽舞蹈形象,也成为人们思考和必须解决的问题。

实际上,意象体系的变化是人们审美趣味变化的表征;反过来,意象体系又同时加固和推动这种审美趣味向更广、更深的方向发展。从西汉开始,伴随着刘邦夫妇对乐舞的痴迷,在理论上,刘安、陆贾、董仲舒等一大批学者在他们的经典著作中不约而同地开始对舞蹈的功能进行重新界定。相对于此前的观念,这种转变是根本性的,也是颠覆性的。袁禾教授将这一时期人们对舞蹈功能的论述归纳为"三乐"和"三境":"达欢——乐人——初境"、"化风——乐治——中境"、"载道——乐天地——上境"。③ 可以看到,先秦时期,舞蹈功能被单一化的局面得到根本改善:舞蹈乐人达欢的功能成为其基础性功能,在这一功能的基础上,以乐舞陶冶民众情趣进而实现道德潜移默化的教育功能,舞蹈由此成为一种美育的方式。值得注意的是,这时舞蹈所"载"之"道"由盛德功业被置换为天地

---

① 许维遹:《吕氏春秋集释》,中华书局 2009 年版,第 119 页。
② (汉)班固:《汉书》,颜师古注本,中华书局 2005 年版,第 889 页。
③ 参见袁禾:《中国舞蹈美学》,人民出版社 2011 年版,第 46 页。

大道，极致的舞蹈被认为可达到"不可为象"的天地始源境界。因此，两汉对舞蹈丽美的追求是当时社会的一种普遍时尚，雅乐舞和俗乐舞同时在国家和民间盛行，而且大有后来者居上的趋势。这种审美需求极大促进了汉代舞蹈意象的多样化发展，以至于傅毅等人将这种意象创构上升到老子哲学的高度。

让我们再回到傅毅对那场让人难忘的"雍容惆怅，不可为象"的舞蹈的感慨之上。在傅毅看来，那些衣着鲜丽、秀美动人的舞姬，随着音乐的节点翩翩起舞，罗衣与长袖交错，"若翔若行，若竦若倾"，在俯仰来回之间呈现出千姿百态的形象：时而像巍峨的高山，时而像湍急的流水，时而像矫健多变的游龙，时而像灵动轻飘的云霓；她们时而迅速跳起，时而跪在你的面前，身上纤薄的轻罗像飞蛾一样缥缈无踪。正当你惊叹于她们多变的舞姿时，她们又"黎收而拜，曲度究毕。迁延微笑，退复次列"①。通过这段描述可以看出，傅毅所说的"雍容惆怅，不可为象"，指的是舞姬们通过美丽的容妆和多变的舞姿所创造出的世间万物尽有的形象世界，在美妙音乐的触发下和舞姬灵动的表演中，这些形象之间流连转换，打破了形象与形象之间单纯静止的对立关系而结成一个庞大的形象整体，以至于再不能以某一个单独的形象来描述、比拟之。这是"道"化为万象的运转状态，同时又是万象并作而复归于"道"的始源状态。观者一致认为这是"丽美"的最高境界。正是在这样的绝妙体验和感悟中，作者表示即使以此终老亦无所憾。在张衡的《东京赋》中我们可以看到，这种"万舞奕奕，钟鼓喤喤"的至美之境还具有通神的功能：祖先神灵在这些乐舞形象的吸引下来享用那些美酒和祭祀的物品并沉醉其中，进而将无上福祉降临人间（"灵祖皇考，来顾来飨。神具醉止，降福穰穰"②）。舞蹈意象在此具有娱乐神人的双重功能和本体价值。而且，神与人在此具有了同质性：在张衡的描述中，祖先神灵也在舞蹈世

---

① （汉）傅毅：《舞赋》，见龚克昌：《两汉赋评注》，山东大学出版社 2011 年版，第416 页。

② （汉）张衡：《东京赋》，见龚克昌：《两汉赋评注》，山东大学出版社 2011 年版，第643 页。

界中具有了凡人的身份,他们不仅被舞蹈的美丽所吸引,而且还会被美酒灌醉。

傅毅"不可为象"的表述和观念是舞蹈意象的本体论表达,这种观念要追溯到老子哲学:以"象"为标准对世界的形成与发展进行评判。老子在他的哲学中曾以"象"为基点,对天地万物的形成和演进过程进行过表述,这种过程是从无形无象的道渐次衍生为可见的万物形象。《老子》第42章曰:"道生一,一生二,二生三,三生万物。"在这个循环产生、相互构成的几个过程中,"道"以万物形象的方式不断流转、呈现,但这些形象只是"道"的部分显现,而不能成为"道"本身;形象只有超越自身才能通达"道"的境界,即"大象无形"。通过后面的文献中可以看到,在中国古人的心目中,"道"化生为各种"形"、"象"正是世界之所以形成的开始。屈原《天问》曰:"遂古之初,谁传道之? 上下未形,何由考之? 冥昭瞢暗,谁能极之? 冯翼惟象,何以识之? 明明暗暗,惟时何为?"宋洪兴祖《楚辞补注》曰:"古未有天地之时,惟象无形,窈窈冥冥,芒芠漠闵,澒濛鸿洞,莫知其门。"① 历代典籍中的类似观念和表述被清代学者马骕的《绎史》集中收录,并以"开辟原始"的名称标出。② 这种以"形"、"象"为界点对世间万物发展演进过程进行分类的观念承续于老子,并影响人们对艺术本体境界的认识。傅毅在他的论述中将自己观察、体验到的不可名状的意象世界以"不可为象"表述之在当时具有普遍意义:人们认为舞蹈意象的呈现同时是万物形象和生命过程的呈现,舞蹈意象的流动变化也是生命形式之间相互转化的典型呈现方式。这种流动和转化的极致必然以回归始源境界为根本。

第六节 "郑姬"与"赵女":汉代审美意识的新变

在上述论述中,我们可以不时看到"郑姬"和"赵女"的靓丽身影——

---

① (宋)洪兴祖:《楚辞补注》,江苏古籍出版社 2007 年版,第 76 页。
② 参见(清)马骕:《绎史》,齐鲁书社 2005 年版,第 1—2 页。

在汉代,她们成为两汉盛世的独特的文化或审美符号:在无数次的乐舞宴会上,是她们的曼妙舞姿和美丽形象让汉代人获得了无上的美感享受;在司马相如的描写中,"郑姬"和"赵女"曼舞的场面是舞蹈丽美的终极呈现。其实,"郑姬"和"赵女"对舞蹈的美丽呈现在先秦时期就已成为知识分子热烈讨论的话题,对她们的不同态度正好形成人们对待乐舞的不同态度:是尊崇礼制,还是享受娱乐。这种观点所反映的也是人们对雅乐和俗乐的不同态度。因此,考察她们在汉代舞乐中的地位,实际上也就是考察汉代雅乐与俗乐之间的互动关系,以及汉代审美意识在这种关系中的变化轨迹。

从渊源上看,以"郑姬"和"赵女"为代表的民间俗乐自殷商时期即已流行,但纣王无道、耽于享受美色而导致国家灭亡的历史,让人们对优雅动人的民间俗乐充满了敌视,并将之与无道、衰败、灭亡等负面含义相等同。正统知识分子对于郑卫之声的仇视态度并非始于孔子,但孔子的显赫地位和强大影响力加深和确证了此前人们对郑卫之声的片面看法。在《论语》中,孔子两次谈到他对郑卫之音的看法。在《卫灵公》中,孔子在与颜渊讨论为政、治国时将郑声作为反面教材加以使用:"行夏之时,乘殷之辂,服周之冕,乐则《韶》舞,放郑声,远佞人。郑声淫,佞人殆。"在孔子的描述中,"郑声"与"佞人"被看作是孪生之物;在《后汉书·宋弘传》的记载中,桓谭由于向光武帝"数进郑声"而被这位以向光武帝选贤进能和提出"糟糠之妻不下堂"之名言而著称的宋弘当面批评,所反映的仍是这种观念。同样在与颜渊的讨论中,孔子说:"恶紫之夺朱也,恶郑声之乱雅乐也,恶利口之覆邦家者。"他连用三个"恶"字来表达他对郑声扰乱雅乐的不满。类似的观点在汉代经典《白虎通·礼乐》中亦有讨论:"乐尚雅何? 雅者,古正也,所以远郑声也。孔子曰'郑声淫'何? 郑国土地民人,山居谷浴,男女错杂,为郑声以相悦怿。故邪僻,声皆淫色之声也。"[1]但是,孔子所倡导的以雅乐统摄俗乐的做法在当时及以后的秦汉都没有获得施行。

---

[1] 陈立:《白虎通疏证》,中华书局 1994 年版,第 96—97 页。

各种资料表明,如同政治和文化在汉代重组后而成为一统的局面一样,审美意识在汉代也出现了重大的转折和革新,一些新的审美需求突破了此前人们的思想局限而在当时成为社会时尚。人们对乐舞态度的变化,无疑是这种转变的重要表征。禀赋绝世姿容和乐舞技艺的"郑姬"和"赵女"把这种转变渗透到人们的日常生活中。当时,追求金钱、美色和乐舞的享受被认为是人的本性使然。司马迁《史记·货殖列传》对此有客观的记述:"富者,人之性情,所不学而俱欲者也。……今夫赵女郑姬,设形容,揳鸣琴,揄长袂,蹑利屣,目挑心招,出不远千里,不择老少者,奔富厚也。"①在司马迁看来,那些将士奋勇作战、里巷少年作奸犯科,莫不发自求富的本性。汉兴之后,"海内为一,开关梁,驰山泽之禁,是以富商大贾周流天下,交易之物莫不通,得其所欲,而徙豪杰诸侯族于京师"②。财富的迅速积累,让人们拥有了物质享受的基础条件,追求物质享受也变得顺其自然。在这种风气的影响下,"郑姬"和"赵女"以自己的美色和技艺争相"奔富厚",达官显贵也以拥有"郑姬"和"赵女"标明自己的富厚程度,以至于达到相互争讼的地步。

从流传至今的两汉赋作可以看出,活跃于汉代帝王和达官显贵宴会上的歌儿舞女多为"郑姬"、"赵女"③,这说明以郑、赵乐舞为代表的民间艺术从汉初开始即已在社会上广泛流行,并一直持续到东汉末年,以至于仲长统——这位东汉末年的政治家和哲学家还在他的哲学著作和政论文中批评这种局面。实际上,汉代人对舞蹈女子的选择不仅突破了郑、卫、赵等地域的限制,而且还远及巴蜀、西域边境,人们对审美的多样化需求达到新阶段。据左思《三都赋》记载:"羽爵执竞,丝竹乃发,巴姬弹弦,汉女击节。起西音于促柱,歌江上之飃厉,纡长袖而屡舞,翩跹跹以裔裔。

---

① (汉)司马迁:《史记》,中华书局1959年版,第3271页。
② (汉)司马迁:《史记》,中华书局1959年版,第3261页。
③ 如傅毅《舞赋》:"于是郑女出进,二八徐侍。"任据《丽人舞赋》:"齐之美姜,赵之倡女,既修婉而多宜,尤婵娟而工舞。"成公绥《琵琶赋》:"飞龙列舞,赵女骈罗,进加惊鸿,转似回波。"张衡《南都赋》:"齐僮唱兮列赵女,作南歌兮起郑舞。"前文述及资料对此多有涉及,此不繁举。

合樽促席，引满相罚。乐饮今夕，一醉累月。"①这里所提到的"巴姬"、"汉女"、"西音"等西部舞姬与音乐被广泛引入中原地区，成为人们宴饮过程中的重要的娱乐对象。至汉末时，这种情况达至顶峰。据《后汉书·五行志》记载，东汉灵帝（168—189 年）时西域乐舞用具和舞蹈样式已经渗透到人们生活的各个方面："灵帝好胡服、胡帐、胡床、胡坐、胡饭、胡空侯、胡笛、胡舞，京都贵族皆竞为之。"②类似的场景在同一时期的画像资料中也较为常见。这说明，"郑姬"和"赵女"只是两汉时期俗乐兴盛的一个缩影，在当时社会政治和文化交流活动中，包括边远地区的各种地方俗乐皆被容纳到当时的舞蹈形式中，中国舞蹈获得了它的重大发展。③

　　在两汉时期，受儒家思想影响的知识分子一直没有放弃建立属于汉代自己的雅乐，只不过，这种努力并未成功；虽然有些皇帝为了不背上"无道昏君"或"亡国之君"的名号而对雅乐有过直接的支持，但都收效甚微，以致最后也不了了之，或者那些雅乐仅在祭祀活动上才被提及。《汉书·礼乐志》曰："河间献王有雅材，亦以为治道非礼乐不成，因献所集雅乐。天子下大乐官，长存肄之，岁时以备数，然不常御，常御及郊庙皆非雅声。"④可见，雅乐在当时更多是作为博物馆的文物而被储存起来，只是在特定时刻、特定事件中才偶尔使用。实际上，汉代皇帝之所以对重建雅乐采取消极的态度，原因在于这些雅乐都是先王所制，来自于上古三代，战国诸侯社稷都有悠久的祖先祭祀传统，而且他们的祖先皆可上溯至尧舜时代，这个传统与草莽出身的刘氏家族没有任何关系，重建雅乐传统对于增强刘氏政权的合法性不仅并无好处，反而可能起到消极作用。因此，刘邦、武帝等人碍于礼制传统而做出的举动实际上都是表面动作，并无实质性的举措。先秦雅乐之所以不被接受，还有一个重要原因：由于雅乐久不使用，当时人已很难理解其中的微言大义，无论是演奏者还是公卿大夫、

---

① （南朝梁）萧统：《文选》，李善注本，上海古籍出版社 1986 年版，第 186 页。
② （南朝宋）范晔：《后汉书》，李贤注本，中华书局 2005 年版，第 2226 页。
③ 参见王克芬：《中国舞蹈发展史》，武汉大学出版社 2012 年版，第 84 页。
④ （汉）班固：《汉书》，颜师古注本，中华书局 2005 年版，第 911 页。

庶民百姓都不知所喻为何,这自然难以在生活中推广、流行。班固《汉书·礼乐志》记载:"汉兴,乐家有制氏,以雅乐声律世世在大乐官,但能纪其铿锵鼓舞,而不能言其义。"①这里所言"制氏"为鲁国人,其家世代掌国家雅乐礼制,但到汉初时,雅乐的传人也只能略知其一二,每种雅乐表达何意已不能知晓,普通人更难明白,所以班固说:"自公卿大夫观听者,但问铿锵,不晓其意,而欲以风谕众庶,其道无由。"②这些因素的存在为郑、卫等俗乐的兴盛提供了空间:以奢华、靡丽、灵动、变化为特征的地方歌舞在汉代迎来了它的盛世。

总体上看,先秦雅乐制度在汉代的重建过程是曲折的,因而效果不甚显著。这为汉代新的审美意识的发展提供了空间。汉初兴时,高祖刘邦曾使叔孙通制礼仪,但叔孙通的去世使该项活动夭折;至文帝时,贾谊感于雅乐废止,乃"定制度,兴礼乐",但终因为周勃、灌婴等人迫害而终止;武帝时有同样的努力,但因"上方征讨四夷,锐志武功,不暇留意礼文之事"而失败;后来,汉宣帝时王吉、汉成帝时刘向等都做过类似的事情,最后也都以失败告终。③ 雅乐重建的难产反而加速了雅乐和俗乐的融合过程,也促进了汉代审美意识的变化。因而,汉代审美意识的新变不仅没有受到太大的阻力,反而获得了更为宽松的政治文化环境,并在快速发展的经济条件的支持下迅速发展。同时,在包容天地万物的天人合一思想的影响下,汉代知识分子又具有较为变通的思想,这为雅、俗融合提供了思想基础,也使雅、俗的融合成为可能。《淮南子·氾论训》曰:"先王之制,不宜则废之。末世之事,善则著之。是故礼乐未始有常也。故圣人制礼乐,而不制于礼乐。"④刘安的言论为汉代俗乐的盛行提供了思想基础:在社会上并不存在永恒不变的雅乐或俗乐,以郑卫之音为代表的俗乐适合当时人们的需要因而它们具有存在之价值;人们喜爱它,也并不违背圣人之制。

---

① (汉)班固:《汉书》,颜师古注本,中华书局 2005 年版,第 892 页。
② 参见(汉)班固:《汉书》,颜师古注本,中华书局 2005 年版,第 912 页。
③ (汉)班固:《汉书》,颜师古注本,中华书局 2005 年版,第 881—892 页。
④ (汉)刘安:《淮南子》,高诱注本,中华书局 2006 年版,第 213 页。

　　傅毅的《舞赋》同样表达了这种兼容并包、调和雅俗的观念。在这篇歌咏舞蹈之美的文章中，楚襄王携宋玉及群臣重新游赏云梦之台，其间，襄王问宋玉以何与群臣欢宴，宋玉以舞蹈比音乐、诗歌更可尽意为由推荐上演舞蹈。楚襄王担心这些舞蹈会像郑卫舞蹈那样不合礼仪之制（"如其郑何"），毕竟，郑卫之音作为亡国之音的象征含义在人们心里根深蒂固，襄王也不想成为亡国之君。襄王向宋玉表达了这一忧虑。宋玉通过将郑卫之音纳入《诗》、《礼》的方法说服了楚襄王，指出雅俗乐舞的区分与社会生活的多样性是两相适应的：

　　　　玉曰："大小殊用，《郑》、《雅》异宜。张弛之度，圣哲所施。是以《乐》记干戚之容，《雅》美蹲蹲之舞，《礼》设三爵之制，《颂》有醉归之歌。夫《咸池》、《六英》，所以陈清庙，协神人也；郑卫之乐，所以娱密坐，接欢欣也。余日怡荡，非以风民也，何其害哉？"①

在傅毅的赋中，他又一次把楚襄王——这位被宋玉《高唐赋》塑造成沉溺于游赏宴乐的帝王的代表——带入人们的视野，以此讨论乐舞的雅俗问题。楚襄王欲往还羞的疑问有些做作，也暴露了他的虚伪性：一方面既要维护先王之道，一方面又要享受歌舞的乐趣，同时也说明乐舞对人所具有的强大吸引力。傅毅通过假托的方式对当时儒生反对郑卫之音的观点进行了辩解：他将雅乐与郑卫之音进行区分，同时承认它们的不同功能，认为雅乐是"陈清庙，协神人"，郑卫之音是"娱密作，接欢欣"，两者分属不同、功能不同，不能以一方代替另一方；并引用《诗经·鲁颂》、《礼记·玉藻》中的例子来证明自己的观点。这实际上是把郑卫之音提高到与雅乐平起平坐的地位，它们分属于社会生活的不同领域。傅毅，这位在汉章帝期间担任兰台令史一职的正统知识分子，借此表达了自己开明、开放的思想观点。这同时说明，两汉时期，人们对雅乐、俗乐的态度发生了根本性变化，俗乐开始与雅乐一同成为人们生活中的重要组成部分——雅、俗的融合共生才是生活的全部。

───────────

　　① （汉）傅毅：《舞赋》，见龚克昌：《两汉赋评注》，山东大学出版社 2011 年版，第415 页。

于是,"郑姬"和"赵女"就这样成为两汉生活中非常突出的文化符号而再次登上了历史的舞台。只不过,这次登台她们不是亡国之音的代表而是作为盛世社会的表征。当然,先秦礼乐文化给她们所赋予的象征含义在汉代正统的知识分子中间仍有较大影响力,并成为整个封建社会的基本论调。① 只不过,当时社会经济的繁荣和人们日常生活的需要,也让这种观念变得形同虚设。而且,汉代皇帝王侯与她们的密切关系,让这种观念不再具有现实意义:太多的"郑姬"和"赵女"成为汉代王侯们的妻子、侍妾和母亲! 司马迁对此有过深入分析:燕赵之地地薄人众,人们争相以机巧争利而生活,因此民风彪悍,男子多"游侠儿",女子则多学习乐舞以"游媚诸侯,入后宫",并达到了"遍诸侯"的程度。在这一过程中,"郑姬"和"赵女"在秦汉时期的政治舞台上逐渐获得重要地位,甚至影响了历史的进程:秦始皇的母亲原是"邯郸姬",刘邦曾娶汉初名臣石奋"善鼓琴"的姐姐为妃;汉文帝的妻子窦皇后是清河人,慎夫人是邯郸人;汉武帝的五位皇后中,王夫人是赵国人,赵婕好是河间人,李夫人是中山人;汉宣帝的母亲王翁须,亦为赵人;如此等等。其他王公贵族纳娶"郑姬"、"赵女"的例子,更不胜枚举。可以看出,她们与帝王贵族的密切姻亲关系,不仅使她们(包括她们从事同样职业的亲友)摆脱了倡伎的身份,而且也使她们以及她们所代表的乐舞技艺在国家礼仪制度中获得了合法性地位,进而获得上层统治阶级和普通民众的双重认可。

总之,以郑卫之音为代表的俗乐的兴盛,反映了两汉审美意识的巨大转变。随着两汉乐舞的兴盛和人们审美趣味的变化,以"郑姬"和"赵女"为代表的民间艺人和艺术逐渐获得了合法性存在地位,与雅乐舞一同成

---

① 由于儒家思想在汉代一尊地位的确立,孔子"郑声淫"的评价一直在发挥其作用。如《汉书·匡衡传》:"宜随减宫室之度,省靡丽之饰,考制度,修内外,近忠正,远巧佞,放郑卫,进《雅》、《颂》,……然后大化可成,礼让可兴也。"《汉书·贡禹传》:"陛下诚思高祖之苦,醇法太宗之治,……罢倡乐,绝郑声,去甲乙之帐,退伪薄之物,修节俭之化,驱天下之民皆归于农,如此不解,则三王可侔,五帝可及。"《汉书·礼乐志》:"况于圣主广被之资,修起旧文,放郑返雅,述而不作,信而好古,于以风示海内,扬名后世,诚非小功小美也。"《后汉书·刘瑜传》:"从尧舜禹汤文武致兴之道,远佞邪之人,放郑卫之声,则政致和平,德感祥风矣。"《后汉书·仲长统传》:"彼后嗣之愚主,见天下莫敢与之违,自谓若天地之不可亡也,乃奔其私嗜,骋其邪欲,君臣宣淫,上下同恶,目极角抵之观,耳穷郑卫之声。"

为家国社会生活中的主要的娱乐形式。在这过程中,郑卫俗乐虽然受到部分汉族贵族(如河间献王刘德等)和董仲舒、公孙弘、仲长统等正统知识分子的抵制,但在雅乐的衰落、经济的繁荣、社会的需求和俗乐本身的优美等各种因素的综合作用下也获得长足发展并逐渐走向鼎盛。雅乐与俗乐之间的互动发展,反映出汉代审美意识新的发展动向,以视觉享受为核心的乐舞欣赏成为其核心组成部分。这种审美意识推动了乐舞在全国各地的流行,乐舞的流行又让它获得了更广阔的发展空间,从而促进了汉代乐舞的繁盛和发展:以长袖折腰舞和鱼龙漫衍舞为代表的宴会乐舞和公众乐舞,由此成为两汉盛世的典型表征。

第六章

汉代音乐：以悲为美

　　汉代是一个善于聆听的时代,因而也是中国古代音乐发展的第一个高峰时期。时代巨变,改变了社会阶层的结构和地位,新的审美意识也逐步改变了人们对音乐的传统看法,音乐的功能和受众逐渐多样化,随之形成音乐曲调、曲辞、乐器等各方面的多样化。这种多样化形成了汉代音乐的综合性特点:它往往与舞蹈演出结合在一起,同时配以相关的曲调,甚至还有著名文人对歌词进行加工和创作,形成诗、乐、舞合一的情况。汉武帝时期,专门的音乐机构"乐府官署"的成立也促进了汉代音乐的兴盛,同时对诗歌等艺术产生了深远的影响。在创作方式上,汉代音乐多"缘事而发",音乐与事件的融合为其重要特点。在现有记录中,汉代音乐的本事仍多有存在,它们不仅记录了音乐和歌词创作的背景,同时还真实反映出该音乐和歌词所表露的情感。通过这些音乐和歌词,可以看到,汉代音乐所表露的情感多悲伤感慨、发人忧思,生成了浓烈深厚的生命情感调质。

　　有汉一代,雅乐和俗乐之间互动发展,创造了很多新的音乐,雅乐和俗乐逐渐融合。雅乐作为礼制的重要组成部分,在汉代仍然存在,在国家典礼、祭祀等活动中扮演着重要角色,但其衰落的趋势不可逆转;俗乐在继承春秋战国时期取得的成绩的基础上发展势头迅速,各种民间音乐和各民族音乐出现了融合发展的态势,同时后来者居上,逐渐取代了雅乐在国家和社会音乐体系中的主体位置。雅乐和俗乐的互动发展,使人们欣赏音乐的方式和对音乐的审美批评也出现了一些新的内容,"以悲为美"成为汉代音乐创作和欣赏的主流趋势;在理论上,关于音乐意象的认识比以前深入、系统,反映出两汉时期审美意识的新变和发展过程。

第一节　俗乐的兴起:音乐发展的新动向

在汉代,俗乐的兴起,是历史的必然——俗乐延续了春秋战国时期快速发展的趋势,并取得大发展。这要追溯到春秋时期。总体上看,春秋时期"礼崩乐坏"的历史进程,扩大了音乐的功能,也使更多人参与到音乐的欣赏和创作过程中,俗乐在此过程中获得了长足发展。具体来看,在先秦时期,音乐和礼制一同构成国家文化制度的重要组成部分,这时的音乐以肃穆典雅、平和中正的雅乐为主。这时俗乐(如《诗经》中的"风")虽也存在,但一直处于"补雅乐之不足"的地位。战国时期"礼崩乐坏",音乐在维系国家意识形态方面的功能出现了松动,逐渐由以教化为主转向教化和娱乐共存。先秦两汉时期的音乐理论一直强调音乐对人心的感发作用,并认为人心是音乐的根本,因而通过音乐可以实现教化人心之作用。但优美动听的音乐除教化功用外,其节奏、韵律无不引起欣赏主体的愉悦感,因而娱乐与教化就像一对孪生姐妹,不能单独分开,因为教化功能的实现须以审美功能为中介。在更多情况下,人们往往沉醉于音乐的美妙境界而忘记它的教化所在,即使像孔子这样始终怀抱礼制的严肃学者,也会被优美的音乐打动而忘却自我。

据记载,孔子曾在齐国听《韶乐》,"三月不知肉味,曰:'不图为乐之至于斯也'。"①孔子本身是音乐的行家,可以自己填词、作曲、演奏,但齐国的《韶乐》给他带来的审美享受还是超出了他的想象,以至于不由发出这样的感慨。这从一个侧面说明音乐的娱乐功能是客观存在的,也是很难让人拒绝的,所以当时很多贵族整日沉浸在音乐享受中而不能自拔。因此,为了限制这种感性愉悦的发展,音乐被赋予各种原则,自古"功成作乐",它的演出场所、歌颂对象、歌词内容等,都被掌握在国家机构的手中,国家力求通过控制音乐进而控制民众的情感。在这种情况下,雅乐的创作和欣赏必然走向程式化、制度化、模式化,从而僵化刻板,最终连统治

---

① 李泽厚:《论语今读》,(台北)文化实业出版公司1990年版,第175页。

者自己也不喜欢:音乐的娱乐功能最终战胜它的教化功能。这给俗乐的兴起提供了条件。正是在这种情况下,春秋战国时期各地民间音乐蜂起,其中尤以燕、郑、卫、齐、赵、楚等为著名。为了配合贵族阶层对音乐欣赏的需求,职业艺人大量出现,还有很多专门培养这类人才的组织和团体,"郑姬"、"赵女"、"邯郸倡"等在战国时期的闻名和受欢迎也是这种潮流发展的结果。① 经过长期的发展,民间俗乐和舞蹈逐渐征服了社会各个阶层而在社会上普遍流行。

　　这种风气一直持续到秦统一天下的时代,音乐的娱乐作用有增无减,赵高曾以"接欢喜,合殷勤"为由为秦二世纵情声色的行为提供了理论支撑,且"二世然之"②。上层统治阶层对音乐的纵情享受推动了俗乐在社会上的流传。汉兴以后,以刘邦为代表的贵族集团大多出身草莽,他们喜爱俗乐而非雅乐,虽然由于礼制的需要而制作、使用了一些雅乐,但他们从根本上就不喜欢雅乐,这导致雅乐在整个汉代一直处于低潮状态;虽然汉哀帝废除乐府官署,对俗乐的发展有所打击,但雅乐却并未发展。刘邦生长于丰沛之间,自幼喜爱民间音乐,他本人对"楚声"比较喜欢,多次带领乡间父老"歌楚声",这在某种程度上为俗乐在当时的流传开拓了空间。刘邦除自己喜欢楚声外,他娶的几个妻子也都多来自燕、赵等地,戚夫人、薄姬等人是"赵女"中的杰出代表,汉文帝、汉宣帝等也多娶"赵女"、"邯郸倡"为妻,如此等等。在这种情况下,全国各地的民间乐舞大肆流行、发展。与此同时,在民间,人们也经常用音乐吟唱的方式,来表达自己的情绪和理想,各种民间歌曲、谣辞大量出现,成为人们表达情

---

① 关于"赵女"、"郑姬"、"邯郸倡"在推动当时乐舞艺术方面所起的作用,可参看:高宏达等《"郑声"和"赵女":中国古代乐舞文化的地域性研究》(《理论学刊》2010 年第 2 期)、赵复泉《郑声淫辨》(《中州学刊》1984 年第 5 期)、李傲雪等《汉宣帝之母:赵女"入后宫,遍诸侯"的一个实例》(《光明日报·理论周刊》2009 年 7 月 14 日)、逯宏《郑声非民间音乐说》(《中国石油大学学报》2010 年第 8 期)、李石根《郑声与郑风》(《中国音乐学》1997 年第 3 期)、方汉文《郑声淫与春秋时代的语言革命》(《文艺理论研究》2001 年第 2 期)、蔡仲德《郑声的真面目》(《武汉音乐学院学报》1987 年第 4 期)、方诗铭《战国秦汉的"赵女"与"邯郸倡"及其在政治上的表现》(《史林》1995 年第 1 期)、王百灵等《试论郑声兴盛之因》(《人民音乐》2010 年第 7 期)等。

② (汉)司马迁:《史记》,中华书局 1959 年版,第 1177 页。

意的重要途径。在这种情况下，汉武帝于公元前112年设立乐府，以李延年为协律都尉，既创作雅乐，也收集民间音乐，促进了雅乐和俗乐之间的融合。

　　汉族音乐与少数民族音乐的互相交流、促进，也促成了汉代俗乐的发展。大一统帝国的建立，为战国时分散各地的音乐创作和欣赏的融合提供了基础，也为汉代音乐的创新提供了条件，促进了民间俗乐的进一步发展。有汉一代与周边少数民族的互动形式多样化，战争、商贸往来、外交、文化交流、和亲等，都促进了各民族音乐之间的相互交流。由此，演习胡人风气一时成为风尚。东汉末，在皇室的影响下，这种风气达到了顶峰。范晔《后汉书·志第十三·五行一》记载："灵帝好胡服、胡帐、胡床、胡坐、胡饭、胡空侯、胡笛、胡舞，京都贵戚皆竞为之。"[1]当时，"胡"是汉民族周边少数民族和西域诸国的统称，它们的服饰、习俗、乐舞等相继传入中原，深得汉民族人士的喜爱。西亚等地的民族音乐也在这个过程中传到中原。这些音乐在传播、融合的过程中，最先与民间俗乐发生关系。汉民族的乐舞也最先吸收很多域外因素，如鱼龙漫衍舞、角抵戏、傀儡戏、幻术等，都开始在汉地流传，而且规模庞大。当然，胡乐、民间音乐也有渗透到雅乐中的痕迹，但此时尚不明显。这样，西域等地乐器，如笛、鼓吹的筚、横吹的角等，也流传过来。图6-1是四川中江县玉桂乡太平梁子涯汉墓出土的东汉画像石[2]：吹笛者头上所戴尖顶帽和身上的短衣装束与汉族的衣冠均有较大差距，似乎说明他是一个生活于周边地区的少数民族的人。他正盘坐在地上，认真吹着笛子。从其眯着的眼睛可以看出，他

图6-1　吹笛画像石

---

① （南朝宋）范晔：《后汉书》，中华书局1966年版，第3272页。
② 参见《中国画像石全集》第7卷，河南美术出版社2000年版，第35页，图版39。

正沉浸在美妙的音乐当中,十分愉快。据考证,笛在公元前 1 世纪汉武帝时期开始在中原地区流传,是张骞通使西域带回的乐器之一。当时,类似于笛、箫、筝之类的乐器形制狭小、携带便利,十分方便人们随时使用。这幅图像只是两汉时期众多乐舞图像中的一幅,真实反映了当时少数民族音乐和乐器在汉族地区的流传情况。人们不仅很快接受了这些来自域外的曲调和乐器,而且还积极学习改造之,促进了中原地区民间音乐的快速发展。

同样,汉族的音乐也随之外传,被其他民族、国家和地区的人所借鉴、学习。在此过程中,音乐承担了传播汉文化的职能。例如,元丰元年,汉武帝让江都王刘建的女儿细君嫁给乌孙王为妻,乌孙公主后来又专门来到汉室学习音乐。在这个过程中,汉王朝通过音乐交流的方式将汉民族的文化传播到域外国度去:"后数来朝贺,乐汉衣服制度,归其国,治宫室,作徼道周卫,出入传呼,撞钟鼓,如汉家仪。"①可以看出,汉王朝通过音乐的方式施行文化输出工程,使之对汉文化具有更多的认同。诸多迹象表明,这是汉王朝有意实施的。他们在引进、吸收域外乐曲、乐器的同时往往对之进行加工、改造以成新曲,然后再向外输出。比如,羌笛本是流传于甘肃、四川一带羌族的乐器,后来京房(前 77—前 37 年)在其四个孔的基础上又加了一个孔,变成了汉族乐器"箫"。再如"琵琶",傅玄(217—278 年)《琵琶赋序》说:"闻之故老云:汉遣乌孙公主嫁昆弥,念其行道思慕,使工人知音者,裁琴、筝、筑、箜篌之属,作马上之乐。观其器:中虚外实,天地象也;盘圆柄直,阴阳叙也;柱有十二,配律吕也;四弦,法四时也;以方语目之,故云'琵琶',取易传乎外国也。"②可以看出,细君远嫁乌孙时,国家专门为她制作了蕴含着丰富汉文化内涵同时也容纳了他民族文化因素的乐器,以方便流传,带有明显的传播文化的意图;乌孙国内的宫室制作、钟鼓礼仪"如汉家仪",表明其文化战略是成功的。这种多民族互动融合的历史过程,促成了汉代音乐尤其是俗乐的

---

① (汉)班固:《汉书》,中华书局 1962 年版,第 3916—3917 页。
② (晋)傅玄:《琵琶赋》,见陈元龙等:《御定历代赋汇》,(台北)中文书局 1974 年版,第 1326 页。

大发展。

从当时整体的社会状况看，俗乐的兴起标志着一种以质朴、真挚、清丽为特征的新的审美意识的兴起，其根本原因在于社会阶层的变动。春秋战国时期数百年间的连年争战，各地诸侯属国政权的频繁变动，致使以周王室为代表的贵族阶层及其文化的凝聚力逐渐减弱，"礼崩乐坏"；秦始皇统一天下后，迁数十万家世族贵族于咸阳，一方面方便其统治，另一方面也削弱了贵族阶层在全国的文化影响力。此前在诸侯属国中活跃的士阶层逐渐壮大，成为新兴文化的代表，他们同时也是混乱时局中平民阶层的代表。及始皇失政，贵族文化虽尚存在，但已奄奄一息、难成气候，天下百姓久恶离乱、深受其害，思定之心为天下共识。在这种情况下，平民出生的陈胜、吴广等人的起义，让平民第一次以历史主人的面目登上历史舞台，对自己的命运作出选择；最后虽然失败，但平民意识的觉醒却更为重要。

平民出生的刘邦最终战胜贵族出生的项羽而统一天下，实际上也是民心所向、大势所趋，是平民文化的胜利。可以看到，与刘邦打天下的功臣将领除张良为韩国贵族外，其余萧何、曹参、傅宽、申屠嘉、陈平、王陵、陆贾、郦商、郦食其、夏侯婴、周勃、灌婴、娄敬等无不出生平民，他们有的做着小生意，有的是下级官吏，有的则是无业游民，后来均成为西汉王朝治理天下的国家栋梁。因此，钱穆《秦汉史》认为，刘邦战胜项羽实际上是新兴的平民文化战胜传统没落的贵族文化，是历史之必然："自秦之亡，而上古之封建之残局全破。自汉之兴，而平民为天子，社会阶级之观念全变"，"汉高君臣起于卑微，其朴实之本色，平民化之精神，实较秦皇、李相之以贵族地位、学士知识凌驾于一世者，更足以暗合于时代之趋向。"①牟宗三在《历史哲学》中将以刘邦为代表的平民阶层兴起的时代称为"天才时代"："秦灭六国，混一天下。自春秋战国以来，公族子孙，携其所提挈之力量，表现其生命于历史舞台之上，在对消之中，至此而尽归澌灭。而当六国灭尽之时，亦即秦之生命枯竭之时。孰知

① 钱穆：《秦汉史》，九州出版社 2012 年版，第 33、41 页。

断潢绝港,而又柳暗花明。秦之所名为黔首者,乃蠢动其生命于榛莽大泽之中。此即刘邦之时代。吾人于此名为天才时代。"①牟宗三所谓"天才者",就是以刘邦等为代表的平民,他们依循自我的天纵之姿、无羁之才而完成了对历史和文化的改制进程,让此前的贵族文化消泯无闻。因此,平民阶层在秦汉的兴起对包括俗乐在内的等各种艺术的发展影响重大。就音乐来说,它打破了雅乐对俗乐的控制,赋予老百姓欣赏音乐的自由权,加上平民审美需求的推动,俗乐在社会文化体系中最终占据了重要位置。

第二节 雅乐的衰落:儒士对雅乐的疏离

与俗乐兴起同步的,是雅乐的衰落。这与雅乐不再能维系社会秩序并逐渐向娱乐转化的总体社会环境有关。据《史记》记载,秦始皇封禅泰山时,儒生们已经不知道封禅的礼制和乐舞是什么,商量很长时间也没有结果,以至于秦始皇这一举动草草收场。这说明在战国年间雅乐衰落得很厉害,专业人士对此亦不了解。这种情况持续到了汉代。班固《汉书·礼乐志》曰:"汉兴,乐家有制氏,以雅乐声律世世在大乐官,但能纪其铿锵鼓舞,而不能言其义。"服虔注"制氏"云:"鲁人也。善乐事也。"②作为当时世代掌管乐官的大世家,"制氏"却只能记得一些雅乐的节律而不能通晓其义;对于寻常人来说,要准确理解雅乐之义,更无可能。在刘姓贵族中,河间献王刘德是雅乐的坚定拥护者,他向汉武帝进献雅乐,武帝不好驳斥,但只把这些雅乐存放在大乐官处,以备不时之需。雅乐在此时更多是作为博物馆性质而存在的,"文景之间,礼官肄业而已"③。所谓"肄业而已",是指这些雅乐只在太乐府中练习,并不拿出来演奏。高祖、文帝、景帝、武帝等和张苍、汲黯等君臣虽都擅长音律,但他们擅长的都是俗乐,而不是雅乐。

---

① 牟宗三:《历史哲学》,(台北)学生书局 2012 年版,第 149 页。
② (汉)班固:《汉书》,中华书局 1962 年版,第 1043 页。
③ (汉)班固:《汉书》,中华书局 1962 年版,第 1045 页。

　　由于雅乐文辞古雅，含义难测，因而汉代虽制作了一些雅乐，但这些雅乐同时吸收了很多俗乐的成分。汉武帝在继承文帝和景帝的雅乐制度后，曾作《十九章之歌》，但效果不好："至今上即位，作十九章，令侍中李延年次序其声，拜为协律都尉。通一经之士不能独知其辞，皆集会《五经》家，相与共讲习读之，乃能通知其意，多尔雅之文。"①可以看到，在武帝时，像《十九章之歌》之类的祭祀雅乐，无论是音乐专家还是知识分子，都已无人知晓其意，需要演习《五经》的专家在一起讨论，才能约略知晓歌词之意。可以想见，这样通过集体协商的方式所阐释出的诗歌大意与其本来含义肯定有很大差距，雅乐解释的神圣性由此衰落了。所以，汉王室虽制作了不少雅乐，如《嘉至》、《永至》、《房中乐》、《天马之歌》、《五行舞》、《神鼎之歌》等，但这些雅乐都是"缘事而发"的新声，有很多俗乐的成分，与传统雅乐关系不大。《汉书·艺文志》记载："是时，河间献王有雅材，亦以为治道非礼乐不成，因献所集雅乐。天子下大乐官，常存肄之，岁时以备数，然不常御，常御及郊庙皆非雅声。"②音律单一、手法单调、音义难解，缺乏真情实感，注定了雅乐的衰落；它必须吸收俗乐的养分，才能实现自己的更新和发展，俗乐逐渐走上了代替雅乐的道路。

　　但是，雅乐在维系礼制方面具有重要作用的观念是一贯的，汉代雅乐虽然处于衰落的状态，但它就像涓涓细流而绵绵若存，一直延续下来。汉哀帝罢乐府而倡雅乐，促进了雅乐的一个小的复兴。汉室建国不久，有些儒生就开始向刘邦提出重建雅乐。草莽出生的刘邦鄙视儒生繁缛的礼节，不喜欢雅乐。但在陆贾"居马上得之，宁可马上治之乎"的建议下，刘邦反省了自己的思想，让陆贾总结秦之所以败、己之所以胜的原因。陆贾著《新语》二十篇，其中，雅乐在政治治理方面的作用被提了出来，以表明雅乐的重要性：

　　　　道莫大于无为，行莫大于谨敬。何以言之？昔舜治天下也，弹

① （汉）司马迁：《史记》，中华书局1959年版，第1177页。
② （汉）班固：《汉书》，中华书局1962年版，第1070页。

五弦之琴,歌《南风》之诗,寂若无治国之意,漠若无忧天下之心,
然而天下大治。周公制礼作乐,郊天地,望山川,师旅不设,刑格法
悬,而四海之内,奉供来臻,越裳之君,重译来朝。故无为者,乃有
为也。①

这是强调雅乐对民心感化、国家治理的作用。音乐像春风化雨,可以在
"润物细无声"之间而实现天下大治。在汉初,贾谊对音乐的看法和陆贾
一致,也强调雅乐在陶冶民心方面的重要作用,认为天子应该与民同乐,
通过音乐实现社会各个阶层的和谐一致;他还用乐教的方式教育太子,
"教之《乐》,以疏其秽而填其浮气"②。这些观点纠正了汉初统治者对雅
乐的轻视态度,为雅乐在汉代礼教系统中的持续存在奠定了理论基础。
至此,在文景之时,雅乐重新获得在国家政治礼制中的重要位置,音乐
"发德明功"的效能重新获得皇帝的肯定。汉景帝元年十月下诏,云:"盖
闻古者祖有功而宗有德,制礼乐各有由。闻歌者,所以发德也;舞者,所以
明功也。高庙酎,奏《武德》、《文始》、《五行》之舞;孝惠庙酎,奏《文始》、
《五行》之舞。"③对高祖和孝惠帝的祭祀乐舞进行了明确的规定。班固
《汉书·礼乐志》曰:"乐者,圣人之所乐也,而可以善民心,其感人深,其
移风易俗易,故先王著其教焉。……王者未作乐之时,因先王之乐以教化
百姓,说乐其俗,然后改作,以章功德。"④可以看到,在班固作《汉书》的
时代,儒士们对雅乐的看法仍局限在教化礼制方面,很难再在理论上有进
一步的深入和发展,理论的停滞也使雅乐失去了进一步发展的空间:虽然
它的重要性一再被提及,但总是老生重弹,人们虽不好公然否定,但类似
的话已听得厌烦,以至于人们根本不再将之作为神圣的行为准则和道德
规范而加以遵守。

经过王莽之乱后,光武帝君臣对乐教问题进行了反思,认为前人对
"郑卫之音"的过度沉迷导致了这场动乱;在这种背景下,重倡雅乐的呼

---

① 王利器:《新语校注》,中华书局 1986 年版,第 59 页。
② 阎振益等:《新书校注》,中华书局 2000 年版,第 172 页。
③ (汉)司马迁:《史记》,中华书局 1959 年版,第 436 页。
④ (汉)班固:《汉书》,中华书局 1962 年版,第 1036 页。

声高涨,雅乐获得了复兴。光武帝时期的宋弘是其中代表之一。据记载,他曾向光武帝推荐博学之士桓谭,桓谭为王莽时掌乐大夫,擅长音乐,多次在光武帝的宴会上鼓琴,"(帝)好其繁声"。宋弘得知后怒斥了桓谭,光武帝再让桓谭鼓琴时,桓谭则不再从之。"帝怪而问之。弘乃离席免冠谢曰：'臣所以荐桓谭者,望能以忠正导主。而令朝廷耽悦郑声,臣之罪也。'帝改容谢,使反服。其后遂不复令谭给事中"①。这一事件让光武帝对桓谭心生厌恶,改变了桓谭此后的政治生涯——以"郑声"为代表的俗乐虽受到一定的打击,但"郑声"俗乐的发展已势不可当,因而光武帝这一举措带有表演的色彩,并未消减俗乐在汉末社会的影响力。

与反复强调雅乐教化功能并行的,是一部分知识分子对俗乐的抨击、否定和打击,甚至还有污蔑、诋毁、谩骂。这种做法在俗乐刚开始兴起时就多次出现。当年,齐景公和鲁定公在夹谷相会,"莱人"表演了"音乐",孔子认为他们太不严肃,马上杀死了他们,可见孔子对"淫乐"的极端痛恨(事见《史记》"齐太公世家"、"鲁周公世家"、"孔子世家")。孔子自卫返鲁,也是因为卫国"新声"太盛的缘故,所以他说："吾自卫返鲁,然后乐正,《雅》《颂》各得其所。"②赵烈侯喜欢音乐,欲赏赐名"枪"、"石"的两名"郑歌者"田一万亩,相国公仲虽然表面答应,但一直以无地推脱,后来还以生病为由避而不见,让这件事最终流产(事见《史记·赵世家》)。《周礼·春官·大司乐》曰："凡建国禁其淫声、过声、凶声、慢声。"③所谓"淫声"、"过声"、"凶声"、"慢声",就是指商音、俗乐,是节奏婉转、情感凄恻的音乐,它们被认为是"衰乱之音",所以《汉书·礼乐志》也说："然自雅颂之声兴,而所承衰乱之音犹在,是谓淫、过、凶、嫚之声,为设禁焉"④,完全是《周礼》观点的翻版。司马迁《史记·乐书》云："郑卫之音,乱世之音也,比于慢矣。桑间濮上之音,亡国之音也,其政散,其民流,诬

---

① (南朝宋)范晔：《后汉书》,中华书局1966年版,第904页。
② (汉)司马迁：《史记》,中华书局1959年版,第1936页。
③ 吕友仁：《周礼译注》,中州古籍出版社2004年版,第289页。
④ (汉)班固：《汉书》,中华书局1962年版,第1039页。

上行私而不可止也。"①这些事件和言论反映出人们对以"郑卫之音"、"新声"为代表的俗乐的否定态度。

在俗乐兴起而雅乐衰退的时代环境下,这些观点和做法带有明显的偏见,反映出他们的焦虑情绪。班固《汉书·礼乐志》的观点带有普遍性:"乐者,圣人之所以感天地,通神明,安万民,成性类者也。然自《雅》《颂》之兴,而所承哀乱之音犹在,是谓淫、过、凶、嫚之声,为设禁焉。世衰民散,小人乘君子,心耳浅薄,则邪胜正。"②作者将雅乐和俗乐严格对立,以正、邪喻之,严重否定俗乐的合理性,将俗乐与世道衰微之间建立因果联系,虽然两者之间不具有任何关系:"是时,周室大坏,诸侯恣行,设两观,乘大路。陪臣管仲、季氏之属,三归,《雍》彻,八佾舞庭。制度遂坏,陵夷而不反,桑间、濮上、郑、卫、宋、赵之声并出,内则致疾损寿,外则乱政伤民。巧伪因而饰之,以营乱富贵之耳目,庶人以求利,列国以相间。"③作者所谓"桑间、濮上、郑、卫、宋、赵之声",正是当时俗乐的代表,深受广大人民的喜爱,是人民真实心声的流露;它们以真情动人、以至理感人,因而同时获得了各阶层人们的喜爱。六国时魏文侯一语道破人们对俗乐与雅乐的不同态度。他对子夏说:"寡人听古乐则欲寐,及闻郑、卫,余不知倦焉。"④魏文侯此言一方面道出雅乐的古板呆滞和缺乏真情实感,以至于让人直想睡觉,另一方面说明以郑卫之音为代表的俗乐感人至深的艺术效果。但魏文侯此言又证明正统儒者对俗乐的判断:"内则致疾损寿,外则乱政伤民",虽然这种看法带有言过其实的成分。

由此,如何让音乐(尤其是俗乐)欣赏在理论上被肯定下来,成为此后音乐理论建设的重要课题;俗乐所蕴含的崭新的审美意识至此已累积得颇为深厚,它也催促着人们对之进行理论上的总结。可惜的是,囿于正统儒家音乐理论的强大影响力,两汉四百年间仍未解决这个问题。两汉

① (汉)司马迁:《史记》,中华书局1959年版,第1182页。
② (汉)班固:《汉书》,中华书局1962年版,第1039页。
③ (汉)班固:《汉书》,中华书局1962年版,第1042页。
④ (汉)班固:《汉书》,中华书局1962年版,第1042页。

期间，雅乐虽在衰落，但维护雅乐的思想观念却仍具有强大的影响力和控制力，有些人甚至为此污蔑俗乐，连司马迁、董仲舒、班固这样的大学者也概莫能外。这些观点除了延续以往的陈旧言论外没有任何理论上的创新，而且还无视汉代俗乐兴盛发达的实际情况，有自欺欺人之嫌。直到嵇康（223—263年）的《声无哀乐论》，才从理论上将人们赋予音乐的各种外在功能剥离掉，认为音乐本身并无哀乐的情感，人之所以认为某音是哀音，是因为主体内心深处本来就存在哀伤的情感。这种观点将音乐恢复到其自身，是重大的理论突破。虽然这种先锋的观点像流星一样一闪而逝，但毕竟让音乐欣赏在理论上获得了肯定。

两汉四百年间，关于俗乐与雅乐的争论一直存在，俗乐就是在这样的环境下艰难成长起来的。这种争论实际上是对音乐娱乐功能和礼仪功能孰轻孰重的争论。虽然雅乐在两汉间一直存在，但争论的结果是俗乐逐渐占上风，音乐的娱乐功能逐步被肯定了。这种争论起源甚早，从纣王纵情声色起人们就开始通过理论和实践的方式限制音乐娱乐功能的发展，直到春秋时，对音乐礼仪功能的看法仍占主流地位。孔子虽然承认音乐感人至深，但仍认为音乐应"宣德明礼"而排斥将之作为娱乐的方式。但这种观念虽在理论上存在，在实际中却并非如此。于是，如何论证音乐的娱乐功能和礼仪功能可以和谐并存，成为一个时代课题而进入当时统治阶层和知识分子的视野当中。司马迁《史记·乐书第二》记载：

> 秦二世尤以为娱。丞相李斯进谏曰："放弃《诗》《书》，极意声色，祖伊所以惧也；轻积细过，姿心长夜，纣所以亡也。"赵高曰："五帝三王，乐各殊名，示不相袭。上至朝廷，下至人民，得以接欢喜，合殷勤，非此和悦不通，解泽不流，亦各一世之化，度时之乐，何必华山之骥耳而后行远乎？"二世然之。①

李斯（前284—前208年）是楚国人，曾师从儒学大师荀子，他对音乐的态度显然是儒家的一贯看法，认为音乐不应该成为肆心娱乐的工具。赵高

---

① （汉）司马迁：《史记》，中华书局1959年版，第1177页。

（？—前207年）出身低微，在民间长大，他对音乐功能的看法显然偏向于娱乐，虽然此论可能被认为是他庞大阴谋的一部分。赵高认为三王五帝的音乐名称各有不同，时代不同音乐也应该与前代不同；而且，上至朝廷下至百姓，皆可以音乐娱乐欢洽、疏通情意，以音乐娱乐并无丝毫不妥。他强调音乐应该随着时代的变化而变化，应该充分发挥其娱乐抒情的功能。赵高此意亦渊源有自：因为王者未作乐教化民众之前，一般因循先王之乐，但总归要制作与自己事功相称的音乐以表彰自己的功德，因而随着时代世事的不同，音乐的使用也应该有所不同。李斯与赵高关于音乐功能的争论是雅乐与俗乐对立关系的反映。当然，两人争论的背后还蕴含着各自不同的政治立场和意图，这可能会让他们的观点失去客观性。随着秦二世的灭亡，赵高臭名昭著，他对音乐应随时迁移的看法不能在知识分子中获得肯定和大范围传播，因为没有人愿意把自己和赵高之流等同。也因为这样的缘故，在汉代雅、俗之争中，虽然"上至朝廷，下至人民"都在欣赏俗乐，但在理论上却极少有人公开肯定俗乐及其娱乐功用；即使有人肯定音乐的娱情作用，但仍要将之与其礼仪功能放在一起论述，以期获得他人的认可。这是两汉时期人们讨论音乐娱乐功能时基本的论述方式。俗乐虽在实践中兴盛，但在理论总结上却相当滞后，其根本原因在此。直到东汉时，傅毅（？—约90年）才在《舞赋》的序言中公开肯定俗乐及其娱乐功能的合法性，将音乐的娱乐功能提高到与其礼仪功能同等重要的高度。

在赋中，傅毅借楚怀王与宋玉的对话表明了这个观点：

> 楚襄王既游云梦，使宋玉赋高唐之事，将置酒宴饮，谓宋玉曰："寡人欲觞群臣，何以娱之？"玉曰："臣闻歌以咏言，舞以尽意，是以论其诗不如听其声，听其声不如察其形。《激楚》《结风》《阳阿》之舞，材人之穷观，天下之至妙。噫！可以进乎？"王曰："如其郑何？"玉曰："小大殊用，郑雅异宜。弛张之度，圣哲所施。是以《乐》记干戚之容，《雅》美蹲蹲之舞，《礼》设三爵之制，《颂》有醉归之歌。夫《咸池》《六英》，所以陈清庙、协神人也；郑卫之乐，所以娱密坐、接欢欣也。余日怡荡，非以风民也，其何害哉？"王曰："试为寡人赋之。"

玉曰:"唯唯。"①

为了让自己的观点渊源有自,傅毅借宋玉之口将之表达出来。这是汉代较为明确的大胆肯定俗乐及其娱乐功能的观点。而且,这个观点由正统的儒家学者总结出来,更属不易:一方面,对于音乐娱乐功能的公开肯定在当时仍处于潜伏状态,大家虽心知肚明,但都不愿公开表达,以免自己被看作赵高之流;所以在文中,楚襄王本就想欣赏郑卫之音,但担心落得个昏君的名号,遮遮掩掩、故作姿态。另一方面,傅毅不能免俗,也要顾及世俗的压力,为了让大家接受自己的观点,他以引述的方式将这一观点置于宋玉名下,赋予其历史的力量以抬高其地位,从而使之获得合法性。傅毅的立论基础如下:其一,将雅乐和俗乐进行明确分工("陈清庙,协神人"与"娱密坐,接欢娱"),以承认俗乐存在的合理性("大小殊用,郑雅各宜");其二,认为欣赏俗乐只要"张弛有度",不恣性滥情,就是可行的,而圣人也是这样做的("圣哲所施");其三,雅乐和俗乐虽功能不同,但都可以实现"风民"的作用,不会有什么负面影响。总之,傅毅的结论是,在宴会上演奏、欣赏俗乐,是合乎圣人礼制规定的。在这种情况下,楚襄王打消了心中的顾虑,心安理得地欣赏起"郑卫之音"。

实际上,战国时期人们对音乐欣赏(娱乐)的正当性已有清醒的认识,所以苏秦对齐闵王说:"故钟、鼓、竽、瑟之音不绝,地可广而欲可成;和乐、倡优、侏儒之笑不乏,诸侯可同日而致也。"②根据描述可知,苏秦所说的音乐就是当时流行的"新声",以及与之相关的游戏乐舞。苏秦虽是借音乐欣赏的效果来比喻计策在战争中的作用,但同时说明人们对音乐的娱乐功能是肯定的。当然,囿于儒家音乐观的强大力量,傅毅为俗乐辩护有着极大风险。他将音乐功能一分为二的论证逻辑相比于前人已有较大进步,音乐的娱乐审美功能获得了与其教化功能同等的地位,其前提是承认儒家音乐观的正确性和合理性,而音乐的娱乐功能与此也是相符的。与嵇康相比,这种观点的批判力量虽不是那么

---

① (汉)傅毅:《舞赋》,见费振刚等:《全汉赋》,北京大学出版社 1993 年版,第 280 页。

② 范祥雍:《战国策笺注》,上海古籍出版社 2006 年版,第 675 页。

强烈,但已难能可贵。

到东汉末年,人们对音乐娱乐功能的肯定变得理直气壮,这说明儒家音乐观的影响力已减弱很多。据记载,东汉永宁元年(120年)西南夷掸国王献乐及幻人,安帝与群臣共观,陈禅起身反对,认为这是"郑声"、"佞人",尚书陈忠立刻弹劾:"古者合欢之乐舞于堂,四夷之乐陈于门,故《诗》云'以《雅》以《南》,《韎》《任》《朱离》。今掸国越流沙,逾县度,万里贡献,非郑卫之声、佞人之比,而禅廷讪朝政,请劾禅下狱。"①可以看到,雅、俗之争虽在汉末仍在继续,但这时俗乐已获得广泛之认可,儒家礼乐观念对人的束缚作用已微乎其微,即使是正统的儒士,也不再单纯地相信传统礼乐思想对音乐功能的看法②,因而尚书陈忠可以理直气壮地驳斥陈禅的观点,而不像傅毅的辩护那样"犹抱琵琶半遮面"。从作者"禅独离席举手大言曰"的描述看,范晔此时也认为陈禅此举有故作姿态之嫌,其否定态度不言而喻。这说明,此时关于音乐的雅俗之争已基本走向了尾声,俗乐最终获得应有的地位,并滋润、推动了魏晋六朝文学和艺术向抒情方向的发展。

从这个历程可以看到,有汉一代,雅乐和俗乐一直处于互动发展的过程中。由于统治的需要和悠久的历史,雅乐的存在既有政策的支持,又有深厚的理论基础,因而在理论上一直处于主导地位。但由于雅乐古板呆滞,不能反映人们的生活、情趣和理想,虽然知识阶层一直在理论上对之进行申述,但在实践中已不能起到施政化民的作用,因而它的实践远远落后于其理论建设。反之,由于俗乐一直被看作奢侈享受、腐败堕落的象征,所以俗乐在当时虽十分兴盛,社会各个阶层的人民也都很喜欢,但知

---

① (南朝宋)范晔:《后汉书》,中华书局1966年版,第1685页。

② (南朝宋)范晔:《后汉书·马融列传》:"融才高博洽,为世通儒,教养诸生,常有千数。涿郡卢植、北海郑玄,皆其徒也。善鼓琴,好吹笛,达生任性,不拘儒者之节。居宇器服,多存侈饰。尝坐高堂,施绛纱帐,前授生徒,列后女乐。"(范晔:《后汉书》,中华书局1966年版,第1972页)可以看到,在马融的生活中,学习、传授儒家思想和享受奢靡的生活和乐舞并行不悖。以马融的影响力,他的这种生活方式说明时人对此已习以为常,不仅不影响其为师者的形象,他"达生任性,不拘儒者之节"的阔大胸襟反而为士人津津乐道。这种思想和生活方式是传统儒士所不具备的。

识分子一直未对之作出相应的理论总结,以至于俗乐的理论建设严重滞后于实践。

从音乐发展的历史看,俗乐代替雅乐是历史所趋,无法改变,所以即使正统儒士在理论上反复强调雅乐的重要性,也不能改变这一趋势。尤其是魏晋南北朝时期不断加剧的南北、胡汉民族和地域之间的交流,各种民间俗乐不可避免逐渐代替雅乐。实际上,从汉武帝用李延年创制雅乐时,雅乐中就已融入了很多俗乐的内容,因为李延年本身就是"善变新声"的俗乐高手。至隋唐时期,雅乐已多由俗乐构成,传统意义上的雅乐最终消亡。胡震亨《唐音癸鉴·乐通四·总论》即将这个过程上溯到汉武帝时期,而在唐代完成:"古雅乐更秦乱而废,汉世惟采荆、楚、燕、代之讴,稍协律吕,以合八音之调,不复古矣。晋、宋、六代以降,南朝之乐多用吴音,北国之乐仅袭夷虏。及隋平江左,魏三祖清商等乐存者什四,世谓为华夏正声,盖俗乐也。时沛国公郑译复因龟兹人白苏祗婆善胡琵琶,而翻七调,遂以制乐。唐人因而用之,以定律吕。由是观之,汉世徒以俗乐定雅乐;隋氏以来则复悉以胡乐定雅乐。唐至玄宗始以法曲与胡部合奏,夷音、夷舞进之堂上,而雅乐之工,以坐、立伎部不堪者充之,过为简贱。至此,宜乎正声沦亡,古乐之不可复矣。"①正是在胡汉交融、雅俗互动的交流过程中,俗乐蓬勃发展,新的审美意识以其强大的力量战胜了陈旧落后的思想观念,最终承续、发展下来,凝结在音乐等艺术形式中。

第三节 汉代俗乐的代表:楚声、郑卫之音、新声

汉代俗乐的兴起以民间音乐为代表,而民间音乐的兴起是各民族、地区音乐交汇的产物,它们真实反映了人们的生活、情感和心声。追根溯源,"楚声"、"郑卫之音"等"新声"对汉代俗乐的形成具有重要影响。当时,虽然人们"善变新声",但这些新声都有其渊源。就当时"楚声"、"郑

---

① (明)胡震亨:《唐音癸鉴》,古典文学出版社 1957 年版,第 134—135 页。

卫之音"的兴盛看,它们是各种新声形成的基础。这自然与孔子等儒家音乐思想对"郑卫之音"的批判相抵触。实际上,孔子等儒士抵制、批判以"郑卫之音"为代表的俗乐,其目的在维护以礼乐为核心的政治统治制度。周王朝取代殷商政权后,周公吸取商纣王亡国的教训,制礼作乐,以维护、巩固新生的政权。同时,作为商王室聚居的河南中、东部地区也被分封为郑、卫等小国,以利于新生政权的统治者监视殷王室遗族的举动。"郑卫之音"作为商王朝流行的音乐,在这种语境中自然成为"亡国之音"、"靡靡之音"的代表,同时也成为纣王"娱乐至死"的生活方式的典型表征之一,"郑卫之音"自然成为礼乐制度批评的对象,以防止周王室成员重蹈覆辙。《韩非子·十过》专门将欣赏"女乐"作为统治者"十种过失"之一而加以批判,认为"耽于女乐,不顾国政,亡国之祸也"①。可以看到,春秋战国之后的儒士对"郑卫之音"的批判多带有臆测的成分,一般遵循如下逻辑:他们一方面将其与纣王腐化的生活方式相联系,另一方面将殷商灭亡的原因归因于音乐,从而将亡国与"郑卫之音"等同;在他们的论述中,除了宣扬一贯的以雅乐教化民众、维系国家安宁的思想外,我们无法看到他们对殷商灭亡和"郑卫之音"之间关系的理性分析:纣王和"郑卫之音"由此转变成一种符号化的存在,它们成为奢靡、享乐、衰败、灭亡的代名词。

但"郑卫之音"真挚、质朴的情感不是肃穆、平和的雅乐所能比拟的,两者相较,前者更能唤醒人们内心的情感,因而也更能引起人们的共鸣。因此,虽然受到知识阶层整体的持续批判,"郑卫之音"始终没有消失。"郑卫之音"并不是一成不变的,它虽延续了商曲中的某些因素,但同时也会"与世推移",不断从人们的生活中汲取营养从而获得丰富和发展,在此过程中,它的风格、内容、语言等都发生了巨大变化,因而不能以民间流传、新生的"郑卫之音"与商王室宫廷的"郑卫之音"等同,毕竟前者属于皇室音乐,后者属于民间音乐,不能等同视之,但那些视"郑卫之音"如洪水猛兽的儒士却并不顾及此处。当然,人民的需

---

① 陈奇猷:《韩非子新校注》,上海古籍出版社 2000 年版,第 222 页。

求和喜好是挡不住的。可以看到，在东周几百年间，除了一些固守礼制思想的儒生一直在提倡这种思想外，王公贵族在生活中一直在欣赏它们，这种审美倾向持续到两汉时期。只不过，在两汉之间，以"楚声"、"郑卫之音"为代表的俗乐，其情感向度与春秋战国时期相比发生了变化：它们既是上层人士娱乐生活的重要组成部分，也是广大平民借以表达自我情感需求的工具和载体。

　　从审美风格角度看，"郑卫之音"是与歌舞演出相伴的音乐，以靡丽动人为特点。随着汉初经济的逐步恢复，奢靡之风逐渐在官僚贵族间兴起；虽然汉文帝在生活中非常节俭，以至于他万分宠爱的妃子慎夫人在宫殿中都没有精致的纱帐，但这也未能阻止奢靡之风的蔓延。经过短暂停歇，以享乐奢靡为主要内容的生活方式在东汉时期达到了顶峰。仲长统《昌言·理乱篇》说当时皇帝"目极角抵之观，耳穷郑卫之声"，士大夫家则"倡讴伎乐，列乎深堂"①，正是当时上层人士生活状态的真实记录。在这种情况下，"郑卫之音"的欣赏具有更多文化消费的含义：歌声委婉凄迷，舞女装扮艳丽，舞姿曼妙动人，直让人醉生梦死不已。司马相如《上林赋》描绘了更为宏大侈丽的乐舞表演，及其带给人们的独特审美感受，乐舞"娱耳目，乐心意"的功能发挥得淋漓尽致："于是乎游戏懈怠，置酒乎颢天之台，张乐乎胶葛之宇，撞千石之钟，立万石之虡，建翠华之旗，树灵鼍之鼓。奏陶唐氏之舞，听葛天氏之歌；千人倡，万人和；山陵为之震动，川谷为之荡波。巴俞宋蔡，淮南干遮，文成颠歌，族居递奏，金鼓迭起，铿鎗闛鞈，洞心骇耳。荆、吴、郑、卫之声，韶、濩、武、象之乐，阴淫案衍之音，鄢郢缤纷，激楚结风，俳优侏儒，狄鞮之倡，所以娱耳目乐心意者，丽靡烂漫于前，靡曼美色于后。"②司马相如将精通歌舞表演的郑姬描绘成天宫仙子，傅毅《舞赋》则将其华美程度描写到极致，认为再没有任何形象可以比拟其形容，体现出"眩目惊心"的审美特点。

　　同时，以"楚声"为代表的"南音"开始与中原、北方等地区的音乐融

① （南朝宋）范晔：《后汉书》，中华书局1966年版，第1647页。
② （汉）司马相如：《上林赋》，见《全汉赋》，北京大学出版社1993年版，第66页。

合,产生新的曲调和歌辞,如汉初盛行的相和歌、清商曲等,都是南北融合的产物。"楚声"在战国时期开始兴起,盛行于长江、汉水及徐、淮一代,屈原《离骚》等作品就是吸收这些民间音乐创新而成。这种新兴的俗乐带有鲜明的楚文化特点:绚丽、缠绵、凄恻、激越,带有丰富的想象力和华美的富贵感。"楚声"又称"南音"。《吕氏春秋·季夏纪·音初》云:"禹行功,见涂山之女,禹未之遇而巡省南土。涂山氏之女乃令其妾,候禹于涂山之阳。女乃作歌,歌曰:'候人兮猗',实始作为南音。"杜预注《左传·成公九年》"使与之琴,操南音"云:"南音,楚声。盖南音者,南土之音,楚声属之耳。"①其他如《论语·微子》中的《接舆歌》、《孟子·离娄》中的《沧浪歌》、《说苑·至公》中的《子文歌》等,都属于"南音",也就是"楚声",人们常用"激楚之声"称之。"激楚之声"自战国至秦汉颇为兴盛,是一种流行于南方而音声急促回旋、哀切迅疾的音乐。洪兴祖《楚辞补注》注《楚辞·招魂》"发激楚些"中"激楚"云:"《淮南》曰:扬郑卫之浩乐,结《激楚》之遗风。注云:结激清楚之声也。《舞赋》云:《激楚》结风,《阳阿》之舞。五臣云:激,急也。楚,谓楚舞也。舞急萦结其风。李善云:《激楚》,歌曲也。《列女传》曰:听《激楚》之遗风。《上林赋》云:鄢郢缤纷,《激楚》结风。文颖曰:激,冲激急风也。结风,回风,亦急风也。楚地风既自漂疾,然歌乐者犹复依激结之急风为节,其乐促迅哀切也。"②可见,"激楚之声"在秦汉间流行广泛,风格固定,在演出形式上一般是多种乐器合奏,乐舞同时进行,群众参与度很高。朱熹《楚辞集注》卷七注"激楚"云:"《激楚》,歌舞之名,即汉祖所谓楚歌、楚舞也。此言狂会、摈鼓、震惊、《激楚》,即大合众乐而为高张急节之奏。"③从早期"楚声"的篇名和内容看,它首先在民间兴起,作者多为处于江湖草莽之间的隐士,歌辞内容多表达对自由生存状态的向往和对世俗生活的排斥。两汉帝王和上层人士多出生于楚地,对楚声犹所钟情。项羽和刘邦都是楚声的爱好者,两军中的兵士以楚地人居多。在抗秦的过程中,楚声的传播范围逐渐扩

① 王利器:《吕氏春秋疏证》,巴蜀书社2002年版,第619—620页。
② (宋)洪兴祖:《楚辞补注》,岳麓书社2013年版,第209页。
③ (明)朱熹:《楚辞集注》,岳麓书社2013年版,第113页。

大，影响也日渐深入，获得了很好的群众基础，也促进了各地民间音乐的融合与发展。张衡《南都赋》云："齐僮唱兮列赵女，坐南歌兮起郑舞。"①可以看到，此时的乐舞表演中，齐、赵、郑、楚等地的歌舞音乐被容纳在一起，形成一种新的带有较高综合性、多样化的乐舞表演方式。

总体上看，"楚声"以哀乐居多。从屈原《楚辞》所引歌辞看，楚声多为忧伤感人的民间故事，凄迷华丽，感人殊深，是一种"以悲为美"的音乐。在项羽屯兵垓下时，"夜闻四面皆楚声"，以至于项羽军士心生涣散，最终失败。项王本人"乃悲歌慷慨，自为诗曰：'力拔山兮气盖世，时不利兮骓不逝。骓不逝兮可奈何？虞兮虞兮奈若何？'歌数阕，美人和之。项王泣数行下"②。刘邦在项羽军中歌"楚声"，说明：其一，项羽军中多楚地之士，多"乐楚声"；其二，楚声凄恻悲凉，最易感人，可以起到瓦解军心的作用。从项王"悲歌慷慨"来看，他所歌的也是"楚声"，"楚声"的慷慨悲凉正符合他此时的心境。刘邦过沛，"悉召故人父老子弟纵酒"，"慷慨伤怀，泣下数行"③，也说明楚声是一种哀乐。高祖见太子请来商山四皓后，对戚夫人说已不能更换太子，"戚夫人泣。上曰：'为我楚舞，吾为若歌楚歌。'歌曰：'鸿鹄高飞，一举千里。羽翮已就，横绝四海。横绝四海，当可奈何？虽有矰缴，尚安所施？'歌数阕。戚夫人嘘唏流涕。上起去，罢酒"④。刘邦与戚夫人的这场"楚歌"、"楚舞"好像是一场告别，"楚声"的幽怨哀伤再一次打动了刘邦和戚夫人。汉武帝为李夫人所作"是邪，非邪？立而望之，偏何姗姗其来迟"，也是凄楚悲哀的"楚歌"。阮籍《乐论》云："（汉）桓帝闻楚琴，凄怆伤心，倚扆而悲，慷慨长息曰：'善哉乎！为琴若此一而已足矣'。"⑤这些记载都说明"楚声"是一种悲乐，在风格上或悲凉慷慨，或婉丽动人，或凄迷哀伤，不一而足。它们的兴盛，真实反映了两汉时期人们的审美趣味和他们的审美需求，他们的内心似乎充满

---

① （汉）张衡：《南都赋》，见《全汉赋》，北京大学出版社1993年版，第460页。
② （汉）司马迁：《史记》，中华书局1959年版，第333页。
③ （汉）司马迁：《史记》，中华书局1959年版，第389页。
④ （汉）司马迁：《史记》，中华书局1959年版，第2047页。
⑤ （三国魏）阮籍：《乐论》，见吴钊等：《中国古代乐论选辑》，人民音乐出版社2011年版，第110页。

了言说不尽的哀愁。

这里所讨论的"楚声"、"楚舞"、"郑卫之音",多在私家场合表演,同时,两汉时期还十分兴盛集体歌舞。长安、洛阳等皇家园林和名门望族家里经常上演规模宏大的歌舞表演。这些歌舞是混杂的,既有少数民族的胡乐歌舞,也有汉民族的歌舞等。《汉书·西域传第六十六下》记载:"设酒池肉林以飨四夷之客,作《巴渝》都卢、海中《砀极》、漫衍鱼龙、角抵之戏,以观视之。"[1]这是汉武帝为向西域属国显示天朝盛威在上林苑所演出的歌舞。司马相如《子虚赋》记述当时的歌舞表演"榜人歌,声流喝。水虫骇,波鸿沸。涌泉起,奔扬会。礧石相击,硠硠礚礚。若雷霆之声,闻乎数百里之外"[2],可谓是规模宏大、气势撼人。类似的记述在张衡《两都赋》中均有记载。可见,这种大型的歌舞表演在两汉中是一直存在的,群众参与的程度很高,是一种娱乐大众的艺术表演活动。它们与私家宴会和民间流传的音乐歌舞构成了汉代音乐的全部。这些音乐多通过钟鼓演奏,以激越、宏大为特点,是汉代音乐"丽美"的体现之一。

除"楚声"、"郑声"外,"新声"在汉代也颇为盛行,是汉代俗乐的又一重要代表。李延年正因为"善变新声"而受到汉武帝的注意。据记载,李延年"每为新声变曲,围者莫不感动",汉武帝就是在欣赏李延年所作的新声歌曲"北方有佳人,绝世而独立"后而想见其形容,之后得到了李延年的妹妹李夫人。可见,李延年所"变"之"新声"多是感物动情的抒情作品,缠绵悱恻,让人不能自已。李延年也因此而成为乐府官署的"协律都尉"、"佩两千石印授",达到"而与上卧起"的地步,足见汉武帝对李延年的宠幸程度。"协律都尉"是乐府的最高行政长官,掌管国家祭祀礼乐和民间俗乐的制定和管理工作,司马相如等文士都属他领导,负责采集民间旧曲和创制新曲。就汉武帝的审美偏好看,李延年的工作更偏向于后者。当然,他也曾制作《郊祀歌》十九首,还改编了张骞自西域带来的《摩

---

① (汉)班固:《汉书》,中华书局 1962 年版,第 3928 页。

② (汉)司马相如:《子虚赋》,见《全汉赋》,北京大学出版社 1993 年版,第 49 页。

诃兜勒》二十八首，作为乐府的仪式之歌。与"楚声"、"郑声"一样，"新声"也并非仅指在汉代产生的新的民间音乐，而是对春秋战国时代兴起的民间音乐的统称，以与雅乐等传统音乐相区别，因而有人将它与商纣王的音乐并称，认为是"靡靡之乐"。

"新声"一词首见于《国语·晋语八》："平公说新声，师旷曰：'公室其将卑乎！君之明兆于衰矣。夫乐以开山川之风也，以耀德于广远也。风德以广之，风山川以远之，风物以听之，修诗以咏之，修礼以节之。夫德广远而有时节，是以远服而迩不迁。'"①晋平公喜爱"新声"，师旷批评了他的这一喜好，认为"新声"近不能化民，远不能致神，无助于礼仪德性的传播，会对国家命运产生负面影响。师旷的观点与《韩非子·十过》中所记述的卫灵公与晋平公听"新声"的记载一致。在《韩非子》中，"新声"被认为是纣王的"桑濮之音"，是不祥的。因此，李延年"善变新声"的音乐才华并不能获得正统知识分子的肯定，因为"变"声，某种程度上是对雅乐的改造，而这是大逆不道之事的魁首。当然，所"变"之声如是雅乐则另当别论，因为时代不同，事功不同，因而需要不同的雅乐以歌颂之，实现"变新声，倡武功"的目的。司马迁《史记·乐书第二》曰："五帝殊时，不相沿乐；三王异世，不相袭礼"②，也强调礼乐应随时随事而发生相应的变化。但由于目的、功能、音阶、技法的固定，雅乐可变的空间不大，所"变"者仍多为俗乐。班固《汉书·礼乐志》云："殷纣断弃先祖之乐，乃作淫声，用变乱正声，以悦妇人。乐官师瞽抱其器而犇散，或适诸侯，或入河、海。"③可见，至班固时代，他仍将纣王时期的"桑濮之乐"视为"淫声"，而"淫声"正是"变乱正声"的结果。所谓"变乱正声"，也就是"新声"，同时也是"淫声"，是用来取悦夫人的东西，不能在国家文化体系中存在。他们认为"变乱正声"的"新声"繁声急促、散漫而没有节制，在音韵上比较放纵，根本不合古代的音律，所以他们用"滥"、"慢"、"乱"、"淫"等词汇来描述它。在这样的历史语境中，李延年的处境可想而知。

---

① （春秋）左丘明：《国语》，上海古籍出版社1978年版，第460—461页。
② （汉）司马迁：《史记》，中华书局1959年版，第1193页。
③ （汉）班固：《汉书》，中华书局1962年版，第1039页。

所以,李夫人去世后,李延年家族接连被族,这固然与其家族获罪有关,同时也是正统儒士不断弹劾的结果。总之,"新声"是对春秋开始兴起的民间音乐的统称,以与正统雅乐相区别,到两汉时期,人们仍用"新声"指称民间音乐。

即使如此,"新声"仍以其动听的曲调、清新的情感,赢得了广大人民的喜爱,成为时代的心声。汉末名士边让(？—193 年?)《章华赋》详细描述了一场以"新声"为核心的乐舞表演。范晔《后汉书·文苑列传第七十下》记载了这篇赋文。在赋文的小序中,边让托名楚灵王游云梦之泽、建华章之台的故事,描述了在华章台上演的曼妙歌舞:"前方淮之水,左洞庭之波,右顾彭蠡之陝,南眺巫山之阿。延目广望,骋观终日。顾谓左史倚相曰:'盛哉斯乐,可以遗老而忘死也!'于是遂作华章之台","设长夜之淫宴,作北里之新声。"①正像范晔所说,边让此赋乃效司马相如故事,"虽多淫丽之辞,而终之以正",因而在他的记述中,楚灵王的宴会歌舞与纣王的歌舞在性质上是不同的。"北里新声"是哀乐的一种,传为纣王乐师师涓所作。李贤注曰:"《史记》曰:纣为酒池肉林,使男女裸而相逐其间,为长夜之饮。使师涓作新声,北里之舞,靡靡之乐也。"②边让为人英才俊逸,直言不阿,作此赋显然是对当时贵族在乱世中沉迷歌舞的生活方式的讽刺。这场歌舞演出以"新声"为中心,真实反映出当时流行的"新声"的风格特点。文章直接描写"新声"风格特点的有以下内容:

> 于是招宓妃,命湘娥,齐倡列,郑女罗。扬《激楚》之清宫兮,展新声而长歌。繁手超于北里,妙舞丽于《阳阿》。
>
> 金石类聚,丝竹群分。
>
> 长夜向半,琴瑟易调,繁手改弹,清声发而响激,微音逝而流散。振弱枝而纤绕兮,若绿繁之垂干。忽飘飘以轻逝兮,似鸾飞于天汉。
>
> 天河既回,淫乐未终,清籥发征,《激楚》扬风。于是音气发于丝

① (南朝宋)范晔:《后汉书》,中华书局 1966 年版,第 2640 页。
② (南朝宋)范晔:《后汉书》,中华书局 1966 年版,第 2640 页。

竹兮，飞响轶于云中。比目应节而双跃兮，孤雌感声而鸣雄。美繁手

之轻妙兮，嘉新声之弥隆。①

根据此处描述，可以概括当时"新声"的特点：其一，"新声"的弹奏手法十
分复杂，所以作者两次用"繁手"指出这一特点，认为其复杂程度"超于北
里"，其演奏效果约同"大弦嘈嘈如急雨，小弦切切如私语"，颇能感人动
情，更适宜抒发多样的情感。西方文艺复兴时期，音乐家在人文精神的支
持下，对复调音乐进行改造，以张扬人性和抒发情感，这些音乐其实也是
"繁手""新声"，更宜于抒发主体多样的情感。马融《长笛赋》有"繁手累
发，密栉叠重"，吕延济注曰："繁手，手指繁捻而累举如梳齿也。《乐记》
曰：郑卫之音，乱世之音也。又：杂乐奸声，以滥溺而不止。郑音好滥淫
志，卫音促速烦志。言郑卫之声，烦与杂也。"李善注云："《左氏传》，医和
曰：'于是有烦手淫声，慆堙心耳，乃忘平和，君子不听也。' 手烦不已，则
杂声并奏，记传所谓'郑、卫之声'，谓此也。"②李善所引《左传》文字见于
《左传·昭公元年》：晋侯病笃而求救于秦，秦派医和看视，认为晋侯之病
因"繁声"而起，以至天命不祐，国败人亡。因而在儒家观念中，"繁手"是
淫乐的代名词，"君子不听"。

其二，在演奏方式上，"新声"的演奏多为金、石、丝、竹等乐器（如箫、
笛、琴、瑟、龠等），时而多种乐器和奏，时而以某一种乐器为主，这与雅乐
以钟、鼓、磬、盤等乐器演奏不同。多种演奏方式的融合，扩展了人们对传
统音阶的认识和使用。在雅乐演奏中，人们普遍采用四声音阶，其演奏手
法简单，音调变化有限。但在"新声"中，人们将四声音阶发展到五声音
阶甚至七声音阶，乐音起伏变化、抑扬有致，效果良好。实际上，对于音
阶的认识，中国古人早已达到很高的水平，1986—1987 年间考古发掘
的距今约 9000 年的河南舞阳贾湖骨笛，已有七个孔，经过专业人士测
试，可以完整演奏七声音阶。只不过，由于礼制的限制，周代雅乐并没
有在音阶方面下更多工夫，这应是有意忽略的结果，而"新声"的兴起

① （南朝宋）范晔：《后汉书》，中华书局 1966 年版，第 2641—2643 页。

② （唐）李善：《文选注》，上海古籍出版社 2005 年版，第 815 页。

复活了它们。

其三,在风格上,"新声"具有多样的风格,或清声激越,或微声细婉,或慷慨悲壮,声音清澈如水,高亢凄清,直入云霄,十分感人;高音和低音交相混合、变幻莫测,时而是弱柳拂风,时而是惊鸿奋飞,让听者之情也不由随着音乐的飞动而波澜不已。如《楚辞·招魂》:"宫廷震惊,发激楚些。"王逸注:"激,清声也。言吹竽击鼓,众乐并会,宫廷之内,莫不震动惊骇,复作激楚之清声,以发其音也。"①《飞燕外传》亦记载了这种"繁手""新声",认为它是"哀乐"的一种:赵飞燕的父亲冯万金致力于乐器,曾任江都王协律舍人,他"编习乐声,亡章曲,任为繁手哀声,自号凡弥之乐,闻者心动焉"。这种音乐凄切感人,所以作者说比目鱼听到这种音乐也双双起舞,孤独的雌鸟听后也呼唤雄鸟的到来。总之,"新声"是一种演奏手法复杂、音声变化繁复,由多种乐器和弦演奏的音乐,具有较强的情感穿透力和感染力,是两汉时期音乐演奏的主体。

汉王室贵族对"楚声"、"郑卫之音"和"新声"的喜爱,对汉代音乐以及人们的生活观念影响甚大,以至于改变了社会进程。以"乐楚声"著称的汉高祖刘邦为代表的汉王室,对楚声的持续流传和接受起到非常重要的推动作用,同时也提高了民间俗乐在社会上的地位。《汉书·礼乐志》说汉武帝设置乐府,"采诗夜诵,有赵、代、秦、楚之讴",说明当时流传南北的民间音乐都成为国家采录的对象,经过审订后演出歌唱,成为汉代音乐的主体,它们也是王室成员娱乐欣赏的主要对象。汉武帝的舅舅田蚡贵为丞相,以享乐为人生目的,说:"天下幸而安乐无事,蚡得为肺附,所好音乐、狗马、田宅,所爱倡、优、巧匠之属。"②当然,其临终时,"一身尽痛,若有击者",正是这种放纵享乐所得的恶果。但他的去世并未引起人们对耽于享乐的警惕。至汉成帝时,上层人士对俗乐的欣赏达到登峰造极的程度,一些著名的倡优变得十分富有,他们虽尚未取得政治上的显赫

① (汉)王逸:《楚辞章句》,岳麓书社2013年版,第209页。
② (汉)班固:《汉书》,中华书局1962年版,第3389页。

地位，但他们在社会上的地位已有很大提升，"富显于世"："是时，郑声尤盛。黄门名倡丙彊、景武之属富显于世，贵戚五侯、定陵、富平外戚之家淫侈过度，至与人主争女乐。"①这种肆无忌惮欣赏俗乐的局面引起了汉哀帝的注意，如果再不加以制止，很有可能形成儒生所批判的局面而导致"亡国之祸"，所以他果断终止了乐府官署的活动，将其成员裁剪流放，而仅留下制作雅乐的伶人。后来，班固在对王莽之乱的分析中，同样认为对俗乐的过度欣赏成为此次动乱的原因之一："百姓渐渍日久，又不制雅乐有以相变，富豪吏民湛沔自若，陵夷坏于王莽。"②这种观点延续了此前人们对纣王的评价。

两汉人士对"楚声"、"郑卫之音"和"新声"的欣赏，代表一种新的审美趣味的兴起，这是一种以感官体验为基础的感性美学。应该看到，汉代某些儒士否定"郑卫之音"等俗乐，一方面是为了维护乐教传统的神圣权威，另一方面也是先秦理性主义美学思想的延续，后者是一种否定感性愉悦的审美思想或审美情趣。在这一点上，儒道两家的观点是一致的。这种理性主义美学既认为喜怒哀乐乃人生情感之常态，同时又认为人生情感的表达和流露应该相辅相成，而不能以感性体验否定人性之道。《左传·昭公二十五年》云："哀有哭泣，乐有歌舞。……哀乐不失，乃能协于天地之性，是以长久。"③《国语·周语下第三》云："夫乐不过以听耳，而美不过以观目，若听乐而震，观美而眩，患莫甚也。夫耳目，心之枢机也，故必听和而视正。听和则聪，视正则明。聪则言听，明则德昭。听言昭德，则能思虑纯固。"④从这个角度看，两汉时期人们对"楚声"、"郑卫之音"的欣赏带有解放人性、舒展自我的意味：这是一种重视以视听感官为基础的感性美学，重视主体对内心情感的抒发和表达，带有人性解放的性质，即《淮南子·齐俗训》所谓"制乐足以合欢宣意而已"⑤。它在文学上

---

① （汉）班固：《汉书》，中华书局1962年版，第1072页。
② （汉）班固：《汉书》，中华书局1962年版，第1074页。
③ （晋）杜预：《春秋左传集解》，上海人民出版社1977年版，第1517页。
④ （春秋）左丘明：《国语》，上海古籍出版社1978年版，第125页。
⑤ 何宁：《淮南子集释》，中华书局1998年版，第786页。

以奇、丽为美,在音乐上以悲为美,在舞蹈上以眩目惊心为美,它们共同构成了汉代审美意识的主体。

第四节 汉代音乐的情感特质:以悲为美

汉代音乐在情感取向上有"以悲为美"的倾向,这是汉代音乐不同于前朝音乐的一个显著特点。在历史上,在儒家音乐观的影响下,"悲声"历来不能成为国家礼乐之正宗。虽然有人认为悲乐也有化民之功,如司马迁《史记·乐书》"丝声哀,哀以立廉,廉以立志"①,但这种观点在儒士中不占主流。在他们看来,"悲声"是国家衰亡的象征,师延之为纣王造"新声"而使国家灭亡的历史教训造成人们对"悲声"的集体恐惧,所以《乐记》说:"亡国之音哀以思";荆轲刺秦王临行前慷慨悲歌,以象征这是自己一去不复返的死亡之旅。吴国延陵季子经过卫国,孙林父为之击磬,季子说:"不乐,音大悲,使卫乱乃此矣"②,也认为悲乐是使卫国混乱的魁首。但是,随着礼制的崩坏,"悲声"在春秋之际成为人们欣赏的对象,有些人还专门以欣赏"悲声"为自己的最大爱好,晋平公(?—前532年)就是他们的代表之一。但晋平公最后癯病而死,再次印证"悲声"的不可听:"悲声"的演奏与欣赏于国于身都有莫大的危害。

据《韩非子·十过》记载,卫灵公在到晋国的途中路经濮水,夜间休息时听到一阵鼓乐"新声","其状似鬼神",问其他人却都说没有听到,后又让师涓专门去听并谱写下来。果然师涓以琴得之,并用一晚的时间熟悉了这套音乐。到晋国时,卫灵公以乐献晋平公,演奏中师旷起身制止,说此曲是师延之为纣王所造,后武王伐纣,师延之自投濮水而死,是以过濮水者皆能听到它。因为是"亡国之声"、"靡靡之乐",师旷建议罢演,因为"先闻此声者其国必削,不可遂",但晋平公并未同意:

> 平公曰:"寡人所好者音也,子其使遂之。"师涓鼓究之。平公问

① (汉)司马迁:《史记》,中华书局1959年版,第1225页。
② (汉)司马迁:《史记》,中华书局1959年版,第1598页。

师旷曰："此所谓何声也？"师旷曰："此所谓清商也。"公曰："清商固最悲乎？"师旷曰："不如清徵。"公曰："清徵可得而闻乎？"师旷曰："不可，古之听清徵者皆有德义之君也，今吾君德薄，不足以听。"平公曰："寡人之所好者音也，愿试听之。"……平公提觞而起为师旷寿，反坐而问曰："音莫悲于清徵乎？"师旷曰："不如清角。"平公曰："清角可得而闻乎？"师旷曰："不可。"①

此处所记卫灵公夜遇"濮上之音"的事情略显诡异，同时也说明当时"悲声"流传范围之广、影响之深。晋平公"所好之音"皆为"悲声"。在师旷曰"不可闻"后，他更以自己年老无所求为由要求师旷为自己演奏。"清商"、"清徵"、"清角"悲切程度依次递增②，晋平公必听闻而后已。师旷认为听悲声者必为德高义厚者，德行浅薄而听悲声必然会带来重大灾祸。师旷的观念是儒家音乐观的体现，同时体现出一些新的特点。其一，为了凸显"悲声"的特殊性，师旷在叙述中增加了很多神秘性因素；其二，他对"悲声"的看法既延续了儒家的一贯立场，同时也提供了"悲声"演奏的条件：道德品质的深浅与否成为"悲声"是否可以演奏的决定性条件，他举出黄帝听清角之乐的例子来证明自己的观点。无论如何，晋平公爱闻"悲声"的喜好说明悲乐在当时已流传广泛，师旷对悲乐的熟悉说明人们对它有很深入的思考。这些因素都为"悲声"的持续流传奠定了基础。当然，师旷的解释带有夸张、恫吓的成分。东汉学者王充对师旷演奏悲乐而出现的各种自然异象及平公癃病而死的现象进行解释，指出这种

① 陈奇猷：《韩非子新校注》，上海古籍出版社 2000 年版，第 206 页。

② 《韩非子》所述"清角"之曲带有很多神话传说的性质："平公曰：'清角可得而闻乎？'师旷曰：'不可。昔者黄帝合鬼神于泰山之上，驾象车而六蛟龙，毕方并辖，蚩尤居前，风伯进扫，雨师洒道，虎狼在前，鬼神在后，腾蛇伏地，凤皇覆上，大合鬼神，作为清角。今主君德薄，不足听之，听之将恐有败。'平公曰：'寡人老矣，所好者音也，愿遂听之。'师旷不得已而鼓之。一奏之，有玄云从西北方起；再奏之，大风至，大雨随之，裂帷幕，破俎豆，隳廊瓦，坐者散走，平公恐惧，伏于廊室之间。晋国大旱，赤地三年。平公之身遂癃病。"（陈奇猷：《韩非子新校注》，上海古籍出版社 2000 年版，第 206 页）"清角"之曲在汉时确实存在，是儒家音乐之一种，同时也是一种悲乐，至东汉末仍有人演奏。范晔《后汉书·儒林列传》："刘昆字桓公，陈留东昏人，梁孝王之胤也。少习容礼。平帝时，受施氏《易》于沛人戴宾。能弹雅琴，知《清角》之操。"（范晔：《后汉书》，中华书局 1966 年版，第 2549 页）

描述在逻辑上存在的问题："或时奏清角时，天偶风雨，风雨之后，晋国
适旱；平公好乐，喜笑过度，偶发癃病。传书之家，信以为然，世人观见，
遂以为实。实者乐声不能致此。何以验之？风雨暴至，是阴阳乱也。
乐能乱阴阳，则亦能调阴阳也，王者何须修身正行，扩施善政？使鼓调
阴阳之曲，和气自至，太平自立矣。"①王充认为音乐演奏和政治统治之
间没有联系，天地阴阳也不会因为音乐的演奏而发生变化。此论剥离
了人们赋予音乐的神秘因素，有助于人们从音乐本身的角度思考音乐，
是一大进步。

各种迹象表明，被儒士称为"靡靡之音"的"桑林之舞"、"濮上之乐"
是当时兴盛的民间音乐的总称，其审美特点是清和婉转、慷慨激越，多为
悲乐，在当时流传广泛，深受人民大众的喜爱。因而，汉代音乐"以悲为
美"的审美倾向是在长期的实践中逐渐形成的。两汉时期，俗乐延续了
春秋战国时期的发展势头，喜好民间音乐的汉王室促进了它的持续发展，
同时也融入了汉代人自己的独特情感。虽然两汉时期人们的日常生活内
容很丰富，人们也以各种方式表达自己对生命和生活的热爱，但同时也应
看到，当时无论是普通百姓还是皇室王侯，心中似乎都蕴含着一种难以排
遣的悲伤情绪，这些情感在他们的音乐欣赏中往往不由自主地流露出来：

　　高祖还归，过沛，留。置酒沛宫，悉召故人父老子弟纵酒，发沛中
儿得百二十人，教之歌。酒酣，高祖击筑，自为歌诗曰："大风起兮云
飞扬，威加海内兮归故乡，安得猛士兮守四方。"令儿皆和习之。高
祖乃起舞，慷慨伤怀，泣数行下。②

　　（张释之）从行至霸陵，居北临厕。是时慎夫人从，上（汉文帝）
指示慎夫人新丰道，曰："此走邯郸道也。"使慎夫人鼓瑟，上自倚瑟
而歌，意惨凄悲怀。顾谓群臣曰："嗟乎！以北山石为椁，用纻絮斮
陈，蒙漆其间，岂可动哉！"左右皆曰"善"。③

　　建元三年，代王登、长沙王发、中山王胜、济川王明来朝，天子置

① 黄晖：《论衡校释》，中华书局1990年版，第245页。
② （汉）司马迁：《史记》，中华书局1959年版，第389页。
③ （汉）司马迁：《史记》，中华书局1959年版，第2753页。

酒,胜闻乐声而泣。问其故,胜对曰:"闻悲者不可为累欷,思者不可为叹息。故高渐离击筑易水之上,荆轲为之低而不食;雍门子壹微吟,孟尝君为之于邑。今臣心结日久,每闻幼眇之声,不知涕泣之横集也"。①

刘邦过沛,与父老置酒歌舞,待到酒酣时分,想起多年来的连年征战,悲苦不已,泪下沾襟。"闻歌而悲"似乎是高祖刘邦的一贯行为,即使在他处于权力顶峰的时候,他也时刻感受到人生的无奈,就像他想立戚夫人子赵王如意为太子却无可奈何一样,只能眼睁睁地看着她们母子二人沦为阶下囚。葛洪《西京杂记》"戚夫人歌舞"条云:"高帝、戚夫人善鼓瑟击筑。帝常拥夫人倚瑟而弦歌,毕,每泣下流涟。"②这种对人生的无力感伴随了刘邦的一生,直到临死前也未能免除。公元前177年,汉文帝与慎夫人秋游上林苑;慎夫人是邯郸人,能歌善舞,文帝与她在霸陵桥上远眺③,勾起了思乡之情,抑或是想起自己为免吕后迫害而在代国隐忍偷生的往事,因令慎夫人鼓瑟而自"倚瑟而歌",其情悱恻,并对死后棺椁的制作提出了意见。中山靖王刘胜在朝见武帝的宴会上说自己心中抑郁,每闻悲凉婉转的音乐就不由流泪。汉武帝幸河东,所作《秋风辞》也属悲声,等等,类似的记载在汉籍中所在多有,他们似乎都有无尽的心事和悲凉的情感,一旦机会合适就流露出来。所以,以凄恻悲凉、抑郁缠绵为主要特征的"楚声"、"郑卫之音"之类民间俗乐正好满足了他们的情感需求。同时也可看到,汉皇室成员多乐听悲声,《韩非子》记述的带有恐吓意味的"悲声不可闻"的观念对他们没有多少约束和控制的作用,这在某种程度上说明人们对音乐的认识开始摆脱那些神秘主义的伦理原则的束缚,而回到对音乐本身的欣赏中,这对汉代音乐的发达十分重要,也为嵇康《声无哀乐论》的横空出世奠定了基础。

---

① (汉)班固:《汉书》,中华书局1962年版,第2422—2423页。

② (晋)葛洪:《西京杂记》,见《汉魏六朝笔记小说大观》,上海古籍出版社1999年版,第79页。

③ (唐)裴骃《史记集解》:"李奇曰:'霸陵北头厕近霸水,帝登其上,以远望也。'如淳曰:'居高临垂边曰厕也。'苏临曰:'厕,侧边也。'韦昭曰:'高岸夹水为厕也'。"见司马迁:《史记》,中华书局1959年版,第2753页。

同时，人民大众和知识分子也多创作和传唱以悲为美的歌辞和音乐。在民间，那些广为传唱的歌诗多为悲音，《古诗十九首》、《饮马长城窟行》、《箜篌引》、《雉朝飞》、《思归引》、《公无渡河》等几乎全是悲伤的歌曲，这些歌曲是当时人们痛苦生活和生命经验的总结，它们成为汉代音乐以悲为美的主要内容。这些音乐背后都有令人感伤、沉痛的往事。例如，郭茂倩《饮马长城窟行序》这样解释："长城，秦所筑以备胡者。其下有泉窟，可以饮马。古辞云：'青青河畔草，绵绵思远道。'言征戍之客，至于长城而饮其马，妇人思念其勤劳，故作是曲也。郦道元《水经注》曰：'始皇二十四年，使太子扶苏与蒙恬筑长城，起自临洮，至于碣石；东暨辽海，西并阴山，凡万余里。'民怨劳苦，故杨泉《物理论》曰：'秦筑长城，死者相属。'民歌曰：'生男慎无举，生女哺用脯。不见长城下，尸骸相支柱。'其冤痛如此。"①这首歌辞所传达的是秦始皇修建长城给人们带来的无法疗救的身心痛苦，至汉末时仍在传唱。汉武帝穷兵黩武，对匈奴连年征战，人民敢怒不敢言，只有通过歌曲传唱的方式表达自己的愤懑之情。在此过程中，黎民遭殃，生灵涂炭，生离死别之事所在皆有，更加深了人们对生命无常、人生难续的悲叹。《思归引》写的是卫国少女被锁深宫，思归不得，自缢而死的事情。该曲是少女临死前所作，表达一种哀怨和绝望的情感，是十足的悲乐。汉代民间音乐多如此类，感情真实质朴、悲怆感人，是悲乐的代表。"挽歌"在汉初时开始出现，也与这种历史有关。这些悲乐是"世集乱离"的结果，所以他们歌唱道："悲歌可以当泣，远望可以当归"、"悲意何慷慨，清歌正激扬。长哀发华屋，四座莫不伤"②，多如此类。

对于汉时的知识分子来说，他们的人生遭际亦非一帆风顺，即使是司马迁、董仲舒、贾谊等显赫之士，其遭遇和下场也颇为曲折、悲惨，后汉张衡、蔡邕、班固等人，无不如此。因此，他们所作的歌辞也多以悲声为主。以张衡为例，他虽才干优长，为河间相时天下大治，奈世事衰微，国祚枯

---

① （宋）郭茂倩：《乐府诗集》，（台北）里仁书局 1984 年版，第 555 页。

② （汉）李陵：《别诗》，见逯钦立：《先秦汉魏晋南北朝诗》，中华书局 1983 年版，第 339 页。

槁,仍郁郁不得志,作《四愁诗》:"效屈原以美人为君子,以珍宝为仁义,以水深雪雾为小人,思以道术相抱,贻于时君,而惧谗邪之不得通。"①可以看到,无论是在西汉盛世,还是在东汉末世,知识分子多处于"志不得遂"、"情难以抒"的境地,因而他们创作的歌诗作品也多清丽悱恻、情意真切,及配乐歌唱,也是一种悲乐。因此,两汉时期,以音乐抒悲情成为汉代王室、知识阶层和普通百姓共同的情感追求。

两汉时期如此众多的"以悲为美"的创造和欣赏实践,必然在理论上有所反映,这是对儒家音乐观的反驳和拓展,《淮南子》《论衡》等著作对此有过论述和总结。《淮南子》中以"悲"为"美"的阐述有如下三条:

> 《齐俗训》:故瑟无弦,虽师文不能成曲。徒弦则不能为悲。故弦,悲之具也,而非所以为悲也。②

> 《诠言训》:不得已而歌者,不事为悲;不得已而舞者,不矜为丽。歌舞而不事为悲丽者,皆无有根心者。③

> 《说林训》:行一棋不足以见智,弹一弦不足以见悲。……善举事者若乘舟而悲歌,一人唱而千人和。④

从句式行文角度看,上述言论非一人一时所作,但其思想和观点却是一致的。蔡仲德对此分析说:"弦能奏悲乐,也能奏音乐,故一、三两例中的'悲'都不能释为悲,它们都是'美'的代词。第二例以'丽'与'悲'相对为文,其'悲'更是'美'的代词。"⑤这个分析是准确的。第一、三例中的"悲"是音乐的代称,认为"弦"是弹奏音乐的工具,由此可以推断"悲"是音乐的本质属性。第二例将"舞"之"丽"与"歌"之"悲"对举,认为它们都来自主体之"心",这说明"悲"是歌的本质属性,也就是音乐的本质属性。这些观点与传统儒家观点具有本质上的不同,是对音乐本质的另类概括,是一种全新的音乐理论,也是一种全新的审美观念。类似的观点在

---

① （汉）张衡:《四愁诗》,见逯钦立:《先秦汉魏晋南北朝诗》,中华书局 1983 年版,第 180 页。

② 何宁:《淮南子集释》,中华书局 1998 年版,第 802 页。

③ 何宁:《淮南子集释》,中华书局 1998 年版,第 1025—1026 页。

④ 何宁:《淮南子集释》,中华书局 1998 年版,第 1197、1227 页。

⑤ 蔡仲德:《音乐之道的探索》,上海音乐出版社 1983 年版,第 338 页。

东汉王充《论衡》中也有体现,如《书虚篇》:"唐虞时,夔为大夫,性知音乐,调为悲善。《龙城杂记》曰:故音喜悲。"①《感虚篇》:"鸟兽好悲声,耳与人耳同也。"②《自纪篇》:"师旷调音,曲无不悲;狄牙和膳,肴无淡味。……美色不同面,皆佳于目;悲音不共声,皆快于耳。"③王充将夔"击石拊石,百兽率舞"的音乐定位为"悲音"是大胆的观点,因为此前儒士在讨论乐教传统时均将这一乐曲称为典范,因而不可能是"悲音"或"悲乐",而是治世之音、盛世之乐。王充将音乐的本质定义为"悲",是"以悲为美",所以他认为"悲音不共声,皆快于耳",既强调了悲声的多样性,又突出了悲声对感官愉悦的作用。正是基于这样的认识,他说在这一点上人与鸟兽对音乐的感受是一致的。只不过,鸟兽闻悲乐则舞,人闻悲乐则哀,表现有所不同。

　　西汉宣帝时著名辞赋家王褒在《洞箫赋》中也谈到音乐"以悲为美"的问题。在叙述制作洞箫的材质的生长环境和洞箫演奏的音乐后,作者转到对音乐效果的讨论:"故知音者乐而悲之,不知音者怪而伟之。故闻其悲声,则莫不怆然累欷,撇涕抆泪;其奏欢娱,则莫不惮漫衍凯,阿那腲腇者已。"④王褒对"知音者乐而悲之,不知音者怪而伟之"的界定成为学界争论的焦点。人们常引钱钟书《管锥编》对此观点的引申、阐释:"奏乐者以生悲为善者,听乐以能悲为知音,汉魏六朝,风尚如斯。……人感受美物,辄觉胸隐然痛,心硁然跃,背如冷水浇,眶有热泪滋等种种反应。"⑤钱钟书将音乐的本质定义为"悲",奏乐者能生悲音为国手,听音而能感悲者为知音,认为这是汉魏六朝时期的时代风尚;同时,他还认为悲同时是美的本质,也是审美欣赏的本质。朱光潜《悲剧心理学》开篇讨论为何悲剧给人痛感反而引起人们的观赏兴趣的原因,究其实,也是从一个侧面说明"悲"是"美"的本质,也是审美欣赏的本质。朱光潜说:

---

① 黄晖:《论衡校释》,中华书局 1990 年版,第 195 页。
② 黄晖:《论衡校释》,中华书局 1990 年版,第 245 页。
③ 黄晖:《论衡校释》,中华书局 1990 年版,第 1201 页。
④ (汉)王褒:《洞箫赋》,见《全汉赋》,北京大学出版社 1993 年版,第 144 页。
⑤ 钱钟书:《管锥编》,中华书局 1979 年版,第 946、949 页。

"痛苦在悲剧中被感觉到并得到表现,与此同时,它那郁积的能量就得到宣泄而缓和。这种郁积能量的缓和不仅意味着消除高度的紧张,而且也是唤起一种生命力感,于是这就引起快感。"①汉代人欣赏悲乐的情况也是如此:通过对悲乐的欣赏缓解内心郁积的能量和压力,进而获得对生命的真切感受和认识。然而,钱钟书从审美痛感的角度界定汉代"悲声",将汉代音乐所蕴含的多样化的审美意识单一化了,因而不符合汉代音乐"以悲为美"的内涵。蔡仲德说:"《管锥编》所说未顾及汉代音乐实践与审美意识的特点,因而与王褒等汉人的实际思想不合。"②这是比较准确的评价。

　　实际上,汉代音乐"以悲为美"的"悲"带有鲜明的综合性特点,既指音乐类型和风格的多样性,同时也包括审美痛感与快感等各种感受。就王褒的论述看,他所谓的"悲"不仅包括"悲伤"、"凄惨"等痛感,同时还包括"中和"、"温润"、"激越"、"肃穆"等各种审美感受,"悲"的情感体验显然具有综合性、多样性和包容性。他说:"故听其巨音,则周流泛滥,并包吐含,若慈父之畜子也。其妙声,则清静厌瘵,顺叙卑达,若孝子之事父也。科条譬类,诚应义理,澎濞慷慨,一何壮士,优柔温润,又似君子。故其武声,则若雷霆辚輷,佚豫以沸愲。其仁声,则若飘风纷披,容与而施惠。或杂遝以聚敛兮,或拔摋以奋弃。悲怆悗以恻恻兮,时恬淡以绥肆。被淋洒其靡靡兮,时横溃以阳遂。哀悁悁之可怀兮,良醰醰而有味。"③可以看到,洞箫所演奏的音乐包括"巨音"、"妙声"、"武声"、"仁声"等,悠扬曲折,富有变化,涵盖内容多样。更可注意的是,他还将"悲怆之声"、"靡靡之音"、"哀恻之音"都归入"仁声",而不像当时其他理论家那样将这些音乐归为"奸声"、"淫乐"。这说明汉代音乐"以悲为美"的"悲"的内涵是多样化的,可以将不同类型、风格的音乐都纳入其中,同时也可包括欣赏主体不同的审美感受。这种观点既将传统儒家音乐观纳入其中("赖蒙圣化,从容中道,乐不淫兮。条畅洞达,中节操兮"),同时又将雅

---

① 朱光潜:《悲剧心理学》,(台北)日臻出版社 1995 年版,第 187 页。
② 蔡仲德:《中国音乐美学史》,(台北)蓝灯事业文化有限公司 1993 年版,第 472 页。
③ (汉)王褒:《洞箫赋》,见《全汉赋》,北京大学出版社 1993 年版,第 144 页。

乐、俗乐,以及正声、悲声等各种音乐统合在一起,是一种开放包容的思想。这一方面说明王褒比其他正统儒士具有更为开放的艺术胸襟,另一方面也说明虽然当时某些腐儒对俗乐、悲音持否定、批判态度,但后者在社会上被肯定已占主流趋势,王褒的观点是对这种情况的理论总结。

当然,钱钟书的引申评价与两汉时期纯粹以悲为美的音乐(如挽歌)的兴盛与欣赏有关。两汉时期,挽歌兴盛,对挽歌的欣赏一直持续到六朝、隋唐时期。在此过程中,挽歌逐渐从丧歌转变为纯粹的审美对象——挽歌凄楚哀怨的情感表达更容易与主体的各种生命体验(如忧伤、忧患、悲苦、愤恨、思念、回忆等)发生关联。据《宋书·范晔传》记载,范晔在高兴过头时喜爱歌挽歌以抒情;《后汉书·周举传》记载,大将军梁商于永和六年三月上巳日大会宾客于洛水:“商与亲昵,酣饮极欢,及酒阑倡罢,继以《薤露》之歌,坐中闻者皆为掩涕。”①可见,两汉时期,尤其是东汉,欣赏挽歌已突破固定场合的限制而发展到宴会之上。无论是心情愉悦还是悲苦哀乐,人们都愿意欣赏悲歌。这里所谓的“悲”就是指审美体验中的痛感,即钱钟书所说的“胸隐然痛,心砰然跃,背如冷水浇,眶有热泪滋等种种反应”。当然,两汉时期这种“以悲为美”的审美趣味同样具有悠久的历史和传统,它上承春秋时期的“桑间濮上之音”,下启魏晋时期嵇康《琴赋》“赋其声音,则以悲哀为主”的趣味,构成中国音乐史上一个独特的审美传统。

有人将汉魏之际“以悲为美”的音乐和歌诗的“悲”的内涵界定为“抒怨”与“抒愤”,其文化心理依据是孔子的“忠恕之心”和孟子的“恻隐之心”,《诗大序》的“风论”将其落实到理论层面。② 汉代音乐(包括其歌辞)尤其是民间音乐与《诗经》“十五国风”的联系十分紧密,两者间存在承续关系,但将以孔孟为代表的儒家思想界定为“以悲为美”的思想基础则稍显狭隘。从前文论述可以看到,儒家音乐思想极力否定悲乐,并将之作为亡国败身的罪魁祸首看待,对悲乐的社会价值和审美价值都是批判、

① (南朝宋)范晔:《后汉书》,中华书局1966年版,第2028页。
② 参见张锡坤:《中国古代诗歌“以悲为美”探索三题》,《文艺研究》2004年第2期。

否定的。当然，他们也认为悲音具有教化的作用，"丝声哀，哀以立廉，廉以立志，君子听琴瑟之声，则思志义之臣"①，"为仁者，必以哀乐论之"②，但这种观点不是主流。师旷引入"德"的观念，认为悲乐的演出须具备特定条件，带有这种思想的残余，但毕竟有所松动。到两汉时期，悲乐继续发展，虽然仍有部分正统知识分子在反对它，但新的审美意识已突破前述思想的限制，将其作为审美对象加以欣赏，因而与孔孟等人的思想并无多少关联，它们是当时人们现实生活的真实记录，表达的是他们真实的心声和情感。

两汉悲乐兴盛的原因是多方面的。其一，两汉盛世让王室统治者获得了空前的自信，他们不再相信欣赏悲乐可以亡国，因而上行下效，悲乐能够在全社会形成气候；其二，春秋战国社会动荡，致使悲乐大量产生，这种情况一直持续到两汉时期，尤其是东汉末年，农民流离失所，百姓生活凄惨，情况更加严重，这为悲乐的流行提供了土壤；其三，在这样波折、动荡的社会环境中，人们对人生经验和生命体验有了更多、更深入的思考，这种本质性、本体性的人生体验必然含有悲剧的性质；其四，两汉时期兴盛的天人哲学，为人们思考人与宇宙之关系提供了思想基础，人生体验与宇宙之思相融相成，人生之虚幻、宇宙之流转，促成了人们渺远深广的思想境界，就像钱钟书《管锥编》第261条"全后周文一二"所说："盖谓天地并非显赫有灵之神祇，乃是冥顽无知之物质；信解此道，庶以己情证理，怨恨之至，遂识事物之真。"③诸多原因促成了汉代悲乐的发展，也促进了汉代审美意识和审美理想的更新和发展，打破了儒家音乐思想中和美论一统天下的局面。

总之，虽然在汉代以前悲声已在社会上广泛流传，但限于儒家音乐观

---

① （汉）司马迁：《史记》，中华书局1959年版，第1225页。孔颖达《礼记正义》注曰："丝声音者，谓哀也。声音之体婉妙，故哀怨矣。哀以立廉者，谓廉隅以哀怨之，故能立廉隅，不越其分也。廉以立志者，既不越分，故能自立其志。君子听琴瑟之声，则思志义之臣者，言丝声含志不可犯。故闻丝声而思其事也。"见孔颖达：《礼记正义》，（台北）世界书局1963年版，第17页。

② 何宁：《淮南子集释》，中华书局1998年版，第778页。

③ 钱钟书：《管锥编》第四册，中华书局1979年版，第1526页。

的影响,人们并不能按照自己的意愿进行欣赏和创作,以免担负沉重的道德伦理方面的思想负担。在"以悲为美"审美趣味的驱动下,汉代人对悲声的欣赏摆脱了儒家学者将悲声视为"亡国之音"的传统看法,是对此前音乐观念的大胆反驳和重大发展,不仅在实践中创作和欣赏了大量悲乐,而且在理论上也作出了相对系统的总结,反映出汉代人开放包容的艺术胸怀。蔡仲德认为汉代音乐"以悲为美"特点的形成与当时平民阶层的兴起有莫大关联,新的审美意识扩大了两汉时期的审美领域,在中国音乐史乃至美学史上都具有重要意义:"有了奴隶制礼崩乐坏、平民力量崛起壮大,才有民间音乐的蓬勃兴起;有了民间音乐的蓬勃兴起,才有悲乐的大量涌现;而有了悲乐的大量涌现,才会有审美领域的扩大,才会突破'乐者,乐也',以乐为美的传统思想局限,出现以悲为美的审美观念,出现肯定以悲为美与否定以悲为美这新旧审美意识之间的斗争。"[1]这一评价指出了以俗乐和雅乐为代表的新旧审美意识之间互动发展的变动格局,及其对汉代审美意识变化的影响,是十分准确的。[2]

第五节　马融《长笛赋》:音乐意象认识的深化

汉代音乐的兴盛促使人们对音乐作理论上的总结,这方面的突出成果是人们对"音乐意象"的认识。音乐用节律表现万物,并无形象可见,要对之进行理论上的总结需要对音乐的形成、功能、构成等问题有深刻的认识,因而讨论音乐意象问题只有在音乐的艺术实践和理论实践都经过长期发展之后才能出现。先秦音乐理论虽很发达,但毫无例外,几乎都在

---

[1]　蔡仲德:《音乐之道的探索》,上海音乐出版社 1983 年版,第 458 页。

[2]　关于汉代音乐"以悲为美"更多的论述可看:张锡坤《中国古代诗歌"以悲为美"探索三题》(《文艺研究》2004 年第 3 期)、袁济喜《汉魏六朝以悲为美》(《齐鲁学刊》1988 年第 3 期)、张海丹《汉魏之际"以悲为美"的社会风尚》(北京语言大学 2008 年硕士学位论文)、宗亦耘《论汉代"以悲为美"的音乐欣赏观念》(《徐州师范大学学报》2008 年第 5 期)、田海花《论楚声与汉乐府的"以悲为美"》(《牡丹江师范学院学报》2012 年第 6 期)、王兰英《略论汉乐府的"以悲为美"》(《语文学刊》1995 年第 6 期)、王允亮《胡乐兴盛与以悲为美》(《文艺评论》2011 年第 1 期)、张敏利《长歌可以当哭——谈谈汉乐府民歌的"以悲为美"》(《西藏民族学院学报》2006 年第 4 期)等。

阐述礼乐问题,这样的音乐理论似乎是静止的、凝固的、没有变化的,因而虽历史悠久,但并无理论上的发展和创新。汉代音乐思想和欣赏实践为总结这个问题提供了条件。这种总结实际上也是对新的审美意识内容的总结和提炼,是审美意识向美学思想转化过程的体现。

这里从东汉大儒马融《长笛赋》开始讨论。之所以选择马融,是因为他是东汉时期学问最为渊博的儒家学者,郑玄等著名儒士皆出自他的门下。同时,马融才俊博学,生性豁达,精通音乐;在生活中,他对音乐的欣赏几乎片刻不离,即使是在设帐授徒的过程中,绛红的纱帐后也要同时上演女乐。他本人擅长吹笛,尤喜欣赏哀乐,《长笛赋》是他在音乐方面的代表著作之一,表达了他对音乐意象的认识。与传统儒者不同,马融虽为儒士,但他对音乐的看法并不为传统儒家音乐观点所束缚。鉴于马融的巨大影响,他对俗乐的欣赏和肯定在当时具有重要的示范价值。由于他本人擅长音乐,因而《长笛赋》对音乐的讨论更为专业和准确。《长笛赋》首先叙述了笛的制作过程,然后写笛声演奏带给听者(作者)的感受:

> 尔乃听声类形,状似流水,又象飞鸿。氾滥溥漠,浩浩洋洋。长霄远引,旋复回皇。充屈郁律,瞋菌硍抉。酆琅磊落,骈田磅唐。取予时适,去就有方。洪杀衰序,希数必当。微风纤妙,若存若亡。茇滞抗绝,中息更装。奄忽灭没,晔然复扬。①

这是《长笛赋》中描写作者闻笛时的感受,然后通过形象的方式将音乐的节律特点表现出来。由于主体对音乐的感受具有独特性和私密性,别人无法分享,因而只有将音乐形象化和具体化,使之由无形变有形,由抽象变具体。所谓"余音绕梁,三日不绝","绕"就是将音乐形象化,它像轻薄若蝉翼的白纱一样飞动在房梁之间,永无停止。所谓"听声类形",是指主体欣赏音乐时根据自己的身心感受重新再造一个新的意象体系的过程,这些意象唤起的审美感受与音乐唤起的感受是一致的。《乐记·师乙》所谓"上如抗,下如坠,曲如折,止如槁木",也是以形象的方式表现音乐节律的运行过程:音乐节律在运动时运用动态意象比拟之,音乐节律结

---

① (汉)马融:《长笛赋》,见《全汉赋》,北京大学出版社1993年版,第496页。

束时用静态意象比拟之,以做到动静相宜、刚柔相济。"动"与"静"、"刚"与"柔",是音乐节奏运动过程的体现,所以作者说笛声"状似流水,又象飞鸿"。

根据马融的描述,可以看到,音乐意象的首要特点是其流动性,所有物象须以动态的面貌与音乐建立关联。因为音乐的演奏实质上是节奏和旋律的流动,一旦节奏和旋律停止,音乐即告结束,这样由音乐所唤起的意象必然是流动、变化的,钟子期和俞伯牙的"高山"、"流水"的比喻虽然含有形象,但更主要的是"比德",与"智者乐水,仁者乐山"的观念有关;《荀子》所谓"巍巍乎若泰山"、"汤汤乎若流水"也是以动静互补的形象表示音乐,动静相宜的形象使音乐所构成的意象空间有较大开拓的余地。马融此处所说"流水"和"飞鸿"是音乐节律的生动比喻,因而是系列的动态形象:"氾滥溥漠,浩浩洋洋",以水流的动态特征喻音乐节奏恣肆流动的特点;"长睿远引,旋复回皇",则以鸿鸟飞翔的姿态比喻音乐节律回环往复的变化过程,以说明乐声的律动一会如流水倾斜,流畅无碍,一会如飞鸿翔飞,旋转不定。

马融《长笛赋》还提出了音乐意象生成的内在机制问题,即"听声类形"的机制。"听声"是听觉感受,"类形"是视觉感受,由听觉向视觉的转化需要主体内在的心理机制的配合才能实现,而且这两种感受还须是一致的,甚至是同一而没有分别的,如果差距过大,这种机制则无法形成。这个机制的核心在于主体的"心":"心"充分调动主体的情感、想象和生活经验在内心重建一个意象世界;一旦主体的身心随着音乐节律的变动而参与到节律中,这种机制亦随之形成。孔颖达《礼记正义》注《乐记》:"上如抗,下如坠,曲如折,止如槁木"等说:"言声音感动于人,令人心想形象如此","上如抗者,言歌声上向感动人意,使之如似抗举也;下如坠者,言音声下向感动人意,如似坠落之下也;曲如折者,言音声回曲感动人心,如似方折也;止如槁木者,言音声止静感动人心,如似枯槁之木止而不动也"。[1] 此论点出音乐意象生成的内在机制:声音→主体(感动),主体

---

[1] (唐)孔颖达:《礼记正义》"礼记三十九·乐记",(台北)世界书局1963年版,第17页。

→形象（心）。这是一个过程的两个阶段：声音以节律的方式感动主体，主体通过"心"将这种感受转化为形象。就前一阶段看，音乐首先要具有感动主体情感的节律，节律结构与主体身心结构越接近越能感动主体，形成意象的可能性越大；反之亦然。就这个阶段看，音乐本身品质的高低对于音乐意象的形成具有基础性作用——音乐只有"感动"了主体，主体才有可能对之进行二度创造。因而音乐节律的创作十分重要：那些音阶变化多样、声律婉转悠扬而情感真挚、质朴的音乐之所以容易感动听者，就是因为它具备了这些因素。就第二个阶段看，主体因素对音乐意象的生成具有决定性作用——如果主体本身不具备感受音乐节律的能力，则音乐节律于他来说则是一段毫无意义的声音波动，不能起到"感动"的作用，亦无法形成意象；如果主体具有丰富的感受能力，能够积极与音乐相通相融，则可以在"心"的统合作用下调动各种经验重构新的意象体系，"想见其形象"。主体本身的素质对音乐意象的形成具有重要作用：如果主体不具备进入音乐的能力，则"对牛弹琴"的情况难免出现；同时，即使是同一主体，由于他所处情境不同，对音乐意象的生成也会产生不同的影响。因此，从音乐意象生成机制的两个阶段看，构成整个音乐欣赏的内外条件均须同时具备，否则很难形成。

这些复杂因素对音乐意象的形成具有决定性作用，因而对音乐意象的讨论既需要在本体论层面作出突破，也需要在接受论层面进入到对主体因素的分析。音乐与主体这两种彼此外在的构成如何统合成一个整体的问题，在汉代气化哲学和心灵哲学发展的基础上得到了解决，对音乐的神秘主义解释由此逐渐衰弱，对音乐本身特点的讨论逐渐增多[1]，为进一

---

① 人们关于音乐的神秘主义的解释，与音乐的宗教功能有关，即宗教的"致神功能"：音乐通过动听的旋律娱乐神灵，神灵下降享受祭品，然后给人类带来福祉。由于万物皆有灵物，因而人们认为需要不同的音乐招致不同的神灵。《周礼·春官·大司乐》："凡六乐者，一变而致羽物及川泽之祇，再变而致裸物及山林之祇，三变而致鳞物及丘陵之祇，四变而致毛物及坟衍之祇，五变而致介物及土祇，六变而致象物及天神。"（吕友仁：《周礼译注》，中州古籍出版社 2004 年版，第 288 页）音乐的教化功能其实是从其宗教功能转化而来，教化功能的实现也须依靠其审美功能。对音乐意象的理论探索必然要将附加在音乐之上的各种功能排除掉回复到其自身的特点，这样才能取得进展。

步讨论音乐意象的问题奠定了理论的基础。

音乐虽然在表现形式上极为抽象,但它以声音节律给主体带来的审美感受与其他艺术则是一致的。只不过,在音乐欣赏中,主体需要充分调动自己的想象力参与、重建音乐中的形象世界。为了表达自己欣赏音乐的感受,人们也往往采用形象的方式比喻之,以让他人明白自己的感受为何。传闻颇广的"高山流水"的典故,就其本质来说,就是通过形象感受的方式表明音乐演奏者和欣赏者之间的和谐、共鸣关系。如果要在理论上将此问题阐明,则须解决以下问题:音乐是如何形成的? 它由哪些要素构成? 音乐通过何种方式起到"动人"之效果? 这些问题是音乐美学必须回答的,而要回答这些问题须在创作实践和哲学思想两方面取得突破。先秦时期,尤其是春秋战国时期,音乐理论获得大发展,但音乐以何种方式将万物联系成一个整体的问题,除了有些带有神秘性的论述外,还尚未得到合理解决。《荀子·乐论》在这方面取得了很大的突破,但由于作者固守儒家音乐观,对当时兴起的诸多民间音乐敌视仇恨,主张将之熄灭无闻而代之以雅乐,因而阻碍了他对音乐与人心感发之间关系的进一步探索。总体上看,先秦奠基而汉代定鼎的"气"的哲学和对"心"的理解,以及自春秋兴起的俗乐的动人效果,成为人们探讨音乐意象何以生成的问题的主要思想资源。

需要注意的是,"气"的观念虽萌发甚早,但直到汉初才逐渐成熟,为人们理解万物之间的整体性关系问题提供了思想基础,弥合了音乐与主体之间存在的鸿沟,为主体和音乐融合成为一个统一整体奠定思想基础。可以看到,先秦时期的音乐思想几乎都在讨论音乐对主体的感动、教化的效果,但音乐何以能感动、教化主体的问题并未得到解决。随着人们对宇宙万物形成认识的逐渐深化,人们逐渐认识到"气"在统合万物方面具有重要作用,"气"变动不居,可转为阴阳、四时、五行而存在,是宇宙万物形成的最终根源。万物既然均由"气"构成,则具有了统一的可能性:它们只不过是"气"的不同表现形式。

在最早时期,人们甚至认为音乐也是由"气"构成。《吕氏春秋·古乐》所谓"飞龙作乐,以效八风之音",就将人类对音乐的创作看作是对自然界"风"的声音的模仿，而"风"是"气"运动的结果："风者，气也，论者以为天地之号令也。"①汉代学者认为，不仅音乐是"气"的产物，就连乐器的演奏也是表现"气"的不同运转过程，从而形成不同的音乐。班固《白虎通德论·礼乐》云："《乐记》曰：土曰埙，竹曰管，皮曰鼓，匏曰笙，丝曰弦，石曰磬，金曰钟，木曰祝，此谓八音也。八音，万物之声也。所以用八音何？天子承继万物，当知其数。既得其数，当知其声，即思其形。"②可见，音乐是"万物之声"的体现，人们将之概括为八种声音，并根据对这种八种声音的感受、领悟制作乐器，重构万物之形象，实现与万物的和谐一体。因此，以八种乐器的八种声音代指"万物"是当时普遍认同的观点，《汉书·律历志》等重要文献多次引录之。"八音"之所以能够代替万物，是因为这八种乐器的演奏代了"气"运转的八种状态："埙之为言熏也，阳气于黄泉之下，熏蒸而萌"，"匏之为言施也，牙也，在十二月，万物始施而牙"，"笙者太簇之气，象万物之生"，"鼓，震音烦气也，万物愤懑，震而出，雷以动之，温以暖之，风以散之，雨以濡之，奋至德之声，感和平之气也"，"箫者，中吕之气，万物生于无声，见于无形"等。③正因为不同的音乐实质是"气"的不同运转方式，因而才可能通过音乐实现"同声相应，同气相求"。所以人们认为天地如果出现风雨冥晦、五谷不熟的灾难，可以通过音乐的方式来加以疏通。这也是"声音之道，与政通矣"的理论前提。司马迁《史记·乐书》引《乐记》云："凡奸声感人而逆气应之；逆气成象，而淫乐兴焉。正声感人而顺气应之；顺气成象，而和乐兴焉。倡和有应，回邪曲直，各归其分，而万物之理以类相动。"④可以看到，不同的"气"形成不同的音乐，进而形成不同的意象体系；"倡和有应"之所以能够实现，是"以类相动"的结果。总之，"气"的存在为音乐实现万物感应提供了条件。

---

① 黄晖：《论衡校释》，中华书局1990年版，第229页。

② （汉）班固：《白虎通德论》，见吴钊等：《中国古代乐论选辑》，人民音乐出版社2011年版，第100页。

③ （汉）班固：《白虎通德论》，见吴钊等：《中国古代乐论选辑》，人民音乐出版社2011年版，第100页。

④ （汉）司马迁：《史记》，中华书局1959年版，第1210页。

　　应该看到，"同声相应"、"听声类形"的关键是"心"的作用，因而人们在讨论音乐功能何以实现时必然涉及"心"的问题，所以《乐记》等将音乐的起源由自然转向人心，因而音乐意象的重建过程并不是听者本人"一己私情"创化的结果，而是创造音乐的"心"与欣赏音乐的"心"息息相通的结果。音乐意象的建构是两颗原本外在的"心"合为一颗"心"的过程，所谓"知音"、"知己"即为此意。《史记·乐书》引《乐记》云："凡音之起，由人心生也。人心之动，物使之然也。感于物而动，故形于声。声相应，故生变，变成方，谓之音"，"凡音者，生人心者也。情动于中，故形于声；声成文，谓之音"①，就把音乐的起源归结到"心"上，即"物""动""人心"，"故形于声"，"声"有了变化和节奏，就成为"音"，音乐也就形成了。这个过程是音乐的生成过程：物→心（动），心→声（形），声→音（方）。这三个过程前后相续、环环相扣，又起承转合、循环无穷，形成音乐与宇宙万物之间相互联结的关系。无论这些关系如何复杂，都在说明"心"在音乐形成方面的基础性作用。正因如此，人们在欣赏音乐的过程中才能通过"心"重建新的音乐意象，"知其声，思其形"。这个重建过程其实就是"心"与"心"的重合过程，是"以类相应"的结果。

　　综上，汉代音乐是汉代新的审美意识的典型反映：平民阶层及其审美需要的兴起，决定了俗乐在汉代的兴盛和流行；俗乐和雅乐的互动融合，促进了传统雅乐的更新和发展；周边少数民族乐舞的传入，迅速与汉民族音乐融合在一起，加速了雅、俗互动的进程，俗乐和少数民族音乐都渗透到庙堂雅乐的制作中。在接续春秋战国俗乐发展的基础上，以"楚声"、"郑声"、"新声"等为代表的民间俗乐成为汉代音乐的主体，它们承载了两汉时期各个社会阶层的情感需求，是时代的心声。"楚声"、"郑声"、"新声"各有起源，审美特点各异，或绮丽委婉，或慷慨悲凉，或激越迅疾，成为汉代俗乐的代称，体现出汉代音乐"以悲为美"的特点。这说明汉代人逐渐摆脱传统儒家音乐理论对俗乐和哀声的伦理批评和神秘主义描述，将音乐作为纯粹的审美对象，并将"悲"作为美的本质加以认识。这

---

① 　（汉）司马迁：《史记》，中华书局 1959 年版，第 1179、1181 页。

种新的审美意识，反映在理论上，则是对音乐意象的讨论取得了重大发展，音乐之为音乐的本体性视野扩大了，音乐的审美功能的合理性和合法性随之空前提高。汉代音乐由此成为汉代新的审美意识又一重要载体，推动了诗歌等艺术向抒情方向的持续发展。

第七章

汉赋：以丽为美

对汉赋丽格的研究首先要破除统治两千年之久的以巨丽格统摄汉赋的历史成见,从汉赋丽格本身的实际情况出发。总体上看,汉赋丽格可分为巨丽、奇丽和清丽三种基本类型,具有动态生成性特征。一方面,每种丽格本身在表述对象发生转移时会出现向与之相近的丽格转化的现象,如巨丽格向靡丽和遒丽的转化;另一方面,汉赋三种基本丽格之间不是单线演进的,而是共时共存的,相互之间也会出现对抗、交叉和融合现象,从而形成汉赋丽格的多样性存在格局。汉赋丽格的动态生成特点反映出两汉时期新的审美意识内容的兴起和审美原则的确立。这种新的审美原则是指将主体心胸在以视觉享受为核心的感性审美的基础上,将自然万物和历史时空统摄起来,将神话与历史、想象与现实、社会与人生等融为一体以超越时空、消泯自我,进而获得对宇宙万物进行整体性体悟的审美思维方式。它既不同于史前先民通过对神的膜拜而获得情感愉悦所形成的宗教审美,也不同于儒家仁学将主体对自然神灵的崇拜内化为自我德性进而获得人生在世之价值的现实审美,同时也不同于由原始道家发其轫、庄子扬其波的"神与物游"、主体与自然冥合无间的超越审美。它是对三者的综合与超越,决定了汉赋丽格的形成和发展。

第一节 回归汉赋丽格本身

将丽美作为汉赋的根本审美特征,是古今学人的共识。刘勰《文心雕龙·宗经》说"楚艳汉侈"①,其中"汉侈"是指汉赋"丽美"的特征。扬

---

① 范文澜:《文心雕龙注》,人民文学出版社 1958 年版,第 23 页。

雄《法言·吾子》在总结汉赋的审美特征时说："诗人之赋丽以则,辞人之赋丽以淫"①,也将"丽"作为区分诗人之赋与辞人之赋的标准。司马相如在谈赋的创作时说："合纂组以成文,列锦绣而为质。"②他一反儒家文质观,以丽统摄文质关系,这在当时是大胆的言论。他们的概括是准确的,后人也多从此说,并以"宏丽"、"巨丽"、"艳丽"、"侈丽"、"壮丽"等来评价汉赋。但这种看法忽略了汉赋丽格动态生成的特点。"巨丽"是汉赋丽格的类型之一,但不是全貌。

首先要说明,汉赋丽美特征的形成并不是汉初统治者"润色鸿业"的结果,而这种观点却统治国人两千年之久。在某种思维方式的固化作用下,这一观点至今仍在产生影响。有学者说："汉赋是适应汉初新的时代形势发展起来的。……我们读汉赋,尤其是读其中那些有代表性的汉大赋,往往会感受到一股强大的力量在摇撼着我们的心灵,有一种欢快的上升的气氛在激励着我们的神经。这就是蕴含在作品中的大汉帝国的统一、强大、文明和昌盛。"③这种观点不能解释现代人怀念两汉盛世而不再爱读汉赋的基本事实,社会历史文化环境的变化不能解释这一现象,因为现代人仍然爱读唐诗、宋词和明清小说等,而这是因为后者与现代人的审美思维方式是契合的,而前者是隔阂的。还有学者说："汉朝经济的繁荣、国力的强盛、疆域的拓展,使那个时代的作家充满胜利的喜悦和豪迈的情怀。反映在文学上,就是古往今来、天上人间的万事万物都要置于自己的观照之下,加以艺术的表现。"④这种观点既不符合赋本身的发展经历,也不符合两汉赋家的生命事实。一方面,赋从产生到汉末,从来都是抒情写志的娱乐文艺作品,从未被单纯当作政治工具,正如司马相如所说,赋乃"所以娱耳目而乐心意者";两汉赋家虽屡次在功用上强调赋的讽谏作用、在起源上强调"诗赋一体",张衡更是有意识在他的作品中增

① (汉)扬雄:《法言》,《诸子集成》第七册,中华书局 2006 年版,第 4 页。
② (汉)刘歆:《西京杂记》,见《汉魏六朝笔记小说大观》,上海古籍出版社 1999 年版,第 89 页。
③ 龚克昌:《两汉赋评注》,山东大学出版社 2011 年版,"序言"第 1—3 页。
④ 袁行霈主编:《中国文学史》第一卷,高等教育出版社 2003 年版,第 175 页。

加讽谏内容的比例,但这扭转不了赋作为娱乐作品而存在的现实。另一方面,以枚乘、司马相如、东方朔、班固等为代表的两汉赋家都不曾官居高位、实现自己的人生理想和价值,而是被倡优视之,是"言语侍从之臣",他们多沉沦下僚,或郁郁而终,或获罪而死,"胜利的喜悦和豪迈的情怀"与他们无关。所以有学者将扬雄不再作赋的行为看作是他对汉赋价值的否定,认为这"不仅表现了他为政教意识所驱策,同时也暴露了其将汉赋这一文学样式强行纳入政教轨道努力的失败"①。

汉朝从建立到武帝时期,社会环境起了变化,需要相应的文艺形式对之记录和表现,统治阶层和知识阶层首选的是五经、诗歌、音乐、礼制而不是赋。在有汉一代,赋向来是被皇帝们作为娱乐工具来看的,他们并未将赋单看作"润色鸿业"的工具。后人之所以这样看,一方面是受儒家讽谏观和"诗赋一体"观的影响,另一方面也是过多听信了班固的话。班固《两都赋序》:"至于武、宣之世,乃崇礼官,考文章,内设金马、石渠之署,外兴乐府、协律之事,以兴废继绝,润色鸿业。"②这说明,赋在当时与"润色鸿业"根本无关。赋与"润色鸿业"发生关系主要是因为赋与帝王生活有关,这从宋玉《风赋》即已开始。班固作《两都赋》固然有讽谏之目的,但其原因仍是因为赋在当时符合大多数人的审美要求,所以他说自己创作《两都赋》首先是"以极众人之所眩曜"。班固之所以在序中将赋与"润色鸿业"联系起来,提倡"赋者,古诗之流也",其目的是说明《两都赋》并不是娱乐作品,他本人也不是"弄臣"。这是受经学思想禁锢的汉代文人的通病。他在论述完汉初"润色鸿业"的伟大创举后列举了一大批赋家对当时国家政事以赋记述的事实,其原因亦在此。这一叙述进一步强化了汉初社会对汉赋兴盛起到决定性作用的观点,从而建立了"润色鸿业"与汉赋之间的必然性联系。这一观点在历代汉赋研究著作中被不断强化,至今仍有不少学者认为"汉大赋的丽美是一种强烈的巨丽、宏丽、靡丽、遒丽之美。它的最突出特色是繁富铺陈,恢宏瑰伟。这一特色又与其

---

① 于迎春:《汉代文人与文学观念的演进》,东方出版社1997年版,第53页。

② (汉)扬雄:《两都赋序》,见龚克昌:《两汉赋评注》,山东大学出版社2011年版,第464页。

'润色鸿业'、歌功颂德的宗旨紧密相连"①,"这一特色又与其'润色鸿业'、歌功颂德的宗旨紧密相连"②,等等。这些观点看似合理但却忽略了汉赋的独特性。汉代当时独特的社会环境对汉赋丽美的形成不具有决定性意义,而毋宁说只是一种契机。

汉武帝并不是最早欣赏赋的汉代王侯。在汉武帝之前,吴王刘濞、梁孝王刘武、淮南王刘安等藩国王早已以赋娱乐、写作等,这时赋主要是娱乐感怀的文学样式,武帝爱赋是受了他们的影响:"辞赋因藩国的提倡而产生了一批优秀的作家和作品,同时也引起了汉武帝的爱好。"③武帝、成帝等帝王虽喜好赋,但这种喜好不能决定社会整体对赋的看法,因而对汉赋丽美的形成也不具有决定意义。汉武帝等作为特定历史时期中的个体,他们的喜好固然可以影响作家创作,但不能决定整个时代审美原则和审美趣味的形成,他们本身也要受到时代审美取向的影响乃至决定。毋宁说,他们只是汉赋兴盛的一种契机或催化剂。汉武帝们当时是将赋作为文化娱乐产品来看待的,并"表现出鲜明的享乐主义倾向"④,所以武帝读了相如赋很高兴,但并不理会其中可能蕴含的"深意"。这种将赋娱乐化的倾向在东汉灵帝鸿都门学时期达到了极致。这说明,赋与当时人们的娱乐活动是密切联系的,所以才有那么多人创作赋,有那么多人诵读赋;读赋娱乐是当时的"小资情调",是时尚和潮流,汉武帝们是其中的重要成员。但由于他们是皇帝,位高权重,所以后世学者往往将赋与他们联系起来,要求赋具有讽谏功能。这对赋是不公平的,也掩盖了赋的本质。

应该注意,除"巨丽"外,汉赋丽格还有其他样态,奇丽和清丽两种丽格就不可忽视。汉赋作家在创作时虽常崇拜、依附特定的模式,追求特定的场面,但汉赋创作作为文学活动的本质属性要求三种丽格之间进行互动交融,哪怕在交融中还存在排斥、对抗。因此,汉赋三种丽格之间也存

---

① 黄南珊:《"丽":对艺术形式美规律的自觉探索》,《文艺研究》1993 年第 1 期。

② 周均平:《秦汉审美文化宏观研究》,人民出版社 2007 年版,第 150 页。

③ 中国科学院文学研究所中国文学史编写组:《中国文学史》,人民文学出版社 1962 年版,第 117 页。

④ 踪凡:《汉赋研究史论》,北京大学出版社 2007 年版,第 122 页。

在互动发展关系,从而使汉赋丽格呈现出多样的表现形态和动态生成态势。汉赋丽格多样发展的背后,所蕴含的是有汉一代独特的审美意识内容。这种新的审美意识一方面追求以视觉冲击为主要感受的感官审美,另一方面以主体对天地万物进行统摄观照的整体性思维为基质。有学者这样评价汉赋:"汉赋是人对自然事物作对象化审美观照和对外部世界作整体性审美观照的艺术,所以主要表现于外在感官的视觉美和涂饰美。"①这个评价是恳切、准确的。总之,汉赋丽格既在汉代审美意识环境中孕育、形成,又以其巨大影响力反过来滋养、孕育着汉代审美意识。

第二节 巨丽格:义尚光大

不可否认,汉赋丽格的首要特征是"巨丽",因为它太典型了。与此相关的是"宏丽"、"靡丽"、"遒丽"、"壮丽"等。巨丽以刚健宏大为精神特质,以富丽奢靡为内容特点,以遒劲有力为论说气质。这也是某些赋作被以"大"名之的原因所在。刘勰说汉赋"义尚光大",也是针对汉赋巨丽之美的。同样不可否认,汉初统治者追求以大为美,并将统治思想渗透其中。这是刚取得天下的汉初统治者的审美理想。当萧何营建富丽宫室并提出"天子以四海为家,宫室非壮丽无以重威"的观点时,刘邦是首肯的。这种政治文化心理反映在汉赋的审美风格上就是巨丽。

汉赋巨丽之美的形成,一方面与其描写对象的"博"与"富"、描写范围的"广"与"大"有关,另一方面与汉赋独特的表达方式有关,反映出汉赋作家以大为美的审美取向。汉大赋一般篇幅较大,动辄数千言或上万言,张衡《二京赋》让这种写作方式达到了顶峰。汉大赋体大但不零散,体式之大与结构之谨严是一体的。这既打破了此前文章的体制规模,也打破了传统的诗歌抒情方式。在创作过程中,汉赋作家往往从不同角度、不同层次,运用各种手法对事物(哪怕是微小的事物)进行层层皴染,由此形成颇具气势的写作方式。与其他文体往往要求用语避免雷同不同,

---

① 许结:《汉代文学思想史》,人民文学出版社 2010 年版,第 120 页。

汉赋从来不回避雷同,它正是要通过雷同来营造完满铺张、逼人眼球的意象世界,以给人宏大巨丽之感。司马光《涑水记闻》中一则轶事生动反映了赋家作赋的基本模式。① 首先,汉赋作家在创作时往往会从上、下、左、右、东、南、西、北等各个方位展开,实现全方位空间的一体化,形成强大的空间力度;其次,穿越古今,实现当下与历史的融合渗透,形成深远的时间力度;再次,如果是对某一物品进行描绘,则烘云托月、连类比喻,加强其丽美属性;最后,如果是论述某一道理,汉赋作家则层层递进、多向展开,笔势纵横,颇具战国策论的气势,给人词理兼容、犀利雄壮之感。在这种写作方式下,汉赋所涉及的事件、名物、场景、义理等都会被囊括到汉赋严谨的时空结构中,描写对象也会被无以复加地放大以容纳宇宙万物。这就形成汉赋视野开阔、气势宏大的表达效果。这是汉赋作家欲求完满的创作心理的使然,即"在形式上求大,在内容上求全,在描写上求尽,在气势上求放,在艺术上求美"②,这种欲求完满的创作心理是汉赋巨丽之美得以形成的心理基础。汉赋宏大巨丽的气势是汉赋作家集体努力创造的结果。

　　汉赋巨丽格本身具有显著的动态生成性特点。这是因为:一方面,这类赋作确实从侧面承担了某些润色鸿业的功能(写给皇帝看的),因而其体制气象须能体现当时国家的整体气势,在这方面,司马相如、扬雄、班固等在创作时都有过痛苦的构思经历;另一方面,汉大赋在颂圣的同时还承担着娱乐帝王的功能,因而其对游猎、宫殿、宴会等的描写必然通过多样的名物、富丽的色彩、神奇的想象等来塑造鲜活的文学形象以给观者强烈的视觉享受。这两种情况的并存使汉赋巨丽美处于不断的动态发展过程中,当其描写侧重点发生转变时,巨丽格也就有向不同方向发展的可能

---

　　① 宋代文学家姚铉训练夏竦作《水赋》的故事生动反映了赋家作赋的一般方法。司马光《涑水记闻》卷三(下)云:"夏竦字子乔,父故钱氏臣,归朝为侍禁。竦幼学于姚铉,使为《水赋》,限以万字,竦作三千字以示铉,铉怒不视,曰:'汝何不于水之前后左右广言之,则多矣。'竦又益之,凡得六千字,以示铉,铉喜曰:'可教矣。'"这则故事又载于刘熙载《艺概·赋概》。

　　② 霍松林、尚永亮:《司马相如赋的主体特征和模式作用》,《陕西师大学报》(哲社版)1992年第1期。

性。主要有三种情况:当赋家的描写对象以地域时空为主要对象时,巨丽就转向为宏丽或壮丽;当赋家的描写对象以皇家生活为主要对象时,巨丽就转向靡丽、富丽或侈丽等;当赋家将这些描写对象纳入长达数千言的作品中,形成气象宏大的意象世界时,汉赋的巨丽同时给人遒劲有力、酣畅流动的审美感受,由此生成遒丽之美。司马相如的《天子游猎赋》(一般将之分为《子虚赋》和《上林赋》两篇)充分展现了汉赋巨丽格的这些特点,并被其他赋家仿效。

首先看巨丽向宏丽和壮丽的转化。在《天子游猎赋》中,子虚作为楚使到齐国去,齐王带他游观田猎,子虚认为这里的游猎不如楚云梦之泽。亡是公却说:"楚则失矣,而齐亦未得也。……君未睹乎巨丽也。独不闻天子之上林乎?"①从下文的叙述看,"天子之上林"的"巨丽"主要表现在空间范围辽阔("视之无端,察之无涯")、物产丰富多样("究之无穷")。这段描写充分展现了天子上林苑与诸侯国苑囿的不同,这种宏壮气象是诸侯国不能比拟的;而且,像上林苑这样的地方天子还有"数百千处"。这时"巨丽"就以壮丽和宏丽为主要形态特征,以彰显天子气象。在描写完上林苑的广阔空间和丰富物产后,司马相如马上将笔锋转到对上林苑中天子娱乐生活的描写:其间"娱游往来,宫宿馆舍。庖厨不徙,百官备具。……于是乎游戏懈怠,置酒乎颢天之台,张乐乎胶葛之宇"。于是,千石之钟、万石之簴、翠华之旗、灵鼍之鼓、陶唐氏之乐、葛天氏之舞等轮番上演,"丽靡烂漫于前,靡曼美色于后",以至于天子都觉得"此大奢侈","恐后世靡丽,遂往而不返"②。这时,汉赋的巨丽之美转向了世俗意味极为浓厚的靡丽、富丽或侈丽之美。司马相如在汉武帝读完《天子游猎赋》后说"尚有靡者",于是又自荐了《大人赋》。在这篇名为求仙的赋里,司马相如借神话思想大谈世间的感官享乐,将赋的靡丽之美发挥到极致,从而也使自我在赋作中彻底消失。这种情况在后来的《两都赋》和

---

① (汉)司马相如:《天子游猎赋》,见龚克昌:《两汉赋评注》,山东大学出版社 2011
年版,第 90 页。
② (汉)司马相如:《天子游猎赋》,见龚克昌:《两汉赋评注》,山东大学出版社 2011
年版,第 90 页。

《二京赋》中仍然存在。

汉赋的遒丽之美得自于赋家囊括宇宙万物的宏大心胸、流贯其间的精神气蕴,以及作者运思创构的精巧文思,即所谓"控天引地,错综古今"。王锺陵说:"汉代文艺给人的美感是繁复之中的充沛,是堆垛之中的厚重,是排比之中的遒劲。"①在这方面,司马相如的《天子游猎赋》成为汉赋作品中不可企及的范本。能将如此众多的内容、手法纳入一篇作品,没有超人的才华和运思是很难做到的,但司马相如做到了。对此,古人无不予以肯定。明人王世贞说:"《子虚》、《上林》,材极富,辞极丽,而运笔极古雅,精神极流动,意极高,所以不可及也。长沙有其意而无其材,班、张、潘有其材而无其笔,子云有其笔而不得其精神流动处。"②因此,将材力、笔力、精神、气蕴完美融合以达到宏大遒劲之境界,是汉赋作家追求的目标。但达到者寥寥,要么是词章绵丽而无骨气,要么是意蕴率露而无韵致,要么是辞章富丽而无境界,等等。即使是司马相如《天子游猎赋》这样的优秀之作,仍存在浮华虚无之病,所以不久就受到了扬雄的批评。扬雄在将司马相如与屈原进行比较时说:"或问:屈原、相如之赋孰愈?曰:原也过以浮,如也过以虚。过浮者蹈云天,过虚者华无根。然原上援稽古,下引鸟兽,其著意,子云、长卿不可及。"③这显然是指相如赋多为颂圣之作,其"著意"自然是外在、异己的,不比屈原是发自内心的。这是相如赋不如屈原赋的根本原因。曹丕《典论》对此有分析和评论。④ 当然,这种情况的出现与汉赋创作思维方式对主体情感的抑制亦有关系,下文还要谈到。

第三节　奇丽格:尚奇心态

如果说汉赋的巨丽是"以大为美"审美意识观的体现,那么,奇丽则

---

① 王锺陵:《中国中古诗歌史》,人民出版社 2005 年版,第 216 页。

② (明)王世贞:《艺苑卮言》,罗仲鼎校注,齐鲁书社 1992 年版,第 91 页。

③ 李善注引《法言》佚文,见萧统编、李善注:《文选》,上海古籍出版社 1987 年版,第 2218 页。

④ 参见吴光兴:《试释曹丕〈典论〉的"屈原、司马相如优劣论"》,《文学评论》2009 年第 3 期。

是汉赋"以奇为美"审美观的体现。"奇"与正相对,本是军事用语,后被引申到世俗生活领域而被道德化。在文艺领域,以奇为美则是艺术家努力打破常规获得艺术实践突破的重要手段。商周早期,人们对超出日常经验的奇异事物多具崇拜之心,孔子的伦理思想改变了人们对奇的看法,求奇行为不被认可,人们的求奇心理也被弱化了。此后关于奇、正之争一直纠缠不清。到汉代,在神奇瑰丽、巫风浓厚的楚文化和遨游自然、超越神人的神仙思想的双重刺激下,这种情况有了转变,"求奇"重新回到人们的视野中。当然,求奇仍受儒家求正思想影响较深的人的否定。比如,司马迁被班固等人称为"奇人",言辞间带有否定意味。刘向父子校订《山海经》上奏时,还抬出武帝和宣帝的旗号以求获得最高统治者对该书的肯定,他引述两件事的目的也是将《山海经》纳入正统的知识系统而不至于受到正统儒者的反驳。即使如此,汉人尚奇思想仍然得到了复苏,并表现在社会生活的各个领域(包括艺术领域)。其中,汉赋是重要体现者之一,进而形成了汉赋奇丽的审美特征。有学者说:"赋非奇不丽,赋家推言自然,不仅称珍怪以为润色,而且以物的奇势、奇态为丽。"①应该说,奇丽是汉赋之为汉赋的本质规定性之一。

汉赋奇丽之美的重要体现之一,是人们对日常生活中寻常事物的细致描绘,这种描绘在神奇想象的作用下可以容纳万物,达到"芥子藏世界"的艺术效果。在汉赋作家笔下,日常生活中常见的笛子、温泉、水果、屏风、团扇等,甚至是树木的纹理,也都彰显出非同寻常的奇异之美。赋的"体物"功能在此运用得淋漓尽致。这些"体物"之作与《楚辞》中的同类作品具有不同的审美取向和精神价值。在《楚辞》中,作家对自然万物的描摹不仅没有达到如此精细的程度,而且这些描摹是抒情的手段而不是描摹本身,主体自身的情趣和思考是核心,如屈原的《橘颂》。汉赋与此不同。汉赋对日常事物的描摹不能说没有作者主观情趣的渗透,因为当作家将自我眼光投向某物时他已将自己的情感投射其上,但这种投射的力度和强度是有限的,他们对日常事物描摹的细致程度是屈原等作者

---

① 阮忠:《汉赋艺术论》,华中师范大学出版社2008年版,第80页。

不能比肩的，他们所专注的似乎只是对象本身，他们对日常事物的专注程度令人惊讶。显然，这种描摹方式体现了汉赋作家专注于自然万物的情趣和态度，日常事物也在这种细致描摹中呈现出非同寻常的面貌，进而在人们的审美活动中获得位置。

汉赋作家使用多种手段让日常事物获得奇异性质。首先是使用连类、铺陈、排比、想象、比喻等修辞手法，从不同角度、不同侧面对之描绘，使之呈现出立体化、多样性的完整面貌。这种完整性呈现与日常生活中人们对该事物的单向度观察是不同的。据记载，中山王刘胜见鲁恭王刘馀获得"文木一枚"，"意甚玩之"。这个"意甚玩之"充分体现出作者对文木的浓厚兴趣和审美态度，为后文的细致描绘奠定了基础。作者写伐木工人将文木砍伐时"隐若天崩，豁如地裂"，然后"既剖既刊，见其文章"："或如龙盘虎踞，复似鸾集凤翔；青绲紫绶，环璧珪璋；重山累嶂，连波叠浪；奔电屯云，薄雾浓霏；赝宗骥旅，鸡族雉群；蝎绣鸳锦，莲藻芰文；色比金而有裕，质参玉而无分。"①刘胜对文木的描绘在汉代体物赋中有代表性和典型性，让人惊叹。他似乎已完全沉浸在对文木纹理的欣赏中，不仅忘却了自己和世间所有，而且又将自我的生命经验和所知所想完全融入到他对文木纹理的欣赏中了，世间的华彩山水、金玉美质，神话中的龙翔凤翥、电奔雷突，都成为文木纹理的体现者，达到了"大者罩天地之表，细者入豪纤之内"（皇甫谧：《三都赋序》）的境界。显然，刘胜对文木纹理的观照方式是一种"整体性观照"。也就是说，他能充分调动想象和日常经验以与他所观照的对象（文木的纹理）进行互动交流；在他眼里，文木的纹理是天地自然万物生命精神的集中体现者。这种观察日常事物的眼光和思维与日常生活中人们对事物的关注方式是不同的。在现世生活中，受日常生活实用原则的束缚，人们对那些常见事物往往会受各种限制，从而障蔽对之观察的眼光。汉赋作家的多角度描述所呈现出的事物因其全面、客观、多样而超出人们的日常生活经验，进而使人们对之产生不同

---

① （汉）刘胜：《文木赋》，见龚克昌：《两汉赋评注》，山东大学出版社 2011 年版，第 154 页。

的审美感受和体验,日常事物由此获得审美价值而成为人们的审美对象。

汉赋作家在描摹这些日常事物时,还往往使用神话意象对之进行譬喻、衬托,由此形成日常事物与神话意象的相互交织,这种瑰丽新奇景象是令人向往的,也契合了人们以奇为美的审美价值取向。汉赋作家在运用神话意象时显示出较强的主体意识,原始神话中的神灵和神物都处于被主体支配的地位,他们被汉赋作家从神坛拉入人间,一变而为人的奴仆。在《天子游猎赋》中,那些奇异仙境中的神物和神灵成了生活于上林苑中的天子日常生活的点缀品;在《大人赋》中,人间天子不仅统治现实世界,而且还要遨游太空,驾驭天地诸神,并超越时空与尧、舜、禹、西王母等上古神人相交游,神灵有时还要受到他的惩罚(如"诛风伯,刑雨师"、"叱风伯于南北兮,呵雨师于东西",等等)。这固然是司马相如的阿谀之词,但同时也说明汉赋作家是敢于想象的,在思想深处是有遒劲的气魄的。这种神奇的想象和遒劲的气魄所营造的神奇幻境让人迷醉,使人留念,所以汉武帝阅后"飘飘然有凌云气"。有学者说:"正是幻境与现实的相交互叠,才构成了汉大赋繁复、神奇、遒劲、整体的审美图景。"①这也反映出汉赋作家和当时人们的精神状态和审美取向。有人认为汉赋作家对神灵的这种态度表现出主体"控驭外部世界的信心和力量"②,这种观点不符合汉代整体性的天人关系思想,是不准确的。

汉赋奇丽之美的形成与汉赋作家的知识构成和卓绝追求有关。两汉时期经学兴盛,训诂学、文字学、音韵学发达,司马相如《凡将篇》、无名氏《尔雅》、扬雄《方言》、许慎《说文解字》和刘熙《释名》等是代表作。汉赋作家的小学修养是深厚的。当时,文字学具有百科全书性质:人们通过对文字内涵及其所代表事物的总结和分析以认识、理解和掌握世界。应该说,司马相如等人首先是文字学家、训诂学家,然后才是汉赋作家,所以刘师培说汉赋作家在小学基础上,"发为文章,沈博典丽,雍容揄扬"③。而

---

① 许结:《汉代文学思想史》,人民文学出版社 2010 年版,第 116 页。

② 黄广华、刘振东:《从审美角度看司马相如的赋》,《文史哲》1987 年第 3 期。

③ 刘师培:《文章源流》,《中国历代文论选》(第四册),上海古籍出版社 1980 年版,第 334 页。

且，汉赋作家在创作时，不仅要精心构思文章的结构主旨，而且还搜肠刮肚、费尽心思地收集相关方面的词汇、素材，并将之运用到创作中。司马相如创作《上林赋》时花费了数百日，张衡的《二京赋》更是构思了十余年，有的赋家苦于构思甚至梦见肠子掉在地上、一病不起，等等。因此，渊博的知识积累、长时间的精巧构思和神奇的想象创作，形成了汉赋奇丽的审美特征。

落实在文字上，汉赋的奇丽美表现为汉赋作家往往在自己的赋作中运用繁多的连绵词和同义词等来修饰同一事物，以生成寻常事物的奇异性质。如司马相如《子虚赋》对"石"的描述、张衡《西京赋》对"鱼"的描述，以及其他众多的体物赋作等。他们以或字形相似、或偏旁相同、或内涵相近的大量的不同词汇对同一事物进行细致描摹，产生了多样的审美效果：首先，这些词汇不仅可以形成非同寻常的语言铺排气势，而且那些生僻怪诞的词汇也拉开了读者与文本之间的距离，使读者在面对这些名物时感受到前所未有的距离感、压迫感和陌生感。汉赋作家对语言的这种用法颇类似俄国形式主义文论中所强调的"陌生化"理论，虽然那时他们并不知道陌生化理论为何物。什克洛夫斯基在《作为技巧的艺术》中说："艺术的技巧就是使对象陌生，使形式变得困难，增加感觉的难度和时间长度，因为感觉本身就是审美目的，必须设法延长。"[①]这种表述与汉赋作家对语言效果的追求可以对比来看。其次，这些词汇的连绵运用往往形成一个整体性极强的动感画面，读者不仅可以在这画面中想象作者所描绘的对象到底是何种形态，从而将读者引入赋家所创设的境界中；而且，作者所描绘的对象在这整体画面中也获得了生命灵动之气，顿时活跃起来，从而给人震惊神奇的审美感受。可以说，汉赋作家对奇丽的追求达到了"语不惊人死不休"的境界。

汉赋奇丽之美的形成，与两汉时期人们"以奇为美"的时代审美风尚有关。这种风尚虽在东汉时受到了唯物主义思想家王充的严厉批判，但改进甚少。由刘歆所撰、葛洪辑录的《西京杂记》对两汉时期兴起的"以

---

① 朱立元：《当代西方文艺理论》，华东师范大学出版社 2005 年版，第 45 页。

奇为美"现象有大量记述,这些记述可与汉赋的奇丽之美相互印证。《西京杂记》卷一记述了时人雅好"奇丽"的社会现象:"初修上林苑,群臣远方,各献名果异树,亦有制为美名,以标奇丽。"①这说明汉武帝建造上林苑时,四方属国大臣皆贡献奇珍、赋以奇名。"以标奇丽"正说明时人对新奇事物的雅好心态。即使是寻常事物,如果能给它起个不一样的名字,则也能彰显其奇异性。尚奇在汉代成为时尚。同时,人们也将这种以奇为美的观念渗透到他们的日常生活中。即使是铸造一些常见的生活用具,他们也力求从材质、造型、命名等各方面进行塑造,以凸显这些器物的奇特性质。其中,最突出的表现就是人们往往在日常生活用具上设置龙凤、怪兽等神物形象。比如,建造一盏灯,人们要在灯盏上雕刻"七龙五凤,杂以芙蓉莲藕";做个香炉,也要将之分为九层,"镂为奇禽怪兽,穷诸灵异",而且这些神物还能"自然运转"②,达到活灵活现的逼真效果。在这里,神话世界与现实生活世界之间建立了相互转化的同构性关系,神话意象赋予日常生活以奇异之美,日常生活也赋予神话意象以生命性和现实性。在衣食用度等方面,人们"竞致奇膳"、"以为奇味"。正是在这种审美风尚的影响下,两汉时期关于能工巧匠的记述大量涌现,他们的精巧制作,带给人们不同寻常的审美感受,也给人们的日常生活增添了乐趣。

第四节 清丽格:情感寄托

汉赋巨丽和奇丽的审美特征发展到极致,不可避免给汉赋带来一些弊端,如注重形式而缺乏情感等。这也是汉赋屡遭后人批评的原因所在。而且,汉赋巨丽和奇丽的发展,往往也让人们忽略汉赋清丽之美的存在。汉赋清丽格的存在是必然的。刘勰说"辨丽本于情性"(《情采》),即是说丽美的存在须以主体情感为根柢,没有这个根柢,丽美也不能存在。战

① (晋)郭璞:《西京杂记》,见《汉魏六朝笔记小说大观》,上海古籍出版社 1999 年版,第 83 页。
② (晋)郭璞:《西京杂记》,见《汉魏六朝笔记小说大观》,上海古籍出版社 1999 年版,第 84 页。

国后期出现的杂赋在借用《诗经》"赋"的表现手法的基础上而形成,它本
就是以抒写性情为主要目的;而给汉赋以极大滋养的楚辞也具有极为鲜
明的情感性,是情与丽的完美统一体。因此,汉赋作家在追求汉赋巨丽和
奇丽之美的同时,也常用赋来表达自己内心的情感诉求,这些赋作的情感
是充沛浓郁的,形式是完美的,一反汉大赋铺张扬厉的风格而给人清新动
人、浓郁深沉的审美感受。而且,赋体本身多样性的表现手法也十分适合
知识分子表达自我的情感体验。这就形成了汉赋"清丽"的审美特征。
支持汉赋清丽之美得以存在的,是那些"不遇之士"的个人遭遇与情怀。
汉赋清丽格直接屈赋,在表现手法、抒情方式、意象选择等方面都深受屈
赋的影响,艺术价值较高:"辞赋中艺术价值最高、传诵之作最多的当推
抒情之作。"①相对于巨丽和奇丽的时间局限性,清丽在汉赋发展史上长
存不衰,直至汉赋完成它的历史使命。如果说巨丽和奇丽是汉赋的典型
特征,那么,清丽则是汉赋的主要特征。②

　　有汉一代,主导这种清丽之美的赋作主要有两类:一为体物之作,一
为悼亡之作。这印证了赋"体物言志"的创作传统,也说明汉代体物赋创
作主要通过"体物"来达到"言志"的目的。体物赋所咏的对象主要是植
物、动物、器物、饮食等,多是赋家自我娱乐的产物,因而这类赋作所体现
出的赋家情感显得颇为明快、疏朗和自然,除了有数几篇(如贾谊《旱云
赋》等)愤世之作外,两汉体物赋大多是清丽自然的,进而构成了汉赋清
丽格的主要基调。在这类赋作中,有些由于所咏对象具有特定的情感积
淀,而使赋作流露出浓郁的哀伤情调——虽然这类哀伤不好断定是否为
作者真情实感的流露——清丽由此走向了婉丽,这方面王褒《洞箫赋》、
马融《长笛赋》、蔡邕《琴赋》等是代表作品。此外还有一些咏物赋是汉赋

---

　　① 曹道衡:《汉魏六朝辞赋》,上海古籍出版社 2011 年版,第 26 页。
　　② 有学者将"体物"与"抒情"作为区分西汉大赋与东汉小赋的标志(参见曹道衡:
《中古文学史论文集》,中华书局 2002 年版,第 15 页)。这种观点忽略了体物与抒情之间的
联系。即使是汉武帝这样比较喜爱赏玩大赋的人,他所作的《悼李夫人赋》和《秋风辞》也
是极凄切动人的作品。需要说明的是,赋作为文学体裁之一,固然可以抒情,但如果将抒情
作为赋的本质规定性,赋也就失去了存在依据。东汉末年,赋家大量援引诗的表现手法作
赋,最终使赋消歇而诗再度兴盛。

作家在王侯宴会上受命而作,娱乐功能明显,这类作品多自然灵动、轻快奇美,是汉赋清丽格的重要组成部分。据记载,梁孝王在忘忧馆游玩时,"集诸游士,各使为赋",于是枚乘作《柳赋》、路乔如作《鹤赋》、公孙诡作《文鹿赋》、邹阳作《酒赋》、公孙乘作《月赋》、羊胜作《屏风赋》、邹阳代韩安国作《几赋》等七赋①。在这些作品中,作家在以他物来衬托所描写的对象时,隐喻、象征等艺术手法的运用也多营造出清幽自然的审美情境,如公孙乘《月赋》对月下境界的描绘,清新淡雅,音韵谐和,达到了很高的艺术境界。他们似乎在对外物的细致观察和描摹中泯灭了自我的情感,也让自我抑郁的情感得以消解。

　　汉赋中的"悼亡之作"所"悼"之对象主要是屈原。这是因为:第一,屈赋是汉赋的渊源所自;第二,屈原本身独特的冤屈遭遇与汉赋作家比较类似。在这两者中,后者是主要的。他们觉得屈原的"忠而被谤"与自己一样,屈赋的情感也深契自我之心。他们对屈原的悼念实际是在悼念自身。这方面,贾谊的《惜誓》和《吊屈原赋》、东方朔的《七谏》、王褒的《九怀》、严忌的《哀时命》等都是代表作品,扬雄、蔡邕、班固等均作过此类作品。正是这些哀思悼念、发愤写情之作构成了汉赋中清丽之美的本质内容。在这类著作中屡次出现的"蹇驴"、"驽骡"等意象或许即为作者自况。与此相关,明珠与瓦砾、骐骥与笨驴、山间与庙堂,等等,这些对比鲜明的抒情意象成为赋家情感的流露和表征;后者所潜藏的幽怨心绪,是不言自明的。这为此类赋作的清丽色彩蒙上了一层淡淡的哀伤色调。但是,由于这类赋作首先以屈原为咏叹、模仿对象,以至于屈赋的抒情模式对汉赋作家的创作产生了极大的限制作用,同时也抑制了他们的创造力。而且,由于汉赋作家的人格精神受到政治现实和思维模式的双重扭曲,因而他们往往缺乏屈原人格精神刚烈、高洁的品质,他们的赋作往往一己私情者多,而缺少屈赋中鲜亮的主人公形象、宏大的精神气象和感人至深的情感魅力,以至于婉转而不蕴藉,流利而不含蓄。有些赋家如东方朔、王

---

　　① 参见(晋)郭璞:《西京杂记》,见《汉魏六朝笔记小说大观》,上海古籍出版社1999年版,第103—104页。

褒、王逸等，为悼屈原而悼屈原，"为文造情"，情感抒发显得扭捏、做作，引起后人批评。

清丽格贯穿了汉赋发展的全过程，没有出现断裂，张衡《归田赋》最终成为这方面的殿军。在汉初文景时期，以清丽为主要特征的赋作是汉赋丽格的主要代表。这种情况的出现主要源于汉赋作家与政治统治之间"剪不断，理还乱"的纠结关系。汉初时，国祚初定，民生凋敝，人们还没有条件欣赏宏大巨丽的作品。与此相关，当时的文帝、景帝等也不提倡文学消费活动，致使这一时期能够创作赋的"辞人"在社会上无用武之地，这为汉赋清丽之美的存在创造了条件。据《汉书·景帝纪》，景帝曾下诏曰："雕文刻镂，伤农事者也；锦绣纂组，害女红者也。农事伤则饥之本也，女红害则寒之原也。夫饥寒并至，而能亡为非者寡矣。"①由此便可理解"景帝不好辞赋"的原因所在。对此，刘勰《文心雕龙·时序》这样总结："施于孝惠，迄于文景，经术颇兴，而辞人勿用，贾谊抑而邹枚沈，亦可知矣。"②在这种情况下，贾谊的《吊屈原赋》、《旱云赋》、《鹏鸟赋》，孔臧的《杨柳赋》、《蓼虫赋》等相继出现。在武宣盛世时，以清丽为典型特征的赋作与以巨丽为典型特征的赋作并行发展，清丽仍是汉赋丽美的重要组成部分，只不过人们往往关注后者而忽略前者。所谓"成也萧何，败也萧何"，武宣时期尤其是武帝时期，那些以创造巨丽之赋而得以显贵的文人知识分子，包括那些官至宰相的儒士，他们的命运往往不得善终，被武帝玩弄于掌股；班固虽得章帝深宠，但其职位仍不过是小小的郎官。因此，无论是得宠还失宠，都会形成知识分子内心苦闷压抑而不得纾解的强烈深沉的抑郁情绪。由此，由屈赋所开创的以赋直谏传统在西汉早期即已逐渐消泯、脱落而被颂扬取代。对此，司马迁以"终莫敢直谏"感慨之。在两汉大一统的环境下，这种敢怒而不敢言的情感纠结从未从士人心中离开过，所以抒发这类情感的赋作也一直绵延不绝：董仲舒有《士不遇赋》，司马迁有《悲士不遇赋》，东方朔有《答客难》，后来的扬雄也有《解

---

① （汉）班固：《汉书》，颜师古注本，中华书局 2005 年版，第 108 页。
② 范文澜：《文心雕龙注》，人民文学出版社 1958 年版，第 672 页。

嘲》、《解难》,张衡有《应间》,蔡邕有《释悔》,等等。正是这种情况的存在,使得汉赋清丽格一直绵延不衰,构成了汉赋丽格中独特的风景。

还应注意,汉赋保有清丽格与赋作为文学体裁的本质属性相关:它本就是文士们抒发自我感情的文体之一。赋在形成之初,铺陈、夸饰等多种表现手法是存在的,但这些表现手法主要是用来表现赋家本人失志抑郁的内心情感,而不是用来表现万物、人世社会的繁复多样,因而赋从一开就具有清丽的审美特征。只不过,在赋鼎盛时期,巨丽格太引人注目,致使人们忽视了清丽格。《汉书·艺文志》:"春秋之后,周道寝坏,聘问歌咏不行于列国,学《诗》之士,逸在布衣,而贤人失志之赋作矣。大儒孙卿及楚臣屈原,离谗忧国,皆作赋以风,咸有恻隐古诗之义。"①从这段文献可见,最初的赋作者都是孤臣孽子似的人物,他们在人生失意时,觉得《诗》的表现手法不足以充分表达自己心中郁结的情感而采用赋这种手法多样、可肆意渲染的文体,从而使自我情感得到反复渲染、多向展露。这是赋作为文学作品的本质规定性。这类以多种手法表达哀怨凄婉情感的赋作,成为早期赋的主流;而多种表现手法的运用让早期赋作中哀艳感伤的情感表达得淋漓尽致,同时也埋下了赋从清丽走向巨丽和奇丽的伏笔,一旦时机成熟,巨丽和奇丽便成为赋作的典型特征。尤其是在汉代天人思想大发展的时代背景下,在枚乘、司马相如、扬雄等"竞为侈丽闳衍之词"的刺激下,这种浓郁的情感抒发自然从主体内心转向对自然万物的整体性观照,清丽被巨丽和奇丽所掩盖。即使如此,清丽作为赋的丽格之一,一直都没有消失过,而是贯穿赋发展的整个过程。即使在巨丽和奇丽盛行的武宣时期,以清丽为主要特征的赋作仍持续涌现。

东汉时期,赋家们专注于抒情赋的创作,人们的视野重新返回到主体内心的情感世界,清丽又成为赋的典型特征,至此,赋作为一种文体基本完成了它的生命历程,走向了终结。应该说,清丽之美是汉赋丽美的主要组成部分,但当人们试图将清丽与巨丽相统一、力求实现情与丽的统一时,汉赋的巨丽之美就走向了被清丽之美所取代的路途,所以随着东汉抒

① (汉)班固:《汉书》,颜师古注本,中华书局2005年版,第1383—1384页。

情小赋的出现和兴盛并在魏晋时期达到鼎盛,汉赋也就完成了它在华夏民族审美历史上的使命,并在这种完成中使自己成为永恒:它塑造了华夏民族集体的审美风貌和独特气质。后世人们在回忆、品味、留念中来追寻它的时候,也就是在对自我的生命情境进行体验、反思和感悟,与汉赋丽美的相遇由此成为华夏审美传统中的永恒追求。

第五节 纠缠与融合:汉赋丽格的衍生

在古代,"丽"范畴有极强的统序作用和开放性、衍生性特质,各种丽格之间常发生交融现象。因此,汉赋的上述三种丽格不是互相独立的,它们同时存在于两汉特定的文化环境中,由此形成三者之间相互对抗、纠缠或融合的现象。从发展顺序上看,清丽格伴随了汉赋发展的全过程,一直延续到魏晋赋作中;巨丽格是武宣时期汉赋的典型特征,并在东汉早期被继续发扬,东汉末则逐渐消失而被清丽格所取代;奇丽格也伴随了汉赋发展的全过程,但在发展中又与清丽格和巨丽格时有交叉,并时常受到两种丽格的影响或改造,因而独立性最弱。总体上看,这三种丽格之间并非可以完全融合,同时还存在排斥、对抗现象,由此形成三种丽格之间动态生成的历史发展格局,进而形成汉赋多样性的审美风貌。

首先,巨丽与奇丽的融合现象在汉赋中是常见的;而且,这两种丽格的融合也是必然的。尤其是在以铺张扬厉、想象夸饰为典型特征的汉大赋中,巨丽之美生成的同时也生成奇丽之美,《上林赋》、《子虚赋》、《两都赋》、《二京赋》等是这方面的典型作品。这与汉赋本身丰厚的内容含量有关。祝尧《古赋辩体》云:"取天地百神之奇怪,使其词夸;取风云山川之形态,使其词媚;取鸟兽草木之名物,使其词赡;取金璧彩缯之容色,使其词藻;取宫室城阙之制度,使其词庄。"①汉赋将如此众多的内容纳入自己宏大谨严的结构中,既能巧构神奇的环境,又显示出浓郁的浪漫与想象,将现实生活与神话幻境熔为一炉,自然生成宏大而神奇的审美效果,

————————

① 许结:《汉代文学思想史》,人民文学出版社 2010 年版,第 115 页。

这就实现了巨丽与奇丽的融合。

其中,赋家所具有的非凡想象力具有核心统摄作用。赋家如果做到了司马相如所说的"苞括宇宙,总览人物",也就在某种程度上实现了赋作巨丽与奇丽的融合。王世贞说:"赋家不患无意,患在无蓄;不患无蓄,患在无以运之。"①这是说赋家创作不担心没有新的思想,而担心没有深厚的积累;有了深厚的积累,但如果没有想象力来统领、运用这些积累,则素材仍是素材。这就强调了想象力的重要性。所以王世贞又说汉赋"变幻之极,如沧溟开晦;绚烂之至,如霞锦照灼"②,"变幻"与"绚烂"能否融合成为赋作是否成功的重要标志。这规定了汉赋作家的努力方向。刘勰在《文心雕龙·杂文》中概括汉赋作家的创作时说:"莫不渊岳其心,麟凤其采,此立本之大要也。"③刘勰对宋玉、东方朔、扬雄等人创作过程的评价是恳切、准确的。所谓"渊岳其心",就是指汉赋作家在创作时务必挖空心思构思模拟,要善于架虚行危,既造出奇怪,又撇入杳冥,好像所描写的事物不似人间之物,以使之焕发出光大亮丽的色彩和气魄;刘勰认为,在这方面,潘岳的《安石榴赋》是代表。潘岳是晋人,以《安石榴赋》而著称。在这篇简短赋作中,石榴籽被他描写得美轮美奂,不似人间之物,继承了汉赋作家的表现传统。④ "麟凤其采"则是指汉赋作家在创作中每加入奇特祥瑞且色彩明艳的神话意象或其他奇异之物来营造奇幻艳丽的审美境界,以增加作品的文采和表达效果。麒麟是龙头、马身、鱼鳞,常与凤凰同时出现,而凤鸟除了是多种鸟类的集合体外,在《山海经》中还常被称为"采鸟"。它们是汉赋中常出现的色彩鲜明的神物的代表。这被刘勰称为"穷环奇之服馔,极盅媚之声色"(《杂文》)。汉赋作家的这些努力实现了巨丽与奇丽的融合,这正是汉赋的"立本之大要"。巨丽与奇丽两种丽格的融合在汉赋中是颇为常见的,是汉赋丽格融合现象的主流。

---

① (明)王世贞:《艺苑卮言》,罗仲鼎校注,齐鲁书社1992年版,第31页。
② (明)王世贞:《艺苑卮言》,罗仲鼎校注,齐鲁书社1992年版,第31页。
③ 范文澜:《文心雕龙注》,人民文学出版社1958年版,第255页。
④ (晋)潘岳《安石榴赋》咏石榴籽云:"华实并丽,滋味亦殊。商秋受气,收华敛实,千房同蒂,千子如一。缤纷磊落,垂光耀质,滋味浸液,馨香流溢。"

其次,是奇丽与清丽的融合现象。在以清丽为主导丽格的赋作中,奇丽之美所蕴含的不仅是赋家的"囊括宇宙之心",而且还是对日常世俗世界的疏离心态和绝望对抗。他们或将日常生活中常见的动植物进行扭曲,或将那些生活在阴暗角落的"怪虫毒物"等置于日常生活中,以增强作品的表现力度和"陌生化效果",本来正常的日常生活由此被赋家扭曲了,龙凤、麒麟等神话意象也被世俗化和阴暗化,他们以此来表现自己的绝望心情:"怪虫毒物在这里不只是比喻,而是直接身触目睹;仿佛仅存的生人,活在毒怪充斥的世界,这个变形世界理所当然地翻转一切价值体系,肆无忌惮地抹灭一切信念传统。正是透过如此深切的不可置信,作者传达了极端的怨忿与无可挽救的绝望。"①奇丽与清丽的结合,形成了汉赋诡谲恍惚、凄迷朦胧的色调。这一点多被研究者忽视。

在汉赋中,巨丽和清丽是难以融合的,甚至还存在某种对抗。原因主要有二:一是含纳万物的对象化和整体性思维方式对主体情感有某种程度的抑制作用,二是汉赋作家的矛盾心理对此亦起到了限制作用。就前者看,以整体性为观照方式的汉赋创作思维与赋本身尚丽的内在要求相吻合,再加上时代要求和汉赋作家的集体努力,必然形成汉赋重在夸饰、繁复汪洋的巨丽风格,自我消融在万物中。就后者看,一方面,当汉赋作家为了某种外在原因(如颂圣、媚主等)而进行创作时,他须充分考虑主上审美情趣和国家文化政治的因素,他不能在自己的作品中表达自我的情感态度,主体须对自我情感进行抑制,主体消泯在外在化的规训中,这样以彰显自我情思为主的清丽格便很难融入其中。另一方面,在儒家人生观的作用下,当汉赋作家发现自己被"俳优视之"时,往往对自己的人生价值产生怀疑,甚至后悔自己创作了那些颂圣之作;而当他们在仕途遭遇挫折而不能施展抱负、沉沦下僚时,他们所创作的传达自我真情实感的清丽赋作又不能同时兼具巨丽一格。这就形成了汉赋巨丽格与清丽格之间的排斥现象,两者很难实现兼容。在屈赋中,巨丽格与清丽格相容的程度稍微高一些,但氤氲在屈赋中的哀伤情绪还是超过了其中的宏大想象,

---

① 郑毓瑜:《性别与家国:汉晋辞赋的楚骚论述》,上海三联书店 2006 年版,第 134 页。

进而形成哀艳之美,这种美无疑更接近于清丽而非巨丽。因此,无论从哪个方面看,巨丽格与清丽格在汉赋中不相容都是不可避免的。

艺术追求完美,但不存在没有缺陷的艺术,汉赋亦然。汉赋三种丽格之间虽存在并行发展、交融、对抗而形成多种审美形态的情况,但汉大赋的非凡艺术成就和宏大精神气魄掩盖了汉赋丽格的多样性,要么是奇丽格被纳入巨丽格,要么是清丽格被巨丽格所取代。而且,清丽格在汉赋发展过程中虽存在时间最长,但被掩盖得也最厉害:一方面是巨丽格的引人注目,另一方面是在表现自我情感方面它又很难与屈赋相媲美,因而也不能引起后世学者的重视。所以,在回首汉赋时,人们往往只将眼光投向汉赋的巨丽一格并对之进行种种批评,这无疑放大了汉赋巨丽格的缺陷。于是,人们一方面惊讶于汉赋丽美的丰富迷人、色彩绚烂,另一方面也叹息丽美所带来的种种"局限"。给汉赋带来所谓"缺陷"的仍是让人产生惊异之美的多种表现手法。对此,当时的司马迁、班固、扬雄等人已提出过批判;刘勰也提出过诸多相关看法。刘勰对汉赋的批评主要集中在两点:一是他从"征圣"、"宗经"的角度批评汉赋"无贵风轨,莫益劝诫",同时他又从艺术手法的角度批评汉赋"繁华损枝,膏腴害骨"①。刘勰的批评绵延既久,影响益深,后人对汉赋不足的批评多跳不出这两方面。即使今天,多数人在评价汉赋艺术成就时,仍认为"其结构未免过于单调或失于生硬,铺陈有时过于烦琐,连绵字用得太多,行文少变化,夸饰失当,美感也受影响"②,等等。这是从后世发展了的艺术观来对汉赋进行批评的结果。问题在于,如果汉赋没有了华丽的语言、烦琐的铺陈、神奇的想象,那它的美还如何存在?站在后人的角度看,这些批评无疑有其道理,但如果这些所谓的"缺陷"不存在,那么汉赋同时也就失去了存在基础,汉赋的丽美也就荡然无存了。实际上,汉赋丽美特征的存在是汉赋之为汉赋的本质规定性,这一点在它刚开始兴起时就已埋下了伏笔。

---

① 范文澜:《文心雕龙注》,人民文学出版社1958年版,第136页。
② 陈庆元:《汉大赋美学品格的得与失》,《福建师范大学学报》1998年第2期。

第六节 整体性审美观:汉赋丽格的形成原因

汉赋丽美的形成首先与赋体本身的表现手法有关。从文学发展本身的规律看,"赋"首先是作为《诗》的一种表现手法得到人们广泛使用,而将这种手法发展到极致所形成的新文体就是"赋"。在《诗经》中,赋与比、兴一样,是诗人表现自我情感的手法之一。《楚辞》借用了它,并使之得到大发展,夸张、想象、连类、比喻等都被赋所吸收。因此,将各种艺术表现手法综合起来的文体就称为"赋",而具有这种艺术效果的作品也被称为"赋"。因此,赋作为一种文体,首先是从其表现手法进行规定的。刘勰说"赋者,铺也",正是从这个角度来理解的,汉赋的丽美特质也是这种表现手法必然形成的。这一点扬雄和皇甫谧等人都曾论及。扬雄认为,赋"必推类而言,极丽靡之辞,闳侈钜衍,竞于使人不能加也"①。皇甫谧《三都赋序》曰:"赋也者,所以因物造端,敷弘体理,欲人不能加也。引而申之,故文必极美;触类而长之,故辞必尽丽。"人们往往说"汉赋",赋似乎成了汉代的专属作品,从而将赋从形成到发展的漫长历史斩断了。从《诗经》到《楚辞》再到武帝时期汉大赋兴盛,这期间经历数百年的积累过程,文学艺术本身的发展,也要求这种文体登上历史舞台。先秦荀子等人以及秦人所作杂赋,都为汉赋的兴盛做了艺术上的准备。毕竟,诗已兴盛了数百年,也完成了对各种情感的抒发、对历史功绩的颂扬等任务。但人们新的审美趣味处在不断变动中,这需要新的文艺形式对之进行表现,于是人们将目光转向这种已经过长期发展但尚未成气候的文体——"赋"。刘熙载,这位离汉已远的卓识理论家一语中的:"赋起于情事杂沓,诗不能驭,故为赋以铺陈之。斯于千态万状,层见迭出者,吐无不畅,畅无或竭。"②

汉赋作家群集体选择了赋,也集体塑造了汉赋的丽美,同时赋也为他

---

① (汉)班固:《汉书》,颜师古注本,中华书局2005年版,第2653页。
② (清)刘熙载:《艺概》,袁津琥校注,中华书局2009年版,第411页。

们赢得了不朽声誉。这标志着一种新的审美原则和趣味的兴起。汉赋既塑造着这种原则和趣味的形成,也在这种原则和趣味的陶养下而形成、兴盛。这种新的审美原则、趣味或理想,就是主体在对自然万物的整体性观照中实现心灵的愉悦和安宁。这是前人所无、后代不存的审美理想。我们将之称为"整体性审美观照"方式。所谓整体性审美观照,是指主体以自我心胸将自然万物和历史时空统摄起来,将神话与历史、想象与现实、社会与人生等完全融为一体以超越时空、消泯自我进而获得对宇宙万物进行整体性体悟,以设置自我在宇宙秩序中的确切位置的一种审美思维方式。它既不同于史前先民通过对神的膜拜而获得情感愉悦所形成的宗教审美,也不同于儒家仁学将人们对自然神灵的崇拜内化为自我德性进而获得人生在世之价值的现实审美,同时也不同于由原始道家发其轫、庄子扬其波的"神与物游"、主体与自然冥合无间的超越审美。这种审美方式综合了上述诸种审美方式,是对三者的综合,也是对三者的超越。正是在这种审美思维方式的作用下,"人这时不是在其自身的精神世界中,而完全溶化在外在生活和环境世界中,在这种琳琅满目的对象化世界中"①。这是有汉一代基本的、主要的审美思维方式,汉赋是这种思维方式的主要结晶体。

汉赋作家在创作时具有深邃宏大的时空超越意识,即所谓"控引天地,错综古今"、"苞括宇宙,总览人物",这是独特的"赋家之心"。天、地、神、人四界时空和社会历史事件完全被容纳到作者的想象世界中;即使是对及其细小、常见物品的描绘,他们也会将这种整体性的时空超越意识渗透其中。比如,贾谊咏"簴"云:"妙雕文以刻镂兮,象巨兽之屈奇兮。戴高角之峨峨,负大钟而顾飞。美哉烂兮,亦天地之大式。"②簴是古代悬挂钟鼓之类乐器的柱子,贾谊对柱子上所刻镂的精彩花纹和飞动奇兽进行了细致刻画,以突显簴本身所具有的神奇魅力;尤其是簴上所刻的长着长长犄角的神奇怪兽在五彩纹饰的衬托下,好像要背负着大钟而腾云飞去。

① 李泽厚:《美的历程》,生活·读书·新知三联书店 2008 年版,第 83 页。
② (汉)贾谊:《簴赋》,见龚克昌:《两汉赋评注》,山东大学出版社 2011 年版,第 21 页。

显然,在贾谊看来,簴和它身上的花纹和灵兽是一体的,它们动静谐和,构成了和谐灵动的生命共生关系;天地万物、历史时空,俯仰之间全被纳入这一灵动的互生关系中。这一关系的表现形式是完美的、绚丽的,因而可以与天地融合的形式相媲美。在赋家眼中,即使是一颗常见的荔枝,也"灼灼若朝霞之暎日,离离若繁星之着天。皮似丹巋,肤若明珰。润侔和璧,奇逾五黄"①。这种描述方式是以特定的审美思维方式为基础的,即从天地万物所构成的整体性关系入手,将所赋对象置于特定的生命环境中进行铺陈描绘,实现超越时空的虚拟架构和对日常事物的超越姿态。这是汉赋作家所遵循的基本思维方式,它形成了汉赋作家开阔、完整、包容的审美心胸和气魄。李涂《文章精义》曰:"做大文字,须放大胸襟如太虚始得。太虚何心哉?轻清之气旋转乎外,而山川之流峙,草木之荣华,禽兽昆虫之飞跃,游乎重浊渣滓之中,而莫觉其所以然之故。"②这即是司马相如所说的"赋家之心",也是扬雄所说的"伏习象神"。它是汉赋作家创作的心理基础,也是汉代审美意识的特质所在。

这一点在赋初形成时期既已萌蘖,后在汉代天人合一思想大发展的基础上定型。《汉书·艺文志》引"登高能赋可以为大夫"后说:"言感物造耑,材知深美,可与图事,故可以列为大夫。"颜师古注云:"因物动志,则造辞义之端绪。"③也就是说,在具有特殊意义的时间节点,人们在山巅之上登高远望,视野开阔,宇宙山川万物尽入眼底,主体心胸也为之疏朗开阔。在这种情境下能作出好文章的人可任大夫。可见,在萌芽阶段,人们就要求作赋不仅要有宏大全面的时空观照,而且还要在外物的感发下体物写志,揭示万物与人事之间的深层内在关系。这就为赋的丽美特征奠定了思想基础。六朝赋在兴盛的同时也宣告了汉赋的终结,因为那种以丽为美的宏大气象及其给主体所带来强烈视野冲击力的审美感受已经消失。因此,对于汉赋的"丽美"特征,我们还是应该从赋本身产生、形成

---

① (汉)王逸:《荔支赋》,见龚克昌:《两汉赋评注》,山东大学出版社 2011 年版,第 778 页。

② 许结:《汉代文学思想史》,人民文学出版社 2010 年版,第 113 页。

③ (汉)班固:《汉书》,颜师古注本,中华书局 2005 年版,第 1383—1384 页。

的土壤和过程来分析,发掘其中所蕴含的人类对于审美多样性的需求,及其与社会历史时代之间的深层互动关系。

汉赋以"丽美"为本质规定性与汉代天人合一思想的定型化过程有密切关系。当时,以阴阳、五行、谶纬等思想为根柢的"天人合一"思想在汉代逐渐兴起、形成和兴盛直到占据统治地位,并渗透到社会文化和艺术形式的建构中。这种思想既不同于先商时期神灵对人的压制,也不同于先秦仁学对自我德行的内在省察,而是在两者融合的基础上将主体向万物延伸,是一种"天、地、神、人"结为一体的"整体性"的思维结构。在汉代,前两种思想已发展到极致,其本身也迫切需要进行演进以实现突破,而当时的社会发展和文化创制也需要一种新的思想来引导,这自然也包括艺术创作。这种思想在当时得到了普遍认同。从《吕氏春秋》"上揆之天,下验之地,中审之人"的"十二纪",到"天地之理究矣,人间之事接矣,帝王之道备矣"的二十篇《淮南鸿烈》,从将天、地、人、阴阳和五行等十项因素熔为一炉、提出"天人宇宙论图式"的《春秋繁露》,到"究天人之际,通古今之变,成一家之言"的太史公的《史记》,等等,都具有容纳万物、统合"天、地、神、人"的思想气魄。李泽厚指出:"总起来看,在当时历史条件下,企图把天文、地理、气象、季候、草木鸟兽、人事制度、法令政治以及形体精神等万事万物,都纳入一个统一的、相互联系和彼此影响并遵循普遍规律的'类'别的宇宙图式中,从总体角度来加以认识和把握,这应该是理论思维的一种进步。"①司马相如的"赋心""赋迹"说、扬雄的"神化"说等,是这种思想在文艺创作上的反映。由此,我们可以明白汉赋中对神仙世界的掌控遨游、对奇异事物的苦心搜集、对细小事物的细致刻绘、对历史人事的游刃自如,等等,这些毫不相干的、具有无限时空差距的事物为何都被纳入同一时空之内。

总之,汉赋赢得社会各阶层的喜爱说明这一审美思维方式在当时是有共识的。汉赋创作并未像司马相如所述的那样神秘而不可把握,他们呕心十余年乃至梦见肠子掉在地上的苦心构思实际上是在寻找实现上述

---

① 李泽厚:《中国古代思想史论》,生活·读书·新知三联书店 2008 年版,第 149 页。

精神境界的载体,载体既有,文章亦成。因此,汉赋之所以能以其宏大气魄、巨丽风格而折服世人,即是因为它背后有这样一种深厚的思想底蕴,没有这个底蕴,无论汉武帝如何提倡、社会如何"大一统",汉赋作家群如何集体塑造,也难以成就汉赋的丽美,更不会得到社会集体的认可。也正是这种审美思维方式形成了汉代艺术雄浑、朴拙而又灵动、自然的整体风貌。

第八章

汉诗：缘事而发

在中国古典诗歌中，除"诗言志"、"诗缘情"两大传统外，尚存在第三种传统，即以汉诗"缘事而发"创作和记述方式为基础而形成的"诗缘事"传统。此传统直承上古时期"事""史"合一的思想观念和价值取向，并渗透到中国诗学传统之中，形成中国诗歌独特的"事"、"史"、"思"、"情"、"诗"五位一体的思考问题的思维方式。由于人们常用"汉乐府诗"、"汉魏诗"、"古诗"等内涵模糊的概念讨论汉诗，阻碍了"汉诗"概念的形成，遮蔽了汉诗的本来面貌及以汉诗"缘事而发"特征为代表的"诗缘事"传统。所谓"缘事而发"，是指汉诗在创作、记述、赏析、传承过程中均存在与诗歌本事之间相互构成的特征，在起源论和本体论层面解决了诗歌的本质问题。这一观念是汉代学者对此前诗歌创作经验的总结，同时也促进了两汉诗歌创作的繁荣，对"诗言志"向"诗缘情"转化起到重要的推动作用；由于"志"和"情"均依附于"事"、在"事"中产生和发展，因而可以"诗缘事"统合"诗言志"、"诗缘情"两大传统，建立一种新的中国古典诗学。

第一节　汉诗"缘事而发"：第三种诗学传统

在中国古典诗歌中，除了"诗言志"和"诗缘情"两个传统外，是否还存在第三种传统？郑毓瑜在《从病体到个体——"体气"与早期抒情说》一文中，从先秦文献和作品中归纳出一种处于两者之间的"抒情（志）属诗"的传统："所谓'抒情（志）属诗'的说法，既不同于《诗大序》所谓'诗言志'强调的礼乐歌舞一体的教化意义，也明显不同于后来陆机提出与'赋体物'相对的'诗缘情'的说法。可以说这是比较早出现的'抒情'

说,而且在并不明显牵涉题材、字句、风格、教化等效应的文体分类下的一种可能较为普遍的'表达'。这种表达的欲求,明显与身体某种不和谐、不安宁的如波沸动的讯息同步。"①可以看出,这种"抒情(志)属诗"的传统处于"诗言志"和"诗缘情"的过渡阶段,同时也是"诗缘情"的早期阶段,因而并不属于"中国古典诗歌的第三种传统"。真正的"第三种传统"与这种传统在强调身体的行动和表达方面有紧密的联系,它是由汉诗"缘事而发"特征所引发而成的"诗缘事"传统。

对于中国古典诗歌的"诗缘事"传统,此前亦有学者论及。曹胜高《论汉晋间"诗缘事"说的形成与消解》一文认为,"两汉'诗缘事'说的提出,政治根源是出于强调诗歌对现实政治的干预作用,艺术根源在于总结《诗经》、汉乐府对'哀乐之事'的反映。……可以说,'诗缘事'是两汉诗学最重要的结论之一"②。但是,随着魏晋之际士人政治热情的消退,士人由崇尚"事功"转向"立言",将精力投入到学术研究之中,关注现实的热情淡化、消失,"诗缘事"传统逐渐弱化,抒情作品大量出现。在这种情况下,"诗缘情"最终取代了"诗缘事"。作者由此得出结论说:"上古诗歌'缘事而发'的创作实践未能全面展开就被窒息,'诗缘事'的创作经验尚没有得到系统总结就被忽略,从而导致中国诗歌叙事意识的淡薄和叙事作品的缺乏","诗歌的叙事功能进一步被剥离出去,遂使抒情言志成为了中国诗歌的内在追求"。③ 这个结论基本上是准确的,但有两点需要指出:其一,该论提出政治因素对于"诗缘事"传统形成的决定性作用,忽略了《汉书·艺文志》"感于哀乐,缘事而发"表述中的情感维度,进而忽略了"诗缘事"对"诗缘情"观念所具有的奠基作用;其二,该论认为中国诗歌的"诗缘事"传统自两晋以后则湮没无闻、被人遗忘并不完全准确。虽然"诗缘事"传统由于种种原因一直处于被遮蔽的状态,但其观念则持久存在,并影响了此后中国诗歌创作和诗学理论的发展,叶燮对诗歌意象

---

① 郑毓瑜:《从病体到个体——"体气"与早期抒情说》,见柯庆明、萧驰编:《中国抒情传统的再发现》,台大出版中心 2009 年版,第 79—80 页。
② 曹胜高:《论汉晋间"诗缘事"说的形成与消解》,《文史哲》2008 年第 1 期。
③ 曹胜高:《论汉晋间"诗缘事"说的形成与消解》,《文史哲》2008 年第 1 期。

"理"、"事"、"情"等问题的讨论是"诗缘事"传统的总结形态。殷学明《诗缘事辨》则揭橥了"诗缘事"传统的历史发展脉络:"中国诗缘事传统当滥觞于远古,萌发于汉代,发展于唐代,成熟于宋代",认为"诗缘事的讨论,实际是对历史文化记忆以及诗歌叙事、创作内在规律和基本机制的揭示"。① 此论视野宏阔,既阐明"诗缘事"传统的发展历程,又彰显其当代价值,但对"诗缘事"传统何以隐而不彰等问题未作阐述,留下了可供进一步探讨的空间。

本章的目的就是要铲除笼罩在"诗缘事"传统上的层层障碍,将这一传统呈现出来,还它本来的面貌,凸显它对中国诗学传统的本体性价值。② "诗缘事"观念直承上古时期"事""史"合一的思想取向,并渗透到中国诗学传统之中,形成中国古人独特的思考问题的方式:作为主体及其行为构成的基础场所,事件及其情境以独一无二的真实显现自身——"事"本身就呈现在那里,无须论证,并以情境化的方式为万物提供和谐共存的场所,主体的身心活动以及在活动中形成的思想和情感("事"、"史"、"思"、"情")同样以其真实的面貌容纳于事件中并统一于诗境,从而像"事"一样实时而永恒地展示自身,而非仅局限于固定、僵化的礼仪之"志"和狭隘、局促的一己之"情"。在这个层面,汉诗"缘事而发"的传统与法国后现代哲学家阿兰·巴迪欧"事件哲学"的立场提供了可供交流的空间③,亦为我们重新审视中国的诗学传统提供了新的路向。

在学界,"汉诗"是一个缺席的概念:人们一般不用它指称两汉诗歌。

---

① 殷学明:《诗缘事辨》,《北方论丛》2013 年第 5 期。

② 孔颖达《毛诗正义》提出"诗缘政"的思想:"风、雅之诗,缘政而作,政既不同,诗亦异体","诗者,缘政而作。风、雅系政之广狭,故王爵虽尊,犹以政狭入风。"[(唐)孔颖达《毛诗正义》,北京大学出版社 1999 年版,第 12、251 页]"诗缘政"与"诗缘事"有密切联系,值得注意。(参见黄贞权:《〈毛诗正义〉"诗缘政"的历史语境及理论内涵》,《贵州文史丛刊》2010 年第 1 期;曹胜高:《中国文学的代际》,"'诗缘政'与唐宋诗学的价值重估",商务印书馆 2013 年版,第七章第一节)

③ 参见高宣扬:《论巴迪欧的"事件哲学"》,《新疆师范大学学报》2014 年第 4 期;艾士薇:《通往真理的事件——论阿兰·巴迪欧的"事件哲学"的理论基础》,《中国政法大学学报》2013 年第 6 期;毕日生:《阿兰·巴丢的"内美学"思想初探》,《文艺理论研究》2011 年第 6 期等。

在世界文化语境中,"汉诗"是指中国格律诗。在日本和韩国、朝鲜等国家和地区,"汉诗"是指用汉语创作的诗歌,带有与本国诗歌相区别的意味。2003 年 7 月 12 日在香港注册成立的"世界汉诗学会"也是以这个概念为基础的,办有《世界汉诗》杂志。因而,"汉诗"的提法不是指两汉诗,而是指以汉语书写的格律诗。20 世纪以来,存在"唐诗"、"宋诗"、"清诗"等提法,但不存在"汉诗"。"唐诗"的提法在宋代即以形成,明清学者也多加使用,王国维《宋元戏曲史》提出的"一代之文学"的观念加固了这一概念。厉锷的《宋诗纪事》、钱钟书的《宋诗选注》等著作让"宋诗"广为人知,钱仲联等人规模庞大的《清诗纪事》也让"清诗"成为一个固定的提法而被接受。关于"汉诗",还缺乏相应的著作确立其应有的地位。

当然,有些学者在著作中也使用"汉诗"一词,说明"汉诗"应是一个独立概念,而且应该与"乐府诗"区别开。逯钦立在他的名著《先秦汉魏晋南北朝诗》中使用了"汉诗"的标题,而弃用"乐府诗"。① 聂石樵《先秦两汉文学史稿》用"诗与乐府"将两者区别开,并对二者的不同起源进行了分析。② 赵敏俐在他的论著中也使用过"汉诗"概念③,他所说的"汉诗"既指两汉诗歌,也指汉代乐府诗;他师从杨公骥先生撰写的博士论文曾以《汉诗研究》的标题在台湾出版,但再版时更名为《两汉诗歌研究》,这似乎说明他觉得"汉诗"并不能成为一个通行的概念。

在众多学者中,有明确学理意识对"汉诗"概念进行清理的是宇文所安。他在《中国早期诗歌的生成》中用"'汉诗'与六朝"作为第一章的标题。可以看到,宇文所安将厘清"汉诗"概念的来龙去脉作为该著作的起点,以凸显汉诗对中国早期诗歌传统形成的重要性。宇文所安认为,直到六朝时期,我们现在所称为两汉诗歌(包括乐府在内)的东西才被六朝诗人和学者最终确定。④ 在该章的论述中,我们可以看到一系列纠缠不清、

---

① 参见逯钦立:《先秦汉魏晋南北朝诗》,中华书局 1983 年版,第 87 页。

② 参见聂石樵:《先秦两汉文学史稿》,北京师范大学出版社 1994 年版,第 206 页。

③ 参见赵敏俐:《论汉帝国的统一强盛与汉诗创作的繁荣》,《东北师大学报》1988 年第 6 期。

④ [美]宇文所安:《中国早期诗歌的生成》,胡秋蕾等译,生活·读书·新知三联书店 2012 年版,第 25 页。

相互指涉的概念混杂在一起："祭祀歌辞"、"歌诗"、"短歌"、"乐府"、"古诗"、"汉魏诗歌",等等。这其实说明"汉诗"在某种程度上被如此众多的概念消解掉了。这也说明,虽然"诗"这个词在公元前八九世纪就开始被使用并用来指称一种文体,但到底哪些内容应该归于"诗"的名下直到六朝时仍存在争议。

由于"乐府诗"名称相沿成习、影响广泛,"汉诗"概念的使用仍然少见;在多数著作中,人们仍以"汉乐府诗"称之。这种情况的出现既有学术史的原因,也有学术观念的原因。这些因素阻碍了"汉诗"概念的形成。

后世学者讨论汉诗一般有两种路径:一是将汉诗与汉代乐府机构联系起来,强调汉诗的音乐性特点,从而形成"汉乐府诗"的概念。宋代学者郭茂倩编纂《乐府诗集》一百卷,让"乐府诗"这一提法广为流传,将并不属于同一领域的"乐府"和"诗"连接在一起,影响很坏,而此前《隋书·经籍志》等均以"乐府"给各种别集命名。"汉乐府诗"这个概念虽从起源和形成角度指出了汉诗的一般特征,但却忽略了其他特征,因而是一个以偏概全的概念。后来盛行的仿拟作品,扩大了乐府诗的影响,加固了人们对汉诗"配乐而歌"特点的认识,进而遮蔽了人们对汉诗之所形成的根本维度的认识。二是将汉诗中的五言诗与魏晋诗合并,合称"汉魏诗"或"汉魏古诗",以与后来以格律为特征的近体诗相区别。这方面,严羽《沧浪诗话》、沈德潜《古诗源》、黄节《汉魏乐府风笺》等都是影响较大的著作。但正像宇文所安所指出的那样,"古诗"概念的含义和指称极为混杂,它有时指《诗经》中的诗,有时指"古五言诗",是一种"信念"或者说"文学的观念"让它们变成了"古诗":"虽然'古诗'作为一组特定的作品已为人所知并得到人们的欣赏,它们在诗歌文化中却尚未获得一个特定的位置:它们只是模糊的'古'诗而已。"①六朝的诗人和学者,如陆机兄弟、谢灵运、江淹等,通过仿作和理论建构,将他们所认为的"好诗"以五

① ［美］宇文所安:《中国早期诗歌的生成》,胡秋蕾等译,生活·读书·新知三联书店 2012 年版,第 37 页。

言的方式创作并固定下来,完成了"古诗经典化"的过程,并制约、控制了后来学者的论述。①

例如,严羽《沧浪诗话》从"妙悟"角度将二者合并论述,高度肯定了它的艺术成就,将之看作不可企及的范本,如"南朝人尚词而病于理,本朝人尚理而病于意兴,唐人尚意兴而理在其中;汉魏之诗,词理意兴,无迹可求","汉魏古诗,气象浑沌,难以句摘","汉魏尚矣,不假悟也"等。②明代学者许学夷《诗源辨体》卷三也将汉魏诗作为一个整体加以评述:"汉魏五言,源于《国风》,而本乎情,故多托物兴寄,体制玲珑,为千古五言之宗。……汉魏五言,本乎情性,故其体委婉而语悠圆,有天成之妙。……汉魏五言,委婉悠圆,虽本乎情,然亦非才高者不能,但有才而不露耳。"③许学夷虽然认为汉魏古诗中的情感有偏离《诗经》的倾向,"未必本乎情之正",但他对汉魏古诗的肯定是毋庸置疑的。黄侃《文心雕龙讲疏》卷二《明诗》概括了汉诗与魏晋诗并称的原因,认为它们是五言诗的共同起源:"盖秦、汉歌谣,多作五言,饰以雅辞传之六艺,斯其风流日盛,疆画愈远。自建安以来,文人竞作五言,篇章日富,然闾里歌谣,犹远同汉风,试观乐府所载《清商曲辞》,五言居其什九,托意造句,皆与汉世乐府共其波澜。"④其实,五言诗并不能代表汉诗,它的字数并无固定。但是,这些观点将汉诗与魏晋诗等同,加固了"汉魏古诗"这个模糊的概念,更不利于"汉诗"概念的形成。

20世纪以来,受西方文学观念影响,严谨的"汉诗"概念仍未形成。在王国维观念的影响下,人们用具有代表性、艺术成就最高的文学样式来代表一个时代或朝代的文学成就,形成"秦汉散文"、"汉赋"、"唐诗"、"宋词"、"元曲"、"明清小说"等说法或概念。这种分法延续的是西方学术对文学类型的划分,其优点是可以很好彰显每个时代最具代表性的文

① 参见[美]宇文所安:《中国早期诗歌的生成》,胡秋蕾等译,生活·读书·新知三联书店2012年版,第36—44页。

② 郭绍虞:《沧浪诗话校释》,(台北)里仁书局1983年版,第148页。

③ (明)许学夷:《诗源辨体》,人民文学出版社1987年版,第44—45页。

④ 黄侃:《文心雕龙讲疏》,转引自聂石樵:《先秦两汉文学史稿》,北京师范大学出版社1994年版,第238页。

学样式及其艺术成就,其缺点也是显而易见的:其一,它遮蔽了其他文学样式的艺术成就,使人们对这一时代的文学形成刻板印象;其二,它虽然强调了某一文学样式在某一时段的兴盛,但也有隔断这种文学类型整体发展历史的倾向。在这种语境下要形成"汉诗"概念,是极为困难的。

汉诗的被遮蔽与其本身的演变过程也有关系。汉诗在形成过程中,经过多次演变,内涵和外延不断扩大,许多拟作也被纳入其中。朱寿平将汉代乐府诗的演变过程归纳为"五次引申":第一次引申是"乐府官署解散后,有些人袭用其歌曲的旧标题、旧曲调而作了新辞";第二次引申是"有些人袭用乐府官署的旧曲调,作了新歌辞,又按照新歌辞的内容,作了新标题,以换去旧标题";第三次引申是"一部分乐府官署的旧曲调失传后,有人袭用其旧标题,重谱新曲调,作新歌辞";第四次引申是"时过境迁,乐府官署的旧曲调失传愈多,其旧标题、旧歌辞也成为古董,此时有许多全新的歌曲创作代之而兴";第五次引申是"乐府官署的歌曲标题既成为古董,有些诗人便取为诗题,吟咏成篇。这些不入乐的诗篇,也被称为'乐府';进而连那些不入乐的民谣也被称为'乐府'"。① 可以看到,在汉代内部,乐府诗已经经历了一次"引申"。这次"引申"是汉哀帝下诏解散乐府官署而引起的。乐府虽然解散,但其影响力不可能在一夜之间瓦解、消亡,那些流落民间的乐府工作人员及其子孙亲友,以及在乐府影响下的知识分子,成为这次引申的中坚力量。在这次引申过程中产生的诗作,仍可纳入汉诗的范围。第二次引申的诸多做法虽然与乐府官署制作过程一致,但很多新因素出现了:无论是创作人员还是内容、曲调、歌辞都发生了变化,所形成的作品与汉诗已有不小的距离。第三、四、五次引申所形成的作品根本不能纳入汉诗的范围。就时代看,第一次引申的作品大体处于汉哀帝至东汉结束之间,可以纳入汉诗的范围。第二、三次引申的作品大体属于魏晋之间,第四、五次引申的作品则全是后世拟作,不拘哪个朝代了。由此可以看到,"汉乐府"和"汉魏古诗"两个概念都嫌宽泛,不能准确涵盖汉诗的范围;以它们指称、讨论汉诗,与汉诗本身存在较

---

① 朱寿平:《汉代乐府与乐府歌辞》,(台湾)广文书局1970年版,第66—67页。

大的距离。在这些概念基础上提炼出的诗学主张,很难切中汉诗的特点,而且,每一种新的诗学观点出现,汉诗同时也被遮蔽一层。

总之,理清汉诗的所属范围,是探讨汉诗的基本特征和本体属性的关键,也是恢复汉诗本来面貌的前提。

第二节　"乐府诗":一个撮合而成的概念

总体上看,"汉诗"及其"缘事而发"特征的被遮蔽,在某种程度上受到"乐府诗"概念的影响,而"乐府诗"概念所指何意现在仍众说纷纭。根据宇文所安的考证,可以看到:在鲍照(约415—466年)使用"乐府诗"一词之前,唯有挚虞(250—300年)《文章流别论》将"乐府"和"诗"放在一起使用,用来指称歌谣一类的作品,"颂"之类的作品不包括在内;沈约(441—513年)在《宋书·乐志》中则用"乐府"指称"某种仪式性的音乐"。而且,根据"五言者,乐府亦用之"、"六言者,乐府亦用之"的描述,人们并不能肯定这里的"乐府"是一种诗歌的体裁还是一种音乐机构。[①]鲍照第一次在他的一篇序言中使用"乐府诗",但人们也不明白这个词到底是鲍照个人对傅玄《松柏篇》的描述,还是指这个词是由傅玄本人使用。到公元6世纪时,"乐府"概念被广泛使用,"其含义几乎足以包括我们现在所说的所有早期乐府"[②]。在《隋书·经籍志》中,很多诗集都被标以"乐府";郭茂倩《乐府诗集》则可看作是"乐府诗"概念使用的权威文本。这种情况进一步说明"乐府"和"乐府诗"都是歧义迭出的概念,包含内容广泛,不能用来指称汉诗。

各种证据表明,"乐府"和"诗"是两个虽有联系却相互抵触的概念,不能放在一起使用。宇文所安说:"当我们检视在七世纪和八世纪早期的类书和批注中引用的文字时,我们可以看到,乐府还不是一个稳定的文

[①] 参见[美]宇文所安:《中国早期诗歌的生成》,胡秋蕾等译,生活·读书·新知三联书店2012年版,第355页。
[②] [美]宇文所安:《中国早期诗歌的生成》,胡秋蕾等译,生活·读书·新知三联书店2012年版,第357页。

学体裁名称,不管是在把一组文本与诗歌区别开来的方面,还是在描述与音乐相关的文本方面。"①这一判断说明"乐府"和"诗"本就不属于一个领域,性质也根本不同,因而"乐府诗"实际上是撮合而成的概念。刘勰《文心雕龙》有"明诗"、"乐府"两篇,昭示出"乐府"与"诗"实际上分属于不同的源流,是不同的文学样式,职责与功能均有不同,所以他在《乐府篇》末尾说:"昔子政品文,诗与歌别,故略具乐篇,以标区界"②,明确将二者区别开来。聂石樵《先秦两汉文学史稿》第七章第七节使用了"乐府与诗"的标题,也是将"乐府"和"诗"作为两种不同的文学样式对待的。③闻一多将"歌"与"诗"的本质进行区别,表达的也是这个意思:"上文我们说过'歌'的本质是抒情的,现在我们说'诗'的本质是纪事的。诗与歌根本不同之点,这来就完全明白了。再进一步揭露二者之间的壁垒性,我们还可以这样说:古代歌所据有的是后世所谓诗的范围,而古代诗所管领的乃是后世史的疆域。"④但更多的论著没有注意这个问题,而径直使用"乐府诗",可见其影响之大、之深。

在古代,最起码在《诗经》时代,"诗乐分离"的情况就已出现,但是,包括古代和现代在内的很多学者对此忽视不见,仍以"诗乐合一"为前提来讨论汉诗问题。"诗乐合一"观点发展的极致,就是以音乐取代诗歌,生发出"诗在声不在义"的观点。郑樵《通志·乐略·乐府总序》:"呜呼!诗在声不在义。犹今都邑有新声,巷陌竞歌之,岂为辞义之美哉,直为其声新耳。"⑤这种"以声代义"的极端看法既是诗乐合一观发展的高峰,也是它的终结:"诗"被"乐"剥夺而失去存在之价值。这种情况根本不符合汉诗"采诗夜诵"的情况。这种观念为"乐府诗"概念的流行、接受和使用提供了思想支撑。鲍照、沈约、郭茂倩等之所以会把这两个分属领域不同

① [美]宇文所安:《中国早期诗歌的生成》,胡秋蕾等译,生活·读书·新知三联书店 2012 年版,第 360 页。

② 范文澜:《文心雕龙注》,学海出版社 1987 年版,第 103 页。

③ 参见聂石樵:《先秦两汉文学论稿》,北京师范大学出版社 1994 年版,第 205—211 页。

④ 闻一多:《神话与诗》,《闻一多全集》第一卷,(台北)里仁书局 2000 年版,第 187 页。

⑤ (唐)郑樵:《通志》,中华书局 1987 年版,第 626 页(上)。

的概念合成一个概念,主要是因为音乐与诗之间的复杂关系。《尚书·尧典》提出的"诗言志,歌永言,声以永,律和声"的观点成为诗乐合一观点的理论基础,但就其意图看,这实际是在区分"诗"、"歌"、"声"、"律",它们分属不同领域,具有不同的职能和特点;四者虽有联系但不能等同。就起源看,不仅诗、乐、歌、舞等是一体的,即使是政治、巫术、战争、生产等也几乎是一体的,不能成为诗乐合一观点的立论基础。这种合一是以人类早期文化的整体性特点为基础的,说"诗乐合一"是没有意义的,因为所有东西都是"合一"的。因此,讨论"乐府诗"的概念,在看到"诗乐合一"的同时更要看到诗乐分离的情况。

因而,"诗言志"传统本身就蕴含着"诗乐分离"的倾向,以建立"诗"、"礼"之间的关系。陈世骧通过对《诗经》中出现的三个"诗"字的使用语境的分析,认为这种情况"特为明示或暗示着一种实觉的意识,标出诗之为语言的特有品质,虽然照已流行着的风尚,这些篇章照例是歌唱,但此时觉到了诗的要素在其语言性,有和歌唱的音乐性分开来说的可能与必要"①。此论正切中"诗乐分离"对"诗"之成为独立文体的重要性。可以看到,在"诗言志"传统中,"乐"实际处于"诗"的附属地位,即"以乐从诗","诗意"才是关键。顾炎武《日知录》卷五"乐章":"古人必先有诗,而后以乐和之。舜命夔教胄子,诗言志,歌永言,声依永,律和声。是以登歌在上,而堂上堂下乐器应之。是之谓以乐从诗。"②汉乐府的创作同样是"以乐从诗"的模式,这种模式剥夺了"乐"的独立地位。这固然与乐教传统的衰落有关,同时也说明"诗"对"乐"的否定;"诗"对"乐"的运用是"得鱼忘筌":领略"诗意"("志")才是关键。而且,在东周列国时期,各国间来往时人们好"断章取义,赋诗言志",这时"时人引诗可以不唱,引而不唱,'诗'的乐舞含义渐熄,形于'言'之意渐强矣"③,"诗"与

---

① 陈世骧:《中国诗字之原始观念试论》,《陈世骧文存》,(台北)志文出版社 1972 年版,第 45 页。

② 陈垣:《日知录校注》,安徽大学出版社 2007 年版,第 265 页。

③ 陈世骧:《原兴:兼论中国文学特质》,见柯庆明等:《中国抒情传统的再发现》,台大出版中心 2009 年版,第 39 页。

"乐"最终分离,成为纯粹的语言文本。同时,这一时期,"乐"逐渐从施政教化的工具转化为娱乐工具,因而不能更好辅助诗"言志",加速了"乐"与"诗"的分离。"诗"最终成语言艺术,即使没有"乐",它也能很好地流传,被人们理解、接受。

刘勰注意到了诗乐分离的情况,因而他专门对二者"以标区界"。如前所述,刘勰将"乐府"和"诗"分别论述是因为二者本质上分属不同的领域,承担不同的职能;随着两者的发展,它们的距离越来越远。在《明诗》篇中,刘勰在接续《毛诗序》"诗言志"观念的同时又有所发展,从"志"发展到"性情":"诗者,持也,持人性情。"①他认为尧之《大唐》、舜之《南风》都是感物动情的结果,而两汉诗"直而不野,婉转附物,怊怅切情",是"五言之冠"。② 他又对建安、两晋诗进行评价,得出了"铺观前代,而情变之数可见"的结论。在这里,刘勰以性情言诗,没有谈到音乐对诗歌发展的影响,但在《乐府》篇中有所涉及。在论述中,刘勰的观点混杂着相互矛盾的地方,或者说他的观点相当包容:他一方面强调"诗道性情"、诗歌的发展是"情之变",一方面又强调"诗以言志",显然是要调和由陆机《文赋》"诗缘情而绮靡"造成的"诗言志"与"诗缘情"两种观点之间的对立。他认为"诗"与"乐"具有不同的职能:音乐对人心有感发的作用,而诗则具有建立伦理秩序的作用;又说:"诗为乐心,声为乐体。乐体在声,瞽师务调其器;乐心在诗,君子宜正其文"③,指出乐府歌辞创作与曲调创作之间的不同——它们是由不同人员分工完成的。刘勰对"乐府"与"诗"的论述强调了两者的区别,而未将两者撮合成一个整体。

在现代学者中,朱自清是较早注意到诗乐分离的人。朱自清《诗言志辨》不仅考察了诗乐合一的情况,而且还考察的诗乐分离的情况,从合一到分离,是诗、乐关系发展的基本过程。在这个过程中,"诗言志"、"诗缘情"等观念逐渐形成。他认为诗、乐分离的时间应在孔子前后的时代:"诗乐分家是有一段历史的。孔子时雅乐就已败坏,诗与乐就在那时分

---

① 范文澜:《文心雕龙注》,学海出版社 1987 年版,第 65 页。
② 范文澜:《文心雕龙注》,学海出版社 1987 年版,第 66 页。
③ 范文澜:《文心雕龙注》,学海出版社 1987 年版,第 102 页。

了家。所以他说:'恶郑声之乱雅乐也。'(《论语·阳货》)又说:'兴于诗,立于礼,成于乐。'(《泰伯》)诗与礼乐在他虽还联系着,但已呈露鼎足三分的形势了。"①与朱自清有师友之宜的黄节在《汉魏乐府风笺序》中说:"汉世'声''诗'既判,'乐府'始与'诗'别行,'雅'亡而'颂'亦仅存。惟'风'为可歌耳。"②黄节既指出了汉代诗乐分离的情况("声诗既判"),也指出了《诗经》传统在汉代的存续情况。可以看出,汉诗与《诗经》传统之间既存在承续关系,也存在巨大差距;诗乐分离从孔子时代开始并延续到汉代,影响了汉诗的创作。因此,我们应重视这一情况对汉诗的影响,也应注意"汉诗"和"汉乐府"是两个完全不同的概念。

当然,"诗乐合一"的情况在某些领域仍在继续,《楚辞》中的大多数篇章就是如此,南北朝的民歌也是如此。汉代建立后,"好楚声"的刘邦多次聚众"歌楚声",在某种程度上重新促进了诗乐合一。汉代雅乐一直不被刘氏集团重视,但这不能否定诗乐分离的存在。在儒学和经学盛行的时代,诗学在整个知识阶层具有极重要的地位,"诗"虽然可以配乐歌唱,但其核心思想不能改变。而且,还要看到,汉诗"缘事而发"的"事"对于汉诗的形成也极为重要。汉诗的来源主要有三方面:一是采集民间诗歌;二是乐府官署专职人员的创作;三是各类诗人自己的创作。这些作品首先进入乐府官署,审查结束后再配乐歌唱和表演。这说明诗乐合一在汉诗形成之初是不存在的,而是后来人为加工造成的。这个加工过程就是考察、追溯"诗"背后的"事"以及"事"所含蕴的"意"的过程。这让汉诗与"诗言志"和"诗缘情"传统都有不同。

总之,"乐府诗"这个概念将"乐府"和"诗"两个分属不同领域的概念合而为一,是不妥当的,它所依据的是诗歌与音乐共同存在、发展的部分现象,而忽略了两者的本质差距。在下文可以看到,相对于"诗乐合一"的历史,"诗事合一"的历史更为漫长,两者之间的同构性更多,是真

---

① 朱自清:《诗言志辨》,《朱自清古典文学论文集》,(台北)源流出版社 1982 年版,第 211 页。

② 黄节:《汉魏乐府风笺》,见《黄节注汉魏六朝诗六种》,人民文学出版社 2008 年版,第 5 页。

正的一体性关系。而且,诗乐合一不是汉诗独有的特征,这个特点在每个时代都存在,不能用这样一个一般性特点来界定汉诗。这样的界定是没有意义的。对于汉诗来说,应充分考察其形成的内在机制和创作过程,将"诗乐合一"和"诗乐分离"统一起来,重新揭示汉诗所属的诗歌传统。

第三节　缘事而发:汉诗的情感生成机制

　　所谓"汉诗"就是指两汉诗歌,内容庞杂、多样,包括乐府诗、民间俗谚、歌谣以及文人自创的作品等。"汉诗"涵盖内容多样,创作思想一致,即"感于哀乐,缘事而发"的创作传统,而且不需要配乐而歌。因此,与"唐诗"、"宋诗"相比,"汉诗"的体裁和创作主体都是多样的,前者则相对单一,多是文人创作,只有较少诗作属于民间;它们或叙事抒情、或托物言志,与汉诗"缘事而发"的创作方式区别较大。现代学者孟瑶(又名"扬宗珍")认为,汉代诗歌"继承了《诗经》和《楚辞》的遗产,又将我国诗的发展,大大地向前推进一步"①。汉诗接续《诗经》、《楚辞》,将中国诗推进了一大步确是事实,但该论并未指出其独特处何在。因为《诗经》风、雅、颂内容各异,差别很大,并非都影响了汉诗;同时,它又是"诗言志"传统依托的主要文本。汉诗与《诗经》传统的区别在上引黄节的著作中已有呈现。《楚辞》哀怨婉丽的情感特质确为汉诗所有,但汉诗的情感已非《楚辞》的情感,它们所感叹的对象和内容差别巨大。

　　要想深入把握某一事物的本质,首先要从它的起源入手。同样,要准确把握汉诗的本质,也要从汉诗"缘事而发"的特点开始。"缘事而发"的提法首先见于班固所撰《汉书·艺文志》:

　　　　自孝武立乐府而采歌谣,于是有代赵之讴、秦楚之风,皆感于哀乐,缘事而发,亦可以观风俗、知薄厚云。②

汉武帝成立乐府官署,以李延年为协律都尉,既采录旧曲,亦创制新曲,

---

　　① 孟瑶:《中国文学史》,(台北)大中国出版社 1974 年版,第 77 页。
　　② 吉联抗:《春秋战国秦汉音乐史料译注》,(台北)源流出版社 1982 年版,第 194 页。

"采诗夜诵",负责皇家祭祀、娱乐等工作,且其机构庞大、人员众多。据统计,汉哀帝下诏解散乐府官署时,机构人员共有 824 人,罢撤人数 451人,保留人数 373 人。① 汉乐府官署采录的歌辞遍布全国,代、赵、秦、楚等地均十分兴盛民间俗乐,它们多是民众"感于哀乐,缘事而发"的结果。汉诗的来源主要采录和创作两种途径,采录和创作完成后,由李延年等人配乐歌唱。我们现在所见到的汉诗多是这些作品。

所谓"缘事而发",是指汉诗不是作者本人的凭空创作,而是作者在某些事的触发之下创作而成。"事"既可是个人之事,也可是集体家国之事;就汉诗所反映的情况看,能被作歌传唱的"事"一般是在某一个特定的社会团体中影响较大的事,并引起了民众的共鸣。其中,只有很少的作品是为一己之私情而作;诗中的"一己之情"应具有代表性和普遍性,能够引起多数人的共鸣和同情,因而有传唱的必要和可能,也才能流传开来,产生重大的影响,进而被官方采录到。这说明汉诗的根本起源在于生活现实:"事"对于汉诗来说具有本体论的意义。"事"是人的生命活动的构成,是活生生的,不是僵死的,是情和理依附、展开的场所;"事"具有极强的包容性,人类的物质活动和精神追求都需要借助"事"展现出来,因而它可以引发人们的各种情感和思想。可以看到,汉代人对自己的生活和现实具有超乎寻常的敏感和热爱,在这敏感和热爱中,他们感受到生命的真诚与可贵,所以刘邦在征战过程中路经沛县而歌《大风歌》时,仍不由泪下沾襟,他似乎在这歌诗中感受到自己生命经历中别样的焦虑与痛苦。"缘事而发"的"发"是指情感,这样才能呼应上文"皆感于哀乐"的界定。由此可以发现,在汉诗的创作过程中,存在着这样一个时间结构:"事"→"情"→"诗";反之,读者要进入诗境就需要逆之而行,形成两种时间结构:"诗"→"情"→"事",或者"诗"→"事"→"情"。

在班固的另一处记述中,"发"还有另外的含义,因为仅有"情"还不能成为诗,诗中的"情"还含有理性评价的成分。从民间采录的诗歌需要

---

① 参见吉联抗:《春秋战国秦汉音乐史料译注》,(台北)源流出版社 1982 年版,第 184 页。

经过慎重的选择才能配乐传唱,并非所有的"情"都可以传播,因而由"事"到"情"的过程必有其他环节以补充之。《汉书·礼乐志》曰:"至武帝定郊祀之礼,……乃立乐府,采诗夜诵。有赵、代、秦、楚之讴。以李延年为协律都尉,多举司马相如等数十人,造为辞赋,略论律吕,以合八音之调,作《十九章》之歌。"①这条文献证明了汉诗"以乐从诗"的特点,后期的加工制作是关键环节。争议的焦点是"采诗夜诵"的"夜"字作何理解。聂石樵《先秦两汉文学史稿》指出:"'夜诵'之'夜'字,有三种解释:其一,唐颜师古认为所采诗'其言辞或秘不可宣露,故于夜中歌诵也。'其二,清钱大昭认为'夜'同'掖',乃'诵于宫掖之中'。其三,清周寿昌认为'盖夜时清静,循诵易娴',因此'置官选诗合于雅乐者,夜静诵之。'然则此三种解释皆不可取,我们试从训诂方面求之。按:'夜'从'夕','夕'亦声。'夕'者绎也,即抽绎之意。'夜'在此用为动词,意为抽绎诗中之含义。'诵',为歌诵以合律吕。"②颜师古等三人的解释皆牵强扭捏,不合常理,聂石樵的解释颇合符契。之所以要"抽绎诗中之含义",是因为这些采自民间的诗歌非凭空所生,皆是人们生活事件的真实记录,人们通过诗歌的方式对这些事件进行情感性评价。这些评价代表了民众集体的认识,反映了他们的需要和心声。由于年代久远或本事湮没等原因,诗中情感并非一望可知,必须揣摩品味才能把握,才能实现"观风俗,知薄厚"的目的。这些环节既是统治阶层体察民情民意的过程,同时也是国家机构对民间诗歌的审查过程。因此,通过诗歌追溯诗歌的本事以及确认诗中"缘事而发"的"情"和"理"就变得至关重要。对于统治者来说,对诗歌中"理"的准确把握比对"情"的欣赏更加重要。

于是,汉诗"缘事而发"的创作机制与"采诗夜诵"的加工机制相互构成,形成自己独特的思想传统和学理机制:"理"、"情"、"事"通过"诗"而统一起来,前述三种结构由此变得更加丰富:"事"→"情"和"理"→"诗","诗"→"情"和"理"→"事"或"诗"→"事"→"情"和"理"。这三

① 吉联抗:《春秋战国秦汉音乐史料译注》,(台北)源流出版社1982年版,第167页。
② 聂石樵:《先秦两汉文学史稿》,北京师范大学出版社1994年版,第211页。

个结构是理解汉诗的关键。可以看出，"事"既是"情"和"理"的载体，又是"情"和"理"的起源，"情"和"理"也让"事"获得"意义"，是一种"生命之存在"，由此"事"成为"诗"的真正本体；"理"、"事"、"情"相互构成，统一于"诗"。按照这一思路，我们可将汉诗所依循和开创的传统称为"诗缘事"传统。

汉诗"感于哀乐，缘事而发"的创作机制既强调"事"对"诗"的基础性作用，同时也强调"情"对"诗"的本体性价值。"事"在"诗"完成后即退居幕后，读者首先面对的是"诗"本身，他需要进入诗境领悟诗中独特的"情"。读者如能知晓"诗"后之"事"则有利于他领略其中的"情"；如不能知晓，"诗"中之"情"也已获得独立的存在价值，同样可以感染读者。只不过，这种进入诗歌境界的过程就从"事"→"情"或"理"→"诗"的顺序转变为"言"→"情"或"理"→"诗"。陈胤倩评《鸡鸣》曰："当时必有为而作，其事不传，无缘可知，但觉淋漓古雅。古雅，辞也；淋漓，情也。彼自有情，即事不传而情未尝不传。'鸡鸣'二句，太平景象如睹；'黄金'以下，繁华之状写得曲象；'桃生'以下，比兴之旨，曲折人情。"①作者虽有否定汉诗本身重要性以强调"情"在诗中的独立性的倾向，但在这里可以发现两种接受过程的差异：前者即事达心，很容易进入诗境；后者须通过对言辞用语的玩味来再度重建诗境，但它所依循的本事却无从知晓，因而对诗境的体悟变得曲折、外在。因此，无论是创作还是接受，"事"的重要性都不言而喻。

因此，汉诗"缘事而发"的特征影响了汉诗的记录方式和读者的阅读方式。与唐宋诗的单纯记录诗作本身不同，人们在记述汉诗时一般要将与本诗相关的本事一同记述，有些曲调歌辞的创作背景也被记述下来。虽然有些诗作的本事已湮没无闻，但记录者仍力求对之钩沉辑录，以恢复诗作创作时的具体情境。在这种情况下，知晓本事，就成了读者理解汉诗的基础性条件。这里以《长歌行》其三"苕苕山上亭"为例，说明这一问题。诗云：

---

① 黄节：《汉魏乐府风笺》，人民文学出版社 2008 年版，第 21 页。

苕苕山上亭,皎皎云间心;远望使心思,游子恋所生。

驱车出北门,遥观洛阳城。凯风吹长棘,夭夭枝叶青;

黄鸟飞相追,咬咬弄音声。竚立望西河,泣下沾罗缨。①

初读此诗,可以看到,主人公在春天思念家乡,出城门远望洛阳,看到春风生叶、黄鸟相飞的景象后不由泪下沾襟。如果我们知道这首诗是一位勤劳王事而远离父母的游子所写,则能更好理解诗中意象的含义。黄节《汉魏乐府诗风笺》指出"此诗盖劳于王事而不得养其父母者"②的主旨,诗歌意象和情感顿时明朗:作者登上高高的山亭远望,见宇宙辽阔,瞬间唤醒了内心潜藏的思念父母的情思。于是,他驱车出了城门,遥观洛阳城,希望能看到来自家乡的信息:或许他期望可以看到年迈的父母可以从城中走来;但见枝叶在春风的吹拂、滋养之下郁郁葱葱,鸟儿相互追逐着,发出清脆的声音,好像母亲在和自己孩子一起嬉戏、打闹一样。这让作者想到自己和父母在一起时的场景,不禁悲从中来。于是,我们看到,遥不可及的山亭与城池,成为作者儿时生活的故园;春风吹叶、黄鸟相飞,也变成母亲抚养子女、和子女在一起嬉戏的欢乐场面。可见,对于本事的了解,成为读者准确理解诗歌意象中的含义和情感的关键。

需要指出,汉诗"缘事而发"的特点与其叙事特点之间不具有因果联系,虽然"缘事而发"为叙事提供了更多可能性。反映在汉诗研究方面,人们往往以汉诗中有一些叙事诗而赞扬其叙事性特点。游国恩等人的《中国文学史》这样概括汉诗(他用的是"汉乐府民歌"):"汉乐府民歌最大的、最基本的艺术特色是它的叙事性。这一特殊性是由它的'缘事而发'的内容所决定的。"③这个观点的逻辑矛盾是明显的,因为同样"缘事而发"的汉诗不具备这种叙事性特点的作品在汉诗中占绝对多数。中国古人所说的"叙"、"事"或"叙事",带有更多的礼仪化色彩。西方所谓"叙事",与《周礼·春官》、刘克庄《后村诗话》前集卷一、许学夷《诗源辨

---

① 黄节:《汉魏乐府风笺》,人民文学出版社 2008 年版,第 29 页。

② 黄节:《汉魏乐府风笺》,人民文学出版社 2008 年版,第 30 页。

③ 游国恩:《中国文学史》,人民文学出版社 1983 年版,第 165 页。

体》卷三所使用的讨论乐府诗的"叙事"概念并不是一回事,因而用之解释中国文学传统会出现许多不适应的情况。"叙"在《说文》中与"序"同,为"次第"之义,转移到文学领域后则带有"呈现"、"表达"之义。王世贞《艺苑卮言》卷二:"《孔雀东南飞》,质而不俚,乱而能整,叙事如画,叙情如诉,长篇之圣也。"①"叙事"和"叙情"并列,即为记述、呈现和表达的意思,与西方强调虚构性、情节性的"叙事"差距很大。汉诗中虽有不少叙事诗或叙事成分,但其重点并不在所"叙"之"事",而在所"发"之"情"。袁行霈《中国文学概论》:"'缘事而发'常被解释为叙事性,这并不确切。'缘事而发'是指有感于现实生活中的某些事情发为吟咏,是为情造文,而不是为文造情。'事'是触发诗情的契机,诗里可以把这事叙述出来,也可以不把这事叙述出来。'缘事'和'叙事'并不是一回事。"②这个区分同时暗含着一个重大问题,即"诗缘事"、"诗缘情"和"诗言志"三者之间的复杂关系。这是后文要讨论的问题。

汉诗"感于哀乐,缘事而发"的观念蕴含两种诗歌生成观:"事"→"情"→"诗"和"事"→"志(礼或理)"→"诗"。前者接近"诗缘情",后者接近"诗言志"。就汉诗的整体情况看,它更偏向于前者,带有以情抗礼的特点,也为后来"诗缘情"观点的提出奠定了基础。在整个汉代,除了极少延续《诗经》"颂"的传统的作品外,大多数诗作都含有浓烈的抒情意味,其质朴、真实、深切、哀伤的情感氛围至今仍让人慨叹不已。汉诗"缘事而发"的特征含有自己的情感向度,"感于哀乐"成为诗歌生成的关键环节。根据"缘事而发"的内在机制可以看到,相比于"事","情"与"诗"的距离更近一些。同时,也并不是所有的"事"都可以成为"诗",只有那些能够唤醒主体内心潜藏的情感的"事"才能起到"缘事而发"的作用。因此,汉诗"缘事而发"一方面肯定"事"对"诗"的本源价值,另一方面也肯定"情"对"诗"的重要性。

这种情感生成向度说明,"事"内含着"情","情"依附于"事","事"、

---

① (明)王世贞:《艺苑卮言》,见(清)丁福保:《历代诗话续编》,中华书局1980年版,第980页。

② 袁行霈:《中国文学概论》,高等教育出版社1990年版,第116页。

"情"之间的转换、互动形成"诗",其中介是主体的身心感受:主体的行动构成"事",主体"缘事而发"生成"情",然后通过语言的方式将之创作成"诗"。郑毓瑜通过对屈原《九章》"抽思"、"悲回风"的分析,发现在《楚辞》中存在一种"较早的抒情说":"首先,没有任何心情表达是完全内在的,屈原的忧愁总是伴随唏嘘涕泣、永夜不寐的身体动作展现出来;其次,忧愁也不完全展现在个体上,长夜曼曼、秋风动容,这是与身体交缠共作的处境;第三,所谓'忧'、'愁'、'苦'这些后世视为心情写照的字眼,因此需要从身体处境的角度重新阐释。换言之,这些心情字眼并不抽象,是由人身'体现'出来的可见可感的空间性气氛。"①这种细密的分析明显呈现出"事"、"身"、"心"之间的复杂结构,昭示出主体行动与情感抒发通过诗而再度凝结、呈现的过程。如果将主体从"我"转换为"物",则"事"的范围亦可扩大,万物的兴衰荣枯则是"物"之"事",同样可成为诗歌"缘事而发"的诱因或对象。叶燮《原诗》曰:"草木气断而立萎,理、事、情俱随之而尽,固也。虽然,气断则气无矣,而理、事、情依然在也。何也?草木气断则立萎,是理也;萎则成枯木,其事也;枯木岂无形状、向背、高低、上下? 则其情也。由是言之,气有时而或离,理、事、情无之而不在。"②叶燮以气统领万物,将万物的存在形态和变化过程概括为"理"、"事"、"情"三者的统一。这种思想视野更开阔,虽然其具体含义与汉诗"缘事而发"传统有不同之处,但仍可对照来看。

汉诗"缘事而发"的观念赋予诗以无限的生命力,"诗"的境界随着"事"的变化而不断变化,进而获得自己的生命。"事"是"诗"的源头活水,经过"诗"提炼、加工后的"事"也与那些散漫、琐屑的"事"区别开来,而成为"诗中的事",具有诗的质量;"事"是"诗"的基础,"诗"是"事"的升华。即便是像王国维所说的李煜、纳兰性德这样的"主观诗人",虽生活经验不多,但也不能否认生活事件对其诗作的基础性价值。那些少而

---

① 郑毓瑜:《从病体到个体——"体气"与早期抒情传统》,见柯庆明等:《中国抒情传统的再发现》,台大出版中心2009年版,第78页。
② (清)叶燮:《原诗》,见(清)丁福保编:《清诗话》,(台北)明伦出版社1971年版,第576页。

刻骨铭心的事件，以及在这些事件经历中产生的独特情感，成就了他们的
精致诗作。朱光潜说："诗的境界是理想境界，是从时间与空间中执着一
微点而加以永恒化与普遍化。"①诗必须从生活中产生（"时间和空间"），
又对这生活和人生进行剪裁和选择（"执着一微点"），然后才能形成永恒
新鲜的诗境（"永恒化和普遍化"）。总之，汉诗"缘事而发"的创作和抒
情传统并非孤例，它实际上存在于中国古典诗歌的整个历史当中。

第四节　诗·事·史："诗缘事"的历史与传统

一般认为，在中国古典诗歌史上，"诗言志"和"诗缘情"是相互对立
又相互补充的两大诗学传统，后世诗论无论怎么发展，都无法跳出此范
围。但事实并非如此。如前所述，在这两个传统之间还存在"诗缘事"的
传统。只不过，这个传统由于各种原因被遮蔽罢了。无论是"诗言志"还
是"诗缘情"，都未在本体论层面解决诗歌的起源和本质问题："诗"所言
之"志"外在于诗，是社会习俗、制度、礼仪所赋予的，并不内在于诗，因而
在这条路上，诗很容易沦为说教的工具；"诗"所缘之"情"是主体内心所
固有，是外在人事与自然相互磨荡、触发而产生，因而相比于"志"来说更
贴近诗的本体，但"情"不能凭空产生，它需要在个体的生活经验中酝酿
而成。刘勰《文心雕龙·明诗》所谓"人禀七情，应物斯感；感物吟志，莫
非自然"②，似乎解释了"情"产生的缘由，但并不准确。根据上下文看，
他所谓的"自然"、"物"即通常所说的自然物象。秋叶悲风、春华秋实可
以感发主体的情感，但主体的情感却并非从它们当中产生，并非每个人面
对相同的自然景象都能产生同样的情感。主体的情感是主体生活经验的
结晶，它一经形成就沉淀在主体的生命之中，在因缘际会之时迸发出来而
成为诗。所谓"日久生情"，"日"就是指生活经验，是彼此共同经历的事
件，有了这些东西，"情"才能逐渐产生。因此，"诗缘情"可以往前推进一

① 朱光潜：《诗论》，《朱光潜全集》第三卷，安徽教育出版社1987年版，第50页。
② 范文澜：《文心雕龙注》，学海出版社1987年版，第65页。

步而达到"诗缘事"。

可以明确,"诗"、"事"结合是汉诗基本的创作方式和存在样式。郭茂倩《乐府诗集》收录148首汉诗,有65首诗记载了本事,说明他已注意到汉诗的这一特点。其他虽未记载,但不代表没有本事。逯钦立《先秦汉魏晋南北朝诗》辑录汉诗12卷,是研究汉诗弥足珍贵的资料。① 在编撰方式上,作者先引述作者生平,后标诗名,再引文献注明此诗缘由、事件,然后再著录正文并随文注释,体现出汉诗"诗"、"事"合一的特点。这种编订顺序暗合了上文总结的汉诗的"事"→"情"和"理"→"诗"的基本结构。其实,若将逯著合看,可以发现,这种结构几乎贯穿了整部著作。这似可说明,汉诗"缘事而发"的特点并非孤立,它成为中国早期诗歌创作、传播的基本模式,因而称其为"传统"应是合适的。

进入唐代,诗歌创作的专门化和专业化水平提高,随机作诗的情况有所增多,但"缘事而发"的情况仍普遍存在。"诗""事"融合的现实情况促成了诗话的诞生。成于唐光启二年(886年)的孟棨《本事诗》,以事记诗、以诗证事,用丰富的例证证明了这个传统的存在。书中所记"人面桃花"、"破镜重圆"和"灵隐续诗"等轶事,颇具人文情趣和诗歌意境,是诗歌与纪事完美结合的好例子。孟棨提出的"触事兴咏,尤所钟情"②的观点与汉诗"缘事而发"传统是一致的:两者均立足于个体的人生际遇和情感体验,情因事起,辞以情发。孟棨之后,晚唐处士范摅(? —约877年)所撰、成书于唐僖宗年间的《云溪友议》,也延续了《本事诗》的写作方式,是这种传统的延续。南宋计有功的《唐诗纪事》进一步凸显了"诗"、"事"之间的一致性关联。明代学者孔天胤在《重刻唐诗纪事序》中明确而深刻地论述了"诗"、"事"之间的同一性关系,以及"事"对"诗"的基础性价值:

> 余览而嘉之(按:指《唐诗纪事》),且善其纪事之意,叙曰:夫诗
> 以道情,畴弗恒言之哉;然而必有事焉,则情之所繇起也,辞之所谓综

---

① 参见逯钦立:《先秦汉魏晋南北朝诗》,中华书局1983年版,第87—344页。

② (唐)孟棨:《本事诗序》,见《唐五代笔记小说大观》,上海古籍出版社1999年版,第1237页。

也。故观于其诗者,得事则可以识情,得情则可以达辞。譬诸水木,事其源委本末乎,辞其津涉林丛乎,情其为流为邑者乎,是故可以观矣。故君子曰:在事为诗。又曰:国史明乎得失之迹。夫谓诗为事,以史为诗,其义恹哉。然自性情之说拘,而狂简或遂略于事,则犹不穷水木,而徒迷骛乎津涉,蔽亏乎林丛,其于流邑盖已疏矣。……唐俗尚诗,号专盛,至其摛藻命章,逐境纡翰,皆情感事而发抒,辞缘情而绮丽,即情事之合一,讵观览之可偏。①

在这段话里,孔天胤明确提出了诗、事、情、辞四者之间的密切联系,提出了"在事为诗"、"得事则可以识情,得情则可以达辞"、唐诗"皆情感事而发抒"、"情事合一"等观点。这些观点是对中国诗歌创作"缘事而发"传统的接续和总结。厉锷《宋诗纪事》、邓之诚《清诗纪事初编》、钱仲联《清诗纪事》、钱钟书《宋诗纪事补正》等,都是这个传统的产物。

春秋时期人们"借诗言事"、"以事明诗"的诗歌使用方式,说明"诗""事"合一在此时就已普遍存在。在《左传》、《论语》等著作中,"诗言志"的例子经常出现。此后,《墨子》、《孟子》等也都承续了这个传统,《韩诗外传》则是典型的例子。《韩诗外传》为西汉学者韩婴所撰,其体例与《说苑》、《列女传》等相似,都是先讲一个故事,然后引《诗》为证,实现了"诗"与"事"的统一。清代学者陈乔枞《韩诗遗说考序》论述《韩诗外传》:"今观《外传》之文,记夫子之绪论与春秋杂说,或引《诗》以证事,或引事以明《诗》,使'为法者章显,为戒者著明'。虽非专于解经之作,要其触类引申,断章取义,皆有合于圣门商赐言《诗》之义也。"②《韩诗外传》"引《诗》以证事"、"引事以明《诗》"写作方式背后的思想基础就是"诗""事"合一。

从创作角度看,见载于《周礼》等书的"孔子赋诗"的材料,也说明"缘事而发"的创作方式在当时是普遍的。这些诗作都是因事而作,同时排

　　① (明)孔天胤:《重刻唐诗纪事序》,见《唐诗纪事》,上海古籍出版社 2008 年版,"序二"第 2 页。
　　② (清)陈乔枞:《韩诗遗说考序》,上海古籍出版社影印《续修四库全书》经部 76 册,第 494 页。

遣郁结心中的情感。孔子六艺皆通,他在周游列国的过程中常感事而发,创作了不少诗篇,同时他还配乐歌之,是典型的"感于哀乐,缘事而发"的创作。这些作品虽属琴曲,在当时也可归入诗歌的范围。在蔡邕集录的《琴操》中,《将归操》、《陬操》、《猗兰操》、《龟山操》四篇为孔子作,每篇皆"缘事而发"。如《将归操》:"《将归操》,孔子作也。赵简子循执玉帛以聘孔子,孔子将往。未至,渡狄水,闻赵杀其贤大夫窦鸣犊。喟然而叹之,曰:'夫赵之所以治者,鸣犊之力也。杀鸣犊而聘余,何丘之往也? 夫燔林而田,则麒麟不至;覆巢破卵,则凤皇不翔。鸟兽尚恶伤类,况君子哉!'于是援琴而鼓之。曰:'狄之水兮风扬波,船楫颠倒更相加,归来归来胡为斯'。"①后孔子又因此事作《陬操》,自卫返鲁、隐居山谷因"贤者不逢时"作《猗兰操》,因"鲁君闭门不听朝"作《龟山操》。这些作品都是"缘事而发"的结果。不仅孔子诸作如此,文王被拘而作《拘幽操》、周公得白雉而作《越裳操》、独沐子无妻而作《雉朝飞操》,牧子无子而作《别鹤操》,等等,无不是"缘事而发"的结果。因此,汉诗"缘事而发"的创作方式非为独创,实是恢复了这个被"诗言志"遮蔽的古老传统。

　　我们还可以从社会形态与艺术创作之间关系的角度考察"诗"与"事"在起源上的一致性。陈世骧说:"任何文类的萌芽和开花都有赖于它当时民生形态的荣养,也要看此一文类和该社会之间有无密切共存的可能性,此一文类必须要满足当时社会想象力的要求。"②原始先民几乎所有艺术都是模仿性的:在特定思维的基础上,通过模仿他们生活所见的事与物来实现解释世界、理解世界并掌握世界的目的。他们所模仿的是已经发生或将要发生的"事"——神话、诗歌、舞蹈、巫术、岩画等,都在呈现这些事件。相对于虚幻性的"情"或"志",对于他们来说,事件本身才最具有力量,"杀死野牛"这一事件本身就是意义,构成事件的人与物,以及人与物在事件中的状态,都明白无误地呈现在那里,无须论证,不要感悟,人们就可通过事件直接把握。这似乎可以解释最早的诗歌为何一般

---

① 逯钦立:《先秦汉魏晋南北朝诗》,中华书局 1983 年版,第 299—300 页。
② 陈世骧:《原兴:兼论中国文学的特质》,见柯庆明等:《中国抒情传统的再发现》,台大出版中心 2009 年版,第 37 页。

是叙事诗的缘故。在"断竹，续竹，飞土，逐肉"①这样简洁有力的叙事中，作者无须通过音乐的辅助或添加"兮"、"噫"之类的字词以延续、渲染情感，这些都是晚起的技巧。对于原始先民来说，事件本身才是最真实的，也是最神圣的，而真实的力量是无限的。就个体来说，主体对自我生命的认识与反思也应先从对自我生命历程中的事件的反思开始。在这些事件中，我们的生命经验一一呈现，"我才是我"，或者，"我成为我"，我们的思想、情感、追求获得了存在；我们也需要用歌、用乐、用舞、用诗等将之保留下来。因此，无论集体还是个体，事件的意义都是本源性的，"诗"必须"缘事而发"。

实际上，汉诗"缘事而发"的关节点在"发"的过程，"事"只有通过这个环节才能转变为"诗"，因而"发"是一个观察、发现、感触、抽绎、反思的过程。"发"既是"情"也是"思"。经过这个过程，"事"、"思"和"史"才能统一于"诗"。这个过程类似于圣人伏羲"观物取象"作八卦的过程。《易传·系辞下》曰："仰则观象于天，俯则观法于地，观鸟兽之文与地之宜，近取诸身，远取诸物，于是始作八卦，以通神明之德，以类万物之情。"②天地万物以"象"的方式呈现自身及其法则（"事"），伏羲对此"仰观俯察"（"发"）而作八卦（"诗"），这是事件、行动和沉思三位一体的结构，"这是带来另一种形式的洞见，这洞见深入了行动与礼仪法典之间相互构成的关系"③。因此，不仅"诗"有"缘事而发"的传统，有着悠久历史的史学和经学传统也是"缘事而发"的结果，它们构成了"缘事而发"的一体两面。"事"在《说文》中有两"史"、"职"二义，其重点在"行动"、"职责"。所以王国维认为"事"与"史"本为一字，"古之官名，多由史出。……古之六卿，《书·甘誓》谓之六事。司徒、司马、司空，《诗·小雅》谓之三事"④。在此基础上，"诗"、"事"、"史"获得了一致性。

---

① 逯钦立：《先秦汉魏晋南北朝诗》，中华书局1983年版，第1页。

② 张文智等：《周易集解》，巴蜀书社2004年版，第235页。

③ 卫德明（Hellmut Wilhelm）：《〈易经〉中的天、地、人》（Heaven, Earth, and Man in the Book of Change），转引自郑毓瑜：《引譬连类》，（台北）联经出版公司2012年版，第53页。

④ 王国维：《释史》，《观堂集林》，中华书局1959年版，第269—270页。

与此相关,在经、史领域,人们经常讨论"本事"对历史书写和经义理解的重要性。所谓"闻其末而达其事,圣也"①,是说那些能够通过对具体细节的思考而领悟、通达其本质的人就是"圣人","事"具有本源性和本质性。桓谭《新论·正经》评述"春秋三传":"《左氏传》遭战火寝藏。后百余年,鲁人谷梁赤为《春秋》,残略,多所遗文。又有齐人公羊高,缘经文作传,弥失本事矣。《左氏传》于经,犹衣之表里,相持而成。经而无传,使圣人闭门思之,十年不能知也。"②桓谭此论强调了"本事"对于解经的重要性:即使是圣人如不知"本事"("经而无传")也很难明白"经"的意义何在。这实际是强调"事"对"礼(理)"的重要性,也说明"礼(理)"对"事"的依附。班固《汉书·艺文志》也表达了这个意思:"丘明恐弟子各安其意,以失其真,故论本事而作传,明夫子不以空言说经也。"③对于中国早期诗歌(包括汉诗)来说,这种情况同样存在:这些作品多为"缘事而作",如果不明白背后的"本事",读者同样不能知晓"诗意"。也正因此,"以事解诗"传统在中国诗歌发展过程中一直未断,上举《本事诗》、《唐诗纪事》等著作都是这个传统的产物。在诗学领域,"本事批评"同样占据重要位置。在乐府传统中,后人在编订诗集时,一般均对早期流传下来的作品或篇名、曲调等进行本事解说。④ 如果没有这些本事解说,"诗意"虽不能像桓谭所说那样"十年不知",但知晓本事对于领悟真正的诗意显然十分重要。例如,如果我们不知道杜牧在湖州"得垂髫者十余岁"的经历,我们也很难知道《怅诗》中"绿叶成荫子满枝"的感

① 韩婴《韩诗外传》卷五第七章。又作"闻其末而达其本"。原文:"孔子学鼓琴于师襄子而不进,师襄子曰:'夫子可以进矣。'曰:'丘已得其曲矣,未得其数也。'有间,曰:'夫子可以进矣。'曰:'丘已得其数矣,未得其意也。'有间,复曰:'夫子可以进矣。'曰:'丘已得其意矣,未得其人也。'有间,复曰:'夫子可以进矣。'曰:'丘已得其人矣,未得其类也。'有间,曰:'邈然远望,洋洋乎,翼翼乎,必作此乐也!黯然而黑,几然而长,以王天下,以朝诸侯者,其惟文王乎?'师襄子避席再拜曰:'善!师以为文王之操也。'故孔子知持文王之声,知文王之为人。师襄子:'敢问何以知文王之操也?'孔子曰:'然。夫仁者好韦,和者好粉,智者好弹,有殷勤之意者好丽。丘以是知文王之操也。'传曰:'闻其末而达其事者,圣也。'"见许维遹:《韩诗外传集释》,中华书局1980年版,第175—176页。
② 朱谦之:《新辑本桓谭新论》,中华书局2009年版,第39页。
③ (汉)班固:《汉书》,(台北)史学出版社1974年版,第1715页。
④ 参见向回:《乐府诗本事研究》,北京大学出版社2013年版。

慨所"怅"为何。① 这是孟棨收集各种资料创作《本事诗》的原因所在。他用"触事兴咏"概括这种"诗缘事"的传统，是很有见地的。

对于汉诗来说，"缘事而发"传统解决了诗的起源和本体问题，是一个独特、独立的诗学传统。叶燮《原诗》对这个传统作过精辟的总结和阐述，他直接将"事"作为诗歌的起源和本体："原夫作诗者之肇端，而有事乎此也，必先有触以兴起其意，而后措辞、属之为句、敷之而成章。"②叶燮强调"事"对主体的感发作用（"触"），及其对诗歌创作的基础性作用。他还举上古诗歌为例，认为原始先民在最开始时对一饭一食、一砖一瓦的制作都感到惊喜，因而可以发而为诗，后人的诗歌创作不过是对这些作品的铺陈、敷衍；只不过年代久远，后来作品越发繁复、发达，人们反而忘记了诗最开始时"缘事而发"的简朴形态。在随后的论述中，叶燮将"理"、"事"、"情"概括为宇宙运行和万物存在的基本模式："曰理、曰事、曰情三语，大而乾坤以之定位，日月以之运行，以至一草一木、一飞一走，三者缺一则不成物。"③而且，最早的、最根本的诗实际上都是对这种结构的模仿。在此基础上，叶燮又论述了诗歌意象中的"理"、"事"、"情"的特殊性："幽渺以为理，想象以为事，惝恍以为情，方为理至事至情至之语。"④叶燮的理论是对"诗缘事"传统的系统总结，将"诗缘事"与中国古代的气化哲学结合在一起，上升到宇宙本体的层面，解决了诗之所以为诗的根本问题。

第五节　诗乐分离：诗缘事与诗缘情、诗言志

按照朱自清的分析，"诗言志"观点的提出，在某种程度上是诗乐分离的结果，背后是先秦礼乐思想的崩溃，以及与此相伴的社会结构和阶层的变化。此前，国家主要通过音乐的方式施行教化，即乐教传统；刘勰用

① 参见（宋）计有功：《唐诗纪事》，上海古籍出版社 2008 年版，第 849 页。
② （清）叶燮：《原诗》，《清诗话》，第 567 页。
③ （清）叶燮：《原诗》，《清诗话》，第 576 页。
④ （清）叶燮：《原诗》，《清诗话》，第 587 页。

"乐本心术,……能情感七始,化动八风"①概括之,强调音乐对人心的教
化作用。但是,自东周开始,各地诸侯肆意妄为,这些举动瓦解了乐教传
统维系社会秩序的功能。在这种情况下,"诗"必然要与"乐"决裂,同时
也须重新寻找合适的方式实现其功能,"志"由此成为它的选择对象,"诗
言志"随之被提出。

众多文献表明,"志"的内涵极为丰富,既可指情感,也可指义理,同
样也可包含礼仪的内容;但在《诗大序》将"性情"纳入"志"的范围之前,
"志"的含义是固定而明确的,而且"性情"含义处于绝对从属的地位。有
些学者力图从《礼记》的"六志"谓之"六情"、孔颖达《毛诗正义》"情、志
一也"的角度以"情"统摄"志",并将之纳入预先设定的所谓"抒情传统"
之中②,实际上却忽略了"志"的本源含义:"志"的核心含义在于"止"。
闻一多《歌与诗》指出:"志……从'止'下'一',缘人足停止在地上,所以
'止'本训停止。……'志'从止从心,本义是停止在心上,停在心上亦可
说是藏在心里。"③因此,"志"本义的着重点在"停止":将包括情感在内
的心理内容"停止"在心里,而不能随心所欲、不加节制的宣泄出来——
这样的宣泄会对稳定、和谐的社会规范和伦理秩序造成巨大冲击。由此
反观孔子所说"乐而不淫,哀而不伤",可以看出其中所蕴含的节制情感
的思想:无论是喜悦还是哀伤都不能过度宣泄,而应该将之藏在自己的内
心深处,"停在心上"。

因之,"作诗止心"自然成为"诗言志"的意旨所在,以节制主体流溢
的情感。"作诗止心"的观念见载于《左传·昭公十二年》:

> 昔穆王欲肆其心,周行天下,将皆必有车辙马迹焉。祭公谋父作《祈
> 招》之诗以止王心。王是以获没于祗宫。……其诗曰:"祈招之愔愔,式
> 昭德音。思我王度,式如玉,式如金。形民之力,而无醉饱之心。"④

---

① 范文澜:《文心雕龙注》,学海出版社 1987 年版,第 101 页。
② 参见陈世骧:《原兴:兼论中国文学特质》,见柯庆明等:《中国抒情传统的再发
现》,台大出版中心 2009 年版,第 30 页。
③ 闻一多:《神话与诗》,(台北)里仁书局 2000 年版,第 185 页。
④ 杨伯峻:《春秋左传注》,中华书局 1981 年版,第 1341 页。

在诗中,作者以金玉比穆王的高尚品德,劝他保全自己的百姓,而不要有
"醉饱之心"。周穆王读到此诗后反思了自己,终止了"周行天下"的计
划,最终在自己的离宫中寿终正寝,有了好归宿,体现出"诗以止心"的作
用:诗以其所含蕴的贞正之义理节制主体内心狂放不羁的情感,从而实现
主体身心的和谐;对于统治者来说,做到这一点还可以实现河海清晏、国
泰民安。在这则故事的结尾,作者说道:"仲尼曰:'古也有志:克己复礼,
仁也。'信善哉! 楚灵王若能如是,岂其辱于干溪?"①楚灵王有"干溪之
辱",是因为楚灵王作为当时的霸主意欲挟持周天子以王天下,群臣以为
不可,大臣子革却极力恭维,以满足楚灵王好大喜功之心。楚灵王在干溪
听到谋父之诗后,闷闷不乐、茶饭不思,虽有所悔悟,但仍不能克服自己纵
情声色的生活习惯,结果第二年其弟暴动,楚灵王在荒野自杀而死。这件
事与周穆王事一正一反,证明"以诗止心"对自我与国家的重要性。孔子
所谓"古也有志"的"志"在此显示出它的本义:"克己复礼",以"礼"节制
自我情感,从而实现身心与行动的和谐一致。因此,"诗言志"的传统是
以"志"代"乐",其目的在于以"礼"维持自我身心和社会的伦理规范。

　　可以看出,"诗言志"传统与"诗缘事"传统存在着某种抵触;或者说,
"诗缘事"是要修复"诗言志"所忽略、过滤掉的某些东西,凸显那些"止于
心上"的、被"礼(理)"节制的"情"——两汉四百年间雅乐衰而民乐兴,
就是这种情况的反映。因而,我们读汉诗很自然地感受到其中涌荡着的
各种情感。这种情感更多表现为对生命和生活不能把握的哀伤情绪,以
及在此基础上衍生的乐享当下、羽化登仙的享乐情绪,明显体现出诗由
"言志"向"叙事",再向"抒情"转化的痕迹。在这个层面上,"诗缘事"成
为"诗言志"和"诗缘情"之间的过渡形态,它既改变了诗歌的创作方式和
表现内容,也催生了"诗缘情"观念的诞生。"诗缘事"向"诗缘情"的过
渡和发展,同样在诗歌语言的变化上体现出来。刘熙载《艺概》卷二《诗
概》言:"五言上二字下三字,足当四言两句,如'终日不成章'之于'终日
七襄,不成报章'是也。七言上四字下三字,足当五言两句,如'明月皎皎

---

① 杨伯峻:《春秋左传注》,中华书局1981年版,第1341页。

照我床'之于'明月何皎皎,照我罗床帷'是也。是则五言乃四言之约,七言乃五言之约。"①据刘熙载的分析,四言诗向五言诗、五言诗向七言诗的发展,实际上是诗歌形式日益简化的过程。可以看到,这种简化有利于压缩诗的叙事成分,更有利于情感的表达。这也从一个侧面说明"诗缘事"向"诗缘情"转化乃诗歌本身发展的一种必然趋势。

这个转变的形成受到创作和理论两方面因素的推动。闻一多将这个转变归因于"歌"与"诗"的结合,致使"情"在"诗"中的比例逐渐递增而最终成为诗的主体,而"事"在诗中的地位被逐渐弱化;即使有"事",也"是经过'情'的泡制然后再写出来的","'事'的色彩由显而隐,'情'的韵味由短而长。……再进一步,'情'的成分愈膨胀,而'事'则暗淡到不合再称为'事',只能称为'境'"。②闻一多认为这个过程完成的标志是《古诗十九首》。这个分析是准确的。同时,"诗缘事"向"诗缘情"的转变还有学理上的原因。可以看到,此时人们对文艺创作过程中审美感兴的认识也逐渐深入,这些认识又逐渐被系统化、理论化,刘勰《文心雕龙》、钟嵘《诗品》、陆机《文赋》等都是体系严谨的理论著作,它们在理论上论证了审美感兴过程中"情"的特殊性,及其与"事"的对立。以钟嵘《诗品》中的"直寻说"为例,他强调诗歌的创作是"吟咏性情,何贵于用事",断然否定了"事(典故)"在诗中的合法性位置:"'思君如流水',既是即目;'高台多悲风',亦唯所见;'清晨登垄首',羌无故实;'明月照积雪',讵出经史。观古今胜语,多非补假,皆由直寻。"③这种思路和观点强调审美感兴的瞬间性和情感的不可把握性及其对诗歌意象生成的本体价值,同时也加固了"诗缘情"的观念,使之成为中国诗学中一个重要的面向。后来,严羽、王世贞、王夫之等人的诗论多延续了这种思路。

因此,由"诗缘事"向"诗缘情"转化的过程实现得并不轻松,经过几

---

① (清)刘熙载:《艺概》,袁津琥标注,中华书局 2009 年版,第 340 页。
② 闻一多:《神话与诗》,(台北)里仁书局 2000 年版,第 190 页。
③ (南朝梁)钟嵘:《诗品序》,见《全上古三代秦汉三国六朝文》,中华书局 1958 年版,第 3277 页。

代人小心而持久的努力才告完成。"诗言志"传统的强大力量束缚了人们的思维，没有人能够随意用"情"来取代"志"。"诗言志"传统在春秋时转为这样四种形式："献诗陈志"、"赋诗言志"、"教诗明志"和"作诗言志"。① 无论哪种"志"都指向集体共识，而不是个体的意志或情感；虽然"赋诗言志"某种程度上可以表达赋诗者独特的思想和认识，但仍以集体共识为基础。因此，当时的"诗意"是社会共同体共同明确和遵守的礼仪准则的代表，因而才能做到"献诗"可以"陈志"、"赋诗"可以"言志"、"教诗"可以"明志"、"作诗"可以"言志"，同时也才能起到"事君""事父"、积累知识的作用，"以意逆志"只有在这个层面上也才可能实现。因而"诗缘情"在当时没有可供存在的空间，虽然诗可以表现情感。

　　朱自清认为从"诗言志"到"诗缘情"是"诗言志"经过两次引申而实现的，即"诗缘情"内涵于"诗言志"，毕竟，"情"对诗的本体性价值是客观存在的。第一次引申出现在诗乐分离的时刻，因为"诗乐不分家的时代只着重听歌的人；只有诗，无诗人，也无'诗缘情'的意念"，"诗乐分家以后，教诗明志，诗以读为主，以义为用；论诗的才渐渐意识到作诗人的存在。他们虽还不承认'诗缘情'的本身价值，却已发现了诗的这种作用，并且以为'王者'可由这种'缘情'的诗'观风俗，知得失，自考正'。那么，'缘情'作诗竟与'陈志'献诗就殊途同归了"。② "诗言志"的第二次引申是"赋"和"楚辞"的创作。因为周礼崩溃，"诗言志"传统随之出现了松动，同时诗人的地位逐渐凸显，"诗"表现自我情感的功能进一步加强。《汉书·艺文志》曰："春秋之后，周道寝坏，聘问歌咏不行于列国，学诗之士逸在布衣，而贤人失志之赋作矣。大儒孙卿及楚臣屈原，离谗忧国，皆作赋以讽，咸有恻隐古诗之义。"③这时，"诗"既有古义又包含情感，以前狭义的"志"显然不能适应此时的创作需要，因而"不得不再加引

---

① 参见朱自清：《诗言志辨》，《朱自清古典文学论文集》，（台北）源流出版社1982年版，第183—234页。

② 朱自清：《诗言志辨》，《朱自清古典文学论文集》，（台北）源流出版社1982年版，第216页。

③ （汉）班固：《汉书》，（台北）史学出版社1974年版，第1756页。

申了"①,结果是《毛诗序》在论述中用"情动于中而形于言"、"吟咏性情"之类模糊的表述来讨论诗,"情"逐渐获得了在"诗意"中的存在地位。到东汉末和魏晋时期,诗歌在创作上渐趋成熟,"诗缘情"的观念自然提出。但"言志"传统事关重大,诗论家一般不敢抛弃之而仅言"缘情",并力图调和两者的矛盾,这一点在刘勰《文心雕龙·明诗》中已很明显。

朱自清的分析准确、细致,但有两点需要补正:其一,在"诗言志"向"诗缘情"发展的过程中,除了诗歌创作主体地位提升的因素外,汉代天人关系思想的发展影响了人们对自然物象的认识,此前被《月令》、《夏小正》归纳出的典型物候现象与人事活动之间的多种关系,在屈原等人的创作中逐渐被审美化,"感物动情"思想逐渐形成,开拓了"诗缘情"中"物"的路向;其二,虽然诗人的地位得以变化,但诗人的创作往往是针对自我生命中或社会上有代表性的事件而发,由此形成汉诗"缘事而发"的创作传统,突出了"事"对情感生成和诗歌创作的重要性,开拓了"诗缘情"中"事"的路向。这一点两汉学者多有讨论,如韩婴《韩诗·伐木》:"《伐木》废,朋友之道缺。劳者歌其事,诗人伐木,自苦其事"②,指出了"事"、"诗"、"情"之间的统一性关系。这些言论都在强调感事而发对诗歌创作的重要性。他们的立论基础仍根源于"事"本身的包容性和可延展性:"情"和"志"都需要依附于"事"而存在,而且被写入诗歌的"事"在情感的基础上同时具有较强的再生能力,具有代表性和典型性,可以完整呈现诗人所感之事。因此,"感物动情"和"缘事而发"共同为"诗缘情"观念的形成奠定了基础。

第六节　虚构的论争:"抒情传统"与
"叙事传统"之争

可以看到,无论是"诗言志"还是"诗缘情",它们都来自于"诗缘

---

① 朱自清:《诗言志辨》,《朱自清古典文学论文集》,(台北)源流出版社 1982 年版,第 220 页。

② (清)王先谦:《诗三家义集疏》,岳麓书社 2011 年版,第 593 页。

事","事"是"志"和"情"的共同母体,"诗言志"和"诗缘情"是"诗缘事"的两翼,是人们根据不同历史时期的需要而提出的有针对性地解决具体问题的诗学主张。因此,以"诗缘事"传统统摄"诗缘情"和"诗言志"应该是可行的。或问:"诗缘事"不是"诗言志"到"诗缘情"的过渡阶段吗?怎么又成了两者的共同渊源了? 其实并不矛盾。这仍根源于"事"的包容性和多样性特征,以及"事"对"志"和"情"的生成作用。如前所述,最早的诗歌都是"缘事"的诗歌,最早的艺术表现形式也都是对事件或行动的模仿,事件具有起源和本体的双重价值。因此,"诗缘事"虽在汉代提出,但其历史却上溯到上古时代,因而可以统合"诗言志"和"诗缘情"。这样可以让中国诗学中的诸多论争一目了然。

例如,在当下的学术论争中,"中国抒情传统"与"中国叙事传统"之间的论争与博弈即是一例。自陈世骧先生提出"中国抒情传统"后,有大量相关论著发表,形成了一个新的学术流派。随着这一流派的影响逐渐扩大,又有学者认为仅以抒情传统概括中国古代文学是不全面的,因为在抒情传统之外,还存在一个历史悠久的叙事传统。如果引入"诗缘事"传统,这种论争则是不必要的。

"中国的抒情传统"的提法起源自陈世骧先生的一篇同题的文章。[①]在这篇短文中,陈世骧将西方以史诗和戏剧为主流的叙事传统与中国以《诗经》和《楚辞》为主流的抒情传统并列,认为这是中国文学不同于西方文学的地方:"中国文学的道统是一种抒情的道统"、"中国古代对文学创作的批评和对美学的关注全拿抒情诗为主要对象",这种特点后来衍生至明清时期的小说和戏曲中。[②]《中国诗之原始观念诗论》、《中国诗歌中的自然》、《原兴:简论中国文学特质》等论文,从不同方面阐述了这个思想。比如,他认为"诗和以足击地做韵律的节拍,此一运动有关系","所谓'抒情诗'……特指起源于配乐歌唱,发展为音乐性的语言,直抒情

____

① 参见陈世骧:《中国的抒情传统》,《陈世骧文存》,(台北)志文出版社1972年版,第31—37页。
② 参见陈世骧:《中国的抒情传统》,《陈世骧文存》,(台北)志文出版社1972年版,第32、35—36页。

绪,或宜称为'乐诗'"。① 这种看法获得许多学者的认同。例如,高友工
在《中国文化史中的抒情传统》一文中这样界定"抒情传统":"抒情传统
在本文中是专指中国自有史以来以抒情诗为主所形成的一个传统。"②在
他看来,中国抒情诗的"抒情精神"还渗透到书法、绘画、建筑等领域;他
认为,这个传统的形成大致在先秦至六朝时期完成,其中,音乐、楚辞、汉
魏乐府和五言诗,是重要的推动力量,陆机"诗缘情"观点的提出则是其
确立的标志。③ 高友工对"抒情传统"的界定与陈世骧是一致的,研究思
路则有所拓展。与陈世骧借鉴中国传统学术方法不同,高友工多从美学
理论尤其是美感经验论的角度探讨中国抒情传统形成的学理机制;同时,
他用"抒情精神"将各种不同的艺术门类统合成一个整体,是对陈世骧观
点的扩充和丰富。

　　这个传统在中国文学和艺术领域中是客观存在的。同时,这种看法
不能将中国文学尤其是以史传文学为主流的叙事传统包括在内。虽然屈
原、司马迁"发愤抒情"的写作方式使历史与抒情有合流的趋势,但"抒情
精神"的说法在此显然不具有解释的力度,因为任何艺术(包括叙事)都
有抒情成分。于是,有些学者提出"中国的叙事传统"以修补之。傅修延
《先秦叙事研究》通过对先秦时期甲骨卜辞、神话史传、先秦诸子的研究,
认为在先秦时期,中国文化既已形成了一个独特的叙事传统。④ 从该书
副标题"关于中国叙事传统的形成"即可看到,作者力图用"先秦叙事传
统"来弥补"中国抒情传统"的不足。同此,董乃斌等《中国文学叙事传统
研究》首先从陈世骧等发起的"中国的抒情传统"的讨论入手,认为中国
文学的叙事传统不仅从先秦时期即已形成,而且贯穿了整个发展过程,并

---

① 陈世骧:《原兴:兼论中国文学特质》,《陈世骧文存》,(台北)志文出版社 1972 年
版,第 222 页。
② [美]高友工:《中国美典与文学研究论集》,台大出版中心 2009 年版,第 105 页。
③ 参见[美]高友工:《中国美典与文学研究论集》,台大出版中心 2009 年版,第
122—130 页。
④ 参见傅修延:《先秦叙事研究:关于中国叙事传统的形成》,东方出版社 1999 年版,
第 322 页。

把叙事特征突出的乐府诗、抒情特征突出的史传和小说均纳入这一传统。① 这种观点也是针对"中国抒情传统"的不足而发的。

其实,这两种观点背后的学理基础是不同的,都是从一个侧面来考察中国文学传统的形成与特点问题。陈世骧提出这一看法是为了和西方文学传统进行比较,以发现中国文学的特质而进行的一项工作。他的研究方法是在中西比较的基础上借鉴中国传统的训诂、释义、考证等方法,以突出中国文学的独特性,但其思想根本则在西学:他对"抒情诗"的界定所因循的是英国批评家德林克瓦特(John Drinkwater)等人的抒情文学观,并把"诗"(Poetry)和"抒情诗"(Lyric)两个概念等同。② 这显然不符合中国诗(尤其是早期诗)发展的实际情况,从而将诗的内涵和功能单一化;虽然陈世骧此论背后有融合、抵制喧嚣时代中政治运动对文学精神强迫的意图,但在理论层面并未实现这一目的。清末学者廖平在《知圣篇》中提出"经学四教,以《诗》为宗"的观点。③ 在这个层面上,"诗"甚至成为中华民族的本质规定性,"诗言志"与"诗缘情"都应成为"诗"的本质,而不是将二者截然分开;而且,春秋时期人们对《诗经》"赋诗言志"、"断章取义"的做法至今仍在许多重要场合被传承、使用。董乃斌等人的论述则立足于中国文学经验和历史的实际,抽绎出一个逻辑系统严密的叙事传统,他们对叙事的界定则依据于西方的叙事学(Narratology)思想,与中国古代所谓"叙事"根本不同。中国古人使用"叙事"更多是指行动,这些"行动"带有更多仪式的色彩,因而中国古代的叙事带有更多礼仪化、行动化和空间化等特征,可称之为"礼仪化叙事"。这与西方依托史诗和戏剧所形成的"情节性叙事"根本不同:前者强调主体行动的约束性或神圣性,后者强调情节(Plot)的曲折性或多样性。虽然西方叙事传统的某些特征在后来中国文学中逐渐凸显,但仍不能将之作为中国叙事传统的特质加以使用。

---

① 参见董乃斌等:《中国文学叙事传统研究》,中华书局 2012 年版。

② 参见陈世骧:《中国的抒情传统》,《陈世骧文存》,(台北)志文出版社 1972 年版,第 37 页。

③ 参见廖平:《知圣篇》,河北教育出版社 1996 年版,第 132 页。

如前所述,汉诗"缘事而发"的特征是汉代学者对此前和当时诗歌创作实践的总结,与当时哲学家对"事"与"道"、"史"之关系的理解一致:在他们眼中,单一的"事"固然失之浅薄,但宇宙万物之"道"却从中产生,与之同步、同息,"事"与"道"、"德"之间构成体用合一之关系。刘安《淮南子·要略》曰:

> 观天地之象,通古今之事。权事而立制,度形而施宜。原道之心,合三王之风,以储与扈冶。玄眇之中,精摇靡览,弃其畛挈,斟其淑静,以统天下、理万物;应变化,通殊类;非循一迹之路,守一隅之旨,拘系牵连之物,而不与世推移也。①

这种思想发展了前述《周易》所记伏羲"俯仰观察"而作八卦的思想,并将之扩展、推演到人事制度的设立。在作者看来,自然物象和人事的变化演进之所以成为统治者设定政治文化制度的基础,是因为二者均处于永恒流动的过程中;对这种变化进行观察、学习并施行到具体的治理活动,做到"与世推移",则可打破事物之间的界限和某些学说的固陋、偏见,实现政治和文化的不断更新、发展。可以看到,"事"的流转变动不仅成为文化制度创立之基石,同时还与天地变化同步,成为"道"的体现者。所以,作者又说:"言道而不言事,则无以兴浮沉;言事而不言道,则无以与化游息"②,"言帝道而不言君事,则不知小大之衰;言君事而不为称喻,则不知动静之宜"③。因而"事"的兴衰变化可以成为"道"不断变化的体现者,"道"的流溢充实则成为"事"与天地大化同步变化的基础。"事"与"道"之间由此转换为"体""用"、"道""器"之间的合体关系,包括诗在内的人间一切文化制度的创立、制作都成为"缘事而发"的结果。

同此,当时所谓"抒情"之"情"非仅指个体情感,同时还包含与主体情感相伴而生的认知与沉思,所以屈原、司马迁等人"发愤抒情"之作才具有历史的深度和批判性价值,以及较强的感染力,"情"更多是指抒情主体对当时历史事件的"情势"、"情形"、"情态"、"情境"的体察和理解。

① 何宁:《淮南子集释》,中华书局1998年版,第1462页。
② 何宁:《淮南子集释》,中华书局1998年版,第1439页。
③ 何宁:《淮南子集释》,中华书局1998年版,第1454页。

刘安《淮南子·要略》曰:"夫通论至深,故多为之辞,以抒其情;万物至众,故博为之说,以通其意。"①这里所说"以抒其情"之"情"的内涵乃是"至深"之"通论",是对"至众"之"万物"的体察、认识与理解之后的产物。由此可以看出,此时所谓"抒情"与当时"缘事"的致思方式有着密切的深度关联。以此反观与《淮南子》几乎同时而略早的《毛诗序》提出的诗歌"情事"观,则"抒情"一词的此种含义更为显豁:

> 国史明乎得失之迹,伤人伦之废,哀刑政之苛,吟咏性情,以讽其上,达于事变而怀其旧俗也。一国之事,系一人之本,谓之风;言天下之事,形四方之风,谓之雅。……颂者,美盛德之形容,以其成功告于神明者也。是谓四始,诗之至也。②

可见,作者将《诗经》中"风"、"雅"之作看作是"一国之事"和"天下之事"的真实反映,"事"对"诗"的基础性作用所在斑斑;所谓"吟咏性情",首先针对的是"国史得失"、"人伦之废"、"刑政之苛"的社会现实,是"缘事而发"而非主观抒情。因此,后文"情动于中而形于言"、"变风发乎情"、"吟咏性情"中的"情"的内涵与我们传统所谓"抒情"之"情"差距甚大,前者包含的内容更为丰富多样:它不仅包含通常所谓之主体情感,同时还包括"至深"之"通论"、"宇宙"之"大道"。"达于事变而怀其旧俗"与《淮南子·要略》中"言俗变而不言往事,则不知道德之应"③的观点一致:"诗"、"事"、"情"之间再次获得了同一性,它们同为"道德兴衰"、"国史得失"的体现物。

　　总之,无论从哪个角度看,所谓"中国抒情传统"、"中国叙事传统"都不能涵盖上述内容,他们所谓的"抒情"和"叙事"与中国诗学传统本身都存在较大差距,是逻辑推演的产物,因而有重新界定和研究之必要。在比较视野下使用"抒情"或"叙事"等概念对中国文学或诗歌进行归类和总结固然可行,但同时还应充分重视中国文学或诗歌本身所处的话语系统和历史情境。总体上看,"事""诗"共生的合体关系形成中国诗歌尤重

---

① 何宁:《淮南子集释》,中华书局 1998 年版,第 1455 页。
② 张少康:《先秦两汉文论选》,人民文学出版社 1996 年版,第 343 页。
③ 何宁:《淮南子集释》,中华书局 1998 年版,第 1454 页。

"真实"的特点,因而在概念使用方面应该与西方诗歌研究有所区别。郑毓瑜结合相关论著总结说:"对西方读者而言,这(诗歌)是一个被创造出来的封闭符号系统,是虚构的;但对于杜诗的读者而言,诗不是虚构的,而是如其所述的真实,是在一个历史时刻的遭遇、经验,以及对世界的响应,亦即中国诗歌的读者,很自动地将许多甚至相反的事物,都视作在一个相互关联的架构中彼此应和(the echo in correlative frames of referrence)。"①作为宇宙和人事结构最终演化过程的总结和显现方式,"诗言志"、"诗缘情"均将诗的气象格局狭隘化,使之失去在人类文化体系中的核心地位和作用。因此,以重探汉诗"缘事而发"特征为契机,重倡中国古典诗歌的"诗缘事"传统,即是要重新显现"诗"作为天地人文之总结方式的崇高地位,将宇宙秩序和人事法则的运转过程统一于"事",强调中国古典诗歌传统在中华民族历史发展过程中所应承担或已经承担的重要使命。

---

① 郑毓瑜:《引譬连类:文学研究的关键词》,(台北)联经出版社公司 2012 年版,第 32 页。

第九章

汉代神话：意象的凝聚

在汉代,尤其是东汉时期,史前神话得到了系统整理,收录史前神话最多的《山海经》经过刘向的整理后上奏给皇帝,收入国家秘籍。以这些神话资料为源头,汉代人又创作了很多小说作品,神话意象出现了新的变化。谶纬思想、道家思想和各种域外艺术的输入,使各种新的宗教思想渗透到史前神话中,改变了原有神话意象的面貌。同时,各种图像制作活动的兴盛,扩大了神话的流传范围,神话意象既是宗教的载体,同时又是人们建构日常生活的重要元素,成为人们表达自我思想和情感的重要工具和手段。神话意象逐渐从朴拙、雄浑向精细、典雅方向发展,反映出两汉审美意识的发展趋向。由此,汉代神话呈现出这样两个特点:一方面,汉代人对原始神话进行了大规模的"重述",很多原始神话在汉代文献中被保存下来;另一方面,汉代的政治、哲学、宗教等思想观念大量渗透到原始神话中,进而形成对原始神话的"重塑"。这种两种情况相互作用,形成了汉代神话意象的独特面貌:原始神话意象基本完成了发展演进的过程,神话意象的审美风貌在整体上从古朴稚气向典雅精细方向发展,人们的审美趣味在神话意象演变过程中的决定性作用凸显;神灵的综合性特征增强,神话意象之间的有机性联系加强,神话意象群增多;神话意象中的原始气息逐渐脱落,两汉时期人们的精神需求在神话意象中占据了核心位置。

秦汉时期的文化思想仍属于上古文化体系,但已处于分化的前夜。因此,上古时期的文化思想和艺术形式,在秦汉时期既有继承,同时又出现了许多新质,神话同样如此。汉代是神话思想极为浓厚的时代,神话思想转化、渗透到几乎所有的文化形式中;或者说,几乎所有的文化形式都

表现、记述着一些神话内容，体现出神话思维的特点。"汉代神话"可分
为两个层次：一是原始神话在汉代的记述情况。原始神话在汉代有多种
记述形式，文学作品、学术著作、画像石与画像砖、漆画、帛画等对之都有
或多或少的再现或表现。二是汉代人在原始神话的基础上所创设的新神
话。在前种情况的基础上，一方面，原始神话本身有一个发展演变的内在
需求，体现出新的面貌；另一方面，汉代统治者也需要创设新神话来施行
其政治统治，延续"以神道设教"的政治宗教传统。对于前者，我们可以
用"重述神话"表示；对于后者，可以用"重塑神话"表示。这两种情况交
织在一起，不易分开。因此，讨论汉代神话意象的审美特征要将这两种情
况结合在一起。本章通过对两汉神话中的西王母、黄帝、禹、嫦娥等人生
意象和九凤、昆仑山等自然意象，及其意蕴的衍生和形象的聚合为主体，
探讨两汉审美意识发展的大致进程。

第一节　形象的增殖：原始诸神的形象衍生

史前神话意象的衍生过程首先是通过神物和神灵的形象体现出来
的。神话意象分为自然意象、"自然—人生意象"和人生意象等三种基本
类型，就是从神灵形象角度在整体上对史前神话意象进行划分的。这种
情况属于史前神话意象的整体性形象衍生现象。同时，单个神话意象形
成后，并不以一种固定的面貌存在，而是随着社会历史情境的变化而变
化，逐渐从朴野粗犷走向细致明丽，由此形成史前神话意象的个体性形象
衍生现象。史前神话意象形象衍生的这两种基本形式之间存在共生关
系，不仅存在于史前社会，同时还存在于"史后"社会，体现出其发展演进
的连续性和稳定性。

所谓整体性形象衍生，是指神话意象在神灵形象方面所体现出的整
体上的衍生状况及其基本历程，社会发展的基本规律决定或支配着这种
衍生状况的发展过程。自然意象、自然—人生意象和人生意象三种意象
类型的产生过程反映出史前神话意象整体性衍生的大致轮廓。有学者将
这种衍生过程概括为"自然崇拜—图腾崇拜—天地崇拜—英雄（半神）崇

拜"的发展历程;简言之,就是怪、神、帝的衍生历程。① 作者认为,这种衍
生过程主要是通过神灵形象的变化体现出来的。这一点前辈学者已论之
甚详。这种概括基本上符合史前神话意象的整体性形象衍生历程,但史
前神话意象的整体性形象衍生是通过单个神话意象来体现的,因此,我们
还需要对史前神话意象的个体性形象衍生情况进行研究。

　　所谓个体性形象衍生,是指单个的神话意象在史前时代和后世文明
社会中所发生的演变过程,这种演变主要是通过神话意象的形态特征的
改变体现出来。个体性形象衍生有两种情况:一种是某一个史前神话意
象在其发展过程中,受各种因素影响发生分裂而成为几个神话意象,如前
文所述的地母神形象分裂为日神和月神的情况;另一种是某个神话意象
在其发展过程中,受不同时代思想观念等因素的影响,虽没有发生分裂,
但其形貌不断发生改变,形成新的神话意象。这新意象所含蕴的精神意
蕴既与其原型意象所含蕴的精神意蕴有密切关系,同时也增加了许多新
内容。这是史前神话意象个体性形象衍生的主要形式。神话意象的个体
性形象衍生与整体性形象衍生具有辩证统一的关系。个体性形象衍生是
在整体性形象衍生的背景之下进行的,两者之间交叉共存。

　　这里,我们以《山海经》、《穆天子传》和《神异经》以及石刻图像资料
对西王母形象的记述来讨论史前神话意象个体性形象衍生的基本情况和
规律。《山海经》记述西王母的地方共有三处:

　　　　西王母Ⅰ:玉山,是西王母所居也。西王母其状如人而豹尾虎
　　齿,善啸,蓬发戴胜,是司天之厉及五残。(《西次三经》)

　　　　西王母Ⅱ:西海之南,流沙之滨,赤水之后,黑水之前,有大山名
　　曰昆仑之丘。……其下有弱水之渊环之;其外有炎火之山,投物辄
　　燃。有人戴胜,虎齿,有豹尾,穴处,名曰西王母。此山万物尽有。
　　(《大荒西经》)

　　　　西王母Ⅲ:西王母梯几而戴胜杖。其南有三青鸟,为西王母取
　　食。在昆仑墟北。(《海内北经》)

───────────

① 参见汪裕雄:《意象探源》,安徽教育出版社1996年版,第64页。

据袁珂考证，《山海经》所记的三条有关西王母的资料，反映出西王母形象在《山海经》内部的演化过程。① 这一判断是准确的。从《山海经》的记述看，这三条资料恰好反映出西王母形象的三种情况。第一，《西次三经》所记西王母形象最为古老，"其状如人"说明此处所记之西王母的非人身份。从其形貌和神职看，这个西王母形象还处于史前神话意象中的自然意象阶段，体现出较为原始古朴的面貌，是掌管刑杀生死的凶神。第二，《大荒西经》所记之西王母处于史前神话意象的第二个阶段，属于"自然—人生"意象。作者明确用"有人"来指称西王母的身份。由于昆仑山是天帝的居所，这里所说的"有人"仍是指神，而不是普通意义上的人。这时，西王母有人神相兼的身份，同时还具有人兽参半、以人为主的形貌特征。第三，在《山海经》中，《海内北经》最为晚出，因而其记述的西王母形象也最接近人的形貌。这里，西王母的兽形特征消失，叙述者仅以"三青鸟为其取食"和其居住地（"在昆仑墟北"）来表征西王母的神人身份。对此，袁珂说："这里西王母的形象，只有'戴胜'，什么'蓬发'、'善啸'、'豹尾'、'虎齿'、'穴处'等等，都没有了，却添加了一个'梯几'。郭璞注：'梯谓凭也。'虽然添加了的只是一个小小的几，经西王母这么一'凭'，也就隐然有了雍穆和平的景象。……显示她已经初步女性化和王者化了。"②因此，这里的西王母已是一位女性神祇，成为史前神话中的人生意象。

应该说，《山海经》记述的三个西王母形象是《穆天子传》、《汉武内传》、《神异经》和《仙传拾遗》等所记西王母形象的基础。《山海经》有关西王母的三条资料简短凝练，仔细辨析可以发现后世西王母形象衍生的基质所在。第一，从《西次三经》的记述看，西王母所居为"玉山"，而玉山即为《西次三经》所记之"峚山"，这里是黄帝种玉、食玉之地，盛产丹木、玉膏、玉荣等，是后世各种食玉成仙神话的原型，由此可以发现西王母被仙化的原因。第二，《大荒北经》所记昆仑丘亦出现在《西次三经》："是实

---

① 参见袁珂：《中国神话史》，上海文艺出版社1988年版，第48页。

② 袁珂：《中国神话史》，上海文艺出版社1988年版，第48页。

惟帝之下都,神陆吾司之。"离昆仑丘不远处是天帝的园囿槐江山,有"丘
时之水","其中多赢母,其上多青雄黄,多藏琅玕、黄金、玉,其阳多丹粟,
其阴多采黄金、实惟帝之平圃,神英招司之"等,这一描述与《大荒北经》
所谓的"此山万物尽有"相一致,由此可以看出西王母与天帝之间的密切
关系。第三,《海内北经》所记的为西王母取食的三青鸟,是西王母身份
的标志之一;它们一直伴随在西王母左右,没有改变过。此处所记之西王
母仅为掌管刑杀之神,并无神仙思想渗透的痕迹。在嫦娥奔月等神话以
及秦汉之际的图像资料中,西王母成为不死药的掌管者,九尾狐、玉兔常
侍左右,三青鸟被三足乌取代,形成了神话意象聚合现象,这一点将在下
文讨论。

与《山海经》的记述相关,在后世有关西王母形象的记述中,有三点
值得注意:一是西王母的女性身份被凸显出来,此后一直未发生改变;二
是西王母由掌管刑杀之神转变为长生之神,与西王母相关的一系列神话
意象均与此相关;三是由于西王母女性身份的确定并掌管不死药,所以后
世在记述西王母时均将其与男性帝王(或神人)结合起来,成为一种基本
的叙述模式。关于西王母与天帝(或人间帝王)之间交往情况的记载主
要涉及黄帝、周穆王、汉武帝等三人,此外还有作为西王母配偶神的东王
公。在这些记述中,西王母形象可分两类:一类是作为至高无上的天上神
女的西王母,人类对她高山仰止,她也经常对人间诸事施以援手;另一类
是作为配偶神的西王母,她是地母神分裂后所形成的。在两者之间,与周
穆王相交游的西王母则是过渡形态。

就第一类看,西王母形象经历了由人兽参半到精妙绝伦的衍生、发展
过程,故事情节随之增多,神话所含蕴的思想内容也随之丰富。关于西王
母与远古帝王的交往过程,后世文献对黄帝与西王母的交往事件多有记
述。在这些记述中,西王母作为神灵还保留着部分兽形特征,其地位高于
黄帝,不仅掌管着不死药,而且还熟知天地人伦之事,因而可以屡次派遣
她的侍女九天玄女帮助黄帝战胜蚩尤、协助大禹战胜洪水等。西王母派
遣出协助黄帝(还有大禹)的"人首鸟身"的妇人,是西王母的使者,由此
可以推断西王母也应是一位人兽参半的天神,仍保留着《西次三经》中的

形象。在《汉武内传》中，西王母一变而为"文采鲜明，光仪淑穆。带灵飞大绶，腰分头之剑。戴头上大华结，戴太真晨婴之冠，履元琼凤文之舄。视之年可卅许，修短得中，天姿掩蔼，容颜绝世"①的丽人形象。同类的记述亦见于《汉武故事》。汉武帝匍匐于西王母艳雅高贵的身姿下，祈求获得长生不死之术和仙药，但仍以死亡告终。因此，西王母形象从独自处于《西山经》玉山之上的兽形神转变为人兽参半的女性神祇，再到典雅艳丽的女性神，其形象处于不断衍生变化中。这一过程体现出西王母形象从不辨性别的凶神转变为婉丽可人的仙女的大致衍生过程，反映出神话意象所体现的审美风格从粗犷质朴向细致明丽演变的发展过程。

这种情况的出现，一方面与神话意象本身的整体发展规律有关，另一方面也与当时特定的时代环境和审美趣味有关。根据文献记载和图像资料，可知在西汉时西王母仍保留着人兽参半的凶恶形象，但这一形象已不能满足当时人们的审美需求。据司马相如《大人赋》记载，希望长生的汉武帝见到"皓然白首戴胜"的西王母"穴居"在崇山峻岭间，以及为其取食的凶狠异常的三青鸟后，大发感慨："必长生若此而不死兮，虽济万世不足以喜。"颜师古注云："昔之谈者咸以西王母为仙灵之最，故相如言大人之仙，娱游之盛，顾视王母，鄙而狭之，不足羡慕也。"②可见，汉武帝等人对西王母怪异形象"鄙而狭之"的态度在当时具有普遍性。这也导致此后《汉武内传》等著作的作者将西王母形象进行了大胆改造，以符合时人逐渐精细典雅的审美趣味。因此可以说，神话意象（神人形象）从粗犷质朴向精致典雅方向衍生、发展的过程，同时也是神话内容从静态简短向动态复杂衍生、发展的过程，两者之间相互促进。

作为配偶神的西王母，是地母神分裂后的女性神祇。受阴阳二元观念的影响，其形象衍生也经历了一个发展演变的过程，其表征就是西王母与男性神祇（或帝王）之间关系的建立。这方面的最早记述似为《穆天子传》。该书中的西王母形象与《山海经·海内北经》所记述的"梯几而戴

---

① 《汉魏六朝笔记小说大观》，上海古籍出版社1999年版，第142页。
② （汉）班固：《汉书》，颜师古注本，中华书局2005年版，第1972页。

胜"的人形、女性化的西王母形象比较接近。周穆王在吉日甲子宾于西
王母,执白圭玄璧以见,西王母"再拜受之";在瑶池之上,"西王母为天子
谣":"白云在天,山陵自出,道里悠远,山川间之,将子无死,尚能复来"。
周穆王答曰:"予归东土,和治诸夏,万民平均,吾顾见汝。比及三年,将
复而野。"①从西王母和周穆王的歌词看,两人之间的这次交往很愉快,并
约定三年之后再次相见。但西王母的歌词有些蹊跷,问周穆王如果不死
能否再次光临,似有赠周穆王以仙药之意,但后文并无相关记述。据《仙
传拾遗》记载,后来周穆王也确实与西王母在"群玉之山"(即《西次三
经》中的"玉山")相与升云而去,实践了两人的约定。可以看出,西王母
初步具有了配偶神的身份。西王母作为男性配偶神的形象,见载于《神
异经》、《洞冥记》和同期的石刻中。西王母与东王公之间定期的相互往
返拜见,应是人类阴阳相交、化生万物思想的形象化表述。日本学者小南
一郎将之看作是"阴与阳定期结合和宇宙生命力由之再生的神话观念"
的"人化"②。这一记载的典型文献是东方朔《神异经·中荒经》:

> 昆仑山之有铜柱焉,其高入天,所谓天柱也。围三千里,周围如
> 削。下有回屋,方百丈,仙人九府治之。上有大鸟,名曰希有。南向。
> 张左翼覆东王公,右翼覆西王母。背上小处无羽,一万九千里。西王
> 母岁登翼上,会东王公也。③

从这里的叙述看,西王母与东王公的相会是西王母主动前往的,所反映的
正是阴阳观念对西王母形象的改造。这一点在后文《鸟铭》诗句中亦有
反映:"有鸟希有,碌赤煌煌。不鸣不食,东覆东王公,西覆西王母。王母

---

① 《穆天子传》,见《汉魏六朝笔记小说大观》,上海古籍出版社1999年版,第14页。
② [日]小南一郎:《中国的神话传说与古小说》,孙昌武译,中华书局2006年版,第
93页。小南一郎曾对男女神互访现象进行过论述:"男神访问女神与女神访问男神这两者
情节之中,在中国古代传承中何者属于古层,两者之间又是以怎样的关系发展起来的,这是
不能简单得出结论的问题。但如果限于西王母——织女的传承所见,可以认为女神访问男
神是本来的形态,男神访问女神是受到太阳神传承影响的后来的产物。"(第95页)小南一
郎的此处结论的前半部分是根据织女神话而得出,后者却未见论述,不知缘由何在。对于
男神与女神互访的先后问题,本书暂保留意见。
③ (汉)东方朔:《神异经》,见《汉魏六朝笔记小说大观》,上海古籍出版社1999年
版,第57页。

欲东,登之自通。阴阳相须,唯会益工。"①这里所说的"阴阳相须,唯会益工",揭示出时人对西王母和东王公相会的理解。这只大鸟是两神人相会交往的通道,类似于织女传说中的鹊桥。同类记述亦见载于郭宪《洞冥记》卷二:"昔西王母乘灵光辇以适东王公之舍。"②"灵光"是高九尺的骏马的名字,因而西王母往见东王公的方式与《神异经》的记述相比发生了改变,比较类似于《汉武内传》。西王母与东王公相见的记述还常见于同一时期的图像资料,如陕西北部绥德军刘家沟后汉墓入口横额上的图像记述和相关铜镜上的图案等。除上述原因外,西王母往见东王公可能还受到男权观念(男尊女卑)的影响,因为在几乎同一时期的石刻图像上,西王母不仅主动前往拜会东王公,而且在拜会时还伴有屈膝而跪的姿态。至此,西王母人形、女性等特征固定下来,配偶神身份确定,西王母形象的衍生过程基本完成。

综上,通过西王母形象的衍生历程,可以看出,神话意象的个体性形象衍生,既是神话意象本身演变、发展的结果,同时也是多种因素相互作用的结果,体现出时代精神对神话意象(包括整体的和个体的)衍生的重要影响。与神话意象的形象衍生过程密切相关的是神话意象的精致化过程,这个过程同时也是与此神话意象密切相关的神话内容逐步多样、丰富的过程;神话的思想含量也随之增加了。这种情况主要是通过那些在史前神话系统中占重要地位的神话意象的演变体现出来的。这方面内容还需要通过对更多典型的神话意象个案做进一步研究、概括,提炼其基本规律。

第二节 社会变动:神话意象在汉代的意蕴衍生

与史前神话意象形象衍生相伴产生的是其意蕴衍生。神话意象的每

①　(汉)东方朔:《神异经》,见《汉魏六朝笔记小说大观》,上海古籍出版社 1999 年版,第 57 页。

②　(汉)郭宪:《洞冥记》,见《汉魏六朝笔记小说大观》,上海古籍出版社 1999 年版,第 130 页。

一次形象衍生都会伴随相关的意蕴衍生,意蕴衍生是形象衍生的目的或归宿,单纯的形象衍生是不存在的。与形象衍生一样,意蕴衍生也可分为整体性意蕴衍生和个体性意蕴衍生两种基本形式。整体性意蕴衍生是神话意象与特定历史情境相结合的结果,体现出社会群体的认知、情趣和理想;个体性意蕴衍生既有单个神话意蕴发生衍生的情况,也有作为个体的哲学家、文学家和艺术家等对史前神话意象进行的再创作进而形成神话意象精神意蕴衍生的情况。这两种情况同时发生,需具体分析。

史前神话意象蕴含的精神意蕴是当时社会集体精神诉求的反映,因而神话意象的意蕴衍生首先表现为整体性(或集体性)特征。所谓整体性意蕴衍生,是指随着社会文化环境的改变,人们将本时代的精神需求和价值取向等内容附加到整个神话意象体系上去,这时整体的神话意象体系的精神意蕴体现出某一个时代集体性的精神风貌。就像有的学者所认为的那样:"不应该认为宗教因素是脱离其他因素而独立起作用的,相反,宗教因素同社会神话的'实践'基础处于不断发展的辩证关系之中。"①因此,神话意象整体性意蕴衍生的发生与政治环境、宗教思想和文化活动等密切相关,是社会整体的文化环境和社会结构发生变化的缩影。这种情况最明显的体现,就是社会形态更替、政治观念、宗教观念和哲学思想等对史前神话及其意象体系的改造。

史前时代有两次大的社会变动及其所带来的思想观念和社会结构的变化对神话意象的影响最为深远:一次是父权制社会对母权制社会的代替,另一次是国家制社会对氏族制社会的代替。有学者说:"新陈代谢是社会发展的规律,在原始社会里,有着无数的新旧因素在生灭着,但是,唯有父权制与母权制的更替,国家制对氏族制的取代是最引人注目的。这两对重大的冲突是人类在前进路上为砸碎锁链所作的不懈努力。它发生在史前时代,只有神话把这些惊心动魄的一幕幕事变记录下来,在这层意义上,神话是史前最宝贵的史料。"②这个概括是准确的。一方面,父权制

---

① [美]贝格尔:《神圣的帷幕》,高师宁译,何光沪校,上海人民出版社1991年版,第132页。

② 田兆元:《神话与中国社会》,上海人民出版社1998年版,第83—84页。

社会在形成过程中,必然与经过漫长历史时期的母权制社会形成对抗直到最终战胜后者。这个过程也通过神话意象体系得以反映。比如,那些只知其母、不知其父的始祖神话就是母权社会的遗留;最先出现的地母神意象,在父系社会形成后不仅分裂为几个形象,而且它所具有的神圣职责和功能也逐渐被黄帝等男性神祇所侵占;等等。另一方面,国家制对氏族制的替代过程也是十分漫长的。国家制形成后,社会的文化体系走向一统,这决定了神话意象体系从分散、多元状态向集中、统一状态发展。以某一神灵(或神物,如昆仑)为核心的系统性的神话体系形成,至上神崇拜从朦胧状态向清晰状态发展并逐渐形成,人生意象逐渐在神话意象体系中占据主导地位,等等,都是这种情况的反映。因此,在史前社会,这两次重大变革极大地影响了史前神话及其意象体系的整体面貌和发展轨迹。在古代社会,无论哪个时代,社会的变革主要通过政治统治的更替和宗教观念的变化体现出来,获得统治地位的阶层或阶级多会通过政治、宗教手段对神话进行改造使之成为统治工具。在这种情况下,神话意象及其所含蕴的精神意蕴也就随之发生重大改变,从而在审美风格上由自然纯朴走向雕琢细致。

　　史前神话的政治功能与神话本身所具有的神圣性密切相关。在原始先民进行与诸神仪式密切相关的祭祀和巫术活动的长期历史过程中,神话仪式的神圣属性在整个活动中一直占据着核心位置,因而部落、族群乃至国家等形成后,领导阶层仍会利用神话的这一属性进行政治统治,史前神话的精神意蕴由此被改造了。从历史上看,政治统治观念对史前神话的利用和改造,持续时间长,规模较大,影响也极为深远。田兆元说:"武装的征伐与心灵的降服相辅而行,最初降服人心的就是神话,它用一种超然至上的力量去摧毁既存的规范,并依赖这种力量建立起一种新的规范,这是一切政治神话的基本结构模式和功能模式。"①政治与神话相互结合的情况在新石器晚期达到新阶段,其结晶是至上神崇拜初具规模。虽然中国史前神话中的至上神崇拜尚未形成严密的体系,但已

---

① 田兆元:《神话与中国社会》,上海人民出版社 1998 年版,第 101 页。

露出端倪,至上神格逐渐从零散多元走向系统整饬,人神参半的黄帝最终成为华夏各民族的共同祖先。在中国,从史前社会进入文明社会以后,大规模的神话历史化实际上就是统治阶层对史前信仰所进行的政治化改造,使史前神话呈现出极为浓烈的伦理和道德色彩,成为政治统治观念的重要载体。这方面,孔子对"夔一足"和"黄帝四面"的解释极为典型:

> 哀公问于孔子曰:"吾闻古者有夔一足,其果信有一足乎?"孔子对曰:"不也,夔非一足也。夔者,忿戾恶心,人多不说喜也。虽然,其所有得免于人害者,以其信也。人皆曰'独此一,足矣'。夔非一足也,一而足也。"①

> 子贡云:"古者黄帝四面,信乎?"孔子曰:"黄帝取合己者四人,使治四方,不计而耦,不约而成,此之谓四面。"②

孔子将史前神话中人兽参半的夔和黄帝形象进行了改造,使之脱去兽性因素而成为神话与历史交织混合的神圣人物,但他们仍有神性,这是他们区别于普通人的重要标志。因此,从政治角度看,史前神话从一开始就与人类社会的政治意识或政治观念等结合在一起,具有政治功能;进入文明社会后的统治阶层也会利用史前神话对自我统治进行合法性和神圣性论证,就像《史记·高祖本纪》对刘邦出生的神话记述一样。③ 于是,神话意象同时成为政治意象。应该说,每个朝代的统治者都会对神话意象进行大规模改造,将自我阶层的思想意识贯注到神话意象中去,使神话意象的整体意蕴发生衍生和改变。

宗教功能是史前神话意象的主要功能,因而人为宗教形成后也会利用它推广自己。史前神话与其所代表的宗教信仰具有深厚的群众基础,覆盖面广,人为宗教以此来扩大自己的影响力和受众面。在这种情

---

① (清)王先慎:《韩非子集解》,《诸子集成》第五册,中华书局 2006 年版,第 221 页。
② (宋)李昉:《太平御览》,中华书局 1960 年版,第 369 页。
③ (汉)司马迁《史记·高祖本纪》:"高祖,沛丰邑中阳里人,字季。父曰太公,母曰刘媪。其先刘媪尝息大泽之陂,梦与神遇。是时雷电晦冥,太公往视,则见蛟龙于其上。已而有身,遂产高祖。"

况下,史前神话意象的基本特征虽然会保留下来,但其精神意蕴已发生改变、增殖,出现意蕴衍生情况。在中国,为了宣传自己的教义,道教、佛教乃至儒教都曾借助史前神话及其意象体系进行宣传,从而使史前神话意象体系在整体上被改造,它所传达的精神意蕴从综合性和多样性走向了指定性和单一性。佛教是外来宗教,他们信佛而不信神,但进入中国后,也曾利用因果报应说对《山海经》等著作记述的中国固有的天地鬼神信仰系统进行改造,极大地影响了中国民众的精神世界。冥报说盛行,中国本有的天庭神话、地狱神话等被佛教的轮回说所取代。

儒教的形成也曾借助大量的史前神话。儒教利用了神话意象得以形成的主体与客体之间所具有的难以解释的神圣性和神秘性因素。从邹衍提出的"大九州"说到五德终始说,从阴阳观念到占卜、谶纬和祯祥,以及对远古圣贤神异容貌的塑造,等等,都离不开史前神话。这也是《尚书中候》、《河图洛书》、《春秋元命苞》等纬书保留大量原始神话的原因所在。儒教对史前神话意象精神意蕴的渗透和改造,以阴阳互生、天人合一为基础的哲学思想影响最大。这一思想将人与自然之间说不清、道不明的神秘关系发挥到极致,认为任何自然现象都是对人道的确证,两者之间互为因果,相互影响,支配着人们对政治、人生和自然的理解与想象。

如果说佛教和儒家对史前神话意象体系的改造和利用具有选择性,那么道教对史前神话意象的改造和利用则具有鲜明的整体性。也就是说,在这些宗教中,道教全面、大规模地利用和改造了史前神话意象系统,建构了具有自身特色的宗教信仰体系。几乎所有的史前神话意象都曾遭到道教长生不死思想的渗透和改造,从原始宗教的神话意象转变为人为宗教的神话意象。道教神灵系统的形成经过了漫长的历史过程。在道教形成以前,神仙思想对史前神话意象的改造已有上千年历史。长生不死思想虽然不为道教所独有,但是利用长生不死思想建构宗教体系却是道教的独特之处。

根据史前神话意象的思想基础和基本类型,我们将道教的改造分为以下几个方面。首先是道教对史前神话中自然意象的利用和改造。史前神话中的自然意象有两类：一类是那些具有神奇功能和特征的动植物，另一类是兽形神灵。对于前者，道教将之看作是修行者的食物，《山海经》等所记述的那些金、玉和神奇植物，大多被改造为神奇的仙药。这在《抱朴子内篇》卷十一"仙药"、《海内十洲记》、《真诰》、《云笈七笺》等典籍中有详细记录。从各种记述看，苦行、磨难、励志式的修行行为对神仙道教的修道者们来说仅具有基础性意义，仙药的服用才是他们实现由凡入神的关键环节；有些人甚至不需要修炼而仅食用仙药就可以实现成仙得道之目的。对于后者，《山海经》中所记述的那些"乘之寿千岁"的神奇动物，也被神仙道教吸收成为得道者的坐骑，等等。

其次是神仙道教对史前神话中人生意象的利用和改造，由此形成了史前神话被大规模的仙话化。上述史前神话中的自然意象被利用和改造的情况也是与此有关。史前神话中人生意象被神仙道教利用和改造的，多为影响巨大的神人，比较典型的是黄帝、西王母、嫦娥、禹、舜等。因此，将神仙思想渗透其中，使神话人物转变为神仙人物，是道教对人生意象进行规模化改造的主要形式。应该说，不论哪种人为宗教都有系统的人生意象，神多是凡人经过一番磨难修行而成，对他们经历的记述形成了神们的传记，成神是他们的"成年礼"。在中国宗教中，除了佛教的《高僧传》和《续高僧传》等，道教的此类著作亦引人注目，其代表是刘向编撰的《列仙传》和葛洪编撰的《神仙传》。从这两本神仙传记可以看出，赤松子、黄帝等史前神话人物均被神仙化了。当然，神仙道教不仅要改造神话人物、塑造自我的权威，而且还创造新神，将历史上实有的现实人物神秘化和神仙化，以扩大自己的影响。在这个过程中，史前神话意象的精神意蕴被整体性改造，进而形成整体性意蕴衍生现象。

相对于政治和宗教对史前神话意象意蕴衍生的影响，哲学家对史前神话意象进行利用和改造的情况也是存在的。就中国哲学的情况看，儒家哲学和道家哲学与史前神话之间的关系是不同的，需要分别论述。儒教或儒家向来被看作是实践性、伦理性的宗教或学派，相对完整、系统、严密的哲学思想体系在原始儒家中尚处于潜在阶段。应该说，系统建构儒家哲学的应为宋代新儒家。在原始儒教那里，他们虽然有时候也借助史前神话意象来讨论、说明问题，流露出谶纬、祯祥思想，如凤鸟意象、三尾鸟意象、河图洛书意象、伏羲神农等远古帝王形象，但他们大多是在讨论道德伦理、社会人事的变异等问题，很少用来讨论哲学问题。在宋明理学和心学中，儒家哲学虽然也利用日、月等自然意象讨论哲学问题（如"月印万川"等），但神话意象几乎不见踪迹了。因而，相对于道家哲学对神话意象的利用，儒家哲学在这方面的特点不太明显。虽然儒家哲学也讲"道"，但与道家哲学中的"道"与神话意象之间的密切关系相比，儒家哲学中的"道"是具体性、实践性和伦理化的人道、政道等，而不是抽象的、逻辑的和形而上的"道"。

　　与儒家哲学和史前神话意象的疏离不同，道家哲学的建立具有深厚的神话基础。这有两种情况：一种情况是，哲学家将史前神话意象进行抽象，使之概念化，进而形成哲学概念。比如老子《道德经》中的"道"就是对史前时期的娲神、涡神崇拜等进行抽象和提炼的结果，因而整部《道德经》处处流露出那种难以言传却清晰可感的神秘氛围。有学者说："老子的《道德经》中到处都是简练的形象比喻，这些比喻对如何正确地度过人生提出了建议。而支撑这些形象比喻的是一种对神圣者——潜在于生命之下的神秘——的强烈意识。在中国文化中，存在于整个宇宙中的这个神秘者是用道这个词来象征的。老子经常用非同寻常的方式来使用这个象征，用它来超越地指向存在于日常生活中的神圣者的隐匿着的神秘。"①在这种情况下，通过对史前神话意象进行抽象和提炼而形成的哲学概念和范畴，在精神意蕴上与神话意象具有密切关联。另一种情况是，哲学家为了更好地表达自己的哲学思想，往往还选用神话意象进行说理和论证，如庄子对"象罔得珠"、"凿破混沌"等神话的运用。这时，神话意象就成为哲学观念的载体，其中所蕴含的精神意蕴虽然还保留部分原貌，但同时也就被哲学家的思想观念所侵占，进而发生意蕴衍生现象。与前

---

　　① ［美］蒙克等：《宗教意义探索》，朱代强等译，四川人民出版社 2011 年版，第 247 页。

两种情况相比,哲学家对神话意象的改造带有更多个人化色彩;哲学家对神话意象的选择面也是有限的,因而其意蕴衍生的整体性不如前两者那样显著。但由于哲学思想影响的持久性,这种意蕴衍生在时空上仍是具有很强的整体性。

第三节 九凤意象:神话意象意蕴衍生的典型个案

史前神话意象个体性意蕴衍生有两层含义:一是指某个神话意象在发展过程中,被不同时期人们的文化心理和价值取向所改造,其精神意蕴也随之丰厚、增殖,体现出不同的审美风貌和审美特征,这种意蕴衍生同时也反映出某种程度的集体性;另一层含义是指个体的文艺创作等活动对神话意象意蕴衍生所产生的影响。在这种情况下,神话意象所衍生的精神意蕴带有鲜明的个体性色彩,神话意象的文艺审美价值得以充分发扬。这两种情况时有交叉,需要具体分析。

这里,我们以"九凤"意象为例对第一种情况进行讨论。九凤意象在后世经过多次演变,从"见则天下宁"的吉神形象变为"九头鸟"、"鬼车"、"姑获鸟"等凶神恶灵形象,不仅形貌大变,而且逐渐由正面价值向负面价值转变,前后差异之大令人惊异,是研究史前神话意象个体性意蕴衍生的好例子。九凤的最初原型应为《山海经·大荒北经》所记述的"九凤":"大荒之中有山,名曰北极天柜,海水北注焉。有神,九首人面鸟身,名曰九凤。"从此处记载看,"九首人面鸟身"的九凤,神异奇特,不同凡响,处于北极天柜之山,是颛顼族崇拜的神灵。

这里从记载"九凤"的《大荒北经》入手,探寻与九凤相关的信息。《大荒北经》开篇云:

> 东北海之外,大荒之中,河水之间,附禺之山,帝颛顼与九嫔葬焉。……丘方员三百里,丘南帝俊竹林在焉,大可为舟。竹南有赤泽水,名曰封渊,有三桑无枝。丘西有沈渊,颛顼所浴。

这些记述是对《大荒北经》内容的整体概述,包含此地的物产、地域、神族及其统辖范围等内容。这里的记述是以"附禺之山"为核心而展开的。

这里是颛顼和他的九嫔的葬所。郝懿行注"附禺之山"云："《海外北经》作'务隅'，《海内东经》作'鲋鱼'，此经又作'附禺'，皆一山也。"①《海内东经》云："汉水出鲋鱼之山。帝颛顼葬于阳，九嫔葬于阴，四蛇卫之。"《海外北经》云："务隅之山，帝颛顼葬于阳，九嫔葬于阴。"从这些记述看，"附禺之山"、"鲋鱼之山"和"务隅之山"实为一山，是帝颛顼和九嫔所葬之地。由此可见，九凤应是颛顼族民所崇拜信仰的神灵，但九凤是否为颛顼九嫔魂灵所化则不得而知。颛顼又名高阳，是楚人的祖先，因此，九凤应为楚人神物。在楚地信仰中，人们习惯用"九"来指称各类神物，如《楚辞》中《九歌》、《九辩》等篇章，则延续了《山海经》的记述。此外，《楚辞》中还常用九天、九畹、九州、九疑、九坑、九河、九重等来指称各类地名。因此，楚地人对"九"的信仰和崇拜与九凤之间有承续关系。

我们还可以从"九"和"凤"在《山海经》中的使用情况来考察九凤的精神价值。在《山海经》中，人们赋予凤鸟以正面积极的价值取向，凤鸟的出现是天下安宁、人民幸福的表征，这说明九凤所代表的精神意蕴也具有凤鸟所表征的上述内容。此外，"九"也是我们理解九凤意蕴的关键密码。在《山海经》中，"九"字使用凡68次，除了29次用来表述所记地理的里数和《山海经》的卷数之外，其余皆是特指，如"九尾狐"、"九歌"、"九井"、"九首"、"九门"等。《山海经》凡用"九"字所描述的均是神物、神灵或圣地，都是神圣不可侵犯的，"九"成为神性的体现。《山海经》对与天帝有关地望和物事的记述，多与"九"有关。"九"是这些神圣之地、神物和神灵获得神秘力量的基础性因素。如《西次三经》所记昆仑之丘，"实惟帝之下都，神陆吾司之。其神状虎身而九尾，人面而虎爪。是神也，司天之九部及帝之圃时"；《海内西经》所记述的"海内昆仑之虚"为"帝之下都"，"面有九井，以玉为槛，面有九门，门有开明兽守之。……开明兽身大类虎而九首，皆人面，东向立昆仑上"；《海内经》所记述的"青叶紫茎，玄华黄实"、"百仞无枝"的建木，"上有九欘，下有九枸，其实如麻，

---

① 袁珂：《山海经校注》（增订本），巴蜀书社1993年版，第478页。

其叶如芒,大暤爰过,黄帝所为";等等。① 可以看出,在《山海经》中以"九"指称或描述的神灵和神物大多对人类是有益的,正面价值居多。从《山海经》对九凤与帝颛顼之关系的描写看,"九首人面鸟身"的九凤与人面虎身九首的开明兽比较类似。因此,九凤应是能够给天下人民带来吉祥、幸福的重要神灵,是人类的保护神,其精神意蕴有其特定指向。

与此不同,"九首人面鸟身"的凤鸟形象,在后世却发生了巨大变化,所蕴含的精神意蕴和审美倾向也发生了改变。首先,九凤的名称被改造为"九头鸟",在形貌上,凤鸟的特征消隐而被鸭(或鸡、猫头鹰等)所取代。《太平御览》卷927引《三国典略》云:"齐后园有九头鸟见,似鸭,而九头皆鸣。"②因古时"九"与"鬼"音同,九头鸟又名"鬼车",常在阴晦的晚间出没,飞行时常洒下血迹,恐怖异常。其次,九凤所具有的吉祥象征意蕴也消失无踪,九头鸟爱摄人魂魄、危害小孩,是恶神、凶神的代表。唐刘恂《岭表录异》卷中云:"鬼车,春夏之间,稍遇阴晦,则飞鸣而过。岭外尤多。爱入人家烁人魂气,或云九首,曾为犬啮其一,常滴血。血滴之家,则有凶咎。"③最后,除了形貌和名称的变化外,凤鸟所具有的清和悦耳的鸣叫声也演变为干涩沙哑的怪叫,听来令人毛骨悚然。唐段成式《酉阳杂俎·羽篇》记鬼车云:"秦中天阴,有时有声,声如力车鸣,或言是水鸡

① 《山海经》中以"九"进行描述的神物或神灵尚有《西次三经》:"西水行四百里曰流沙,二百里至于赢母之山。神长乘司之,是天之九德。"《中次三经》:"又东二十里曰和山。其上无草木而多瑶碧,实维河之九都。是山也,五曲,九水出焉,合而北流注于河,其中多苍玉。吉神泰逢司之,其状如人而虎尾,是好居于萯山之阳,出入有光。泰逢神动天地气也。"《中次十一经》:"又东南三百里曰丰山。……有九钟焉,是知霜鸣。"《海外西经》:"大乐之野,夏后启于此舞九代,乘雨龙,云盖三层。……龙鱼陵居在其北,状如貍。一曰鰕。即有神圣乘此以行九野。"《海外东经》:"青丘国在其北,其狐四足九尾。"《大荒东经》:"有青碧之国,有狐,九尾。"《大荒西经》:"西南海之外,赤水之南,流沙之西,有人珥两青蛇,乘两龙,名曰夏后开。开上三嫔于天,得《九辩》与《九歌》以下。此天穆之野,高二千仞,启焉得始歌《九招》。"《大荒北经》:"有神,人面蛇身而赤,直目正乘,其瞑乃晦,其视乃明,不食不寝不息,风雨是谒。是烛九阴,是谓烛龙。"

② (宋)李昉:《太平御览》,中华书局1960年版,第4123页。

③ 袁珂:《中国神话传说辞典》,上海辞书出版社1985年版,第13页。关于九头鸟的记述颇多,《荆楚岁时记》《齐东野语》《玄中记》《酉阳杂俎》等均有记载,此不繁引。

过也。"《杨升庵全集》卷八一《鬼车》云："周公居东周,恶闻此鸟",都强调了鬼车鸣叫声的难听和恐怖。

九凤意象演变为九头鸟,一方面应与魏晋时期荆楚等地鬼怪信仰的繁盛有关;另一方面,"九首"本身超出了人们的日常生活经验,成为神圣者的表征。在《山海经》中,"九首"或"九尾"的神物往往具有食人的凶残特性。《山海经》中所记述的"九尾狐"、"九头蛇"等亦具有凶神的特性,它们的出现往往会给人们带来灾祸。《南山经》所记九尾狐,"其音如婴儿,能食人",十分恐怖。①《海外北经》所记九头蛇相柳氏,其凶性厉害非常："共工之臣曰相柳氏,九首,以食于九山。相柳之所抵,厥为泽溪。禹杀相柳,其血腥,不可以树五谷种。禹厥之,三仞三沮,乃以为众帝之台。"②九首蛇身的相柳氏"食于九土",它所处的地方非辛即苦,不生五谷草木,是以禹将之杀死后建立"群帝之台"以镇之。天上十日并出时,尧使羿"杀九婴于凶水之上"(《淮南子·本经训》),高诱注云："九婴,水火之怪,为人害。"可见九婴也是九头怪兽(或怪蛇)。从这些记述看,"九首人面鸟身"的九凤,在特定的时代精神和信仰环境的影响下而被人们改造为凶残异常的"九头鸟",是有依据的。

从九凤意象到九头鸟意象的衍生历程可以看出:首先,史前神话意象本身所蕴含的精神意蕴是多方面的,其向哪个方面衍生往往会受到时代精神状况的影响或支配,但这种时代精神状况与其原始的精神底蕴总有一致之处;其次,史前神话意象的意蕴衍生往往伴随着形象衍生,人们在

---

① 九尾的青丘狐不仅是食人怪兽,同时也是祥瑞的象征。郭璞注《大荒东经》"有青丘之国,有狐九尾"云："太平则出而为瑞。"汉赵晔《吴越春秋》"越王无余外传"："禹三十而未娶,恐时之暮,失其制度,乃辞云:'吾娶也,必有应矣。'乃有九尾白狐,造于禹。禹曰:'白者,吾之服也,其九尾者,王者之证也。涂山之歌曰:绥绥白狐,九尾庞庞。我家嘉夷,来宾为王。成家成室,我造彼昌。天人之际,于兹则行。明矣哉!'禹因娶涂山,谓之女娇。"可见,九尾狐是凶神与吉神的统一体。传说狐狸每1000年才可长出一条尾巴,能生出"九尾"则要经过9000年。

② 禹杀相柳神话亦见于《大荒北经》："共工臣名曰相繇,九首蛇身,自环,食于九土。其所歍所尼,即为源泽,不辛乃苦,百兽莫能处。禹湮洪水,杀相繇,其血腥臭,不可生谷,其地多水,不可居也。禹湮之,三仞三沮,乃以为池,群帝因是以为台,在昆仑之北。"

将时代精神状况赋予史前神话意象的同时也会对神灵(或神物)的形貌、性能、名称等进行改造,使之与其所含蕴的象征意蕴相符合;最后,单个的史前神话意象在其意蕴衍生的过程中,往往还会吸收、借鉴其他具有此种象征意蕴的神灵或神物的某些特征,将之改造、重组形成新的神话意象。

除上述单个神话意象的意蕴衍生外,哲学家、文学艺术家往往也会借助神话意象展开自己的创作,将自我的情感和思想渗透到神话意象中,形成神话意象的个体性意蕴衍生现象。史前神话形成后,逐渐向哲学、艺术、文学、伦理和宗教等领域发展,而对神话意象进行个体性再加工的多是哲学、文学和艺术领域。政治领域和人为宗教也会对神话意象进行再创造,但这种再创造多具有整体性。在哲学领域,哲学家为了表达、阐述自己的哲学思想,往往会借助神话意象。这一点是中西皆同的,例如古希腊的柏拉图和中国的老子、庄子。在这个过程中,神话意象逐渐形成意义(或理念)与形象二分的结构模式,意义(或理念)在神话意象中占据核心位置。在中国哲学史上,"言意之辨"、"得意忘象"等是这种情况的发展。还有一种情况是神话向寓言的发展。先秦诸子中所记述的许多寓言故事都有史前神话背景,如"杞人忧天"就是以夏禹时期剧烈的地质活动为基础的,女娲神话中所记述的"天不兼复,地不周载"的末日景象也是对这些情况的记述。《韩非子》中所记述的"狐假虎威"故事,实际上与活物论时期产生的神话大致相同。但不同的是,这些寓言与神话的距离已十分遥远。在中国文化传统中,"寓言"与神话一样,都是一种言说方式,这一点在《庄子》中有过阐述。作为言说方式的寓言是通过虚构形象来论说道理,"理"是核心,而说"理"的形象仅具有工具式或中介性价值。因此,这种情况也属于神话意象意蕴衍生的情况。当然,寓言的形成既有集体因素也有个体因素,后来还有人专门创作寓言。这种情况与哲学家对神话意象的意蕴渗透比较类似。

文学艺术家也常借神话意象进行创作,如屈原的《离骚》和《天问》,曹植的《洛神赋》,以及唐宋诗词和明清小说对神话的运用等,而且这种创作具有更多的主观性和个体性,神话意象在文艺作品中仅具有原型价值,其本原性意蕴虽以潜隐的方式存在,有一定影响力,但作者所传达的情意更重要。比如,汤显祖《牡丹亭》"离魂"一折有一套《集贤宾》:

> 海天悠,问冰蟾何处泳。玉杵秋空,凭谁窃药把嫦娥奉?甚西风吹梦无踪!人去难逢,须不是神挑鬼弄。在眉峰,心坎里别是一般疼痛。

杜丽娘的唱词借用了嫦娥神话。嫦娥、蟾蜍、玉兔、明月等意象在这里所表达的是杜丽娘无可倾诉的忧郁寂寥之情,就像李商隐《嫦娥》诗云:"嫦娥应悔偷灵药,碧海青天夜夜心。"这些作品中的嫦娥形象与嫦娥神话本身所表达的或具有的意思已大相径庭。正是在这个意义上,鲁迅认为:"神话虽生文章,而诗人则为神话之仇敌。"就是说,神话意象经过文学家(诗人)的再创作后得以更广泛地流传,但其基始意蕴却随之逐渐消歇、隐退。有学者针对文学艺术家对神话意象的再创造从而形成神话的嬗变的情况说:"其表象,是神话的演变;其实质,则是因时代的不同而导致的带有群体共识意义的自然观、世界观、道德观、生命观、价值观、认识观的变异。上述变化,在文学上的表现是最鲜明和充分的。"①作者针对神话及其意象体系"带有群体意义共识"的嬗变特点的概括是比较准确的,但文学是否将之表现得"最鲜明和充分"却值得商榷。在这些情况的相互作用下,神话意象的精神意蕴变得丰富多样了,体现出神话意象的意蕴一致性原则和变动性原则。

第四节　职能与意象的叠加:神话意象在汉代的聚合

　　与神话意象衍生相伴而生的是神话意象的聚合问题。神话意象的衍生与聚合是史前神话意象在其发展、演变过程中所体现出的两种不同的表现形态。或者说,神话意象的聚合是神话意象衍生的特殊表现

---

① 李立:《神话视阈下的文学解读》,中国社会科学出版社 2008 年版,"前言"第 2 页。

形态。神话意象的衍生和神话意象的聚合一般不会单独出现,往往是交织在一起发生的。神话意象的衍生过程同时也就是神话意象的聚合过程。这里虽将两者分开论述,但仍是建立在两者合体共生的关系基础之上的。

神话意象的聚合是神话意象发展到一定阶段之后的产物,在神话思维发展的第一阶段的早期阶段不能出现神话意象的聚合。神话意象的聚合分为两种类型:一种是横向聚合,另一种是纵向聚合。所谓"横向聚合",指的是神话意象本身的形成过程及其特点。在史前神话意象的发展过程中,最早出现的自然意象(尤其是自然意象Ⅰ)往往还是动植物形象本身,它们被原始先民崇拜,具有神性,但其形象还未出现聚合。从自然意象Ⅱ开始,神话意象开始出现聚合现象。这时,神话意象不再是单纯的某一种动植物形象,而是出现了多种动植物乃至人类的某些特征的合体形象。前文所论述的神话意象的异体合构及其不同的表现形式都属于神话意象的横向聚合。这里主要论述史前神话意象的纵向聚合问题。神话意象衍生过程中的纵向聚合可分为职能叠加式聚合和意象叠加式聚合两种基本形式,下面分而述之。

关于神话意象衍生过程中的纵向聚合问题,汪裕雄的论述值得重视。汪裕雄是将神话意象的聚合与神话意象的衍生放在一起论述的,认为神话意象的聚合是神话意象衍生的特殊形式,其主要特点通过神灵职能的叠加体现出来。也就是说,随着神话意象的发展,不同神灵的职能有向同一神灵聚合的发展趋势。在这方面,汪裕雄举出女娲在后世神话结构中地位不断衰落和黄帝地位不断升高的例子来证明这个问题。他认为,在这个过程中,不仅女娲的神职有很多被黄帝侵占,而且黄帝还不断侵占神农氏的医药发明权、蚩尤作兵权、仓颉造字权等,于是人们不断将历史的物质文化与精神文化的发明创造,归功于黄帝。① 这种情况就是神话意象的"纵聚合现象"。这种聚合可称为"职能叠加"式聚合。汪裕雄认为,神话意象的纵聚合原则,最基本特征是"一些神话原型(最基本的意象)

---

① 参见汪裕雄:《意象探源》,安徽教育出版社1996年版,第80—85页。

及其所体现的神话基本母题,是不发生改变的。在纵向的历史发展过程中,它可以附增,可以生枝添叶,但不论纳入何种结构,涵意不论如何扩展,它仍要回到原点,显示其基始的意义"①。也就是说,神话意象在其发展演变的过程中,是其所具有的"基始意义"在维持着其发展演变的连续性和完整性。

在汉代,史前神话意象的职能叠加式聚合现象主要通过人生意象体现出来。有些自然意象在不同的神话结构中也具有不同的职能,但这些职能称为"功能"应更合适。而且,这些"职能"往往与自然意象本身所具有的特征密切相关;在不同的神话结构中,其某一特征所具有的"职能"是不同的。在史前社会,那些为人类社会的发展作出重大贡献的历史人物往往被人们尊为神灵。伏羲、女娲、神农氏、有巢氏、尧舜禹等远古帝王具有神人相兼的身份。从相关记述看,对他们伟大历史功绩和高尚品格的记述是整个神话的主要内容。但在史前社会,与人类历史和日常生活密切相关的实践活动是极为有限的,主要集中在衣食住行的发明创造、婚嫁人伦的礼仪制定以及乐舞绘画的创制等方面。在这种情况下,必然会出现神职叠加的情况。这些神人多是不同部落所祭祀崇拜的祖先神灵,而那些与人类生活密切相关的实践活动对于每个部族来说是基本相同的,因而会出现神职相互叠加的情况。此外,神灵地位的高低与社会环境的变化也有密切关系。夏、商、周等不同时代所祭祀的祖神是不同的,人们在确定了自己的祖神后多有对其进行再创造的情况,进而把一些本不属于本部族祖神的发明创造权附加到自己部落的祖神身上。

对于这个问题,顾颉刚的"古史神话层累观"可作出解释。按照顾颉刚的观点,越是晚出的神话人物,在古史上反而越被排在前面,这样,"古史是层累地造成的,发生的次序和排列的系统恰是一个反背"②。正是在这种情况下,那些晚出的神话人物由于经过了更多后世人为的塑造,往往

① 汪裕雄:《意象探源》,安徽教育出版社1996年版,第82页。
② 顾颉刚:《答刘胡两先生书》,《古史辨》第一册,上海古籍出版社1981年版,"自序"第52页。

具有更多神职,其典型代表是黄帝。从名称上看,黄帝又被称为"上帝",这样一个模糊的称号更容易让人们将其他天帝的功业附加到他的身上;而他的晚出,又更容易实现上述目的。所以有学者说:"这种纵聚合的衍生,为中国神话塑造出了一个'文化之帝'即中华'人文初祖'的天帝形象。中国古代神话用'文化之帝'黄帝来完成'五方帝'模式,也意味着天神谱系的终结,因为'文化之帝'一经出现,其余一切天帝,再也没有诞生的必要了。"①有学者从"黄"、"帝"二字的演变过程和相关文献记载入手,认为"黄帝乃古代之生殖神,黄帝二字当是古代生殖崇拜的文字记录",因此"黄帝是原始宗教中的生殖神,是女性。也就是说,她是母系氏族社会的产物"②。这种观点,一方面指出了黄帝从自然神向至上神演变的基本情况,揭示出黄帝的原初面貌;另一方面,从黄帝的演进过程,我们也可看出神话意象所承担职能不断叠加的情况。总之,职能聚合现象多发生在人生意象身上,黄帝是这种情况的代表。

综上,史前神话意象衍生过程中的职能叠加式聚合现象主要表现为,本为多个神灵所具有的神职功能逐渐向某几个乃至一个天神身上聚合。这种情况的出现既与人类生活的基本问题密切相关,同时也是统治阶层不断塑造的结果。神职的最终聚合、统一,在某种程度上说明远古帝王神话系统走完了其发展历程。在此过程中,自然意象同时也发生着纵聚合现象,从而使整个神话意象系统体现出更加互动、严密的特点。这种情况存在的普遍性要远超过人生意象的神职叠加式聚合,以至于人们对这种现象的存在视而不见了。

第五节　珠、玉意象:神话意象的叠加式聚合

神话意象纵向聚合的发生,除了神职功能叠加式聚合外,还有一种形式,即"意象叠加式聚合":在史前神话意象的衍生过程中,一方面,自然

---

① 汪裕雄:《意象探源》,安徽教育出版社 1996 年版,第 86 页。

② 叶林生:《古帝传说与华夏文明》,黑龙江教育出版社 1999 年版,第 170 页。

意象本身所具有的多样性能在不同的神话结构中具有不同的功能，由此使更多的神话意象之间产生联系，这样，神话意象之间的内在意蕴关联就越发密切；另一方面，在史前神话结构（或某一神话体系）中占据主导的神话意象以其强大的精神统合力量为基础，使其他神话意象逐渐向自己靠拢进而形成意象众多的神话意象群。意象叠加式聚合出现的原因和形态是多样的，需要深入分析。

首先，意象叠加式聚合的出现与组成神话意象群的单个意象之间的本原性联系有密切关系。很多神话意象之所以能够聚合在一起，形成神话意象群，其根本原因在于这些神话意象之间具有本原性或本质性的意蕴关联。这种情况的出现，往往与神话意象的自然原型和基始意义有密切关系。比如，在中国神话中，珠、玉意象与水意象往往同时出现，进而形成以水意象为核心、以珠意象和玉意象为主干的神话意象群。《韩诗外传》云："水之精为玉，土之精为羊"，指出了玉与水之间的原型关系。《山海经》还多次提到"水玉"，如《南山经》"堂庭之山……多水玉，多黄金"，《西山经》"丹水出焉，东南流注于洛水，其中多水玉，多人鱼"，《中次四经》"浮濠之水出焉，而西流注于洛，其中多水玉，多人鱼"，等等。据统计，《山海经》提到"水玉"凡 8 次，而提到水玉的地方均多蛟龙、人鱼等奇异之物。除了玉与水之间的原型性联系外，珠与水之间也具有这样密切而神奇的关系。这与珍珠往往生于水中有关，同时也反映出水的润物、化生功能。《大戴礼记·劝学》所谓"渊生珠而岸不枯"，即说明珍珠因生水中而具有水的润泽功能。这方面的例子还有很多：

古史云，震蒙氏之女窃黄帝玄珠，沉江而死，化为奇相，即今江渎神也。[1]

南海之外有鲛人，水居如鱼，不废织绩。其眼泣，则能出珠。[2]

（吠勒国人）乘象入海底取宝，宿于鲛人之舍，得泪珠，则鲛所泣

---

[1] 袁珂：《中国神话传说辞典》，上海辞书出版社 1985 年版，第 226 页。

[2] （晋）干宝：《搜神记》，见《汉魏六朝笔记小说大观》，上海古籍出版社 1999 年版，第 374 页。

之珠也,亦日泣珠。①

这些记述说明,珠与水之间具有本原性联系。与此相关,与珍珠意象一同出现的,往往也是生活于水中的神物(如龙),"龙珠"意象实际上是"龙"与"珠"两个意象的合体,所以《庄子·列御寇》云:"夫千金之珠,必在九重之渊而骊龙颔下。"②王嘉《拾遗记》卷二记载,大禹治水龙门之时,至一石穴,禹负火而进,有一如猪的神兽衔着一颗夜明珠在前面引路,到洞穴底部时,禹看见一位"蛇身人首"的神人华胥之子,而华胥为"九河之神",是以这位华胥之子能拥有"其光如烛"的夜明珠。清代学者屈大均《广东新语》卷十五记载了一个奇异故事,也能说明龙与珠之间的一体性关系:"合浦人有得一龙珠者,不知其为宝也,以之易粟。其人纳之入口中,误吞之,腹遂胀满,不能食。数数入水,未几,遍体龙鳞,遂化为龙。所居室陷成深渊,故今谓之龙村。"③人误食龙珠变成龙,他的居所也变成深渊。龙与珠之间一体性关系的形成,既与水化生万物的功能密切相关,也与露珠有关,因为晶莹剔透的露珠与珍珠比较类似,体现出神话思维的相似性原则。《洞冥记》卷一记载:"元光中,帝起灵寿坛,坛上列植垂龙之木,似青梧,高十丈,有朱露,色如丹,汁洒其叶,皆成珠。其枝似龙之倒垂,亦日'珍珠树'。"④垂龙之树上的红色露珠洒在树叶上都变成了珍珠,而且这棵树实际上是龙的化身。《庄子·天下》所记"象罔入水得珠"的神话也说明了水与珠之间的本源性联系,因为象罔本就是水精。《国语·鲁语下》曰:"水之怪,龙、罔象。"可见,在这些神话意象中,水的统合作用异常重要。在神话时代,水在自然属性上能化孕万物,由此引起人们对水的崇拜,那么生于水中的龙与珠(或者龙珠)同时也就是神异之物,

① (汉)郭宪:《洞冥记》,见《汉魏六朝笔记小说大观》,上海古籍出版社1999年版,第128页。

② 这则典故出自《庄子·列御寇》:"河上有家贫恃苇萧而食者,其子没于渊,得千金之珠。其父谓其子曰:'取石来锻之!夫千金之珠,必在九重之渊而骊龙颔下,子能得珠者,必遭其睡也。使骊龙而寤,子尚奚微之有哉?'"

③ 袁珂:《中国神话传说辞典》,上海辞书出版社1985年版,第119页。

④ (汉)郭宪:《洞冥记》,见《汉魏六朝笔记小说大观》,上海古籍出版社1999年版,第125页。

所以后世关于龙珠的神话都离不开水意象。《拾遗记》卷四所记的"销暑招凉之珠"也反映出珠生于水、属阴性的特征。① 这些神话意象之所以能发生聚合现象,与水作为万物之本原、属阴性的观念有关。《管子·水地》云:"是以水者,万物之准也,诸生之淡也,违非得失之质也,是以无不满无不居也。集于天地而藏于万物,产于金石,集于诸生,故曰水神。"②这样,水就从其自然属性上升到精神属性。这一具有基原性质的精神意蕴,影响、支配着人们对与之相关的神话意象的设计和描述。

其次,神话意象的原初意蕴还存在反向发展的情况。在这种情况下,许多看似无关的神灵或神物形象也会被凝聚在一起,从而形成神话意象的聚合现象。神话意象的原初意蕴具有延续性和稳定性,它是神话意象在衍生过程中不断聚合的凝聚力,所以女娲意象无论在后世神话中如何变化,她所具有的生殖、化生等功能始终存在。与此相反,神话意象的原初意蕴(或基始意义)是一个相对的概念,因为史前神话意象中的精神意蕴往往是综合性的,我们所观察到、所理解到的固然是其所固有的,但并不一定是其全部内涵。一方面,随着人类对自然和社会认识的不断深入,神话意象本身所蕴含的这种"基始意义"还存在不断分化的情况。这种分化,有时是同向延续,有时却是反向延伸,这种"相反相成"、"因果互置"的情况在神话意象中大量存在。另一方面,构成神话意象的自然物象本身的性能和形态是多种多样的,与其性能和形态相关的其他事物更是多种多样的,因此,在其他的神话意象结构中,同一意象就可能具有不同乃至相反的"基始意义"。

例如,上文所说的"珠"意象,它与水密切相关,属于阴性,但在其他神话中其性能却向阳性发展,具有火的属性,与人们对火的崇拜交织在一

---

① (晋)王嘉《拾遗记》卷四:"此珠色黑如漆,悬照于室内,百神不能隐其精灵。此珠出阴泉之底,阴泉在寒山之北,员水之中,言水波常圆转而流也。有黑蚌飞翔,来去于五岳之上。昔黄帝时,雾成子游寒山之岭,得黑蚌在高崖之上,故知黑蚌能飞矣。至燕昭王时,有国献于昭王。王取瑶漳之水,洗其沙泥,乃嗟叹曰:'自悬日月以来,见黑蚌生珠已八九十遇,此蚌千岁一生珠也。'珠渐轻细。昭王常怀此珠,当隆暑之月,体自轻凉,号曰'销暑招凉之珠'也。"

② (清)戴望:《管子校正》,《诸子集成》第五册,中华书局2006年版,第236页。

起,属于阳性。这与珠能发光的特性有关。《拾遗记》卷四:"不逾一年,王母果至,与昭王游于燧林之下,说炎帝钻火之术。取绿桂之膏,燃以照夜。忽悠飞蛾衔火,状如丹雀,来拂于桂膏之上。此蛾出于员丘之穴。穴洞达九天,中有细珠如流沙,可穿而结,因用为佩,此是神蛾之火也。"①这里所述的像流沙一样的小珠子是火的化身,属阳性,与上文所述珠属阴性的情况正好相反。这与珠的形态特征密切相关。有学者说:"珠是圆形,闪闪发光,这使先民很自然地联想到天上的太阳、联想到它的发光功能。神话中有关珠的记载,往往着力渲染它的光彩亮度。……先民以朴素的直观面对世界,作为感觉对象的太阳、光亮、火,在他们看来属于同类物,被整理在一个系列中。……这样一来,珠就成为阳刚的象征物,并且和同属阳刚的飞鸟相配,创造出凤鸟吐珠一类的神话。"②除了珠能发光继而与凤鸟、阳性产生意蕴关联外,珠光滑的表面、圆润的线条,还使人们产生长生不死的想象,因而珠也被认为具有治病驱邪之功效。人们常将药物做成珠丸状,与此不能说没有关系。③ 因此,我们说,神话意象的"基始意义"是一相对的概念,每一个神话意象的"基始意义"需要结合具体情况加以分析。正是这种多样性的"基始意义"在神话意象的衍生过程中不断发挥其统合作用,将许多看似不同的神话意象凝聚在一起,形成神话意

---

① (晋)王嘉:《拾遗记》,见《汉魏六朝笔记小说大观》,上海古籍出版社 1999 年版,第 519 页。

② 李炳海:《古代的水火崇拜与神话中的珠玉意象》,《中国文化研究》2003 年秋之卷,第 13 页。"凤鸟吐珠"神话屡见于汉画像中,《拾遗记》亦多有记述。《拾遗记》卷四:"昭王坐握日之台参云,上可扪日。时有黑鸟白头,集王之所,衔洞光之珠,圆径一尺。"卷十:"有鸟如凤,身绀翼丹,名曰'藏珠',每鸣翔而吐珠累斛。仙人常以其珠饰仙裳,盖轻而耀于日月也。"

③ 《山海经·东山经》:"葛山之首,无草木。澧水出焉,东流注于余泽。其中多珠蟞鱼,其状如肺而有(四)目六足,有珠,其味酸甘,食之无疠。"《洞冥记》卷三:"有凤葵草,色丹,叶长四寸,味甘,久食令人身轻肌滑。赤松子饵之三岁,乘黄蛇入水,得黄珠一枚,色如真金,或言是黄蛇之卵,故名蛇珠,亦曰销疾珠。语曰:'宁失千里驹,不失黄蛇珠。'"《拾遗记》卷二:"舜葬苍梧之野,有鸟如雀,自丹州而来,吐五色之气,氤氲如云,名曰凭霄雀,能群飞衔土成丘坟。此鸟能反形变色,集于峻林之上。在木则为禽,行地则为兽,变化无常。常游丹海之际,时来苍梧之野。衔青砂珠,积成垄阜,名曰'珠丘'。其珠轻细,风吹如尘起,名曰'珠尘'。今苍梧之外,山人采药,时有得青石,圆洁如珠,服之不死,带者身轻。故仙人方回《游南岳七言赞》曰:'珠尘圆洁轻且明,有道服者得长生'。"

象的聚合。不论是神话意象的整体性聚合还是单个神话意象的个体性聚合,这种情况都是存在的。

最后,意象叠加式聚合通常是以一种核心意象为主导、以多种意象为辅助的形式出现的。在这种情况下,经过民族之间的融合和文化心理的整合等历史进程的洗礼,主导意象的精神意蕴(或象征内涵)将其他神话意象的精神意蕴(或象征内涵)吸收、容纳到自我的体系结构中,进而形成新的神话意象或神话意象群。这种经过整合而成的神灵或神物形象往往凝聚着整个民族的精神力量和价值观念,内涵十分丰富。因此,神话意象不断叠加的过程同时也就是其精神意蕴不断增殖的过程。在时间上,这类神话意象相对产生较晚,它们各组成部分虽保持着基始意义,但人为内容也增加不少,有时还存在不少附会成分。

这种形式有两种情况。一种是在一个主导意象的基础上,聚合诸多神灵、神物的显著特征而成一种新的神话意象。这方面,中国的龙、凤意象是典型代表。比如龙,有学者说它是一个象征系统,"它由众多的图腾糅合形成了巨大的形象,而每一部分形象的取舍,都是由民族的审美心理在驱动、支配着的,每一部分都有其象征意义存在。简单地说,它的象征意义是:牛头,象征勤苦、忍从、拼斗,代表农耕文化;猪嘴,象征食欲,代表口食文化;蛇身,象征性欲,代表性文化;鱼鳞,象征多子欲望,代表生殖文化;龟颈,象征长寿欲望,代表养生文化;马鬣,象征功业欲望,代表英雄文化;鸟爪,象征权力欲望,代表'官本位'文化;羊须,象征心性善良;鹿角,象征君子风范;狗形,象征忠实品格"①。作者的解释和做法,有些地方还可商榷——比如,其指导思想是用西方美学常用的"象征"来解释神话意象,将龙的蛇形看作是性欲的象征,等等——但大体上还是符合实际情况的。龙意象的形成是华夏民族长期历史发展过程的缩影,也是华夏民族精神品格的缩影。这种综合性的龙比较晚出。在早期文化中(如红山文化出土的玉龙),中国龙的形象比较单纯,有些猪头蛇身的样子,造型简

① 刘毓庆:《图腾神话与中国传统人生》,人民出版社 2002 年版,第 15 页。

洁、牛、狗、马等动物的特征还未统合在一起。这说明,龙意象的形成是一个长期的意象叠加过程,同时也是一个意蕴和内涵不断增殖的过程。凤意象的形成大致也是这样。

　　另外一种情况是以某种意象为主导,其他具有与之相同或相近精神意蕴的神话意象不断聚合到其周围,形成一个神话意象群。这时神话的情节随之增多,内容逐渐丰富起来。这方面,嫦娥神话是个典型例子。嫦娥的原型是《山海经·大荒西经》所记之"常羲":"有女子方浴月,帝俊妻常羲,生月十有二,此始浴之。"实际上,在常羲之前,主掌日月的乃同一神人,她就是《大荒南经》所记述的"羲和":"东南海之外,甘水之间,有羲和之国,有女子名曰羲和,方浴日于甘渊。羲和者,帝俊之妻,生十日。"这里说羲和是帝俊之妻,是太阳的母亲,与常羲作为帝俊之妻、是月亮的母亲似乎具有相等身份。事实并非如此。郭璞注云:"羲和盖天地始生,主日月者也。故《启筮》曰:'空桑之苍苍,八极之既张,乃有夫羲和,是主日月,职出入,以为晦明。'又曰:'瞻彼上天,一明一晦,有夫羲和之子,处于旸谷。'"[1]因此,羲和在开始时具有地母神身份,是日、月共同的母亲,是母系氏族时代的产物。之后,羲和主掌日月功能一分为二,形成了羲和和常羲两位女性神祇,而且她们均成为男性天神帝俊的妻子。此后,羲和太阳神的身份象征逐渐被三足乌取代,隐而不彰;而常羲与月亮之间的密切关系却逐渐获得世人认可,并聚合一系列与其有关的神话意象。这种情况的出现与下列原因有关:人们从月属阴性、能自行圆缺("死则有育")等特征出发,引申出月亮具有长生不死的属性。由于上古时期音转现象的发生,常羲逐渐具有多个名字,名称变多,与之相关的神话故事和神话意象也随之增多,可称为"嫦娥神话意象群"。

　　这个神话意象群的形成,经过了这样几个阶段。首先,嫦娥的名称发生变化。袁珂根据上古语音演变的情况,认为《世本·帝系篇》、《太平御览》卷三七三引《王子年拾遗记》和《吕氏春秋·勿躬》等文献中所记述的

---

　　① 　(清)郝懿行:《山海经笺疏》,巴蜀书社 1985 年影印还珠楼刊本,第 6 页。

"姮娥"、"常仪"、"嫦娥"等都是常羲音转所形成。① 从常羲转为嫦娥,除音变的原因外还有其他原因,那就是常羲从天帝之妻变为人间女子。② 嫦娥与月亮发生联系,自然是因为她本就是月亮母亲的缘故。第二个阶段,常羲落入人间后,首先与嫦娥发生联系的是羿,其连接点为"不死药"。在《山海经》"海外南经"、"大荒南经"中,羿是射杀凿齿的英雄;在《淮南子·本经训》中,羿是尧的臣子,受尧的旨意诛杀野兽、上射十日,成为人们拥戴的英雄。在这些记述中,羿与嫦娥之间尚未发生联系。尧死后,舜(即帝俊)继位,而帝俊是十日的父亲,这样羿因射日的缘故而被贬凡间,成为凡人。③ 在这种情况下,才有羿向西王母求不死药的事情。《淮南子·览冥训》:"羿请不死之药于西王母,姮娥窃以奔月,怅然有丧,无以续之。"高诱注云:"姮娥,羿妻;羿请不死之药于西王母,未及服食之,姮娥盗食之,得仙,奔入月中为月精。"④这样西王母、不死药、嫦娥、羿、三青鸟等意象开始结成一体。在这个过程中,"不死药"具有重要作用,是它将本不属于同一神话系统的意象连接在一起了。第三个阶段,蟾蜍、兔子、桂树等意象亦被聚合在嫦娥身边,形成"蟾蜍食月"、"玉兔捣药"、"吴刚伐桂"等神话。屈原《天问》曰:"夜光何德,死则又育? 厥利维何,而顾菟在腹?"从屈原的诗句可以看出,蟾蜍与月亮发生关系,很大程度上是因为月亮"死则又育"的神奇性质。蟾蜍与月亮联系在一起,一

---

① 参见袁珂:《中国神话传说辞典》,上海辞书出版社 1985 年版,第 304、354 页。

② 这里有个环节尚不清楚,即嫦娥是如何成为羿的妻子的。嫦娥本是常羲,她如何从天上被贬到人间,这一故事还不明确,有待进一步研究。袁珂在《中国神话传说》中直接说嫦娥是羿的妻子,又说嫦娥的被贬人间是受到羿的牵连。

③ 《楚辞·天问》:"羿焉彃日? 乌焉解羽? ……冯珧利决,封豨是射。何献蒸肉之膏,而后帝不若?"王逸注云:"后帝,天帝也;若,顺也;言羿猎射封豨,以其肉膏祭天帝,天帝犹不顺羿之所为也。"据袁珂考证,这里所说的"天帝"就是帝俊,因此羿被贬凡间,与其射日有关。羿射杀野猪祀帝俊,但帝俊没有原谅他。无奈之下,羿只有向西王母求救。嫦娥窃药奔月后,羿只得独自一人在人间生活,并收了一名弟子,名为逢蒙,后来逢蒙学成后将羿杀死。《孟子·离娄下》:"逢蒙学射于羿,尽羿之道,思天下惟羿为愈己,于是杀羿。"《淮南子·诠言训》:"羿死于桃棓。"许慎注:"棓,大杖,以桃木为之,以击杀羿,由是以来,鬼畏桃也。"《淮南子·论训》:"羿除天下之害,而死为宗布。"高诱注:"今人室所祀之宗布是也。"

④ (汉)刘安:《淮南子》,高诱注本,《诸子集成》第七册,中华书局 2006 年版,第 98 页。

般有以下四种看法:一是蟾蜍为嫦娥所化①;二是认为蟾蜍食月②;三是认为月是阴,蟾蜍是阳,蟾蜍与月结合是阴阳调和③;四是认为月与蟾蜍结合在一起是生殖崇拜的象征遗迹,"人类因月而寄托的不死观念是一种通过母神生育而实现的种族不死的象征原型"④。无论上述哪种看法,均与月"死则又育"特征有关。相传兔子能感月而孕,且兔子的生育繁殖能力极强,因而也被聚合在月亮意象周围,并以嫦娥宠物的身份出现在神话中;而且人们认为,玉兔在月中还有捣药的事情做,它捣的是不死药。此外,与月亮密切相关的自然意象还有桂树。这是因为桂树是制作不死药的上好材料,而且桂树盛于秋,与中秋之月联系密切。可见,嫦娥意象群的形成有一个由简到繁、由少至多的发展过程。在这个过程中,《山海经》中所记述的"常羲浴月"神话作为基本框架一直存在,两者之间的密切关系不曾发生改变,嫦娥奔月实际上也就是一个重回月宫以建立人、月合一关系的神话过程。而在整个神话意象群形成过程中起到核心凝聚力的就是月亮"死则又育"的特征。在这一核心思路的统领下,自然意象、人生意象不断聚合、叠加、增殖,其他自然物象也因其自身所具有的相关属性而与之发生意蕴关联,组成具有内在联系的神话意象群。

综上,史前神话意象在汉代经历了翻天覆地的变化,神话意象的体系结构和内在意蕴均出现了前所未有的重组和衍生。这是一个长期的动态发展的历史过程,具有多种表现形式。神话意象的形象衍生和意蕴衍生在不同的层面上不断进行着,神话意象所蕴含的精神意蕴既保持着稳定

---

① 张衡《灵宪》:"羿请不死之药于西王母,姮娥窃之以奔月。将往,将往,枚筮之于有黄。有黄占之,曰:'吉。翩翩归妹,独将西行,逢天晦芒,毋惊毋恐,后且大吉。'姮娥遂托身于月,是为蟾蜍。"

② 司马迁《史记·龟策列传》:"日为德而君临天下,辱于三足之乌;月为刑而相佐,见食于虾蟆。"《淮南子·说林训》:"月照天下,蚀于詹诸。"高诱注:"詹诸,月中虾蟆,食月。"

③ 《太平御览》卷4引刘向《五经通义》:"月中有兔与蟾蜍何?月,阴也;蟾蜍,阳也,而于兔并,明阴系于阳也。"徐坚《初学记》卷1引《春秋元命苞》:"月之言阙也,而设蟾蜍与兔者,阴阳双居,明阳之制阴,阴之依阳。"

④ 关长龙:《中国日月神话的象征原型考述》,《浙江大学学报》2003年第3期。

性和连续性,又与特定的时代精神相融合,体现出增长性、发展性和变动性相统一的特点。在这个过程中,神话意象所蕴含的基始性意义具有统摄性力量,而新的时代精神诉求也在其基础之上得以表现,实现两者之间的有效融合,进而在神话意象不断衍生的同时出现神话意象向某一核心意象凝聚的现象。在日渐发展的审美意识的促动下,史前神话意象在汉代出现整体审美风格的变化,从朴拙原始走向精致明丽,反映出人们新的审美意识。

结　语

全面梳理、总结和概括汉代审美意识的内容、特点及其对后世审美意识和美学思想的影响,永远是一个"未竟"的难题,因为它的内容太丰富,它对后代的影响太深远,它抵抗一切理论性和概念式的解读。因而,本书对汉代审美意识的概略性描述和总结只能是这个庞大而持久的工程的一个部分而远非结束。即使如此,我们仍有必要对此问题进行一个简要的小结,为后来的讨论奠定一点基础。可以看到,两汉四百年间的审美意识内容是丰富多样的,变化发展的轨迹是明显的:汉代审美意识接续了春秋战国时期的审美意识,其雕塑、绘画、音乐、文学等都是对此前相关艺术形式的继承和发展,使战国中后期兴起的审美意识获得了极大推广,同时以生活化为基质的审美意识得以形成,以丽美为基本特征的汉代艺术取得了巨大成就,中华民族的文化基础和审美传统变得更加坚实。这里,我们选用物质性(Materiality)、视觉性(Visuality)和主体性(Subjectivity)三个关键词,即我们研究过程中不时遇到的主要问题,对秦汉时期的审美意识问题作一总结。

一、物质性:物质文化与日常生活

在人类活动和社会环境中,任何物品都会在物理属性的基础上衍生众多的精神属性,进而成为各种社会关系和秩序的载体。如同在绪论中所论述的那样,各种物质形式既是社会关系和文化的产物,同时也是审美意识的重要载体。各种研究表明:离开物质载体,作为时代精神和个体生命体验结晶的审美意识便无法实现和留存,不同主体的审美意识也无法获得交流的途径,因此,"物质性"理应成为审美意识研究的基础视点。

杰西卡·罗森引用丹特的话说:"既定物品不但产生了对等的责任义务,并标志出社会地位。这一社会人类学的观点,对物品维持社会关系及管理文化秩序的能力,予以相当程度的重视","物质性的研究作为一个正在发展的理论方法,试图强调不同文化及其特定习俗的物质特征。在该话语中,一件艺术品或人工制品的物质性存在,被视为在社会及宗教生活中使用它的人群建构或传播其文化的一个积极组成部分"。① 罗森等人对物质性研究方法在揭示社会秩序和关系方面的重要性进行了深刻阐述,对于审美意识研究来说,情况也是这样:精神性的审美意识同样需要物质形式予以传播,并对其他人群产生持续性的影响,同时以审美的中介性为基础使各种意识形态内容在审美的推动下广泛传播。

　　两汉四百年间创制的物质文化蔚为大观,它所承载的包括审美意识在内的精神内容至今仍未得到全面、系统的整理。孙机编纂的《汉代物质文化图典》从一个侧面展示了它的成就。其"宏大"不仅体现在数量庞大、门类众多,更体现在它所蕴含的精神价值的丰富性和多样性。在前文的考察中,除了在论述汉诗和汉赋时我们主要依赖了传世文献之外,其他各章几乎都在使用近年来考古出土的墓葬资料,这些资料包括雕塑、绘画、建筑、器物等,它们几乎成为汉代审美意识的主要载体,而且它们无一例外几乎都与墓葬有关;在讨论汉代神话意象的演进过程时,我们也使用了很多墓葬资料。这种情况说明,要全面把握秦汉时期审美意识的整体面貌和构成,必须依靠这些资料。这种研究方法虽然在 20 世纪初已由王国维提出并实践,宗白华、李泽厚等前辈学者在美学研究领域也使用过这一方法并形成丰富的研究成果,但毋庸置疑,当下美学研究需要在这方面作出更多的努力。因为相比较以文字形态保存下来的美学思想,人类的审美意识内容丰富多样,它们更多是以物质文化的方式保留下来的,需要我们进行深入的总结和提炼。对于汉代美学研究来说,情况也是这样。

　　实际上,汉代物质文化的兴盛是两汉期间社会生活繁荣昌盛的缩影。

---

　　① ［英］杰西卡·罗森:《祖先与永恒:杰西卡·罗森中国考古艺术文集》,邓菲等译,生活·读书·新知三联书店 2011 年版,第 109 页。

这些物质文化更多地记录、展现了两汉时期人们在政治、娱乐、教育、伦理、宗教等领域中的生活状态，以及在这种生活状态中所蕴藏的审美趣味、伦理原则、人生的理想追求和价值评判原则——它们真实反映了两汉时期人们的精神世界。可以看到，两汉社会是日常生活繁盛的社会，无论是精英阶层还是普通民众，人们对自己的日常生活充满了兴趣，以至于要通过各种方式和手段将自己的生活复制下来，以供自我和子孙后代无限观赏；他们甚至将日常生活上升到宗教信仰的高度，不惜花费重大的物质代价来记录、表现它们。事实上，他们也确实是这样想的和这样做的：墓葬中呈现的这一时期的生活画面不仅仅是所有者本人生活的记录，同时也是同一时期人们生活中共有的内容，也因如此，在如此众多的墓葬资料中我们才发现了大量在题材、图像、设置等方面高度一致的内容——日常生活由此被礼仪化和神圣化，乐享日常生活成为一种审美活动，或者说，美就孕育在日常生活中，日常生活本身就是美的。因此，主体无须对琐碎、平庸的日常生活进行否定，然后设置一种虚幻的超越空间作为灵魂的居所，将日常生活礼仪化从而将之永恒化，日常生活本身就成为超越的领域。否则，我们无法找到更合理的理由来解释汉代人为何要花费如此巨大的人力、物力来建构已成过去的看似琐碎的日常生活。以众多物质文化为载体的日常生活及其所含蕴的汉代人对日常生活的热爱之情，构成了两汉审美意识的核心内容。这种对待日常生活的态度具有将日常生活审美化甚至本体化的潜质，或者说它本身就是目的。这种态度不仅建构了古代中国人的人生观和价值观，而且在今天仍在继续发挥作用。重新凸显汉代人对日常生活的这种态度，对于建构当下人们的精神世界无疑具有重要的价值。

应该看到，如果不了解汉代人对待自己生死问题的看法，不仅无法理解汉代的文化，同时也无法理解两汉的艺术及其审美意识的特点。汉代人这种对待日常生活的态度亦非简单形成，而是伴随着年代久远的对生与死问题的思考而逐渐形成的，而对生死问题的讨论一直是上古文化最为核心的问题。余英时认为无论是早期的道家还是儒家，甚至包括更早的思想体系，他们都将"生"的问题作为自己学说和思想体系的起点；战国至西汉初年,这种对生与死的哲学观念和生存理念逐渐定型化:"在汉代,人们以空前的热情讨论这两个问题,不仅是出于学者的学术兴趣,亦出于普通民众生存的需要。"①根据余英时的研究,在长生和不朽观念发展的漫长历史中,战国时期出现的"仙"的观念让原本仅为了延长世俗生命的长生观念变得复杂起来,因为前者强调的是延长寿命以乐享此生的乐趣,而后者却追求彼世的自由自在,此生的俗世生活成为否定的对象,两者通过"不朽"而连接在一起;这两种"不朽"可分别称为"世间不朽"和"彼世不朽"。这两者的区别显而易见,但"这两种不朽到了汉代亦确实汇合成一"②。事实确实如此。汉武帝为了成仙、弃妻子如敝屣的言论,显然带有彼世不朽的特点,但就大多数人来说他们期望的更多是世间不朽,即在与亲人的相聚中无限地享受世俗生活的乐趣,成不成仙尚在其次。显然,彼世不朽的做法将生命当成一种手段,而世间不朽却把生命当成自己的目的:无论如何,活着就好。正是在这种思想的刺激下,对世俗生活乐趣的追求由此转化为类似于宗教化的情结和动力。这种生命观念和生活态度直接影响甚至决定了汉代艺术和审美意识的特点和发展。

　　汉代人这种对待自己生活和生命的态度,对于我们如何看到自己当下的日常生活问题亦具有重要的启发价值。对日常生活之美的追求之所以会成为汉代审美意识的核心组合部分,根本原因在于汉代人对自己的日常生活有着浓厚的兴趣,因而愿意将自己的智慧和艺术才华倾注到这些作品的制作上,虽然我们现在所能见到的这些物质载体多是墓葬中的用品,它们的制作受到了各种外在力量的强迫,但我们同时应该注意到,那些对处于日常生活中的个体活动的生动细节的准确把握和呈现,是外在力量无法实现的,它必然需要创制者本身的细致观察和敏感体悟才能实现,并通过自己的创造活动将之以物质载体的方式呈现出来。从这个角度说,他们的创造活动是自由、自觉的,是从心灵中流荡出来的艺术活动。因此,"物质性"在此不是强调物质对于人的生活所具有的基础性甚

① 余英时:《东汉生死观》,(台北)联经出版公司2014年版,第21页。
② 余英时:《东汉生死观》,(台北)联经出版公司2014年版,第30—31页。

至决定性和唯一性价值,而是将生活本身及生活蕴含的情趣物质化,以此
凝结、呈现人们对生活的热爱之情。在消费主义盛行的当下,这一点尤其
重要。

二、视觉性:审美意识的实现和发展

上述提到的汉代审美意识的物质载体均具有视觉性的特点,即可以
通过它们唤起主体的视觉观赏欲望,并达成某种目的或效果。但是,与当
下兴盛的视觉文化研究将视觉性作为一切文化的根本属性的观点不同,
我们通过对汉代审美意识的研究发现,秦汉数百年间如此众多的视觉载
体并非为了达成观赏的欲望,视觉性在此仅具有工具的价值,可称之为
"被利用的视觉性"。即通过如此众多的视觉材料让主体获得一个丰富
的形象体系,从而使这些本不属于同一领域的物质材料通过主体(或主
体的视觉能力)结成一个整体,实现它们的精神价值。换言之,这些形象
体系的精神价值须通过视觉性的转换过程才能实现,这个转换过程的内
在机制是类比或譬喻,而使这一机制发生作用的则是审美意识的推动:审
美意识通过其灵动多样的中介方式触发、推动这一机制发生运转,使各种
物质文化及其精神价值之间彼此流动和转化并渗透到社会的每一个角
落,降临并内化到个体身上,区隔严谨的社会领域由此形成一个严密的整
体结构。由于这个整体结构是以审美意识为基础而形成的,因而也可以
称之为"审美性的整体结构"。

根据我们所依据的材料和研究的对象,可以看到,视觉性是唯一可以
将之结为一个统一整体的途径:一方面,在审美意识如此众多的物质载体
中,由于产生于同一时代,或者即使在不同时代形成但仍处于一个完整的
艺术系统中,审美意识的各种物质载体之间存在着诸多交织之处,我们根
本无法像黑格尔那样将之截然分开;另一方面,由于这些材料具有几乎相
同的时代背景和文化环境,因而它们所承载的审美意识内容之间也存在
诸多重叠之处,很难将之分开研究,而只能将之进行比较发明。以本书所
解决的问题看,以秦始皇兵马俑为主要载体的秦文化和审美意识内容对
汉代审美意识的形成具有重要的基础性作用,而后者在继承前者的基础

上又有诸多新的发展和变化,而不是简单重复前者。同时,在对汉代审美意识特点进行概括时,我们也无法将各种物质载体截然分开,也不能说各种物质载体所含蕴的审美意识内容具有不同的特点。不同之处自然是存在的,但更多是相通甚至相同。以两汉大量存在的画像石和画像砖为例,我们既可以将之作为绘画资料,也可以将之作为雕刻资料,它所记载的内容同时又可以作为乐舞资料加以使用。在秦汉瓦当上,我们既可以看到古拙苍劲的书法作品,也可以看到虎虎生风的绘画作品,因而很难将之作为某一种艺术类型加以把握和研究。同样,汉赋以巨丽为基本特征的各种丽格也存在于绘画和雕塑等艺术中,图像呈现与文字描述共同展示了两汉审美意识的整体面貌。在这种情况下,孤立研究某一种物质形式所蕴含的审美意识及其特点固然是可行的,但同时需要我们以整体性视野将之整合成一个整体,视觉性由此成为一个连接点:它们共同以自己的形象体系将秦汉四百多年的审美意识流传下来,并滋养后来审美意识的形成,推动它们的发展。

　　与主体的视觉性感受密切相关的,是审美意识的物质载体以及这些载体上的图像、符号、文字和纹饰等内容。如果不考虑这些物质载体的材质问题——当然,材质与其所表达的含义之间有着密切的联系毋庸置疑——它们毫无疑问成为这些物质形式的核心:是它们的存在让毫无生命的无机体获得了精神价值。可以看到,不仅在秦汉时期,在古代中国整个发展过程中,它们形成了系统严谨的意象和形式体系,并遵循着某种内在逻辑自在发展,它们成为不同时代审美意识的核心体现物。在更多情况下,我们所依据或深入思考的对象也只能是它们。每当某个时期的审美意识内容发生变化,它们所构成的意象与形式体系也会随之发生相应的变化;在不同的历史阶段,某些相同或相似的形式反复出现,这是审美意识在复古的基础上出现的更新和发展,这种更新有时在极短的时间内即可形成,考察这种变化是理解整个时代变化的捷径或窗口。在秦汉时期,即使是一块小小的瓦当上的纹饰也体现出鲜明的变化轨迹:即使同是表现自然物或神物的纹饰,秦代瓦当上的这些纹饰多处于静止的状态,以朴拙沉稳为典型特征;在随后不久的时代里,例如在汉武帝未央宫所使用的瓦当上,那些与秦瓦相同的鹿纹、龙纹与夔凤纹在保有朴拙之美的同时增加了更多的动态之美,为了呈现这种流动的生命之美,当时的艺人或工匠不惜改造这些神物的体形,使之准确传达出该神物的生命性特点。

由此发现,在短短几十年的时间里,无论是贵族阶层还是下层民众,对生命性的理解均出现了较大改变,很多新内容在保有原来内容的基础上出现了。例如,在讨论秦汉时期的诸多问题时,后人往往将秦始皇和汉武帝相提并论,认为两者在好大喜功、穷兵黩武、追求神仙信仰等方面具有诸多相同之处。这些相同点无疑是存在的,但不同点显然也是存在的。在神仙信仰方面,秦始皇在追求长生的诸多实践中无暇对神仙世界作出更多的反思和选择,他对神仙世界是臣服的;汉武帝与此不同,他虽然也有诸多无稽的举动,但在这些举动背后,汉武帝本人的审美趣味起到了很大的支配作用:神仙世界中不符合他的审美趣味的因素均被排除掉。在司马相如著名赋作描写的神仙世界中,汉武帝看到了"皓然白发"、带有野兽形象的西王母后,断然拒绝了对这种怪诞的神仙世界的追求。汉武帝的这一举动致使后人对神话世界的图像呈现发生重大转变:无论是视觉图像还是文学形象,神仙世界中的神灵和纹饰塑造均朝着更加精细完美的方向发展。因此,物质载体上的视觉内容与审美意识之间的互动关系,无疑应成为我们考察包括秦汉时期内在的古代中国审美意识实现和发展的主要对象。这种研究还需要进一步细化和理论化。

三、主体性:审美意识的交流及其可能性

自 20 世纪初开始,以康德、黑格尔等人为代表的德国古典美学和现代美学思想开始在中国传播,对 20 世纪以来的中国美学影响深远。在这个过程中,"主体性"概念亦获得广泛传播和认同。随着西方后现代主义对主体性批判和反思的展开,有些学者也对主体性概念进行了反思,例如,他们认为李泽厚美学过于理性化,其根源就在主体性概念。主体性似乎又成为被质疑和否定的概念。我们不打算对此进行过多纠缠,这里使用的"主体性"概念与此无过多联系,它是指称审美意识在不同主体之间传播和交流及其实现的情况。黑格尔认为主体性是指"心境,即各种感

情活动,心情和情欲,内心和外表的激动和行动"①,这些内容也是审美意识产生的基础性因素,在物质化过程结束后,它们就凝结为各种艺术形式,成为审美意识的构成部分。

但是,秦汉时期,这些物质载体(或者说审美意识的实现形式)的拥有者是极其有限的,它们所蕴含的审美意识如何实现在不同的主体之间进行交流,成为秦汉审美意识研究的一个重要问题。就像杰西卡·罗森在她的论著中所指出的那样,在古代中国,"古代的青铜器、玉器是物质文化的核心,其中最精美的艺术品与统治者和贵族阶层紧密联系在一起"②。这种情况在从三代到秦汉的早期中国尤其明显。在这段时期,对于青铜、金、玉的使用有着严格的限定,普通民众根本没有资格使用这些贵重的物质材料;如果私自使用而被发现,就有触犯法律甚至杀头的危险,以至于徐州狮子山楚王刘戊的墓葬在发掘时发现了散落满地的玉片和其他精美的玉器,因为盗墓者根本不敢把这些器物带出墓葬,他们不仅没有拥有的可能性,也没有任何使用的权利,如果被发现,只能说明他们是通过非法途径获得的,从而有生命危险。这种情况的存在似乎说明,在这样一个长达数百年甚至更长的时间里,这些物质文化所蕴含的审美意识内容只能是贵族精英阶层的,它们与普通大众的审美意识似乎处于相互对立的两面,审美意识的更新和实现由于主体的差别而变得多样化了。

不过,审美意识是流动的,不存在僵死不变的审美意识。这种情况的存在不能说明不同主体的审美意识不具有交流的可能性。根据创造主体的不同,审美意识可分为集体审美意识和个体审美意识两种形态,因而也存在两种不同的存在方式。所谓集体审美意识,是指一个民族、地区或国家作为一个整体的社会族群所体现出的审美趣味和审美理想等内容;所谓个体审美意识,是指个体本身所具有的不同于他人的审美趣味和审美理想等。这两种审美意识之间存在交叉和互动关系。审美意识研究要对这两种不同类型的审美意识区别对待。在史前时代,审美意识主要表现

---

① [德]黑格尔:《美学》第三卷(上),朱光潜译,商务印书馆1979年版,第114页。
② [英]杰西卡·罗森:《祖先与永恒:杰西卡·罗森中国考古艺术文集》,邓菲等译,生活·读书·新知三联书店2011年版,第1页。

为集体性；进入文明时代尤其是艺术自觉时代，个体审美意识兴起并获得大发展，审美意识出现集体审美意识和个体审美意识协同发展的存在状态。

可以看到，在四百余年的历史中，汉代审美意识仍然在保持多样性的基础上具有显著的一致性。在两汉时期，不同的物质形式所承载的审美意识具有显著的不同，但在不同中又显示出惊人的一致性：丽美成为整个汉代审美意识的显著特点，而且随着主体的不同和时代的变化，丽美的表现形式还会发生相应的转变，其动态生成的特点形成汉代丽美的多样化。在此基础上，汉代的文学、绘画、舞蹈、音乐等，均可以被纳入一个和谐有机的整体之中。这说明审美意识的实现主体和创造主体是多样的，由此造成多种多样的审美意识；同时，这些不同的审美主体生活的时代和文化环境又使他们具有基本一致的审美趣味，持有大致相同的审美标准。这使得不同的审美意识主体之间进行充分的交流具有了可能性。例如，平民出身而转变为贵族统治者的刘氏集团及其随从，他们对以音乐和歌舞为代表的民间艺术的执着追求使平民和贵族之间的审美态度具有高度的一致性；为了保持自己的这种趣味，他们不顾传统儒生的一再反对，甚至不惜破坏儒家传统的某些礼仪限制或禁忌，而对民间盛行的悲音哀乐长期保持了较高的兴趣。同时，由于常年战乱的缘故，以"邯郸倡"、"郑姬"、"赵女"为代表的歌儿舞女凭借自己过人的乐舞技艺，迅速进入达官显贵甚至皇宫中，她们有的成为贵族夫人，有的成为皇帝的妃子、皇后、皇帝的母亲，她们身上流淌的艺术血液就这样流传开来。这也说明不同审美主体之间的交流是通畅的，相互之间可以对立也可以融合，但融合是主流趋势。

还应看到，随着秦汉王朝对外征战、扩张、贸易范围的扩大，和亲制度的持续展开，域外艺术也很快进入中原地区，中原艺术也流传到关外，异域文化和本土艺术融合的进程加快，以至于东汉时的长安大街上到处都是胡人的身影，以及他们嘹亮的歌声和迅捷的舞姿。这个进程的长期存在，使审美主体之间的互动变得十分频繁，中国本土的审美意识由此也被丰富了。这些情况的存在，说明不同的审美意识主体之间既存在对立甚至对抗的成分，也存在相互融合、互动发展的成分。

图 版 说 明

参 考 文 献

（以姓氏拼音为序）

B

班固:《汉书》,中华书局 2005 年版。
鲍桑葵:《美学史》,张今译,商务印书馆 1985 年版。
贝格尔:《神圣的帷幕》,高师宁译,何光沪校,上海人民出版社 1991 年版。

C

蔡仲德:《音乐之道的探索》,上海音乐出版社 1983 年版。
蔡仲德:《中国音乐美学史》,(台北)蓝灯事业文化有限公司 1993 年版。
曹道衡:《汉魏六朝辞赋》,上海古籍出版社 2011 年版。
曹道衡:《中古文学史论文集》,中华书局 2002 年版。
陈鼓应:《庄子今注今译》,中华书局 1983 年版。
陈来:《古代宗教与伦理》,生活·读书·新知三联书店 2009 年版。
陈立:《白虎通疏证》,中华书局 1994 年版。
陈奇猷:《韩非子新校注》,上海古籍出版社 2000 年版。
陈师曾:《中国绘画史》,中华书局 2010 年版。
陈世骧:《陈世骧文存》,(台北)志文出版社 1972 年版。
陈元龙等:《御定历代赋汇》,台北中文书局 1974 年版。
陈兆复:《中国岩画发现史》,上海人民出版社 2009 年版。

D

戴望:《管子校正》,中华书局 2006 年版。
邓以蛰:《邓以蛰全集》,安徽教育出版社 1998 年版。
丁福保:《清诗话》,(台北)明伦出版社 1971 年版。
董乃斌等:《中国文学叙事传统研究》,中华书局 2012 年版。
杜威:《艺术即经验》,高建平译,商务印书馆 2010 年版。

F

范祥雍:《战国策笺注》,上海古籍出版社 2006 年版。

范晔:《后汉书》,李贤注本,中华书局 2005 年版。

傅抱石:《中国绘画变迁史纲》,上海古籍出版社 1998 年版。

傅修延:《先秦叙事研究》,东方出版社 1999 年版。

G

伽达默尔:《真理与方法》,洪汉鼎译,商务印书馆 2007 年版。

高居翰:《图说中国绘画史》,李渝译,生活·读书·新知三联书店 2014 年版。

高友工:《中国美典与文学研究论集》,台大出版中心 2009 年版。

龚克昌:《两汉赋评注》,山东大学出版社 2011 年版。

顾颉刚:《古史辨》,上海古籍出版社 1981 年版。

顾森:《秦汉绘画史》,人民美术出版社 2000 年版。

顾炎武:《日知录》,陈垣校注,安徽大学出版社 2007 年版。

郭茂倩:《乐府诗集》,里仁书局 1984 年版。

郭沫若:《郭沫若全集》,科学出版社 2002 年版。

郭绍虞:《沧浪诗话校释》,(台北)里仁书局 1983 年版。

H

何宁:《淮南子集释》,中华书局 1998 年版。

黑格尔:《美学》,朱光潜译,商务印书馆 1979 年版。

洪兴祖:《楚辞补注》,岳麓书社 2013 年版。

胡震亨:《唐音癸鉴》,古典文学出版社 1957 年版。

怀特海:《宗教的形成》,周邦宪译,译林出版社 2012 年版。

黄宾虹:《古画微》,浙江人民美术出版社 2013 年版。

黄晖:《论衡校释》,中华书局 1990 年版。

黄节:《黄节注汉魏六朝诗六种》,人民文学出版社 2008 年版。

黄佩贤:《汉代墓室壁画研究》,文物出版社 2008 年版。

J

吉联抗:《春秋战国秦汉音乐史料译注》,(台北)源流出版社 1982 年版。

计有功:《唐诗纪事》,上海古籍出版社 2008 年版。

江灏等:《今古文尚书全译》,贵州人民出版社 1990 年版。

K

卡西尔:《人论》,甘阳译,上海译文出版社 1985 年版。

康德:《判断力批判》,邓晓芒译,人民出版社 2002 年版。

柯律格:《中国艺术》,刘颖译,上海人民出版社 2013 年版。

柯庆明、萧驰:《中国抒情传统的再发现》,台大出版中心 2009 年版。

L

雷德侯:《万物——中国艺术中的模件化和规模化生产》,张总等译,生活·读书·新知三联书店 2012 年版。

李昉:《太平御览》,中华书局 1960 年版。

李立:《神话视阈下的文学解读》,中国社会科学出版社 2008 年版。

李善:《文选注》,台湾商务印书馆 1936 年版。

李松:《中国美术:先秦至两汉》,中国人民大学出版社 2010 年版。

李修建:《风尚——魏晋名士的生活美学》,人民出版社 2010 年版。

李泽厚:《美的历程》,生活·读书·新知三联书店 2008 年版。

李泽厚:《美学四讲》,生活·读书·新知三联书店 2008 年版。

李泽厚:《批判哲学的批判》,生活·读书·新知三联书店 2007 年版。

李泽厚:《中国古代思想史论》,生活·读书·新知三联书店 2008 年版。

练春海:《汉代车马形像研究》,广西师范大学出版社 2012 年版。

梁启雄:《荀子简释》,中华书局 1983 年版。

梁思成:《中国雕塑史》,百花文艺出版社 1998 年版。

廖平:《知圣篇》,河北教育出版社 1996 年版。

林巳奈夫:《刻在石头上的世界》,唐利国译,商务印书馆 2012 年版。

刘成纪:《形而下的不朽——汉代身体美学考论》,人民出版社 2007 年版。

刘恩伯等:《中国舞蹈通史》,上海音乐出版社 2010 年版。

刘纲纪:《周易美学》,湖南教育出版社 1992 年版。

刘熙载:《艺概》,袁津琥标注,中华书局 2009 年版。

刘小枫:《德语美学文选》,华东师范大学出版社 2006 年版。

刘勰:《文心雕龙》,范文澜注,人民文学出版社 1958 年版。

刘兴珍、郑经文主编:《中国古代雕塑图典》,文物出版社 2006 年版。

刘毓庆:《图腾神话与中国传统人生》,人民出版社 2002 年版。

逯钦立:《先秦汉魏晋南北朝诗》,中华书局 1983 年版。

鲁唯一:《汉代的信仰、神话与理性》,王浩译,北京大学出版社 2009 年版。

罗森:《祖先与永恒:杰西卡·罗森中国考古艺术文集》,邓菲等译,生活·读书·

新知三联书店 2011 年版。

吕友仁:《周礼译注》,中州古籍出版社 2004 年版。

M

马骕:《绎史》,齐鲁书社 2005 年版。

蒙克等:《宗教意义探索》,朱代强等译,四川人民出版社 2011 年版。

孟久丽:《道德镜鉴》,何前译,生活·读书·新知三联书店 2014 年版。

牟宗三:《历史哲学》,(台北)学生书局 2012 年版。

N

聂石樵:《先秦两汉文学史稿》,北京师范大学出版社 1994 年版。

P

彭松:《中国舞蹈通史·秦汉卷》,上海音乐出版社 2010 年版。

Q

钱穆:《秦汉史》,九州出版社 2013 年版。

钱钟书:《管锥编》,中华书局 1979 年版。

裘铮:《中国古代漆器艺术》,上海书店 2012 年版。

R

饶宗颐:《饶宗颐二十世纪学术文集》,中国人民大学出版社 2009 年版。

阮忠:《汉赋艺术论》,华中师范大学出版社 2008 年版。

S

上海古籍出版社编:《汉魏六朝笔记小说大观》,上海古籍出版社 1999 年版。

申云艳:《中国古代瓦当研究》,文物出版社 2006 年版。

沈从文:《中国古代服饰研究》,商务印书馆 2011 年版。

石守谦:《风格与世变》,北京大学出版社 2008 年版。

司马迁:《史记》,中华书局 1959 年版。

苏利文:《中国艺术史》,徐坚译,上海人民出版社 2014 年版。

T

腾铭予:《秦文化:从封国到帝国的考古学观察》,学苑出版社 2003 年版。

田兆元:《神话与中国社会》,上海人民出版社 1998 年版。

涂光社:《原创在气》,百花洲文艺出版社 2001 年版。

W

王怀义:《中国史前神话意象》,生活·读书·新知三联书店 2016 年版。

汪涛:《颜色与祭祀》,上海古籍出版社 2013 年版。

汪小洋:《汉墓壁画的宗教信仰与图像表现》,上海古籍出版社 2012 年版。

汪裕雄:《意象探源》,安徽教育出版社 1996 年版。

王国维:《观堂集林》,中华书局 1959 年版。

王克芬:《中国舞蹈发展史》,武汉大学出版社 2012 年版。

王利器:《吕氏春秋疏证》,巴蜀书社 2002 年版。

王利器:《新语校注》,中华书局 1986 年版。

王辟之:《渑水燕谈录》,上海古籍出版社 1987 年版。

王世襄:《髹饰录解说》,生活·读书·新知三联书店 2013 年版。

王先谦:《诗三家义集疏》,岳麓书社 2011 年版。

王先慎:《韩非子集解》,中华书局 2005 年版。

王学理:《解读秦俑——考古亲历者的视角》,学苑出版社 2011 年版。

王逸:《楚辞章句》,岳麓书社 2013 年版。

王锺陵:《中国中古诗歌史》,人民出版社 2005 年版。

闻一多:《闻一多全集》,(台北)里仁书局 2000 年版。

沃尔夫林:《美术史的基本概念》,潘耀昌译,北京大学出版社 2011 年版。

巫鸿:《黄泉下的美术》,施杰译,生活·读书·新知三联书店 2010 年版。

巫鸿:《武梁祠——中国古代画像艺术的思想性》,柳杨等译,生活·读书·新知
　三联书店 2006 年版。

吴山:《中国历代装饰纹样》,人民美术出版社 1988 年版。

吴钊等:《中国古代乐论选辑》,人民音乐出版社 2011 年版。

吴中杰:《中国古代审美文化论》(第一卷),上海古籍出版社 2003 年版。

X

小南一郎:《中国的神话传说与古小说》,孙昌武译,中华书局 2006 年版。

信立祥:《汉代画像石综合研究》,文物出版社 2000 年版。

邢义田:《画为心声》,中华书局 2011 年版。

邢义田:《画为心声——画像石、画像砖和壁画》,中华书局 2011 年版。

许结:《汉代文学思想史》,人民文学出版社 2010 年版。

许维遹:《吕氏春秋集释》,中华书局 2009 年版。

许学夷:《诗源辨体》,人民文学出版社 1987 年版。

Y

阎振益等:《新书校注》,中华书局 2000 年版。

杨伯峻:《春秋左传注》,中华书局 1981 年版。

杨春时:《审美意识系统》,花城出版社 1986 年版。

叶林生:《古帝传说与华夏文明》,黑龙江教育出版社 1999 年版。

叶朗:《中国美学史大纲》,上海人民出版社 1985 年版。

叶庆良:《汉代玉器》,台北震旦文教基金会 2005 年版。

仪平策:《中国审美文化史·秦汉魏晋南北朝卷》,山东画报出版社 2000 年版。

于非闇:《中国画颜色的研究》,北京联合出版社公司 2013 年版。

于迎春:《汉代文人与文学观念的演进》,东方出版社 1997 年版。

余英时:《东汉生死观》,上海古籍出版社 2005 年版。

余英时:《论天人之际》,(台北)联经出版事业有限公司 2014 年版。

宇文所安:《中国早期诗歌的生成》,胡秋蕾等译,生活·读书·新知三联书店
  2012 年版。

袁行霈:《中国文学概论》,高等教育出版社 1990 年版。

袁禾:《中国舞蹈美学》,人民出版社 2011 年版。

袁珂:《山海经校注》(增订本),巴蜀书社 1993 年版。

袁珂:《中国神话传说辞典》,上海辞书出版社 1985 年版。

袁珂:《中国神话史》,上海文艺出版社 1988 年版。

Z

张少康:《先秦两汉文论选》,人民文学出版社 1996 年版。

张世英:《哲学导论》,北京大学出版社 2008 年版。

张文智等:《周易集解》,巴蜀书社 2004 年版。

张彦远:《历代名画记》,浙江人民美术出版社 2012 年版。

赵力光:《中国古代瓦当图典》,文物出版社 1998 年版。

赵翼:《廿二史劄记》,曹光甫校点,凤凰出版社 2008 年版。

郑樵:《通志》,中华书局 1987 年版。

郑午昌:《中国画学全史》,上海古籍出版社 2001 年版。

郑毓瑜:《性别与家国:汉晋辞赋的楚骚论述》,上海三联书店 2006 年版。

郑毓瑜:《引譬连类》,(台北)联经出版公司 2012 年版。

周均平:《秦汉审美文化宏观研究》,人民出版社 2007 年版。

朱存明:《汉画像的象征世界》,人民文学出版社 2005 年版。

朱存明:《汉画像之美》,商务印书馆 2011 年版。

朱光潜:《朱光潜全集》,安徽教育出版社 1987 年版。

朱立元:《当代西方文艺理论》,华东师范大学出版社 2005 年版。

朱寿平:《汉代乐府与乐府歌辞》,(台北)广文书局 1970 年版。

朱熹:《楚辞集注》,岳麓书社 2013 年版。

朱自清:《朱自清古典文学论文集》,(台北)源流出版社 1982 年版。

宗白华:《宗白华全集》,安徽教育出版社 2008 年版。

踪凡:《汉赋研究史论》,北京大学出版社 2007 年版。

索　引

后　记

　　本书作为八卷本"中国审美意识通史"的第三卷,自 2010 年 9 月开始准备到 2015 年 8 月完成,历时五年时间。期间,通史各分卷作者曾于 2013 年 3 月和 2015 年 8 月在江苏师范大学文学院和华东师范大学中文系分别召开了小型学术会议,以协调立场,统一体例,就各相关问题进行讨论。为此,我要向参加本书撰写的各位同仁表示感谢。最近,我又按照方国根先生的意见,对书中的文献征引等进行了修订。

　　书稿撰写期间,我于 2014 年 9 月至 2015 年 4 月在台湾大学中国文学系做访问学者,郑雅平女士为此做了大量的辅助和协调工作,江苏师范大学青年骨干教师海外研修计划项目提供了部分资金支持。台湾大学图书馆藏书丰富,学校为访问学者办理的图书借阅证与正式员工一样,可借书 80 本。同时,台大图书馆优良的印制设备和美丽、热情的服务人员为我收集相关资料提供了诸多便利。这段时间,我上午在图书馆读书,下午写作,晚上散步或健身,顺利撰写了本书的绪论、第一章、第二章、第六章、第八章和结语等部分。写作过程中我还就某些问题与郝敬波教授、胡政教授、蔡茂教授和曾佳教授交换过看法。胡政教授聪明亲和,尤擅有关电子资料收集,为我提供了诸多的稀见资料。曾佳教授美丽聪慧,擅长绘画创作和研究,她对中国绘画的精湛见解促使我对本书第三、四章的有关内容进行了重新思考。丛书主编朱志荣教授对本书的整体框架提出了一些颇具指导性和建设性的意见,中国艺术研究院李修建研究员对本书第六章与我交换过意见,朱存明教授对汉画像石的精深研究启发了我对本书第四章有关内容的思考和撰写。我还就本书第八章内容求教过台大中文系郑毓瑜教授和哥伦比亚大学东亚系商伟教授。我还曾与李锡镇教授、钟宗宪教授、叶国良教授、何恒泽教授、李隆献教授、郑文惠教授、台湾里仁书局徐秀荣先生和曾美华女士等诗酒交往,使我获益良多并得到很多帮助。当然,台北故宫博物院的精致藏品和大安森林公园可爱的小松鼠也陪伴我度过了一些美妙的时光。

　　本书第二、三、四、五、六、七、九等章的部分内容曾发表于《文学评论》、《人文杂志》、《中国美术研究》、《中国美学研究》、《北京舞蹈学院学报》、《上海师范大学学报》、《汉文化研究丛刊》等杂志;第九章选自拙著《中国史前神话意象》(台湾里仁书局 2016 年版)第六章并做了修改。在方国根先生和钟金铃先生的帮助下,本书即将出版,特向上述单位、各位师友表示诚挚的感谢。

王怀义

2016 年 4 月 8 日

策划编辑:方国根
责任编辑:钟金铃
封面设计:石笑梦
版式设计:顾杰珍

图书在版编目(CIP)数据

中国审美意识通史.秦汉卷/朱志荣 主编;王怀义 著. —北京:
　人民出版社,2017.8
ISBN 978-7-01-017797-7

Ⅰ.①中… Ⅱ.①朱…②王… Ⅲ.①审美意识-美学史-中国-
　秦汉时代 Ⅳ.①B83-092

中国版本图书馆 CIP 数据核字(2017)第 132008 号

中国审美意识通史
ZHONGGUO SHENMEI YISHI TONGSHI
(秦汉卷)

朱志荣　主编　　王怀义　著

人 民 出 版 社 出版发行
(100706　北京市东城区隆福寺街 99 号)

北京中科印刷有限公司印刷　新华书店经销

2017 年 8 月第 1 版　2017 年 8 月北京第 1 次印刷
开本:710 毫米×1000 毫米 1/16　印张:27.5
字数:410 千字

ISBN 978-7-01-017797-7　定价:115.00 元

邮购地址 100706　北京市东城区隆福寺街 99 号
人民东方图书销售中心　电话 (010)65250042　65289539